基本問題集

はしがき

『2025 年版 行政書士 合格のトリセツ 基本問題集』をご購入いただき、ありがとうございます。

「行政書士　合格のトリセツ」シリーズは、行政書士の試験合格に向けて初めて学習する方にとって、
①とにかくわかりやすいこと
②無理なく読み進められること
③合格レベルの知識を身につけられること
の 3 点にとことんこだわり、**『独学者ファースト』をコンセプトに作成した参考書**です。

昨今の行政書士試験は、「過去問を繰り返し解く」だけでは合格が難しく、公務員試験や司法書士試験など、他資格試験の問題を解くことが推奨されるようになってきています。

しかし、他資格試験の問題集は収録されている問題数も膨大であり、行政書士試験の傾向と合わない問題も掲載されているなど、受験者にとって使いやすいものではありません。

そこで本書は、近年の傾向を分析し、受験者が取り組むべき**「行政書士試験過去問＋オリジナル問題＋他資格試験アレンジ問題」**を収録した問題集としました。

また、最重要論点を繰り返し確認できるように、一問一答問題も掲載しました。

本書の最大の特長は、**『2025年版 行政書士合格のトリセツ 基本テキスト』と完全リンクしている**ことです。「問題とテキストとのリンク」からさらに踏み込んで、5肢択一式では「肢ごとにリンク」しています。これによって、問題を解いていて肢単位で「理解不足」が発見された場合、すぐに『基本テキスト』に戻って知識を確認することができるようになります。そして、この確認を繰り返すことによって大幅に学習効率が高められます。

「予備校に通いたいけど、様々な事情で通えない。」そんな受験生の方々に、本書を読むことで少しでも講義を受けている感覚になってもらえれば幸いです。

本書を利用される皆さんが、1人でも多く2025年度行政書士試験に合格されることを願ってやみません。

※本書の内容は、2024年9月1日現在、2025年4月1日時点において施行されていると考えられる法令に基づいています。

2024年10月吉日

LEC専任講師　野畑淳史

本書の特長と効果的活用法

本書の構成は左ページに「問題」、右ページに「解説」を掲載しています。一問ごとの見開き形式なのでスムーズに学習できます。

● 5肢択一式

本問のテーマ

科目全体における本問の位置付けを分類・整理し、項目名を記載しています。

重要度

本試験の出題傾向などを踏まえた重要度をA、B、Cの3段階で示しています。

問題の出典

- 行政書士試験の過去問
  【本試験 出題年度・問題番号】と記載。法改正等にあわせて問題文を改めたものは「改題」と付記しています。
- 司法書士試験の過去問（※）
  【司法書士試験アレンジ問題】と記載。
- 公務員試験の過去問（※）
  【公務員試験アレンジ問題】と記載。
- オリジナル問題
  【オリジナル問題】と記載。

（※）司法書士試験、公務員試験の過去問は、行政書士試験の出題傾向に合わせて、本試験問題を厳選し、アレンジしたものです。

人権／法の下の平等

問題 9 投票価値の平等に関する次の記述のうち、判例に照らし、妥当なものはどれか。

1. 議員定数配分規定は、その性質上不可分の一体をなすものと解すべきであり、憲法に違反する不平等を生ぜしめている部分のみならず、全体として違憲の瑕疵を帯びるものと解すべきである。
2. 投票価値の不平等が、国会の合理的裁量の範囲を超えると判断される場合には、選挙は違憲・違法となるが、不均衡の是正のために国会に認められる合理的是正期間を経過していなければ、事情判決の法理により選挙を有効とすることも許される。
3. 衆議院議員選挙については、的確に民意を反映する要請が強く働くので、議員1人当たりの人口が平等に保たれることが重視されるべきであり、国会がそれ以外の要素を考慮することは許されない。
4. 参議院議員選挙区選挙は、参議院に第二院としての独自性を発揮させることを期待して、参議院議員に都道府県代表としての地位を付与したものであるから、かかる仕組みのもとでは投票価値の平等の要求は譲歩・後退を免れない。
5. 地方公共団体の議会の議員の定数配分については、地方自治の本旨にもとづき各地方公共団体が地方の実情に応じ条例で定めることができるので、人口比例が基本的な基準として適用されるわけではない。

【本試験2014年問5】

チェック欄	1回目 ／	2回目 ／	3回目 ／
	手応え	手応え	手応え

チェック欄

問題を解いた際に、日付や結果を記入することができます。
「手応え」には、

◎：**完全に分かった**　○：**だいたい分かってきた**
△：**少し分かってきた**　×：**全く分からなかった**

などを入れて、進捗状況や自分の弱点の把握にご活用ください。

第1編 憲法　人権

解説　　テキスト 第1編

1　妥当である　判例は、「選挙区割及び議員定数の配分は、議員総数と関連させながら、前述のような複雑、微妙な考慮の下で決定されるのであって、一旦このようにして決定されたものは、一定の議員総数の各選挙区への配分として、相互に有機的に関連し、一の部分における変動は他の部分にも波動的に影響を及ぼすべき性質を有するものと認められ、その意味において不可分の一体をなすと考えられるから、**右配分規定は、単に憲法に違反する不平等を招来している部分のみでなく、全体として違憲の瑕疵を帯びるものと解すべきである**」としています（最大判昭51.4.14）。　P.42

2　妥当でない　議員定数不均衡の是正のために国会に認められる**合理的是正期間を経過していなければ選挙は違憲・違法とまではいえない**から、違憲・違法の際に問題となる**事情判決の法理**（最大判昭51.4.14参照）**を持ち出すまでもなく、選挙は有効**となります。　P.42

3　妥当でない　判例は、人口数と定数との比率の平等を「最も重要かつ基本的な基準」としつつも、人口比以外の要素（非人口的要素）の役割を大きく認め、**立法府の裁量を広く認めています**（最大判昭51.4.14）。　P.42

4　妥当でない　判例は、**参議院議員に都道府県代表としての地位を付与したとまでは述べておらず**、事実上このような意義ないし機能を有するとしているにとどまります（最大判昭58.4.27）。　P.42

5　妥当でない　判例は、「公職選挙法15条7項は、……都道府県議会の議員の定数配分につき、人口比例を最も重要かつ基本的な要素とし、**各選挙人の投票価値が平等であるべきことを強く要求しているものと解される**」としています（最判平元.12.18）。

正解　1

肢4が難しかったかもしれま
参議院議員選挙区選挙は原　して都道府県単位で選挙を行うので、「都道府県民の代表」という意味があると　ることもできますが、あくまで国会議員は「全国民の代表」であることが43条　されています。

LEC東京リーガ　2025年版行政書士合格のトリセツ 基本問題集　99

『合格のトリセツ 基本テキスト』とのリンク

『行政書士 合格のトリセツ 基本テキスト』とのリンクを示しています。たとえば、「第1編 P.42」は「第1編 憲法」の42ページに記載されていることを表しています。

解説

各問題の選択肢ごとに、ていねいに解説しています。問題の正誤に関わるポイントを、**色文字**で強調しています。

野畑のワンポイント

本問に関連して確認しておきたい知識をまとめています。知識を整理することによって実力をアップすることができます。

「解答かくしシート」で解答・解説を隠そう！

問題を解く前に解答・解説が見えないようにしたい方は、本書にはさみ込まれた「解答かくしシート」をご利用ください。

●多肢選択式

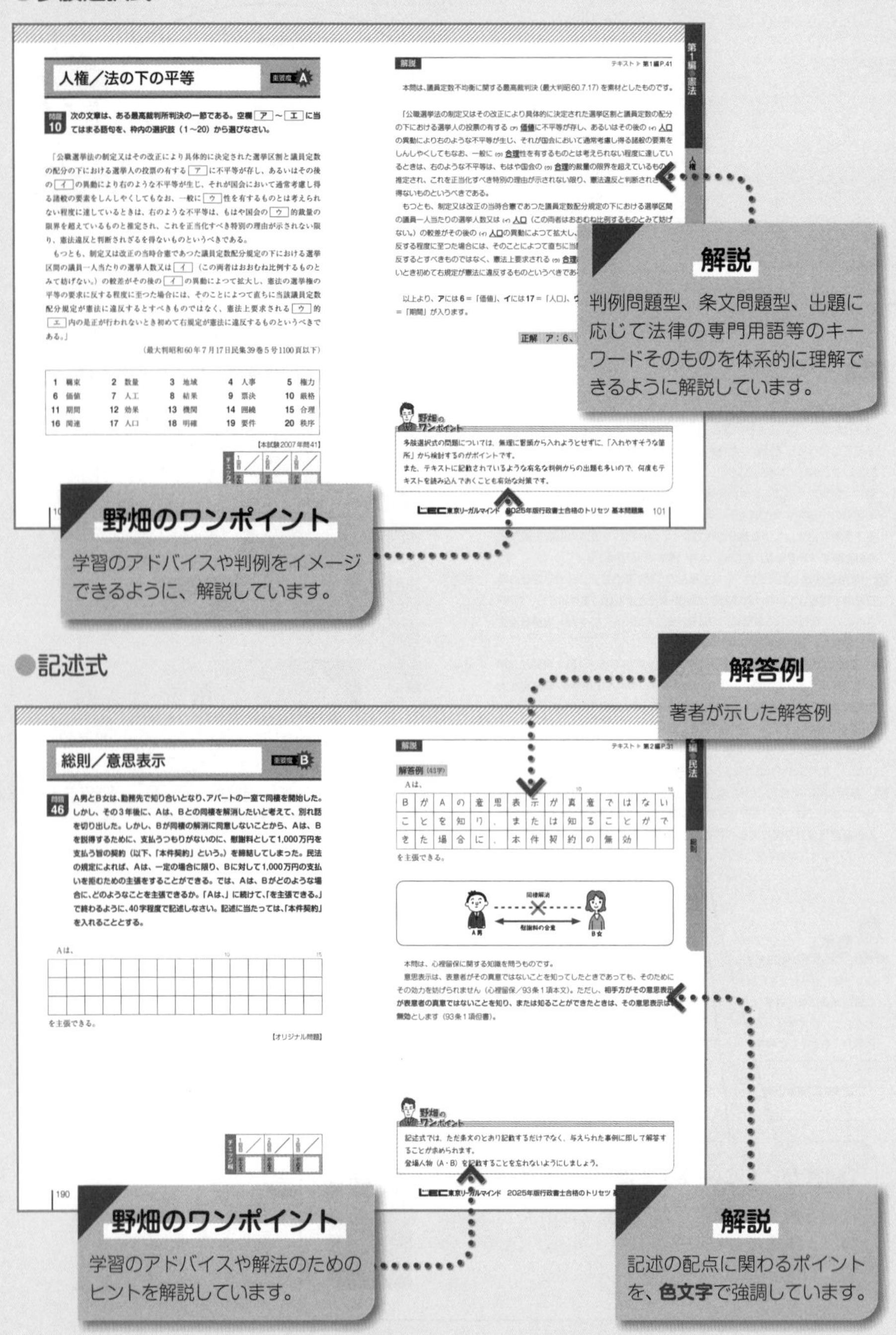
解説
判例問題型、条文問題型、出題に応じて法律の専門用語等のキーワードそのものを体系的に理解できるように解説しています。
野畑のワンポイント
学習のアドバイスや判例をイメージできるように、解説しています。
●記述式
解答例
著者が示した解答例
野畑のワンポイント
学習のアドバイスや解法のためのヒントを解説しています。
解説
記述の配点に関わるポイントを、色文字で強調しています。

一問一答問題

左ページに「問題」、右ページにその「正解」と「解説」を掲載しています。学習しやすい見開き形式ですから、スムーズに知識を確認して定着させることができます。

問題
左ページ

解答・解説
右ページ

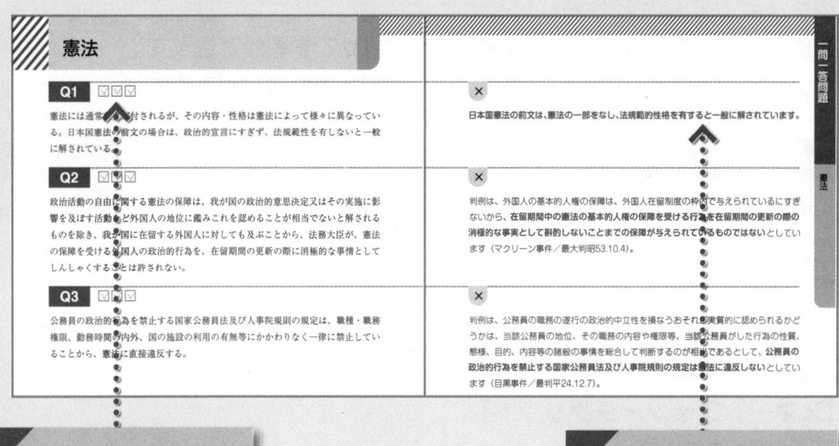

憲法

Q1 ☑☑☑

憲法には通常前文が付されるが、その内容・性格は憲法によって様々に異なっている。日本国憲法の前文の場合は、政治的宣言にすぎず、法規範性を有しないと一般に解されている。

×

日本国憲法の前文は、憲法の一部をなし、法規範的性格を有すると一般に解されています。

Q2 ☑☑☑

政治活動の自由に関する憲法の保障は、我が国の政治的意思決定又はその実施に影響を及ぼす活動など外国人の地位に鑑みこれを認めることが相当でないと解されるものを除き、我が国に在留する外国人に対しても及ぶことから、法務大臣が、憲法の保障を受ける外国人の政治的行為を、在留期間の更新の際に消極的な事情としてしんしゃくすることは許されない。

×

判例は、外国人の基本的人権の保障は、外国人在留制度の枠内で与えられているにすぎないから、**在留期間中の憲法の基本的人権の保障を受ける行為を在留期間の更新の際の消極的な事実として斟酌しないことまでの保障が与えられているものではない**としています（マクリーン事件／最大判昭53.10.4）。

Q3 ☑☑☑

公務員の政治的行為を禁止する国家公務員法及び人事院規則の規定は、職種・職務権限、勤務時間の内外、国の施設の利用の有無等にかかわりなく一律に禁止していることから、憲法に直接違反する。

×

判例は、公務員の職務の遂行の政治的中立性を損なうおそれが実質的に認められるかどうかは、当該公務員の地位、その職務の内容や権限等、当該公務員がした行為の性質、態様、目的、内容等の諸般の事情を総合して判断するのが相当であるとして、**公務員の政治的行為を禁止する国家公務員法及び人事院規則の規定は憲法に違反しない**としています（目黒事件／最判平24.12.7）。

一問一答問題　憲法

チェック欄

問題を解いた際に、チェックすることができます。進捗状況の把握等、有効活用してください。

解説

各問題、ていねいに解説しています。問題の正誤に関わるポイントを、**色文字**で強調しています。

いつでもどこでも 全問アプリ付き（一問一答式 5肢択一式 多肢選択式）

本書掲載の問題をスマホで持ち運び、
いつでもどこでもサクサク学習できます！

問題を

解いて

書き込んで

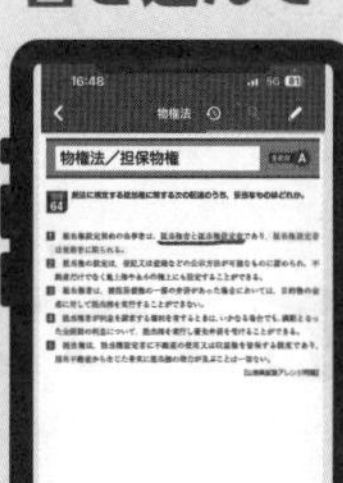

学習できます

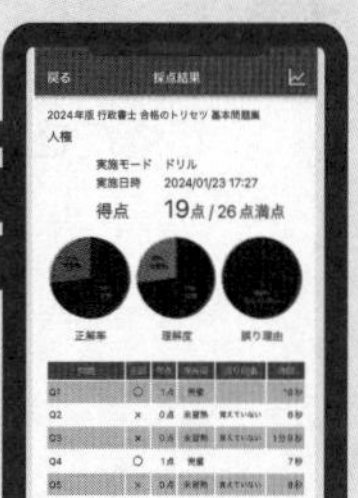

※画像はイメージです。

アプリの利用方法

本書は、デジタルコンテンツ（アプリ）と併せて学習ができます。
パソコン、スマートフォン、タブレット等でも問題演習が可能です。

利用期間

利用開始日　2024年12月1日
登録期限　2025年11月8日
利用期限　登録から12ヶ月間

動作環境（2024年9月現在）

【スマートフォン・タブレット】

- Android 8 以降
- iOS 10 以降

※ご利用の端末の状況により、動作しない場合があります。OSのバージョンアップをされることで正常にご利用いただけるものもあります。

【パソコン】

- Microsoft Windows 10、11
  ブラウザ：Google Chrome、Mozilla Firefox、Microsoft Edge
- Mac OS X
  ブラウザ：Safari

利用方法

1. タブレットまたはスマートフォンをご利用の場合は、Google Play または App Store で、「ノウン」と検索し、ノウンアプリをダウンロードしてください。

2 パソコン、タブレット、スマートフォンのWebブラウザで下記URLにアクセスして「アクティベーションコード入力」ページを開きます。次ページ⑧に記載のアクティベーションコードを入力して「次へ」ボタンをクリックしてください。

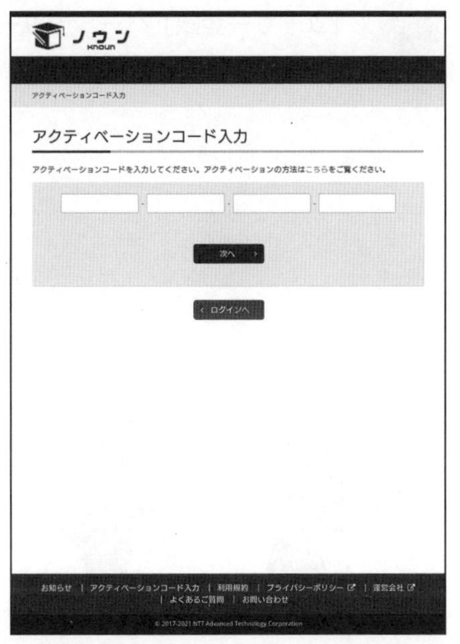

[アクティベーションコード入力ページ]
https://knoun.jp/activate

3 「次へ」ボタンをクリックすると「ログイン」ページが表示されます。ユーザーIDとパスワードを入力し、「ログイン」ボタンをクリックしてください。
ユーザー登録が済んでいない場合は、「ユーザー登録」ボタンをクリックします。

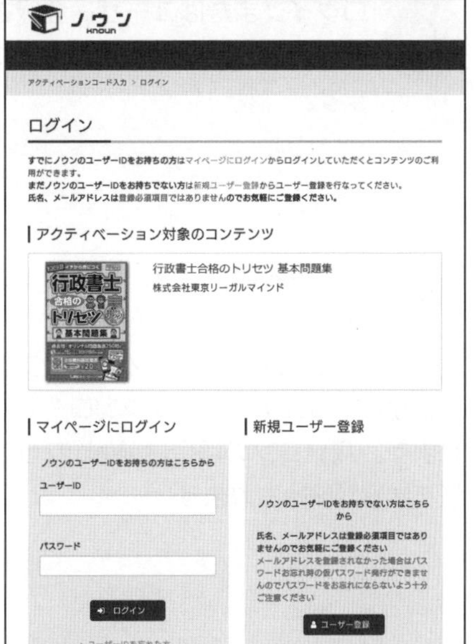

※表紙画像はイメージです

4 「ユーザー登録」ページでユーザー登録を行ってください。

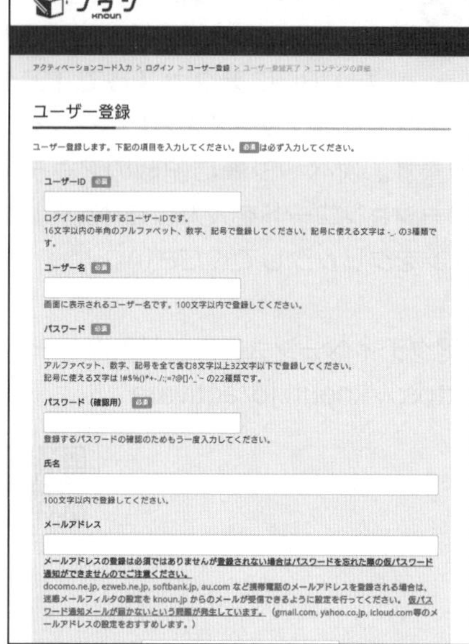

5 ログインまたはユーザー登録を行うと、コンテンツが表示されます。

※表紙画像はイメージです

6 「学習開始」ボタンをクリックすると、タブレット及びスマートフォンの場合はノウンアプリが起動し、コンテンツがダウンロードされます。パソコンの場合は Web ブラウザで学習が開始されます。

7 ２回目以降は、パソコンをご利用の場合は下記の「ログイン」ページからログインしてご利用ください。タブレット及びスマートフォンをご利用の場合はノウンアプリから直接ご利用ください。

[ログインページ]
https://knoun.jp/login

8 アクティベーションコード（半角英数字で入力してください。）

LECg-2025-Tori-uB73

[ノウンアプリ　お問い合わせ窓口]

ログインやアプリの操作方法のお問い合わせについては、以下の方法にて承ります。
なお、回答は、メールにてお返事させていただきます。
○ノウンアプリのメニュー＜お問い合わせ＞から
○ノウン公式サイト　お問い合わせフォームから
　URL：https://knoun.jp/knounclient/ui/inquiry/regist
○メールから
　お問い合わせ先アドレス：support@knoun.jp
お電話でのお問い合わせはお受けしておりませんので、予めご了承ください。

※「ノウン」は NTT アドバンステクノロジ株式会社の登録商標です。
※記載された会社名及び製品名は、各社の商標または登録商標です。

行政書士試験の概要

1　試験概要

試験概要は変更される場合がありますので、一般財団法人行政書士試験研究センターのホームページ等でご確認ください。

■ 試験日

11 月第 2 日曜日

■ 試験時間

午後 1 時～午後 4 時（3 時間）

■ 受験資格

年齢・学歴・国籍等に関係なく、どなたでも受験できます。

■ 受験手数料

10,400 円

■ 受験手続

受験願書の配布・受付：例年 7 月下旬～ 8 月下旬
願書の提出先：一般財団法人　行政書士試験研究センター
受験申込みは、①郵送による申込みと、②インターネットによる申込みがあります。

■ 合格発表

例年 1 月の第 5 週に属する日に、一般財団法人　行政書士試験研究センターの掲示板に、合格者の受験番号が掲示されます。掲示後、受験者全員に合否通知書が郵送されます。

2 試験科目・合格基準点

■ 試験科目

(1)　行政書士の業務に関し必要な法令等〔択一式（5肢択一式／多肢選択式）・記述式〕46問

憲法、民法、行政法（行政法の一般的な法理論、行政手続法、行政不服審査法、行政事件訴訟法、国家賠償法、地方自治法を中心とする。）、商法（会社法）、基礎法学

※法令については、2025年4月1日現在施行されている法令に関して出題される予定です。

(2)　行政書士の業務に関し必要な基礎知識（改正前の一般知識等）〔択一式〕　14問

一般知識（政治・経済・社会等）、行政書士法等行政書士業務と密接に関連する諸法令、情報通信・個人情報保護、文章理解

※法令については、2025年4月1日現在施行されている法令に関して出題される予定です。

■ 配点

試験科目	出題形式		問題数	配点
法令等	択一式	5肢択一式	40問	160点
		多肢選択式	3問	24点
	記述式		3問	60点
	法令等計		**46問**	**244点**
基礎知識	択一式	5肢択一式	14問	56点
合計			**60問**	**300点**

行政書士試験では、5肢択一式の形式で出題される問題が中心ですが、多肢選択式・記述式の形式による問題も出題されています。

5肢択一式

問題3　人権の享有主体性をめぐる最高裁判所の判例に関する次の記述のうち、妥当でないものはどれか。

1　わが国の政治的意思決定またはその実施に影響を及ぼすなど、外国人の地位に照らして認めるのが相当でないと解されるものを除き、外国人にも政治活動の自由の保障が及ぶ。
2　会社は、自然人と同様、国や政党の特定の政策を支持、推進し、または反対するなどの政治的行為をなす自由を有する。
3　公務員は政治的行為を制約されているが、処罰対象となり得る政治的行為は、公務員としての職務遂行の政治的中立性を害するおそれが、実質的に認められるものに限られる。
4　憲法上の象徴としての天皇には民事裁判権は及ばないが、私人としての天皇については当然に民事裁判権が及ぶ。
5　憲法が保障する教育を受ける権利の背後には、子どもは、その学習要求を充足するための教育を施すことを、大人一般に対して要求する権利を有する、との観念がある。

『1～5の選択肢から正解を選ぶ』形式です。例年、法令等科目40問（160点）と基礎知識科目14問（56点）が出題されています。

5肢択一式には、2つの出題パターンがあります。1つは、5つの選択肢の中から正しいもの（または誤っているもの）を1つ選んで解答するものです。もう1つは、ア～オなどの5つの選択肢の中から正しいもの(または誤っているもの)を探し、それらを正しく組み合わせている選択肢を1つ選んで解答するものです。

5肢択一式の問題を解くためには、必ずしも語句を「書ける」ようにしておく必要はありません。しかし、普段から「基本的な条文」等の語句を「書ける」ようにしておけば、多肢選択式・記述式の問題に対応しやすくなるだけでなく、頭の中が整理されて、5肢択一式の問題も効率よく解けるようになります。効果的な学習方法の1つとしておすすめします。

●多肢選択式

問題42　次の文章の空欄［ア］～［エ］に当てはまる語句を、枠内の選択肢（1～20）から選びなさい。

行政指導とは、相手方の任意ないし合意を前提として行政目的を達成しようとする行政活動の一形式である。

行政手続法は、行政指導につき、「行政機関がその任務又は［ア］の範囲内において一定の行政目的を実現するために特定の者に一定の作為又は不作為を求める指導、［イ］、助言その他の行為であって処分に該当しないもの」と定義し、行政指導に関する幾つかの条文を規定している。例えば、行政手続法は、行政指導［ウ］につき、「同一の行政目的を実現するため一定の条件に該当する複数の者に対し行政指導をしようとするときにこれらの行政指導に共通してその内容となるべき事項」と定義し、これが、［エ］手続の対象となることを定める規定がある。

行政指導は、一般的には、法的効果をもたないものとして処分性は認められず抗告訴訟の対象とすることはできないと解されているが、行政指導と位置づけられている行政活動に、処分性を認める最高裁判決も出現しており、医療法にもとづく［イ］について処分性を認めた最高裁判決（最二判平成17年7月15日民集59巻6号1661頁）が注目されている。

1	通知	2	通達	3	聴聞	4	所掌事務	5	告示
6	意見公募	7	担当事務	8	基準	9	勧告	10	命令
11	弁明	12	審理	13	担任事務	14	告知	15	自治事務
16	指針	17	要綱	18	規則	19	所管事務	20	指示

『文章の空欄（ア～エの４つ）に入る語句を語群（20個）から選ぶ』形式です。例年、3問（24点）が出題されています。配点は１問８点ですが、空欄１つにつき２点ずつが与えられます。空欄に入る語句は必ず20個の語群の中にありますから、語群をよく確認することも大事です。

●記述式

問題45　Ａは、Ｂとの間で、Ａ所有の甲土地をＢに売却する旨の契約（以下、「本件契約」という。）を締結したが、Ａが本件契約を締結するに至ったのは、平素からＡに恨みをもっているＣが、Ａに対し、甲土地の地中には戦時中に軍隊によって爆弾が埋められており、いつ爆発するかわからないといった嘘の事実を述べたことによる。Ａは、その爆弾が埋められている事実をＢに伝えた上で、甲土地を時価の２分の１程度でＢに売却した。売買から１年後に、Ｃに騙されたことを知ったＡは、本件契約に係る意思表示を取り消すことができるか。民法の規定に照らし、40字程度で記述しなさい。なお、記述にあたっては、「本件契約に係るＡの意思表示」を「契約」と表記すること。

（下書用）　10　15

『問題に対する解答を40字程度で記述する』形式です。例年、3問（60点）が出題されています。配点は1問20点ですが、解答に示された理解の度合いに応じて、部分点が与えられます。解答にあたっては、①問題文に示された事例を正確に把握し、②どのような条文・判例が問題となっているかを判断し、③解答を40字程度で適切に表現するというステップが必要です。

■ 科目別配点（2023 年度実績）

問題数が多く、配点も高く、5 肢択一式のほかに多肢選択式と記述式からも出題される**「行政法」**が最も重要な科目になります。次に重要なのが、記述式が 2 問出題される**「民法」**です。この**「行政法」と「民法」の 2 科目で法令科目の配点全体の約 8 割を占めています**ので、この 2 科目と記述式の攻略が、行政書士試験合格へのカギになります。

	出題形式	科目	問題数	配点
法令等	5肢択一式	基礎法学	2問	8点
		憲法	5問	20点
		行政法	19問	76点
		民法	9問	36点
		商法・会社法	5問	20点
	多肢選択式	憲法	1問	8点
		行政法	2問	16点
	記述式	行政法	1問	20点
		民法	2問	40点
一般知識等 ※	5肢択一式	政治・経済・社会	7問	28点
		情報通信・個人情報保護	4問	16点
		文章理解	3問	12点
合計			60問	300点

※ 2024 年度から、出題内容が変更されます。

■ 合格基準点

次の要件のいずれをも満たした者を合格とします。

(1)　行政書士の業務に関し必要な法令等科目の得点が、満点の 50%（122 点）以上である者。

(2)　行政書士の業務に関し必要な基礎知識（改正前の一般知識等）科目の得点が、満点の 40%（24 点）以上である者。

(3)　試験全体の得点が、満点の 60%（180 点）以上である者。

3 出題内容の変更について

2024年度の試験から、行政書士法3条1項に基づいて総務大臣が定める「行政書士試験の施行に関する定め」（平成11年自治省告示第250号）の改正により、一般知識に関する出題内容が変更されました。

これまでの出題に加え、「行政書士法等行政書士業務と密接に関連する諸法令」の分野からの出題が明記されました。具体的には、行政書士法・戸籍法・住民基本台帳法等からの出題が想定されています。これらの法律は、2005年度以前の試験において法令科目として出題されていたものですが、従来の一般知識等科目における「政治・経済・社会」または「情報通信・個人情報保護」の分野において関連する知識を問う出題がなされうるものとされていました。

今後は、「行政書士の業務に関し必要な基礎知識」として出題されることになります。

4 受験者数・合格者数・合格率推移

年度ごとの合格率にずいぶん差がありますが、これは行政書士試験が「相対評価」ではなく「絶対評価」の試験であるためです。つまり、「成績上位から○○%が合格」というような、いわゆる「定員」を設けていないため、その年度の問題の難易度がそのまま合格率に反映するのです。

言い換えると、**合格率を気にせずに、合格基準点を超えることだけを目指して**学習すればよいということです。

	受験者数	合格者数	合格率
2001年度	61,065	6,691	10.96%
2002年度	67,040	12,894	19.23%
2003年度	81,242	2,345	2.89%
2004年度	78,683	4,196	5.33%
2005年度	74,762	1,961	2.62%
2006年度	70,713	3,385	4.79%
2007年度	65,157	5,631	8.64%
2008年度	63,907	4,133	6.47%
2009年度	67,348	6,095	9.05%
2010年度	70,586	4,662	6.60%
2011年度	66,297	5,337	8.05%
2012年度	59,948	5,508	9.19%
2013年度	55,436	5,597	10.10%
2014年度	48,869	4,043	8.27%
2015年度	44,366	5,820	13.12%
2016年度	41,053	4,084	9.95%
2017年度	40,449	6,360	15.72%
2018年度	39,105	4,968	12.70%
2019年度	39,821	4,571	11.48%
2020年度	41,681	4,470	10.72%
2021年度	47,870	5,353	11.18%
2022年度	47,850	5,802	12.13%
2023年度	46,991	6,571	13.98%

※ 2023 年度試験における男女比（占有率）

受験者数　男性：31,640 人（67.3%）、女性：15,351 人（32.7%）

合格者数　男性：4,636 人（71%）、女性：1,935 人（29%）

合格率　男性：14.65%、女性：12.61%

一般財団法人　行政書士試験研究センターホームページより。

目次

野畑講師厳選！学習スタートから本試験まで繰り返し解くべき 一問一答問題

第１編　憲法

第2編　民法

第3編　行政法

第４編　商法

第５編　基礎法学

第６編　基礎知識

野畑講師厳選！
学習スタートから
本試験まで
繰り返し解くべき

一問一答問題

憲法

Q1 ☑☑☑

憲法には通常前文が付されるが、その内容・性格は憲法によって様々に異なっている。日本国憲法の前文の場合は、政治的宣言にすぎず、法規範性を有しないと一般に解されている。

Q2 ☑☑☑

政治活動の自由に関する憲法の保障は、我が国の政治的意思決定又はその実施に影響を及ぼす活動など外国人の地位に鑑みこれを認めることが相当でないと解されるものを除き、我が国に在留する外国人に対しても及ぶことから、法務大臣が、憲法の保障を受ける外国人の政治的行為を、在留期間の更新の際に消極的な事情としてしんしゃくすることは許されない。

Q3 ☑☑☑

公務員の政治的行為を禁止する国家公務員法及び人事院規則の規定は、職種・職務権限、勤務時間の内外、国の施設の利用の有無等にかかわりなく一律に禁止していることから、憲法に直接違反する。

Q4 ☑☑☑

企業者が特定の思想、信条を有する者をそのことを理由として雇い入れることを拒んでも、それを当然に違法としたり、直ちに民法上の不法行為とすることはできない。

日本国憲法の前文は、憲法の一部をなし、法規範的性格を有すると一般に解されています。

判例は、外国人の基本的人権の保障は、外国人在留制度の枠内で与えられているにすぎないから、**在留期間中の憲法の基本的人権の保障を受ける行為を在留期間の更新の際の消極的な事実として斟酌しないことまでの保障が与えられているものではない**としています（マクリーン事件／最大判昭53.10.4）。

判例は、公務員の職務の遂行の政治的中立性を損なうおそれが実質的に認められるかどうかは、当該公務員の地位、その職務の内容や権限等、当該公務員がした行為の性質、態様、目的、内容等の諸般の事情を総合して判断するのが相当であるとして、**公務員の政治的行為を禁止する国家公務員法及び人事院規則の規定は憲法に違反しない**としています（目黒事件／最判平24.12.7）。

判例は、企業者は、いかなる者を労働者として採用するか原則として自由に決定できるのであり、**企業者が特定の思想、信条を有する者をそのことを理由として雇い入れることを拒んでも、それを当然に違法とし、直ちに民法上の不法行為とすることはできない**としています（最大判昭48.12.12）。

Q5 ☑☑☑

尊属に対する尊重報恩を保護するという立法目的にのっとり、尊属を卑属又はその配偶者が殺害することを普通殺人と区別して重罰を科すことは、かかる立法目的のために刑を加重すること自体が合理的な根拠を欠くため、憲法第14条第１項に違反する。

Q6 ☑☑☑

夫婦が婚姻の際に定めるところに従い夫又は妻の氏を称すると定める民法第750条は、氏の選択に関し、夫の氏を選択する夫婦が圧倒的多数を占めている状況に鑑みると、性別に基づく法的な差別的取扱いを定めた規定であるといえる。

Q7 ☑☑☑

公立学校の校長が教諭に対し卒業式における国歌斉唱の際に国旗に向かって起立し、国歌を斉唱することを命じた職務命令は、特定の思想を持つことを強制するものではなく、当該教諭の思想及び良心を直ちに制約するものではないが、当該教諭の思想及び良心についての間接的な制約となる面が認められるため、憲法に違反する。

Q8 ☑☑☑

公立学校が、信仰上の真摯な理由から剣道実技に参加することができない学生に対して他の体育実技を履修させるなどの代替措置を採ることは、その目的において宗教的意義を有し、特定の宗教の援助、助長、促進につながるので、憲法に違反する。

判例は、尊属に対する尊重報恩は、社会生活上の基本的道義というべく、このような自然的情愛ないし普遍的倫理の維持は、刑法上の保護に値するとして、**被害者が尊属であることを理由に刑の加重要件とする規定を設けても、直ちに14条１項には違反しない**としました（尊属殺重罰規定違憲判決／最大判昭48.4.4）。判例は、刑を加重すること自体が合理的な根拠を欠くとは述べていないので、本肢は誤りとなります。

夫婦同氏の原則（民法750条）の合憲性につき、判例は、夫婦がいずれの氏を称するかを夫婦となろうとする者の間の**協議に委ねているのであり、性別に基づく法的な差別的取扱いを定めているわけではない**として14条に反しないとしています（最大判平27.12.16、最大決令3.6.23）。

判例は、同職務命令は、教諭個人の思想および良心の自由を直ちに制約するものと認めることはできないが、国歌斉唱の際の起立斉唱行為は、個人の歴史観・世界観に由来する行動と異なる外部的行為を求められる限りで、**思想および良心の自由についての間接的な制約となる面がある**としました。**しかし、上記職務命令には上記制約を許容しうる程度の必要性および合理性が認められることから、19条に違反しない**としています（最判平23.5.30）。

判例は、信仰上の真摯な理由で剣道実技に参加できない学生に代替措置をとることも、**目的・効果基準に照らして20条３項に反するものではない**としています（エホバの証人剣道拒否事件／最判平8.3.8）。

Q9

事実の報道の自由は、国民の知る権利に奉仕するものであるとしても、憲法第21条によって保障されるわけではなく、報道のための取材の自由も、憲法第21条とは関係しない。

Q10

憲法第21条第１項には、積極的に政府等の保有する情報の収集を求めることのできる権利としての知る権利が内包されており、何人も、同項の規定に基づき政府等の保有する情報の開示を求めることができる。

Q11

行政によるいわゆる「教科書検定」は、検閲にあたるものではあるが、教育の公正・中立の確保の必要性から例外的に許容される。

Q12

薬局の開設等の許可における適正配置規制は、主として国民の生命及び健康に対する危険の防止という消極的、警察的目的のための規制措置であり、公共の福祉の確保のために必要な制限と解されるから、憲法22条１項に違反するものではない。

判例は、報道機関の報道は、民主主義社会において、国民が国政に関与するにつき、重要な判断の資料を提供し、国民の「知る権利」に奉仕することを根拠に、**事実の報道の自由は、表現の自由を規定した21条の保障のもと**にあり、**取材の自由も21条の精神に照らし十分尊重に値する**としています（最大決昭44.11.26)。

知る権利は、表現の自由を一般国民の側から再構成し情報の受け手の自由を保障したものであり、21条１項によって保障されています。さらに、積極的に政府等の保有する情報の開示を要求する権利をも意味しますが、これが**具体的請求権となるためには、情報公開法などの具体的な法律に基づくことが必要**とされています。

判例は、教科書検定は、一般図書としての発行を何ら妨げるものではなく、**発表禁止目的や発表前の審査などの特質がないから、検閲にあたらない**としています（第１次家永教科書事件／最判平5.3.16)。

判例は、**薬局適正配置規制は、主として国民の生命および健康に対する危険の防止という消極的、警察的目的のための規制措置**であり、その目的は公共の福祉に合致するとしています。しかし、薬局適正配置規制は、規制がない場合に不良医薬品の供給の危険が発生する可能性があるとすることは単なる観念上の想定にすぎず、仮にその危険発生の可能性を肯定するとしても、**立法目的は供給業務に対する規制や監督の励行などのより緩やかな規制手段によって達成できるから、必要かつ合理的な規制とはいえず22条１項に違反する**としています（薬事法事件／最大判昭50.4.30)。

Q13 ☑☑☑

憲法25条の規定の趣旨にこたえて具体的にどのような立法措置を講ずるかの選択決定は、立法府の広い裁量にゆだねられており、それが著しく合理性を欠き明らかに裁量の逸脱・濫用に該当するか否かの点についても、裁判所が審査判断するのに適しない。

Q14 ☑☑☑

最高裁判所の判例では、教育を受ける権利の背後に、子どもがその学習要求を充足するための教育を自己に施すことを大人一般に要求する権利を有するとの概念が存在するとまでは認められないとした。

Q15 ☑☑☑

予算の議決、条約の締結の承認及び内閣総理大臣の指名については、参議院が衆議院と異なった議決をした場合には必ず両院協議会を開かなければならない。これに対して、法律案の議決については、参議院が衆議院と異なった議決をした場合でも、必ず両院協議会を開かなければならないわけではない。

Q16 ☑☑☑

両議院は、院内の秩序を乱した議員を懲罰することができるが、選挙によって選ばれた議員の身分を剥奪することは許されないため、懲罰として議員を除名することはできない。

Q17 ☑☑☑

国会の会期前に逮捕された国会議員は所属する議院の要求があれば、会期中に釈放される。

判例は、25条の規定の趣旨にこたえて具体的にどのような立法措置を講ずるかの選択決定は、立法府の広い裁量に委ねられるが、それが**著しく合理性を欠き明らかに裁量の逸脱・濫用とみざるをえないような場合を除き、裁判所が審査判断するのに適しない**としています（堀木訴訟／最大判昭57.7.7）。したがって、**裁量の逸脱・濫用に該当するか否かについては審査判断できる**ことになり、裁量の逸脱・濫用に該当するかについても裁判所の審査判断に適しないとする本肢は誤りとなります。

判例は、26条は教育を受ける権利を保障するが、その背後には、**子どもはその学習要求を充足するための教育を自己に施すことを大人一般に対して要求する権利（学習権）を有するとの観念が存在する**、としています（旭川学テ事件／最大判昭51.5.21）。

予算の議決（60条２項）、条約の締結の承認（61条）、内閣総理大臣の指名（67条２項）につき、衆議院と参議院で異なる議決がなされた場合、必ず両院協議会を開かなければなりません。これに対し、**法律案の議決については、59条３項が両議院の協議会の開催を「妨げない」と規定しているにすぎず、開催は任意**です。

両議院は、院内の秩序を乱した議員の懲罰として、当該議員を除名することもできる（58条２項但書）ので、本肢は誤りとなります。

会期前の議員には不逮捕特権が認められませんが、国民代表である国会議員が議会において発言ができなくなってしまっては、正常な議会活動とはいえません。そこで、50条後段では、本肢のように、**会期前に逮捕された議員について、所属議院からの要求があれば、会期中釈放しなければならない**と定められています。

Q18 ☑☑☑

内閣総理大臣は、必ず国会議員の中から指名されなければならないが、国務大臣については、国会議員以外の者を任命することができ、全ての国務大臣を国会議員以外の者から任命することも可能である。

Q19 ☑☑☑

主任の大臣の間における権限について疑義があり、内閣総理大臣がこれを裁定する場合、閣議にかけることが必要である。

Q20 ☑☑☑

条約は、国の存立の基礎に重大な関係を持つ高度の政治性を有するので、一見極めて明白に違憲無効と認められる場合であっても、裁判所の審査権の範囲外のものであるとした。

Q21 ☑☑☑

衆議院の解散は、極めて政治性の高い国家統治の基本に関する行為であるので、法律上その有効無効を審査することは、訴訟の前提問題として主張されている場合においても、裁判所の審査権の外にあるとした。

Q22 ☑☑☑

地方議会の議員に出席停止の懲罰が科されると、当該議員は議員としての中核的な活動をすることができず、住民の負託を受けた議員としての責務を十分に果たすことができなくなるので、地方議会議員に対する出席停止の懲罰については司法審査の対象となる。

国務大臣については、国会議員以外の者を任命することもできますが、その**過半数は国会議員の中から選ばれなければならない**（68条１項但書）ため、すべての国務大臣を国会議員以外の者から任命することはできません。

主任の大臣の間における権限についての疑義は、**内閣総理大臣が、閣議にかけて、これを裁定します**（内閣法７条）。

条約が違憲審査の対象となりうるかについて、判例は、日米安全保障条約は高度の政治性を有するから、一見**きわめて明白に違憲無効であると認められない限りは、裁判所の司法審査の範囲外のものである**としました（砂川事件／最大判昭34.12.16）。一見きわめて明白に違憲無効と認められる場合には、裁判所の審査権の対象となります。

衆議院の解散が違憲審査の対象となりうるかについて、判例は、それが法律上の争訟となり、**有効無効の判断が法律上可能である場合であっても、かかる国家行為は裁判所の審査権の外にある**としました（苫米地事件／最大判昭35.6.8）。

従来の判例は、地方議会議員に対する出席停止の懲罰は内部規律の問題にすぎず司法審査の対象にはならないとしていました（最大判昭35.10.19）が、2020年に、最高裁はこれを変更し、本肢のように議員に対する出席停止の弊害を指摘することで、**出席停止の懲罰について、裁判所は、常にその適否を判断することができ、司法審査の対象となる**としました（最大判令2.11.25）。

Q23 ☑☑☑

成年被後見人は、日用品の購入その他日常生活に関する行為を単独で確定的に有効になすことができるが、これ以外の法律行為については、成年後見人の同意を得ても、単独で確定的に有効になすことはできない。

Q24 ☑☑☑

未成年者Aは、叔父Cから学費の援助をしたい旨の申込みがされたため、法定代理人Bの同意を得ないまま、Cとの間で贈与契約を締結した。この場合、Bは、AC間の贈与契約を取り消すことができない。

Q25 ☑☑☑

強迫による意思表示は、意思表示の相手方以外の第三者が強迫した場合にも取り消すことができ、また、強迫を理由とする取消しの効果を善意・無過失の第三者に対して主張することもできる。

Q26 ☑☑☑

Bは代理権がないのにAの代理人であると称して、Cとの間でA所有の不動産について売買契約を締結した。その後に、AがCに対してこの売買契約を追認したときは、代理権のある代理人が代理行為をしたことになるが、本人も相手方も、当該売買契約を遡って有効にすることを期待していないから、Aの追認の効果は、別段の意思表示がない限り、追認の時点から生ずる。

成年被後見人がした法律行為は、**成年後見人の同意を得ていたとしても、取り消すことができます**（9条本文）。なぜなら、成年被後見人は事理弁識能力を欠くのが通常の状態であり（7条）、同意どおりに行動することが期待できないからです。ただし、成年被後見人の自己決定を尊重する観点から、日用品の購入その他日常生活に関する行為は取り消すことができず、成年被後見人が単独で確定的に有効にすることができます（9条但書）。

未成年者Ａが法律行為をするには、原則として法定代理人Ｂの同意を得なければならず（5条1項本文）、同意を得ずに行った法律行為は取り消すことができます（同条2項）。しかし、**Ｃから贈与を受けるような、未成年者Ａが単に権利を得る法律行為については、Ａにとって不利益にならないので、法定代理人Ｂの同意は不要**です（同条1項但書）。

強迫による意思表示は、**詐欺による意思表示とは異なり、**意思表示の相手方以外の第三者が強迫した場合でも、**相手方の善意・悪意、過失の有無を問わず取り消すことができ**（96条2項反対解釈）、また、強迫を理由とする取消しの効果を**善意・無過失の第三者に対しても主張することができます**（同条3項反対解釈）。

ＢがＣとの間で行ったＡ所有の不動産についての売買契約は無権代理であり、原則として本人Ａに効果が帰属しません（113条1項）。しかし、本人Ａが追認すると、**別段の意思表示がない限り、契約の時に遡って本人Ａにその効果が帰属します**（116条本文）。

Q27 ☑☑☑

Aが甲土地をCに売却する代理権をBに与えていたところ、Bが代金を自己の個人的な借金の返済に充てる意図で、Aの代理人として甲土地をCに売却し、このようなBの意図についてCが悪意であった場合でも、Bの代理行為は、無権代理行為となるわけではない。

Q28 ☑☑☑

時効の完成後にそのことに気付かないで債務の弁済をした場合には、後に時効の完成を知ったとき改めて時効を援用することができる。

Q29 ☑☑☑

Bは当該不動産を時効取得しようとする場合、原則として、登記を経なくても当該不動産の時効取得をAに主張することができるが、Bの取得時効完成前にAから当該不動産を取得したCが存在するときは、Bは登記を経なければ当該不動産の時効取得をAに主張することはできない。

Q30 ☑☑☑

Aが所有する土地をAから譲り受けたBは、AからBへの所有権移転登記を経由しなければ、その土地を不法占有するCに対し、土地所有権に基づく物権的請求権により土地の明渡しを求めることができない。

Q31 ☑☑☑

AがA所有のカメラをBに預けていたところ、これがAの所有物であることにつき善意・無過失のCは、Bからこのカメラを購入したが、事情によりこのカメラをBに預けておいた。この場合、Cは当該カメラを即時取得することはできない。

代理人Ｂが自己（または第三者）の利益を図る目的（意図）で代理権の範囲内の行為をした場合（代理権の濫用）において、**相手方Ｃが代理人Ｂの目的（濫用の意図）を知っていたとき、または知ることができたときは、Ｂの行為は無権代理行為とみなされます**（107条）。

債務者が消滅時効完成後に債務の存在を前提とする行為（＝本肢では債務の弁済）をした場合について、判例は、**債務者が時効完成の事実を知らなかったときでも、その完成した消滅時効を援用することは信義則に反し許されない**としています（最大判昭41.4.20）。

×

Ａ所有の不動産をＢが時効取得した場合、時効取得者Ｂと時効完成時の真正所有者Ａの関係は時効による物権変動の「当事者」であるため、**ＢがＡに対して当該不動産の時効取得を主張するのに登記は不要である**とするのが判例（大判大7.3.2）です。

×

不法占有者Ｃは、Ｂの登記の欠缺を主張する正当な利益を有しないので、177条「第三者」にあたりません。したがって、**所有者Ａから土地を譲り受けたＢは、登記がなくても、不法占有者Ｃに対し、所有権に基づいて土地の明渡しを求めることができます**（最判昭25.12.19）。

○

本肢におけるＢＣ間の法律関係についてみると、Ｃは無権利者Ｂから善意・無過失で動産であるカメラを買っていますが、Ｂに占有を残したままです。このように、意思表示のみで占有を移転することを占有改定（183条）といいます。「占有を始めた」（192条）にいう**「占有」には、占有改定は含まれません**（最判昭35.2.11）。

Q32 ☑☑☑

Aが、Bの所有するパソコンを借り受けて占有していたところ、Cが、当該パソコンを盗み、善意・無過失のDに売却し、引き渡した場合、Bのみならず、Aも、盗まれた時から2年間は、Dに対して当該パソコンの返還を求めることができる。

Q33 ☑☑☑

各共有者は、ほかの共有者の同意なくして共有物の全部について持分に応じた使用をすることができるし、持分権を自由に譲渡し、又は担保に供することもできる。

Q34 ☑☑☑

共有物である土地を不法に占有する者に対して、各共有者は、単独で、その共有物全部の返還を請求することができる。

Q35 ☑☑☑

占有者がその占有を奪われたときは、占有回収の訴えにより、その物の返還を請求することができるが、占有回収の訴えは、占有を奪われたことを知った時から1年以内に提起しなければならない。

Q36 ☑☑☑

債権について一般債権者の差押えと抵当権者の物上代位権に基づく差押えが競合した場合、両者の優劣は一般債権者の申立てによる差押命令の第三債務者への送達と、抵当権者の申立てによる差押命令の第三債務者への送達の先後によって決せられる。

192条の要件を満たす場合であっても、占有物が盗品または遺失物であるときは「被害者又は遺失者」は、盗難または遺失の時から２年間、占有者に対してその物の回復を請求できます（193条）。**回復請求の主体は「被害者又は遺失者」であり、所有者のみならず、賃借人や受寄者も含まれるため、本肢の場合、所有者Ｂのみならず、Ｂから借り受けていたＡも、盗まれた時から２年間は、Ｄに対して当該パソコンの返還を請求できます。**

各共有者は、共有物の全部について、その持分に応じた使用をすることができます（249条１項）。また、各共有者は、自己の持分権を自由に処分（譲渡・担保権の設定・放棄など）することができ、**どちらも他の共有者の同意は不要です。**

共有物の不法占有者に対する返還請求は共有物の「保存行為」（252条５項）にあたるので、各共有者は、**「単独で」共有物「全部」の返還を請求できます**（大判大10.6.13）。

占有者がその占有を奪われたときは、占有回収の訴えにより、その物の返還および損害の賠償を請求することができます（200条１項）。しかし、占有回収の訴えは、占有を奪われたことを知った時から１年以内ではなく、**「占有を奪われた時から」１年以内に提起しなければなりません**（201条３項）。

判例は、債権について一般債権者の差押えと抵当権者の物上代位権に基づく差押えが競合した場合について、**一般債権者の申立てによる差押命令の第三債務者への送達と抵当権設定登記の先後によって決すべき**であるとしています（最判平10.3.26）。

Q37 ☑☑☑

Aが所有する土地に抵当権が設定･登記された当時、当該土地上に建物が存在せず、更地であった場合には、その後、当該土地上にA所有の建物が築造され、抵当権の実行により当該土地がBに競落されたとしても、原則として、法定地上権は成立しない。

Q38 ☑☑☑

債権者において留置権が成立している場合であっても、債務者は、相当の担保を提供して、留置権の消滅を請求することができる。

Q39 ☑☑☑

A所有の不動産を購入したBが売買代金を支払わずにその不動産をCに転売し、AがCから不動産の引渡請求をされた場合には、Aは、Cからの引渡請求に対し、未払の代金債権を被担保債権とする留置権の抗弁を主張することができる。

Q40 ☑☑☑

債務不履行を理由とする契約解除の前提としての催告に定められた期間が相当でない場合であっても、債務者が催告の時から相当の期間が経過してなお債務を履行しないときには、債権者は契約を解除することができる。

Q41 ☑☑☑

債権者が債権者代位権の行使によって債務者の第三債務者に対する金銭債権を行使する場合、債務者への金銭の引渡しを求めることはもちろん、債権者自身への直接の引渡しを求めることも認められる。

A所有の土地への抵当権設定当時、当該土地上に建物が存在せず、更地であった場合には、その後に当該土地上にA所有の建物が築造されたとしても、**原則として法定地上権は成立しません**（最判昭36.2.10）。

債務者は、**相当の担保（代担保）を提供して、留置権の消滅を請求できます**（301条）。債務者にとって有用・高価な物がわずかな未払債務のために留置されるのは酷であるし、債権者も相当な担保を得られれば損害はないからです。

AのBに対する売買代金債権とBのAに対する不動産引渡請求権はＡＢ間の不動産売買契約から発生しているので、Aの留置権（295条１項本文）が成立します。そして、物権である留置権は第三者にも主張できるので、**Aは、転買人Cからの不動産引渡請求に対し、Bに対する未払いの代金債権を被担保債権とする留置権の抗弁を主張できます**（最判昭47.11.16）。

541条は最後通告として「相当の期間」を定めた「催告」を要求していますが、この期間の相当性は、催告中に定められた期間そのものではなく、解除までに実質的に与えられた猶予期間の長さを考慮して判断されます。したがって、**催告期間が不相当であっても、相当の期間が経過した後であれば、解除は可能です**（最判昭31.12.6）。

債権者が債権者代位権（423条１項本文）の行使によって債務者の第三債務者に対する金銭債権を行使する場合、債権者は、第三債務者に対して、①**債務者への支払いを求めることができるだけでなく、②債権者自身への直接の支払いを求めることもできます**（423条の３前段）。

Q42 ☑☑☑

債務者が行った不動産の売却は、その売却価格が相当である場合には、債務者の総財産の減少をもたらすものではないから、詐害行為になることはない。

Q43 ☑☑☑

債権者代位権及び詐害行為取消権を行使する場合には、裁判上の行使である必要はなく、裁判外においても、自由にこれを行使することができる。

Q44 ☑☑☑

債権者があらかじめ弁済の受領を拒んだときは、債務者は弁済の提供として口頭の提供をすれば足り、債権者が契約そのものの存在を否定する等弁済を受領しない意思が明確と認められる場合には、口頭の提供も不要である。

Q45 ☑☑☑

弁済をするについて正当な利益を有しない第三者は、債務の弁済が債務者の意思に反する場合には、債権者の承諾を得たときに限り、債務の弁済をすることができる。

相当の対価を得てした財産の処分行為は、原則として詐害行為となりませんが、①不動産の金銭への換価等により、**債務者が隠匿等の処分をするおそれを現に生じさせるもの**であること、②債務者が対価として取得した**金銭の隠匿等の処分をする意思を有していたこと、③相手方（受益者）も債務者が②の意思を有していたことを知っていた**こと、のすべての要件を満たす場合は、詐害行為として取り消すことができます（424条の2）。

債権者代位権は、**裁判外でも行使できます**。これに対して、詐害行為取消権は、**必ず裁判上で行使しなければなりません**（424条1項本文）。

弁済の提供の方法について、民法は、原則として債務の本旨に従って現実になすこと（現実の提供）を要するが、債権者があらかじめ弁済の受領を拒んでいるときと、債務の履行について債権者の行為を要するときは、弁済の準備をしたことを通知してその受領を催告すること（口頭の提供）で足りるとしています（493条）。さらに、判例は、**債権者が契約そのものの存在を否定する等「弁済を受領しない意思が明確と認められる場合」には、債務者は口頭の提供をしなくても債務不履行責任を免れる**としています（最大判昭32.6.5）。

弁済をするについて正当な利益を有しない第三者は、債務者の意思に反して弁済をすることができません（474条2項本文）。ただし、債務者の意思に反することを債権者が知らなかったときは、当該弁済は有効となります（474条2項但書）。したがって、**弁済をするについて正当な利益を有しない第三者は、債権者の承諾を得たとしても、債務者の意思に反する場合に、そのことを債権者が知っていたときは弁済をすることができません**。

Q46 ☑☑☑

Aは、BのAに対する貸金債権を受働債権とし、Bに対する悪意による不法行為に基づく損害賠償債権を自働債権として相殺することはできない。

Q47 ☑☑☑

第三債務者が差押えによって支払を差し止められた場合において、その後に取得した反対債権を自働債権として相殺したときは、これをもって差押債権者に対抗することができる。

Q48 ☑☑☑

連帯債務者の１人について生じた事由については、民法に規定する場合を除き、相対的効力しか認められないのが原則であり、連帯債務者の１人に対する履行の請求は、他の連帯債務者に対して、その効力を生じない。

Q49 ☑☑☑

主たる債務者に対する履行の請求による時効の完成猶予及び更新は、保証人に対しては、その効力を生じない。

Q50 ☑☑☑

債権者が主たる債務者に対して債務の履行を催告した後に保証人の財産について執行してきた場合、保証人は、主たる債務者に弁済の資力があり、かつ、執行が容易であることを証明して、まず主たる債務者の財産に対して執行すべきことを主張することができる。

悪意による不法行為の加害者Bが、不法行為に基づく損害賠償債権を「受働債権」として相殺することは許されません（509条1号）。その理由は、①被害者の救済は現実にかつ迅速に行う必要があること、②不法行為の誘発（弁済を受けられない債権者が、債務者に不法行為を加え、その損害賠償債務と相殺することによって腹いせをすること）を防止することにあります。したがって、逆に不法行為における被害者Aが、悪意による不法行為に基づく損害賠償債権を「自働債権」として相殺することは**禁止されていません**（最判昭42.11.30）。

差押えを受けた債権の第三債務者は、**差押後に取得した債務者に対する債権による相殺をもって差押債権者に対抗できません**（511条1項前段）。

連帯債務者の1人に対して生じた事由については、民法に規定する場合（438条・439条1項・440条）を除き、相対的効力しか認められないのが原則です（441条本文）。**履行の請求も相対的効力しか認められず、連帯債務者の1人に対する履行の請求は、他の連帯債務者に対して、その効力を生じません。**

保証債務の付従性から、**主たる債務者に対する履行の請求その他の事由による時効の完成猶予および更新は、保証人に対しても、その効力を生じます**（457条1項）。

保証債務の補充性から、**保証人は検索の抗弁権を有します。**すなわち、債権者が主たる債務者に催告した後でも、先に保証人の財産に対して執行してきた場合、保証人は、**主たる債務者に弁済の資力があり、かつ、執行が容易であることを証明すれば、まず主たる債務者の財産に対して執行すべきことを主張できます**（453条）。

Q51 ☑☑☑

同時履行の抗弁権は、留置権と同様、公平の見地から認められる制度であるから、契約当事者以外の第三者に対しても行使することができる。

Q52 ☑☑☑

売主が、買主に対し、目的物の種類・品質に関して契約の内容に適合しない建物を売却した場合、買主は、その不適合のため契約をした目的を達することができないときは、売買契約の解除をすることができる。

Q53 ☑☑☑

売買の目的物の種類・品質が契約の内容に適合しない場合には、当該売買契約の解除又は損害賠償の請求は、買主が目的物の引渡しを受けた時から１年以内にしなければならない。

Q54 ☑☑☑

特定物の贈与者には財産権移転義務があるが、売買と異なり、引渡前には民法に規定する善管注意義務を負わず、不注意で目的物を損傷しても債務不履行責任は生じない。

Q55 ☑☑☑

賃貸人Ａが、Ｂに対して賃貸しているＡ所有の建物をＣに譲渡し、さらに、ＡＢ間の賃貸借契約におけるＡの地位をＣに移転する旨合意した。この場合、賃貸人の地位は、Ｂの承諾がなくても、ＡからＣに移転する。

留置権（295条）と同時履行の抗弁権（533条）は、どちらも公平の見地から認められる制度です。しかし、**留置権は物権であるから、第三者に対しても行使できる**のに対し、**同時履行の抗弁権は双務契約の効力であるから、契約当事者に対してのみ行使できます。**

引き渡された目的物が種類・品質に関して契約の内容に適合しない場合、買主は、**債務不履行を理由として売買契約を解除することができます**（564条・541条・542条）。

売買の目的物の**種類・品質が契約の内容に適合しない**場合、買主は、**「その不適合を知った時」から１年以内にその旨を売主に「通知」しなければ、売主の担保責任を追及することができなくなります**（566条本文）。

贈与者は、契約内容に従って財産権を受贈者に移転する義務を負います。その目的物が特定物の場合には贈与者は受贈者に対し特定物を引き渡す義務を負うので、400条により贈与者は引渡しの時まで善管注意義務を負うため、**引渡以前に不注意で目的物を損傷すれば、贈与者は債務不履行責任を負います。**

賃貸借契約においては、たとえ契約当事者の１人である賃貸人が変わったとしても、賃貸人が履行すべき債務内容はだれが履行しても変わるものではないから、賃借人は不測の損害を被るわけではありません。このような場合には、**賃借人（契約当事者の一方の同意）の承諾がなくても、契約上の地位を移転させる合意は有効となります**（605条の３）。

Q56 ☑☑☑

賃借人は、賃貸物について賃貸人の負担に属する必要費を支出したときは、賃貸人に対し、直ちにその償還を請求することができる。

Q57 ☑☑☑

請負代金の支払時期は、仕事の目的物の引渡しを要しない場合には、請負人を保護する観点から、先払いとされている。

Q58 ☑☑☑

注文者の責めに帰することができない事由によって仕事を完成することができなくなった場合において、請負人が既にした仕事の結果のうち可分な部分の給付によって注文者が利益を受けるときは、その部分は仕事の完成とみなされ、請負人は、注文者が受ける利益の割合に応じて報酬を請求することができる。

Q59 ☑☑☑

不法な原因のために登記された建物の引渡しをした者は、所有権移転登記手続を完了したかどうかにかかわらず、その建物の返還請求をすることができない。

Q60 ☑☑☑

生命を侵害された被害者の父母、配偶者及び子以外の親族には、固有の慰謝料請求権は認められない。

本来、賃借物の修繕義務を負うのは賃貸人であるため、賃借人は、賃借物について賃貸人の負担に属する**必要費を支出したときは、賃貸人に対し、直ちにその償還を請求できます**（608条１項）。

請負代金（報酬）の支払時期は後払いが原則です。仕事の目的物の引渡しを要するときは引渡しと同時、引渡しを要しないときは仕事を完成した後になります（633条・624条１項）。

注文者の責めに帰することができない事由によって仕事を完成できなくなった場合、または、請負が仕事の完成前に解除された場合において、**請負人がすでにした仕事の結果のうち可分な部分の給付によって注文者が利益を受けるときは、その部分を仕事の完成とみなして、請負人は、注文者が受ける利益の割合に応じて報酬を請求できます**（634条）。

不法な原因のために給付をした者は、その給付したものの返還を請求することができません（708条本文）。そして、「給付」された物が建物の場合、判例は、未登記建物については引渡しのみで「給付」にあたるとしますが（最大判昭45.10.21）、**既登記建物については、引渡しのみでは足りず、所有権移転登記の完了を要する**としました（最判昭46.10.28）。

711条は、不法行為による生命侵害があった場合に、被害者の「父母、配偶者及び子」が加害者に対し固有の慰謝料を請求できることを認めています。しかし、判例は、同条に該当しない者（判例の事案では、被害者の夫の妹）であっても、**被害者との間に同条所定の者と実質的に同視できる身分関係が存在し、被害者の死亡により甚大な精神的苦痛を受けた者は、同条の類推適用により、固有の慰謝料を請求できる**としました（最判昭49.12.17）。

Q61 ☑☑☑

債務不履行の場合は、債権者が債務者に帰責事由があることを立証しなければならないが、不法行為の場合は、加害者側が自己に帰責事由がないことを立証しなければならない。

Q62 ☑☑☑

Xは、Z社の車を運転していたZ社の従業員Yの過失による交通事故で負傷した。Yの運転が、客観的にはYの職務行為の範囲内に属するものと認められる場合でも、Yが私用のためにZ社の車を使っていたときは、XはZ社に対して損害賠償を請求することができない。

Q63 ☑☑☑

未成年者は、他人に損害を加えた場合において、自己の行為の責任を弁識するに足りる知能を備えていなかったときは、その行為について賠償の責任を負わない。

Q64 ☑☑☑

事実上の夫婦の一方が他方の意思に基づかないで婚姻届を作成提出した場合においても、当時両名に夫婦としての実質的生活関係が存在しており、かつ、後に他方の配偶者が届出の事実を知ってこれを追認したときは、当該婚姻は追認によりその届出の当初に遡って有効となる。

債務不履行の場合は、「債務者」が帰責事由の立証責任を負います（最判昭34.9.17)。これに対して、**不法行為の場合は、「被害者」が加害者の過失の立証責任**を負います（大判明38.6.19)。

×

「事業の執行について」（715条１項本文）とは、その行為の外形から観察して、あたかも被用者の職務の範囲内の行為に属するものと認められる場合も含まれます（外形理論)。これによれば、**Ｙによるｚ社の車の運転が私用であっても、客観的にはＹの職務の範囲内に属するものと認められる場合には、その結果生じたＸの負傷は、Ｚ社の「事業の執行について」生じたもの**といえます（最判昭39.2.4)。

○

未成年者は、他人に損害を加えた場合において、**「自己の行為の責任を弁識するに足りる知能」（責任能力）を備えていなかったときは、その行為について賠償の責任を負いません**（712条)。

○

たとえ事実上の夫婦の一方が婚姻届を作成提出しても、その婚姻届が他方の意思に基づかないものであれば、その婚姻は無効になります。しかし、判例は、①その当事者間に夫婦としての実質的生活関係が存在しており、かつ、②のちに**他方の配偶者が届出の事実を知ってこれを追認したときは、無権代理行為の追認に関する116条の類推適用により、その婚姻は追認によりその届出の当初に遡って有効となる**としました（最判昭47.7.25)。

Q65 ☑☑☑

特別養子縁組における養子の年齢は18歳未満とされており、18歳以上の者を養子とするには、家庭裁判所の許可を得なければならない。

Q66 ☑☑☑

Aが死亡し、その子B、C、D及びEが共同相続人となったが、D及びEは未成年者だったため、D及びEの親権者で相続権を有しないFがD及びEを代理して遺産分割協議を行い、Aの遺産を全てBに帰属させる旨の協議が成立した場合における当該遺産分割協議は利益相反行為にあたる。

Q67 ☑☑☑

共同相続された普通預金債権は、原則として相続開始と同時に当然に相続分に応じて分割されるが、当該債権を遺産分割の対象とすることについて相続人全員の合意がある場合に、これを含めて遺産分割を行うことが相続人間の具体的衡平の実現を可能ならしめるときは、当該債権は遺産分割の対象となる。

特別養子となる者の年齢は、①縁組の請求時に15歳未満、②縁組成立時に18歳未満でなければなりません（817条の５第１項）。ただし、15歳に達する前から引き続き養親となる者に監護されていた場合において、15歳に達するまでに縁組の請求がされなかったことについてやむをえない事由があるときには、①の制限は適用されませんが（同条２項）、養子となる者の同意が必要となります（同条３項）。

判例は、遺産分割の協議は、その行為の客観的性質上相続人相互間に利害の対立を生ずるおそれのある行為と認められるから、**親権者Ｆが共同相続人である数人の子Ｄ・Ｅを代理して遺産分割の協議をすることは、利益相反行為（826条２項）にあたる**としました（最判昭49.7.22）。

共同相続された**普通預金債権・通常貯金債権・定期貯金債権（預貯金債権）**は、いずれも相続開始と同時に当然に相続分に応じて分割されることはなく、**遺産分割の対象となります**（最大決平28.12.19）。

行政法

Q68 ☑☑☑

公営住宅の利用関係は、私人間の家屋賃貸借関係と異なり、公法上の契約関係であるから、民法および借地借家法の規定の適用はない。

Q69 ☑☑☑

上級行政庁が自己の権限の一部を下級行政庁に委任した場合には、下級行政庁は、委任された権限をその範囲内において、上級行政庁の名と責任において行使する。

Q70 ☑☑☑

児童扶養手当法の委任に基づき児童扶養手当の支給対象児童を定める同法施行令が、母が婚姻（婚姻の届出をしていないが事実上婚姻関係と同様の事情にある場合を含む。）によらないで懐胎した児童から、父から認知された児童を除外したことは、同法の委任の範囲を逸脱しない適法な規定として有効であるとした。

Q71 ☑☑☑

法規命令のうち委任命令は、法律の委任に基づいて法律事項を定めた命令であり、法律による個別的で具体的な委任がある場合には、委任命令に罰則を設けることができる。

Q72 ☑☑☑

特許とは、命令的行為の一つであり、法令等によって一般的に禁止されている行為を解除する行為のことである。例としては、酒類の製造免許が挙げられる。特許は、本来自由であるはずの行為が法令により規制されているのであるから、行政庁が裁量により特許を付与しないことは原則として許されない。

判例は、公営住宅の利用関係については、公営住宅法およびこれに基づく条例が特別法として民法および借地借家法に優先して適用されますが、**公営住宅法および条例に特別の定めのない限り、原則として民法および借地借家法の適用がある**としています（最判昭59.12.13）。

委任を受けた受任行政庁は、委任された権限をその範囲内において、自己の名と責任において行使することになり、委任庁の名と責任において行使するものではありません。

判例は、児童扶養手当法４条１項各号は、父による現実の扶養を期待することができないと考えられる児童を類型化しているのであり、法律上の父の存否のみによって支給対象児童を類型化する趣旨ではないとし、同法施行令が**父から認知された児童を除外したことは、法の趣旨、目的に照らし均衡を欠き、法の委任の趣旨に反し無効なものであり、**本号括弧書を根拠としてなされた本件処分は違法であるとしました（最判平14.1.31）。

罰則についても、国会中心立法の原則（憲法41条）、罪刑法定主義（憲法31条）との関係上、**法律による個別具体的な委任があれば、委任命令で罰則を定めることもできます。**なお、憲法73条６号但書も委任命令に罰則を設けることを認めています。

特許とは、形成的行為の１つであり、本来国民が一般的には取得できない特別の能力・権利を設定する行為をいいます。例として、道路の占用許可（道路法32条１項）が挙げられます。**特許は**、私人の本来的自由にかかわる問題ではないので、行政庁には、どのような観点で特許を付与するかについて**広い裁量が認められると解されています。**

Q73 ☑☑☑

行政行為の自力執行力は、行政行為によって命ぜられた義務を国民が履行しない場合に、行政庁が裁判判決を得て義務者に対し強制執行を行うことができるが、強制執行を行うためには、法律の根拠が必要である。

Q74 ☑☑☑

行政処分は、たとえ違法であっても、その違法が重大かつ明白で当該行為を当然無効ならしめるものと認めるべき場合を除いては、適法に取り消されない限り完全にその効力を有する。

Q75 ☑☑☑

行政行為の公定力は、違法な行政行為によって損害を被ったことを理由とする損害賠償請求訴訟には及ばないので、裁判所が判決で行政行為を違法として損害賠償を認めても、行政行為の効力は存続する。

Q76 ☑☑☑

懲戒権者の裁量権の行使としてされた公務員に対する懲戒処分の適否を裁判所が審査するにあたっては、懲戒権者と同一の立場に立って、懲戒処分をすべきであったかどうか又はいかなる処分を選択すべきであったかについて決定し、その結果と当該懲戒処分とを比較して、その違法性を判断しなければならない。

自力執行力とは、行政権が、裁判所の強制執行手続によらずに、相手方の意思に反して**行政行為の内容を自力で実現しうる効力**のことをいいます。もっとも、法律の留保の原則により、**強制執行を行うためには、私人に義務を課する規定のほかに、別途強制執行に関する授権を行政庁に対して行う法律が必要とされる**ので、この点は妥当です。

公定力とは、行政行為がたとえ**違法であっても、当然に無効とされる場合を除いて、権限のある国家機関によって取り消されるまでは、有効**なものとして扱われる効力をいいます。

判例は、行政処分が違法であることを理由として国家賠償の請求をするにあたってはあらかじめ行政処分につき取消しの判決を得なければならないものではないとして、公定力は国家賠償請求訴訟に及ばないとしています（最判昭36.4.21）。

判例は、公務員につき懲戒処分を行うかどうか、懲戒処分を行うときにいかなる処分を選ぶかは、懲戒権者の裁量に任されているから、裁判所が懲戒処分の適否を審査するにあたっては、**懲戒権者と同一の立場に立って**懲戒処分をすべきであったかどうかまたはいかなる処分を選択すべきであったかについて判断し、その結果と懲戒処分とを比較して**その軽重を論ずべきものではなく、**懲戒権者の裁量権の行使に基づく処分が社会観念上著しく妥当を欠き、裁量権を濫用したと認められる場合に限り違法と判断すべきであるとしています（神戸税関事件／最判昭52.12.20）。

Q77 ☑☑☑

建築基準法に基づく建築確認における接道要件充足の有無の判断と、東京都建築安全条例に基づく安全認定における安全上の支障の有無の判断は、異なる機関がそれぞれの権限に基づき行うこととされているが、安全認定が行われた上で建築確認がされている場合、安全認定が取り消されていなくても、建築確認の取消訴訟において、安全認定が違法であるために接道要件を満たしていないと主張することは許されるとするのが判例である。

Q78 ☑☑☑

行政行為の撤回は、その理由が行政庁の責めに帰すべき事由によって生じたときは、相手方の利益を保護する必要があるため、いかなる場合であっても、当該行政行為の効力をその成立時に遡って失わせる。

Q79 ☑☑☑

代執行のために現場に派遣される執行責任者は、その者が執行責任者たる本人であることを示すべき証票を携帯し、要求がなくとも、これを呈示しなければならない。

Q80 ☑☑☑

執行罰は、地方公共団体においては、条例を根拠規範とすることができるが、直接強制は、条例を根拠規範とすることができない。

判例（最判平21.12.17）は、**建築基準法に基づく建築確認と、それに先行する、東京都建築安全条例に基づく安全認定との間の違法性の承継を認めています。**その理由として、①両者はもともとは一体的に行われていたものであり、避難または通行の安全の確保という同一の目的を達成するために行われるものであること、②安全認定は建築確認と結合して初めてその効果を発揮するものであること、③安全認定があっても、申請者以外の者はこれを知りえないことなどから、建築確認があった段階で初めて不利益が現実化することなどを挙げています。

行政行為の撤回は、適法な行政行為の成立後、後発的事情の変化によってその効力を存続させることが適当でない新たな事由が発生したために、将来に向かってその効力を失わせるものです。**撤回の原因が行政庁の責めに帰すべき事由によって生じた場合も同様であり、遡及効はありません。**

代執行のために現場に派遣される執行責任者は、その者が執行責任者たる本人であることを示すべき証票を携帯し、要求があるときは、いつでもこれを呈示しなければなりません（行政代執行法４条）。あらかじめ代執行令書により執行責任者が義務者に通知されているので（同法３条２項）、**要求がなければ証票を呈示する必要はありません。**

行政代執行法１条の法律に条例は含まれないとされています。そして、直接強制も執行罰も義務履行確保の手段の１つであるため、**執行罰についても、直接強制と同様に、条例を根拠規範とすることはできません。**

Q81 ☑☑☑

行政上の秩序罰には刑法総則が適用され、裁判所が刑事訴訟法の手続に従って科刑する。

Q82 ☑☑☑

行政契約は、行政作用の一形態であるため、行政事件訴訟法上の「行政庁の公権力の行使」に当たると一般に解されている。このことから、行政契約に対して不服のある者は、民事訴訟ではなく、抗告訴訟で争うこととなる。

Q83 ☑☑☑

水道法上、水道事業者である市は、給水契約の申込みを受けた場合、正当の理由がなければこれを拒むことができないが、申込者が行政指導に従わない意思を明確に表明しているときは、正当の理由が存在するとして、給水契約の締結を拒むことができる。

Q84 ☑☑☑

行政庁は、申請により求められた許認可等をするかどうかを判断するための審査基準を定める際には、当該許認可等の性質に照らしてできる限り具体的に定めなければならないが、審査基準をあらかじめ公表する必要はない。

Q85 ☑☑☑

行政庁は、申請書に必要な書類が添付されていないなど、法令に定められた形式上の要件に適合しない申請については、申請者に対し、当該申請の受理を拒否しなければならない。

行政上の秩序罰とは、行政上の秩序維持のために違反者に制裁として金銭的負担（過料）を科すものです。**法令に基づく過料は、非訟事件手続法の定めに従って裁判所がこれを科します。**秩序罰は刑法上の罰ではないので、刑法総則の適用はなく、刑事訴訟法の手続に従う必要もありません。

行政契約は、当事者間の合意に基づいて行われる非権力的な行為であるので、「行政庁の処分その他公権力の行使」にあたらず、抗告訴訟で争うことはできません。このため、**行政契約に関する紛争解決手段としては、実質的当事者訴訟（行政事件訴訟法４条後段）か、民事訴訟による**こととなります。

判例は、給水契約を締結して給水することが公序良俗違反を助長するような事情がないにもかかわらず、市の行政指導（宅地開発指導要綱）を遵守させるための圧力手段として、当該**行政指導に従わないマンション建設業者らとの給水契約を拒んだ場合には、水道法15条１項の「正当の理由」は認められない**としています（武蔵野マンション刑事事件／最決平元.11.8）。

行政庁は、申請により求められた許認可等をするかどうかを判断するための審査基準を定める際には、当該許認可の性質に照らしてできる限り具体的に定めなければなりません（行政手続法５条２項）。また、**行政庁は、特別の支障があるときを除き、適当な方法によって、審査基準を公にしておかなければなりません**（同条３項）。

行政庁は、法令に定められた形式上の要件に適合しない申請については、速やかに、申請者に対し相当の期間を定めて当該申請の補正を求めるか、当該申請により求められた許認可等を拒否しなければなりません（行政手続法７条）。**行政庁は当該申請の受理を拒否することはできません。**

Q86 ☑☑☑

地方公共団体の機関がする処分のうち、その根拠となる規定が条例又は地方公共団体の執行機関の規則に置かれているものについては、行政手続法の申請に対する処分及び不利益処分に関する規定は適用されない。

Q87 ☑☑☑

不利益処分の名宛人となるべき者には、聴聞の通知があった時から聴聞が終結する時までの間、行政庁に対する当該不利益処分の原因となる事実を証する資料の閲覧及び複写の請求が認められており、当該請求がされた場合、行政庁は、正当な理由があるときでなければ、当該請求を拒むことはできない。

Q88 ☑☑☑

行政指導に携わる者は、行政指導を口頭で行った場合において、その相手方から当該行政指導の趣旨及び内容並びに責任者を記載した書面の交付を求められたときは、必ずこれを交付しなければならない。

Q89 ☑☑☑

行政庁の処分につき処分庁に対して再調査の請求を行ったときでも、法律に審査請求ができる旨の規定がある場合には、再調査の請求人は、当該再調査の請求と並行して、審査請求もすることができる。

行政手続法は、国の行政を直接の対象とします。地方公共団体の行政作用については、地方公共団体の自主性を尊重するとの観点から、本法は適用されないのが原則です。3条3項は、**地方公共団体の機関がする処分のうち、その根拠となる規定が条例または規則に置かれているものに限り、行政手続法は適用されない**としています。

複写の請求を認める制度は存在せず、また、**「第三者の利益を害するおそれがあるとき」も閲覧拒絶事由**となります（行政手続法18条1項前段）。

行政手続法35条3項は、行政指導が口頭でされた場合において、その相手方から当該行政指導の趣旨および内容ならびに責任者を記載した書面の交付を求められたときは、当該行政指導に携わる者は、行政上特別の支障がない限り、これを交付しなければなりません。したがって、**「行政上特別の支障」がある場合には、書面を交付しなくてもよく、必ず書面を交付しなければならないわけではありません。**

行政不服審査法では、このようなことは規定されていません。なお、5条1項本文の規定により再調査の請求をしたときは、原則として、当該再調査の請求についての決定を経た後でなければ、審査請求をすることができません（5条2項本文）。

Q90

審査請求がされた行政庁は、審査庁に所属する職員のうちから審理手続を行う者である審理員を指名しなければならず、審査請求が不適法であって補正することができないことが明らかで、当該審査請求を却下する場合にも審理員を指名しなければならない。

Q91

行政庁の不作為に対する不服申立てについては、正当な理由があるときを除いて、申請した日の翌日から起算して１年を経過したときはすることができない。

Q92

審査請求人は、弁明書に記載された事項に対し、反論書を提出することができる。また、審査請求人は、申立てをすれば、審理員が必要があると認めた場合に限り、口頭で審査請求に係る事件に関する意見を述べる機会が与えられる。

Q93

当事者訴訟の２つの類型のうち、当事者間の法律関係を確認し又は形成する処分又は裁決に関する訴訟で法令の規定によりその法律関係の当事者の一方を被告とするものは、実質的当事者訴訟と呼ばれる。

Q94

医療法の規定に基づいて都道府県知事が行う病院開設中止の勧告は、当該勧告を受けた者に対し、相当程度の確実さをもって、病院を開設しても保険医療機関の指定を受けることができなくなるという結果をもたらすものの、病院の開設自体を中止すべき法律上の義務を生じさせるものではないから、抗告訴訟の対象となる行政処分に当たらない。

審査請求がなされた場合、審査請求された行政庁は、審理庁に所属する職員のうちから、審理手続をする審理員を指名しなければなりません（行政不服審査法９条１項本文）。しかし、同項但書の「24条の規定により当該審査請求を却下する場合」、すなわち、**審査請求が不適法であり、補正（同法23条）がなされず、当該審査請求を却下する場合には審理員を指名する必要はありません。**

不作為に対する不服申立てには期間制限がありません。法令に基づく申請がなされた場合、行政庁には何らかの処分等をする義務が生じ、これをしない限りは違法状態が続くことになるので、期間制限なく不服申立てをすることができます。

審査請求人は、弁明書に記載された事項に対する反論書を提出できます（行政不服審査法30条１項前段）。審査請求人または参加人の申立てがあった場合には、審理員は、当該申立てをした者に口頭で意見を述べる機会を与えなければなりません（31条１項本文）。**審理員が必要があると認めた場合に限られるわけではありません。**

実質的当事者訴訟とは、**公法上の法律関係に関する確認の訴えその他の公法上の法律関係に関する訴訟**をいいます（行政事件訴訟法４条後段）。

判例は、**病院開設中止勧告は、**医療法上は任意に従うことを期待してなされる行政指導として定められているが、勧告に従わない場合、病院を開設しても保険医療機関の指定を受けられなくなり、実際上病院の開設自体を断念せざるをえなくなる結果をもたらすので、当該勧告は**抗告訴訟の対象となる処分にあたる**としました（最判平17.7.15）。

Q95 ☑☑☑

場外車券発売施設の設置許可申請者に対し、自転車競技法施行規則は、その敷地の周辺から1,000メートル以内の地域にある医療施設等の位置及び名称を記載した場外車券発売施設付近の見取図を添付することを求めていることから、当該場外車券発売施設の敷地の周辺から1,000メートル以内の地域において居住し又は事業を営む者は全て、当該許可の取消訴訟の原告適格を有する。

Q96 ☑☑☑

自動車運転免許の効力を停止する処分について、その効力停止期間が経過した場合であっても、当該処分の記載のある免許証を所持することにより、名誉、感情、信用等を損なう可能性が存在するから、当該処分の取消しを求める訴えの利益は失われない。

Q97 ☑☑☑

許可を申請したところ、拒否処分がなされたので、その拒否処分の取消訴訟を提起して取消判決を得た場合には、取消判決の形成力により、処分及びそれに先立つ申請が当初からなかったことになるため、申請者が判決の趣旨に従った新たな処分を受けるためには、改めて許可申請を行う必要がある。

Q98 ☑☑☑

行政処分が無効であれば、その法的効力は当初から存在しないことになるから、行政事件訴訟法において、無効等確認判決については、取消判決の第三者効の規定が準用されている。

自転車競技法施行規則14条２項１号は、場外車券発売施設の設置許可申請書に、敷地の周辺から1,000メートル以内の地域にある医療施設などの位置・名称を記載した場外車券発売施設付近の見取図を添付することを求めていますが、判例は、**場外車券発売施設の周辺において居住しまたは事業（医療施設などに係る事業を除く。）を営むにすぎない者について、自転車競技法・同施行規則には、これらの者の生活環境に関する利益を個々人の個別的利益として保護する規定がないとして、場外車券発売施設の設置許可の取消しを求める原告適格を否定**しました（最判平21.10.15）。

本肢と同様の事案につき、判例は、自動車運転免許停止処分に対し取消訴訟を提起したが、処分の日から１年間無事故・無違反で経過したため処分の法的効果が消滅した場合、原告は、**１年間経過により本件原処分を理由に道路交通法上不利益を受けるおそれがなくなっているから、原処分・裁決の取消しにより回復すべき法律上の利益を有しない**としました（最判昭55.11.25）。

取消判決の形成力とは、処分が当初からなかったのと同じ法的状態を回復させる形成判決の効力をいいます。もっとも、取消判決の確定により、行政庁が取り消すまでもなく、処分の効力は処分当時に遡って消滅することとなりますが、処分に先立つ**申請自体が消滅するのではありません**。この場合、申請者が許可申請した時点に戻ることになり、改めて許可申請を行う必要はありません。

無効等確認訴訟に取消訴訟の規定を準用する行政事件訴訟法38条において、**取消判決の第三者効を規定する同法32条１項が準用されていません**。抗告訴訟においては取消訴訟以外に形成の訴えがなく、第三者効をもたらす判決の形成力が理論上考えられないからです。

Q99 ☑☑☑

不作為の違法確認の訴えにおいては、取消訴訟におけるような出訴期間の制限はなく、原告適格を有する者は、処分又は裁決の不作為が継続していれば訴えを提起することができる。

Q100 ☑☑☑

義務付けの訴えを提起するためには、申請型義務付け訴訟であれ非申請型義務付け訴訟であれ、一定の処分がされないことにより重大な損害を生ずるおそれがあることに加え、当該損害を避けるため他に適当な方法がないときであることが必要である。

Q101 ☑☑☑

差止訴訟は、一定の処分又は裁決がされることにより重大な損害が生ずるおそれがある場合に限り提起することができるが、その損害を避けるため他に適当な方法があるときは、提起することができない。

Q102 ☑☑☑

県知事が児童福祉法に基づき社会福祉法人が設置する児童養護施設に入所させた児童について、社会福祉法人の職員が行った養護看護行為に問題があった場合は、当該法人は本条における公共団体にあたり、損害賠償責任を負う。

不作為の違法確認訴訟とは、行政庁に対して法令に基づく申請をしたにもかかわらず、行政庁が処分・裁決をしないことの違法確認を求める訴訟です。**不作為の違法確認訴訟には、取消訴訟の出訴期間に関する規定（行政事件訴訟法14条）は準用されていません**（行政事件訴訟法38条１項）。

一定の処分がされないことにより**重大な損害を生ずるおそれ**があることに加え、当該損害を避けるため**他に適当な方法がないこと**（行政事件訴訟法37条の２第１項）を必要とするのは**非申請型義務付け訴訟だけです。**

差止訴訟は、一定の処分又は裁決がされることにより**重大な損害が生ずるおそれがある場合に限り提起することができますが、その損害を避けるため他に適当な方法があるときは、提起することができません**（行政事件訴訟法37条の４第１項）。

判例は、**都道府県による児童福祉法上の措置に基づき社会福祉法人の設置運営する児童養護施設に入所した児童に対する当該施設の職員等による養育監護行為は、**都道府県の公権力の行使にあたるので、**都道府県が当該行為による損害について賠償責任を負う**としました（最判平19.1.25）。

Q103 ☑☑☑

税務署長が行った所得税の更正が、所得金額を過大に認定したものであるとして取消訴訟で取り消されたとしても、当該税務署長が資料を収集し、これに基づき課税要件事実を認定、判断する上において、職務上通常尽くすべき注意義務を尽くしていた場合は、国家賠償法１条１項の適用上違法とはされない。

Q104 ☑☑☑

国会議員の立法行為が国家賠償法第１条第１項の適用上違法となるかどうかは、国会議員の立法過程における行動が個別の国民に対して負う職務上の法的義務に違反したかどうかの問題であって、当該立法の内容の違憲性の問題とは区別されるべきである。

Q105 ☑☑☑

未改修である河川の管理についての瑕疵の有無は、河川管理における財政的、技術的及び社会的諸制約の下でも、過渡的な安全性をもって足りるものではなく、通常予測される災害に対応する安全性を備えていると認められるかどうかを基準として判断すべきである。

Q106 ☑☑☑

土地収用法に基づく収用の場合における損失の補償には、収用される権利の対価の補償のみならず、営業上の損失、建物の移転による賃貸料の損失など、収用によって権利者が通常受ける付随的な損失の補償も含まれる。

判例は、「税務署長のする所得税の更正は、所得金額を過大に認定していたとしても、そのことから直ちに国家賠償法１条１項にいう違法があったとの評価を受けるものではなく、税務署長が資料を収集し、これに基づき課税要件事実を認定、判断する上において、職務上通常尽くすべき注意義務を尽くすことなく漫然と更正をしたと認め得るような事情がある場合に限り、右の評価を受けるものと解するのが相当である」としています（最判平5.3.11）。

判例は、**国会議員の立法行為が国家賠償法１条１項の適用上違法となるかどうかは、**国会議員の立法過程における行動が個別の国民に対して負う職務上の法的義務に違背したかどうかの問題であって、当該立法の内容の違憲性の問題とは区別されるべきであり、**仮に当該立法の内容が憲法の規定に違反するおそれがあるとしても、そのゆえに国会議員の立法行為が直ちに違法の評価を受けるものではない**としました（在宅投票制廃止事件／最判昭60.11.21）。

未改修の河川管理の瑕疵につき、判例は、財政的・技術的・社会的制約のもとで一般に施行されてきた治水事業による改修･整備の過程に対応するいわば**過渡的な安全性をもって足りる**とし、当該河川の管理瑕疵の有無は、そうした諸制約のもとでの同種・同規模の河川の管理の一般水準および社会通念に照らして是認しうる安全性を備えていると認められるかどうかを基準として判断すべきであるとしました（大東水害訴訟／最判昭59.1.26）。

土地の収用に対する損失補償の内容として、直接収用対象となる土地等の対価を補償するだけでは不十分なことがあるので、土地収用法には補償項目として、権利対価補償（同法71条）以外に、工事費用の補償（同法75条）、移転料補償（同法77条）、通常損失の補償（同法88条）等、**土地収用に伴う付随的損失に対する補償を定めています。**

Q107 ☑☑☑

東京都の特別区は特別地方公共団体の一種であるが、東京都自体は、普通地方公共団体である。

Q108 ☑☑☑

指定都市は、その行政の円滑な運営を確保するため必要があると認めるときは、市長の権限に属する事務のうち特定の区の区域内に関するものを総合区長に執行させるため、条例で、当該区に代えて総合区を設けることができる。

Q109 ☑☑☑

地方公共団体の長は、内閣と異なり、予算に関する議決について異議があるときは、その送付を受けた日から10日以内に、理由を付して再議を請求することができる。

Q110 ☑☑☑

住民は、普通地方公共団体の事務の監査を請求することができ、また、財務に関する違法または不当な行為にかかる監査を請求することができるが、これらはいずれも一定数の者の連署が必要であり、単独で監査請求をすることは認められない。

Q111 ☑☑☑

普通地方公共団体の長は、その権限に属する事務に関し、規則を制定し、それに違反した者について、罰金などの刑罰の規定を設けることができる。

都の区は、これを**特別区**といい（地方自治法281条１項）、**特別地方公共団体の１つ**です（１条の３第３項）。**東京都**は、**普通地方公共団体**です（地方自治法１条の３第２項）。

指定都市は、その行政の円滑な運営を確保するため必要があると認めるときは、市長の権限に属する事務のうち特定の区の区域内に関するものを総合区長に執行させるため、**条例で、当該区に代えて総合区を設け、総合区の事務所または必要があると認めるときはその出張所を置くことができます**（地方自治法252条の20の２第１項）。

地方公共団体の長は、**内閣の場合とは異なり、予算に関する議決について異議があるときは、その送付を受けた日から10日以内に、理由を付して再議を請求することができます**（地方自治法176条１項かっこ書）。

選挙権を有する者（道の方面公安委員会については、当該方面公安委員会の管理する方面本部の管轄区域内において選挙権を有する者）は、政令で定めるところにより、その総数の50分の１以上の者の連署をもって、その代表者から、普通地方公共団体の監査委員に対し、当該普通地方公共団体の事務の執行に関し、監査の請求をすることができます（地方自治法75条１項）。一方、**住民監査請求は、普通地方公共団体の住民であれば、１人でも行うことができます**（地方自治法242条１項参照）。

普通地方公共団体の長は、法令に違反しない限りにおいて、その権限に属する事務に関し、規則を制定することができます（15条１項）。普通地方公共団体の長は、法令に特別の定めがあるものを除くほか、普通地方公共団体の規則中に、規則に違反した者に対し、５万円以下の過料を科する旨の規定を設けることができます（15条２項）。したがって、罰金などの刑罰の規定を設けることはできません。

Q112 ☑☑☑

公の施設とは、住民の福祉を増進する目的をもってその利用に供する施設を指し、法令に特別の定めのあるものを除いて、その設置、管理については、かならず条例の根拠を要する。

普通地方公共団体は、住民の福祉を増進する目的をもってその利用に供するための施設(「公の施設」)を設けるものとされています(地方自治法244条1項)。普通地方公共団体は、法律またはこれに基づく政令に特別の定めがあるものを除くほか、**公の施設の設置およびその管理に関する事項は、条例でこれを定めなければなりません**(地方自治法244条の2第1項)。

Q113 ☑☑☑

支配人は、商人に代わってその営業に関する裁判上の行為を除く一切の行為をする権限を有する。

Q114 ☑☑☑

商人がその営業の部類に属する契約の申込みを受けた場合において、その申込みとともに受け取った物品があるときは、その申込みを拒絶したときであっても、その商人の費用をもってその物品を保管しなければならない。

Q115 ☑☑☑

場屋営業者は、客から寄託を受けた物品が滅失した場合であっても、客が場屋の中に携帯した物品につき責任を負わない旨を表示していたときは、場屋営業者の責任を免れることができる。

Q116 ☑☑☑

発起人が２名以上ある場合、そのうちの発起人１名が設立時発行株式の全てを引き受け、他の発起人は、設立時発行株式を引き受けないことができる。

支配人は、商人に代わってその営業に関する**一切の裁判上または裁判外の行為をする権限を有します**（商法21条１項）。なお、支配人の代理権に加えた制限は、善意の第三者に対抗することができません（商法21条３項）。

商人がその営業の部類に属する契約の申込みを受けた場合において、その申込みとともに受け取った物品があるときは、その**申込みを拒絶したときであっても、申込者の費用をもってその物品を保管しなければなりません**（商法510条本文／契約の申込みを受けた者の物品保管義務）。

場屋営業者は、客から寄託を受けた物品の滅失または損傷については、不可抗力によるものであったことを証明しなければ、損害賠償の責任を免れることができません（商法596条１項）。**客が場屋の中に携帯した物品につき責任を負わない旨を表示したときであっても、場屋営業者は、その責任を免れることができません**（商法596条３項）。

各発起人は、株式会社の設立に際し、設立時発行株式を１株以上引き受けなければなりません（会社法25条２項）。そのため、**発起人が２名以上ある場合、そのうちの発起人１名が設立時発行株式のすべてを引き受け、他の発起人が設立時発行株式を引き受けないとすることはできません。**

Q117 ☑☑☑

設立時取締役は、その選任後遅滞なく、設立の手続が法令又は定款に違反していないことを調査しなければならない。

Q118 ☑☑☑

株式会社の成立により発起人が受ける報酬は、定款に定めがない場合であっても、成立後の株式会社が負担する。

Q119 ☑☑☑

会社は、取締役会の決議によって株式の併合をすることができる旨を定款で定めることができる。

Q120 ☑☑☑

株式の分割により自己株式の数は増えるが、株式無償割当てにより自己株式の数は増えない。

設立時取締役（※設立しようとする株式会社が監査役設置会社である場合にあっては、設立時取締役および設立時監査役）**は、その選任後遅滞なく、**①現物出資・財産引受のうち少額免除、有価証券に関する免除の対象となる財産につき定款に定めた価額が相当であること、②弁護士等の証明を受けることによる免除の場合には弁護士等の証明が相当であること、③出資の履行が完了していること、④その他株式会社の設立の手続が法令・**定款に違反していないことを調査しなければなりません**（会社法46条１項）。

株式会社を設立する場合には、「株式会社の成立により発起人が受ける報酬その他の特別の利益及びその発起人の氏名または名称」は、発起人が作成する定款に記載し、又は記録しなければ、その効力を生じません（会社法28条３号）。したがって、**定款に定めがない場合、成立後の株式会社は、株式会社の成立により発起人が受ける報酬を負担しません。**

株式の併合は、株主の利害に重大な影響を与えるため、これを行う場合には、株主総会の特別決議が必要です（会社法180条２項、309条２項４号）。したがって、**取締役会の決議によって株式の併合をすることができる旨を定款で定めることはできません。**

株式の分割では、**自己株式も分割されるので、自己株式の数が増えます。**これに対し、株式無償割当てでは、**自己株式に対しこれをすることができないので（会社法186条２項）、自己株式の数は増えません。**

Q121 ☑☑☑

単元未満株主が単元未満株式売渡請求をすることができる旨の定款の定めがない限り、単元未満株主は、株式会社に対して、自己の有する単元未満株式の数と併せて単元株式数となる数の株式を売り渡すことを請求することができない。

Q122 ☑☑☑

取締役会設置会社においては、株主総会は、会社法に規定する事項及び定款で定めた事項に限り、決議をすることができる。

Q123 ☑☑☑

株主総会決議無効確認の訴えに係る請求を棄却する確定判決は、第三者に対しても、その効力を有する。

Q124 ☑☑☑

監査役設置会社が特別取締役による取締役会決議を行うには、当該会社が取締役会設置会社であって、取締役の数が６人以上であり、かつ、取締役のうち１人以上が社外取締役であることを要する。

Q125 ☑☑☑

大会社でない監査等委員会設置会社は、会計監査人を置くことを要しない。

株式会社は、単元未満株主が当該株式会社に対して単元未満株式売渡請求（＝単元未満株主が有する単元未満株式の数と併せて単元株式数となる数の株式を当該単元未満株主に売り渡すことを請求すること）をすることができる旨を定款で定めることができます（会社法194条１項）。したがって、**単元未満株主が売渡請求をするためには、当該定款の定めが必要です。**

取締役会設置会社においては、株主総会は、**会社法に規定する事項および定款で定めた事項に限り、決議をすることができます**（会社法295条２項）。

株主総会**決議無効確認の訴えに係る請求を認容する確定判決は、第三者に対しても、その効力を有し**ます（会社法838条／対世効）。法律関係の画一的な確定を図るためです。これに対し、株主総会**決議無効確認の訴えに係る請求を棄却する確定判決には、対世効は認められません。**

取締役会設置会社（※指名委員会等設置会社を除く。）において、①**取締役の数が６人以上**であり、かつ、②**取締役のうち１人以上が社外取締役である場合**には、取締役会の決議により、**（ｉ）重要な財産の処分・譲受け、（ii）多額の借財につき**、あらかじめ選定した**３人以上の取締役（特別取締役）をもって行うことができる旨を定めることができます**（会社法373条１項）。

監査等委員会設置会社は、**会計監査人を置かなければなりません**（会社法327条５項）。

Q126 ☑☑☑

一般法に優先する特別法が制定され、その後に一般法が改正されて当該特別法が適用される範囲について一般法の規定が改められた場合には、当該改正部分については、後法である一般法が優先して適用され、当該特別法は効力を失う。

Q127 ☑☑☑

民事訴訟および刑事訴訟のいずれにおいても、簡易裁判所が第１審の裁判所である場合は、控訴審の裁判権は地方裁判所が有し、上告審の裁判権は高等裁判所が有する。

Q128 ☑☑☑

「判決」とは、訴訟事件の終局的判断その他の重要な事項について、裁判所がする裁判であり、原則として口頭弁論（刑事訴訟では公判と呼ばれる。）に基づいて行われる。

Q129 ☑☑☑

最高裁判所が、法令の解釈適用に関して、自らの過去の判例を変更する際には、大法廷を開く必要がある。

Q130 ☑☑☑

「遅滞なく」、「直ちに」、「速やかに」のうち、時間的即時性が最も強いのは「直ちに」であり、その次が「遅滞なく」である。これらのうち、時間的即時性が最も弱いのは「速やかに」である。

当該改正部分については、**特別法である前法が優先して適用**されます。

民事訴訟においては、**簡易裁判所が第１審の裁判所である場合は、控訴審の裁判権は地方裁判所が有し**（裁判所法24条３号）、**上告審の裁判権は高等裁判所が有します**（裁判所法16条３号）。刑事訴訟においては、**簡易裁判所が第１審の裁判所である場合は、控訴審の裁判権は高等裁判所が有し**（裁判所法16条１号）、**上告審の裁判権は最高裁判所が有します**（裁判所法７条１号）。

判決とは、訴訟事件の終局的判断その他の重要な事項について、裁判所がする裁判であり、**原則として口頭弁論に基づいて行われます**（民事訴訟法87条１項本文、刑事訴訟法43条１項）。

最高裁判所は、「憲法その他の法令の解釈適用について、意見が前に最高裁判所のした裁判に反するとき」は、**小法廷では裁判をすることができません**（裁判所法10条３号、柱書）。よって、大法廷を開く必要があります。

「遅滞なく」、「直ちに」、「速やかに」のうち、**時間的即時性が最も強いのは「直ちに」**ですが、その次に時間的即時性が強いのは「速やかに」であり、最も弱いのは「遅滞なく」です。

Q131

1966年に採択された国際人権規約は、世界人権宣言を徹底させるものであり、加盟各国を法的に拘束するものである。

Q132

イギリスの大臣には閣内大臣と閣外大臣とがあり、内閣を構成する閣内大臣は、その過半数が国会議員でなければならないと法律で定められている。

Q133

多くの政党は党員からの党費だけでは政党の運営を行いにくい現状にある。企業や団体から政党への政治献金は、上限が設けられるなど規制されている代わりに、政党に対しては政党助成法に基づき国庫から政党交付金が交付されている。

Q134

2010年代前半、民主党政権後に政権交代が起こり、安倍晋三自民党総裁が首相に就任した。安倍首相は、補助金の削減、地方分権、成長戦略の三本の矢から成る経済政策「アベノミクス」に力を注ぐとともに、外交を重視して安定した長期政権を築き、桂太郎に次ぐ連続在任日数を記録した。

Q135

衆参各院の議員を選出するためのインターネットを用いた電子投票制度は、設けられていない。

国際人権規約は、1966年に国際連合（国連）総会で採択され、世界人権宣言を条約化したものであり、**加盟各国を法的に拘束する効力を有します。**

大臣には、閣内大臣と閣外大臣とがあります。**閣内大臣は、首相により議会の多数党の議員の中から任命されます。**閣内大臣は、閣外大臣の補佐を受けます。

政党助成法（1994（平成6）年制定）に基づき、多くの政党は国庫から支出される政党交付金の交付を受けています。**毎年の政党交付金の総額は直近の国勢調査の人口に250円を乗じて得た額を基準として予算で定める**こととされています。

2009年、本格的な政権交代が起こり、民主党を中心とする政権が誕生したが、2012年、民主党が大敗し、再び、自民党を中心とする政権（安倍晋三内閣）が誕生しました。安倍晋三首相は、大規模な景気対策を内容とする経済政策（アベノミクス）を打ち出すとともに、外交を重視して安定した長期政権を築き、**佐藤栄作首相（1964-1972）の連続2,798日を抜いて連続在任日数でわが国の憲政史上最長の2,822日を記録しました。**

衆参各院の議員を選出するためのインターネットを利用した電子投票制度は、設けられていません（2024（令和6）年9月現在）。なお、地方公共団体の議会の議員および長の選挙については、2002年から投票所および期日前投票所における電磁的記録式投票機を用いた電子投票制度が認められています。

Q136 ☑☑☑

安全保障理事会は、米国、英国、フランス、ロシア、中国から成る常任理事国と、総会における選挙で選出された15か国から成る非常任理事国とで構成される。非常任理事国の任期は４年で再任も可能である。常任理事国は拒否権を有しており、同理事会の表決は全会一致で行われる。

Q137 ☑☑☑

核兵器の開発、保有、使用等を禁止する核兵器禁止条約は、2020年、条約を批准した国と地域が条約の発効要件である50に達したことから、2021年１月に発効した。

Q138 ☑☑☑

バブル崩壊後の不況に対し、政府が公共事業の拡大による景気対策を行ったため、最近では、建設国債残高は赤字国債残高よりもはるかに大きくなっている。

Q139 ☑☑☑

2000年代後半、リーマン・ショックを機に本格化した世界金融危機を解決するために、Ｇ７が開かれるようになった。

Q140 ☑☑☑

ＦＴＡ（自由貿易協定）は、貿易の自由化に加え、投資、人の移動や知的財産の保護等を含む幅広い経済関係の強化を目的とする協定のことで、日本、中国及び韓国は、３か国間でＦＴＡを締結している。

安全保障理事会は、**米・英・仏・ロ・中の５常任理事国と、総会で地域ごとに選出される任期２年（※連続再任不可）の10非常任理事国**とで構成されます。表決は、①手続事項については、９カ国以上の賛成で、②非手続事項（実質事項）については、常任理事国の同意投票を含む９カ国以上の理事国の賛成で行われます。

○

2017年に、核兵器禁止条約（ＴＰＮＷ）は、国連総会で採択されました（2021年１月発効）。核兵器禁止条約は、核兵器やその他の核爆発装置の開発、実験、製造、取得、保有または備蓄のほか、これらの兵器を使用したり、使用の脅しをかけたりすることを含め、ありとあらゆる核兵器関連の活動を禁止しています。

×

令和６年度末の国債残高（政府見込み）は、建設国債が約298兆円、赤字国債が約776兆円であり、**赤字国債残高は、建設国債残高よりも大きくなっています。**

×

2008年にアメリカの有力投資銀行リーマン・ブラザーズが経営破綻したことを発端とする**リーマン・ショックを機に、本格化した世界金融危機を解決するためにG20サミット（金融世界経済に関する首脳会合）が開かれました。**

×

貿易の自由化に加え、投資、人の移動や知的財産の保護等を含む幅広い経済関係の強化を目的とする協定は、ＦＴＡ（自由貿易協定）ではなく、ＥＰＡ（経済連携協定）です。また、**2024年９月末現在、日本、中国および韓国の３カ国間でＦＴＡは締結されていません。**なお、ＡＳＥＡＮ構成国（インドネシア・マレーシア・フィリピン・シンガポール・タイ・ブルネイ・ベトナム・ミャンマー・ラオス・カンボジア）・**日本・中国・韓国**・オーストラリア・ニュージーランドの15カ国間で、**地域的な包括的経済連携（ＲＣＥＰ）協定が2020年11月に署名されました。**

Q141 ☑☑☑

男女雇用機会均等法は、セクシュアル・ハラスメントにより就業環境が害されることがないように必要な措置を講ずることを事業主に義務づけている。

Q142 ☑☑☑

高齢化率とは、総人口に占める65歳以上の人口の割合であり、７%を超えた社会を高齢社会といい、14%を超えた社会を高齢化社会という。

Q143 ☑☑☑

温室効果ガス排出量を2050年までに実質ゼロにする目標は、主要７か国（Ｇ７）の中で、日本が最初に法制化した。

Q144 ☑☑☑

行政書士が、他人の依頼を受け報酬を得て、官公署に提出する書類を作成することは、行政書士の法定業務であるが、原則として他の法人・個人も業として作成することができる。

Q145 ☑☑☑

行政書士としての登録の拒否は行政処分であり、その処分に不服がある者は、総務大臣に対して審査請求をすることができる。

事業主は、職場において行われる性的な言動に対するその雇用する労働者の対応により当該労働者がその労働条件につき不利益を受け、または当該性的な言動により当該労働者の就業環境が害されることのないよう、**当該労働者からの相談に応じ、適切に対応するために必要な体制の整備その他の雇用管理上必要な措置を講じなければなりません**(男女雇用機会均等法11条１項)。

高齢化率とは、総人口に占める65歳以上の人口の割合をいいます。**高齢化社会とは高齢化率が７％を超える社会**をいい、**高齢社会とは高齢化率が14%を超える社会**をいいます。

温室効果ガス排出量を2050年までに実質ゼロにする目標は、**2019年６月に、イギリスが最初に法制化しました。**

行政書士が、**他人の依頼を受け報酬を得て、官公署に提出する書類を作成することは、行政書士の法定の独占業務**ですので、原則として他の法人・個人が業として作成することはできません（行政書士法１条の２第１項・19条１項本文)。

行政書士の登録を拒否された者は、当該処分に不服があるときは、**総務大臣に対して**審査請求をすることができます（行政書士法６条の３第１項)。

Q146 ☑☑☑

行政書士としての登録の申請は、日本行政書士会連合会の定めるところにより、行政書士が主として活動する都道府県の行政書士会に対してなされる。

Q147 ☑☑☑

市町村長は、その市町村の区域内に住所を有する者について、その戸籍を単位として、戸籍の附票を作成しなければならない。

Q148 ☑☑☑

個人情報保護法は、個人情報の有用性に配慮しつつ、個人の権利利益を保護することを目的とする旨を明文で定めている。

Q149 ☑☑☑

個人情報保護法では、思想や病歴などに関する個人情報は、いわゆるセンシティブ情報として、他の個人情報に比べて特に慎重な取扱いをする規定をおいている。

Q150 ☑☑☑

仮名加工情報とは、一定の措置を講じて特定の個人を識別することができないように個人情報を加工して得られる個人に関する情報であって、当該個人情報を復元することができないようにしたものをいう。

行政書士の登録を受けようとする者は、行政書士となる資格を有することを証する書面を添えて、**日本行政書士会連合会に対し**、その事務所の所在地の属する都道府県の区域内に設立されている行政書士会を経由して、登録の申請をしなければなりません（行政書士法６条の２第１項）。

×

市町村長は、その市町村の区域内に**本籍**を有する者につき、その戸籍を単位として戸籍の附票を作成しなければなりません（住民基本台帳法16条１項）。

○

個人情報保護法は、**「個人情報の有用性に配慮しつつ、個人の権利利益を保護すること」**を目的としています（個人情報保護法１条）。

○

2015（平成27）年改正により、センシティブ情報に関して、「要配慮個人情報」（人種信条、社会的身分、病歴、犯罪経歴、犯罪被害を受けた事実等が含まれる個人情報）の概念が導入されました（個人情報保護法２条３項）。**要配慮個人情報を取得するためには原則としてあらかじめ本人の同意を必要とする（個人情報保護法20条２項）など、「要配慮個人情報」については他の個人情報に比べて特に慎重な取扱いをする規定**が置かれています。

×

本肢は、**匿名加工情報**（個人情報保護法２条６項）についての記述です。これに対して、仮名加工情報とは、一定の措置を講じて**他の情報と照合しない限り特定の個人を識別することができないように個人情報を加工して得られる個人に関する情報**をいいます（個人情報保護法２条５項）。

MEMO

MEMO

第1編 憲法

著者の**野畑講師**が解説！

書籍購入者限定
無料解説動画

アクセスは
こちら

重要問題や間違えやすい問題をピックアップして解説しています。

※動画の視聴開始日・終了日は、
専用サイトにてご案内いたします。

※ご視聴の際の通信料はお客様負担となります。

URL

https://www.lec-jp.com/gyousei/book/member/torisetsu/2025_mondai.html

人権／人権享有主体

外国人の基本的人権に関する次の記述のうち、判例に照らし、妥当なものはどれか。

1 憲法第22条第２項により保障される出国の自由には帰国の自由も含まれると解されるから、一時出国した在留資格を有する外国人がその在留期間満了の日以前に我が国に再び入国する、いわゆる再入国の自由についても、原則として保障される。

2 外国人が政治活動を行うことは、参政権を行使する場合と異なり、国民の主権的意思決定に影響を与えることはないから、その自由は日本国民と同様に保障され、法務大臣が、外国人の在留期間の更新の際に、外国人が在留期間中に行った政治活動を消極的な事情として斟酌することは許されない。

3 社会保障上の施策において在留外国人をどのように処遇するかについては、国は、特別の条約の存しない限り、その政治的判断により決定することができるから、自国民を在留外国人より優先的に扱うことも許される。

4 個人の私生活上の自由の一つとして、何人もみだりに指紋の押なつを強制されない自由を有するものというべきであり、この自由の保障は我が国に在留する外国人にも等しく及ぶと解されるから、在留外国人のみを対象とする指紋押なつ制度は、憲法第13条に違反し許されない。

5 国民主権の原理にかんがみ、また、地方公共団体が我が国の統治機構の不可欠の要素を成すものであることをも併せ考えると、憲法第93条第２項にいう「住民」とは、地方公共団体の区域内に住所を有する日本国民を意味すると解されるから、法律によって、地方公共団体の長、その議会の議員等の選挙について外国人に選挙権を付与することは許されない。

【公務員試験アレンジ問題】

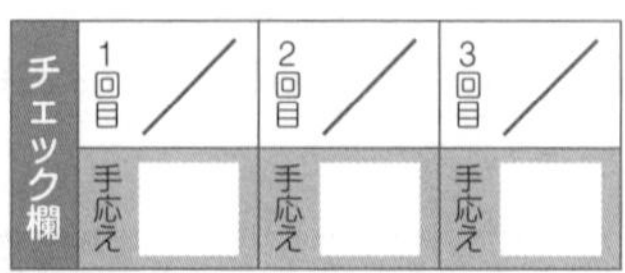

解説

テキスト 第1編

1 **妥当でない** 判例は、わが国に在留する外国人は、憲法上、外国へ一時旅行する自由を保障されているものではないから、**外国人の再入国の自由は22条により保障されない**としています（森川キャサリーン事件／最判平4.11.16）。 P.16

2 **妥当でない** 判例は、外国人の政治活動の自由についても、わが国の政治的意思決定またはその実施に影響を及ぼす活動など**外国人の地位にかんがみ、これを認めることが相当でないと解されるものを除き、その保障が及ぶが、在留期間の更新の際に、外国人の行った政治活動を消極的な事情として斟酌することもできる**としています（マクリーン事件／最大判昭53.10.4）。 P.17

3 **妥当である** 判例は、本肢と同様に、社会保障上の施策において在留外国人をどのように処遇するかについては、国は特別の条約の存しない限り、その政治的判断により決定することができ、**限られた財源のもとで福祉的給付を行うにあたり、自国民を在留外国人より優先的に扱うことも許される**としています（塩見訴訟／最判平元.3.2）。 P.18

4 **妥当でない** 判例は、**13条により何人も指紋押なつを強制されない自由が保障されます**が、**指紋押なつ制度は**外国人の居住・身分関係を明確にするための最も確実な制度であり、立法目的には合理性・必要性があり、方法も相当であるから、**13条に反しない**としています（指紋押捺拒否事件／最判平7.12.15）。 P.31

5 **妥当でない** 判例は、93条２項にいう「住民」とは地方公共団体の区域内に住所を有する日本国民を意味し、**同条が在留外国人に対し地方参政権を保障したということはできない**としながら、地方自治の制度趣旨にかんがみれば、在留外国人であっても、**永住者などでありその居住する地方公共団体と特段に緊密な関係を持った者については、法律をもって地方参政権を付与することは憲法上禁止されない**としています（最判平7.2.28）。 P.18

野畑のワンポイント

正解 3

肢５では、「**国政選挙権は憲法で保障されない⇒法律で付与することもできない**」「**地方選挙権は憲法で保障されない⇒法律で付与することはできる**」という違いについて気をつけましょう。

人権／人権享有主体

問題 2　法人及び外国人の人権に関する次のア～エの記述のうち、判例に照らし、妥当なものの組合せはどれか。

ア　憲法第３章に定める国民の権利及び義務の各条項は、性質上可能な限り、内国の法人にも適用され、また、同章の諸規定による基本的人権の保障は、権利の性質上日本国民のみをその対象としていると解されるものを除き、我が国に在留する外国人に対しても等しく及ぶ。

イ　法人は、自然人たる国民と同様、国や政党の特定の政策を支持、推進し、又は反対するなどの政治的行為をなす自由を有し、公益法人であり強制加入団体である税理士会が、政党など政治資金規正法上の政治団体に金員を寄付するために会員から特別会費を徴収することを多数決原理によって団体の意思として決定し、構成員にその協力を義務付けた上、当該寄付を行うことも、当該寄付が税理士に係る法令の制定改廃に関する政治的要求を実現するためのものである場合は、税理士会の目的の範囲内の行為として認められる。

ウ　政治活動の自由に関する憲法の保障は、我が国の政治的意思決定又はその実施に影響を及ぼす活動など外国人の地位に鑑みこれを認めることが相当でないと解されるものを除き、我が国に在留する外国人に対しても及ぶことから、法務大臣が、憲法の保障を受ける外国人の政治的行為を、在留期間の更新の際に消極的な事情としてしんしゃくすることは許されない。

エ　地方公務員のうち、住民の権利義務を直接形成し、その範囲を確定するなどの公権力の行使に当たる行為を行い、若しくは普通地方公共団体の重要な施策に関する決定を行い、又はこれらに参画することを職務とするものについては、原則として日本国籍を有する者が就任することが想定されているとみるべきであり、外国人が就任することは、本来我が国の法体系の想定するところではない。

1　ア・イ
2　ア・エ
3　イ・ウ
4　イ・エ
5　ウ・エ

【公務員試験アレンジ問題】

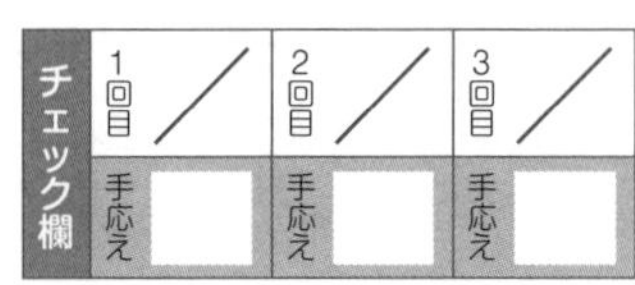

解説

テキスト
第1編

ア　妥当である　判例は、憲法第３章に定める国民の権利および義務の各条項は、**性質上可能な限り、内国の法人にも適用される**としました（八幡製鉄政治献金事件／最大判昭45.6.24）。また、判例は、憲法第３章の諸規定による基本的人権の保障は、**権利の性質上、日本国民のみをその対象としていると解されるものを除き**、わが国に在留する外国人に対しても等しく及ぶとしました（マクリーン事件／最大判昭53.10.4）。 P.19

イ　妥当でない　判例は、**税理士会は強制加入の法人であるから**、その会員には、さまざまの思想・信条および主義・主張を有する者が存在することが当然に予定されているので、税理士会の活動にもおのずから限界があるとしたうえで、**税理士会が政治資金規正法上の政治団体に対して金員の寄付をすることは**、たとえ税理士にかかる法令の制定改廃に関する要求を実現するためであっても、**税理士会の目的の範囲外の行為である**としました（南九州税理士会事件／最判平8.3.19）。 P.20

ウ　妥当でない　判例は、外国人の基本的人権の保障は、外国人在留制度の枠内で与えられているにすぎないから、**在留期間中の憲法の基本的人権の保障を受ける行為を在留期間の更新の際の消極的な事実として斟酌しないことまでの保障が与えられているものではない**としました（マクリーン事件／最大判昭53.10.4）。 P.17

エ　妥当である　判例は、地方公務員のうち、住民の権利義務を直接形成し、その範囲を確定するなどの公権力の行使にあたる行為を行い、もしくは普通地方公共団体の重要な施策に関する決定を行い、またはこれらに参画することを職務とするものについては、国民主権の原理に基づき、原則として日本国籍を有する者が就任することが想定されているとみるべきであり、**外国人が就任することは、本来わが国の法体系の想定するところではない**としました（東京都保健師管理職選考受験資格確認等請求事件／最大判平17.1.26）。 P.18

以上より、妥当なものは**ア・エ**であり、正解は**2**となります。

正解　2

野畑のワンポイント

組合せ問題の場合は、１回目⇒正解を出すことを意識する。２回目以降⇒すべての肢について○×を判断できるようにする。といったように、目標を設定しておくとよいでしょう。

人権／人権享有主体

問題 3 **公務員の政治的自由に関する次の文章の空欄［ア］～［エ］に当てはまる語句を、枠内の選択肢（1～20）から選びなさい。**

〔国家公務員法〕102条1項は、公務員の職務の遂行の政治的［ア］性を保持することによって行政の［ア］的運営を確保し、これに対する国民の信頼を維持することを目的とするものと解される。

他方、国民は、憲法上、表現の自由（21条1項）としての政治活動の自由を保障されており、この精神的自由は立憲民主政の政治過程にとって不可欠の基本的人権であって、民主主義社会を基礎付ける重要な権利であることに鑑みると、上記の目的に基づく法令による公務員に対する政治的行為の禁止は、国民としての政治活動の自由に対する必要やむを得ない限度にその範囲が画されるべきものである。

このような〔国家公務員法〕102条1項の文言、趣旨、目的や規制される政治活動の自由の重要性に加え、同項の規定が刑罰法規の構成要件となることを考慮すると、同項にいう「政治的行為」とは、公務員の職務の遂行の政治的［ア］性を損なうおそれが、観念的なものにとどまらず、現実的に起こり得るものとして［イ］的に認められるものを指し、同項はそのような行為の類型の具体的な定めを人事院規則に委任したものと解するのが相当である。……（中略）……。

……本件配布行為は、［ウ］的地位になく、その職務の内容や権限に［エ］の余地のない公務員によって、職務と全く無関係に、公務員により組織される団体の活動としての性格もなく行われたものであり、公務員による行為と認識し得る態様で行われたものでもないから、公務員の職務の遂行の政治的［ア］性を損なうおそれが［イ］的に認められるものとはいえない。そうすると、本件配布行為は本件罰則規定の構成要件に該当しないというべきである。

（最二小判平成24年12月7日刑集66巻12号1337頁）

1	従属	2	平等	3	合法	4	穏健	5	裁量
6	実質	7	潜在	8	顕在	9	抽象	10	一般
11	権力	12	現業	13	経営者	14	指導者	15	管理職
16	違法	17	濫用	18	逸脱	19	中立	20	強制

【本試験2018年問41】

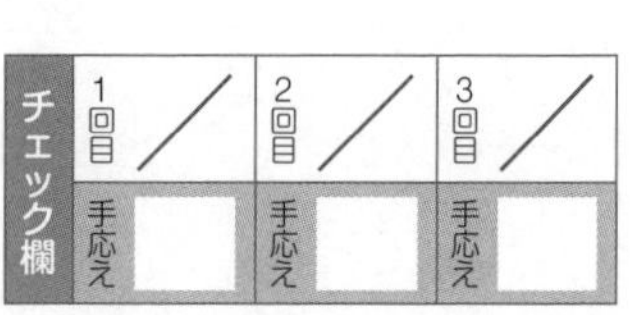

解説

テキスト ▶ 第1編P.22

本問は、目黒事件（最判平24.12.7）に素材を求めたものです。目黒事件は、堀越事件とも呼ばれます。

「本法〔国家公務員法〕102条１項は、公務員の職務の遂行の政治的 (ア) **中立**性を保持することによって行政の (ア) **中立**的運営を確保し、これに対する国民の信頼を維持することを目的とするものと解される。

他方、国民は、憲法上、表現の自由（21条１項）としての政治活動の自由を保障されており、この精神的自由は立憲民主政の政治過程にとって不可欠の基本的人権であって、民主主義社会を基礎付ける重要な権利であることに鑑みると、上記の目的に基づく法令による公務員に対する政治的行為の禁止は、国民としての政治活動の自由に対する必要やむを得ない限度にその範囲が画されるべきものである。

このような本法〔国家公務員法〕102条１項の文言、趣旨、目的や規制される政治活動の自由の重要性に加え、同項の規定が刑罰法規の構成要件となることを考慮すると、同項にいう「政治的行為」とは、公務員の職務の遂行の政治的 (ア) **中立**性を損なうおそれが、観念的なものにとどまらず、現実的に起こり得るものとして (イ) **実質**的に認められるものを指し、同項はそのような行為の類型の具体的な定めを人事院規則に委任したものと解するのが相当である。……（中略）……。

……本件配布行為は、(ウ) **管理職**的地位になく、その職務の内容や権限に (エ) **裁量**の余地のない公務員によって、職務と全く無関係に、公務員により組織される団体の活動としての性格もなく行われたものであり、公務員による行為と認識し得る態様で行われたものでもないから、公務員の職務の遂行の政治的 (ア) **中立**性を損なうおそれが (イ) **実質**的に認められるものとはいえない。そうすると、本件配布行為は本件罰則規定の構成要件に該当しないというべきである。」

以上より、**ア**には**19**＝「中立」、**イ**には**6**＝「実質」、**ウ**には**15**＝「管理職」、**エ**には**5**＝「裁量」が入ります。

正解　ア：19、イ：6、ウ：15、エ：5

MEMO

人権／人権の限界

基本的人権の保障に関する次のア～オの記述のうち、判例に照らし、妥当なものの組合せはどれか。

ア　基本的人権の保障は、すべての社会生活に共通する基本原理であるから、憲法の人権保障規定は、国または公共団体と個人との関係を規律するのみならず、私人相互間の関係についても当然に適用される。

イ　自由権的基本権の保障規定は、国または公共団体の統治行動に対して個人の基本的な自由と平等を保障することを目的とした規定であって、もっぱら国または公共団体と個人との関係を規律するものであり、私人相互間の関係について当然に適用されるものではない。

ウ　もっぱら女子であることのみを理由として女子の定年年齢を男子より低く定める就業規則は、性別のみによる不合理な差別を行うものであり、基本的人権の保障は、私人間にも当然に及ぶものであることから、法の下の平等を定めた憲法第14条第１項の規定に反し、無効である。

エ　思想、信条の自由に関する憲法上の保障は、私人相互間にも当然に及び、これを制限するのは合理的理由のある場合に限られるから、企業者が特定の思想、信条を有する者をそのゆえをもって雇い入れることを拒むことができるのは、客観的に合理的な理由が存在し、社会通念上相当と是認される場合に限られる。

オ　公務員は政治的行為を制約されているが、処罰対象となり得る政治的行為は、公務員としての職務遂行の政治的中立性を害するおそれが、実質的に認められるものに限られる。

1　ア・イ
2　ア・エ
3　イ・オ
4　ウ・エ
5　ウ・オ

【公務員試験アレンジ問題】

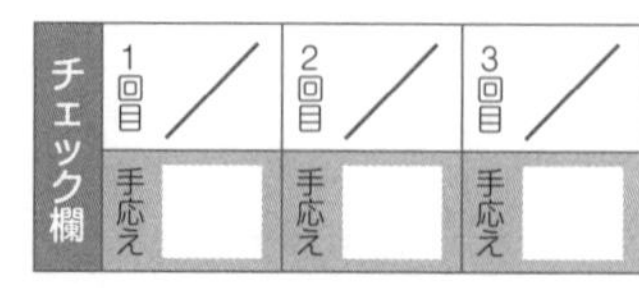

解説

テキスト
第1編

ア **妥当でない**　判例は、**憲法の人権保障規定は**、国または公共団体の統治行動に対して個人の基本的な自由と平等を保障する目的に出たもので、**もっぱら国または公共団体と個人との関係を規律するものであり、私人相互の関係を直接規律することを予定するものではないから、私人相互の関係には**、社会的事実としての力の優劣関係がある場合であっても、**人権規定は直接適用ないし類推適用されるものではない**としています（三菱樹脂事件／最大判昭48.12.12）。　P.27

イ **妥当である**　上記の三菱樹脂事件で判例は、本肢のように解しています。

ウ **妥当でない**　判例は、本肢の場合に、14条1項を直接適用して女子若年定年制を無効とするのではなく、**間接適用説を前提に民法90条の規定により無効である**としています（日産自動車事件／最判昭56.3.24）。　P.28

エ **妥当でない**　判例は、**思想・信条の自由のような精神的自由権の保障についても、私人間に直接適用されるものではない**と解しています（三菱樹脂事件／最大判昭48.12.12）。なお、三菱樹脂事件判決は、企業は経済活動の一環として契約締結の自由を有するから、企業者が特定の思想、信条を有する者をそのゆえをもって雇い入れることを拒んでも当然には違法とはいえないとしています。　P.27

オ **妥当である**　判例は、国家公務員法102条1項にいう「『政治的行為』とは、**公務員の職務の遂行の政治的中立性を損なうおそれが、観念的なものにとどまらず、現実的に起こり得るものとして実質的に認められるもの**を指す」としています（目黒事件・世田谷事件／最判平24.12.7）。　P.22

以上より、妥当なものは**イ・オ**であり、正解は**3**となります。

正解　3

人権／幸福追求権

問題 5 **日本国憲法におけるプライバシーの権利に関する記述として、最高裁判所の判例に照らして、妥当なのはどれか。**

1 何人も、その承諾なしに、みだりにその容貌・姿態を撮影されない自由を有するので、警察官による個人の容貌・姿態の写真撮影が、現に犯罪が行われ、又は、行われたのち間がないと認められる場合で、証拠保全の必要性及び緊急性があり、一般的に許容される限度を超えない相当な方法で行われるとしても、本人の同意がなく、また裁判官の令状がないときは許されないとした。

2 大学が講演会の主催者として参加者を募る際に収集した参加申込者の学籍番号、氏名、住所及び電話番号は、大学が個人識別等を行うための単純な情報であって、その性質上、他者に知られたくないと感じる程度が低いものであるため、大学がこれらの個人情報を参加申込者に無断で警察に開示したとしても、プライバシーの侵害には当たらないとした。

3 児童買春の被疑事実に基づき逮捕されたという事実は、他人にみだりに知られたくないプライバシーに属する事実であり、当該事実を公表されない法的利益は、当該事実が掲載されたＵＲＬ等情報を検索結果として提供する理由に関する諸事情と比較衡量して、優越することが明らかであり、検索事業者に対し、当該ＵＲＬ等情報を検索結果から削除することを求めることができるとした。

4 作中人物と容易に同定可能な小説のモデルにされた者が、公共の利益にかかわらないその者のプライバシーにわたる事項を表現内容に含む小説を承諾なく公表されたことは、公的立場にないその者の名誉、プライバシー、名誉感情が侵害され、小説の出版等により重大で回復困難な損害を被るおそれがあるというべきであり、小説の出版の差止めは認められるとした。

5 行政機関が住民基本台帳ネットワークシステムにより住民の本人確認情報を管理、利用等する行為は、個人に関する情報をみだりに第三者に開示又は公表するものではないが、当該個人がこれに同意していなければ、自己のプライバシーにかかわる情報の取扱いについて自己決定する権利ないし利益を違法に侵害するものであるとした。

【公務員試験アレンジ問題】

チェック欄	1回目	2回目	3回目
	／	／	／
手応え			

解説

テキスト
第1編

1 **妥当でない** 判例は、「個人の私生活上の自由の一つとして、何人も、その承諾なしに、みだりにその容ぼう・姿態（以下「容ぼう等」という。）を撮影されない自由を有するものというべきである。」としたうえで、「**次のような場合には、撮影される本人の同意がなく、また裁判官の令状がなくても、警察官による個人の容ぼう等の撮影が許容される**ものと解すべきである。すなわち、**現に犯罪が行なわれもしくは行なわれたのち間がない**と認められる場合であつて、しかも**証拠保全の必要性および緊急性があり、**かつその撮影が**一般的に許容される限度をこえない相当な方法をもつて**行なわれるときである。」としています（京都府学連事件／最大判昭44.12.24）。 P.31

2 **妥当でない** 判例は、「学籍番号、氏名、住所及び電話番号は、早稲田大学が個人識別等を行うための単純な情報であって、その限りにおいては、秘匿されるべき必要性は必ずしも高いものではない。……しかし、このような個人情報についても、**本人が、自己が欲しない他者にはみだりにこれを開示されたくないと考えることは自然なことであり、**そのことへの期待は保護されるべきであるから、本件個人情報は、……プライバシーに係る情報として**法的保護の対象となる**」として、大学がこれらの個人情報を参加申込者に無断で警察に開示した行為は、「**プライバシーを侵害するものとして不法行為を構成する**というべきである。」としています（早稲田大学講演会参加者名簿事件／最判平15.9.12）。 P.34

3 **妥当でない** 判例は、「検索事業者が、ある者に関する条件による検索の求めに応じ、その者のプライバシーに属する事実を含む記事等が掲載されたウェブサイトのＵＲＬ等情報を検索結果の一部として提供する行為が違法となるか否かは、……当該事実を公表されない法的利益と当該ＵＲＬ等情報を検索結果として提供する理由に関する諸事情を比較衡量して判断すべきもので、その結果、**当該事実を公表されない法的利益が優越することが明らかな場合には、**検索事業者に対し、当該ＵＲＬ等情報を検索結果から削除することを求めることができる」としつつも、**児童買春の被疑事実に基づき逮捕されたという事実については、「本件事実を公表されない法的利益が優越することが明らかであるとはいえない」**としています（グーグル検索結果削除請求事件／最決平29.1.31）。 P.33

解説

4 **妥当である** 判例は、「公共の利益に係わらない被上告人のプライバシーにわたる事項を表現内容に含む本件小説の公表により公的立場にない被上告人の名誉、プライバシー、名誉感情が侵害されたものであって、本件小説の出版等により被上告人に重大で回復困難な損害を被らせるおそれがあるというべきである。したがって、人格権としての名誉権等に基づく被上告人の各請求を認容した判断に違法はなく、この判断が憲法21条1項に違反するものでないことは、当裁判所の判例……の趣旨に照らして明らかである。」としています（「石に泳ぐ魚」事件／最判平14.9.24）。

5 **妥当でない** 判例は、「行政機関が住基ネットにより住民である被上告人らの本人確認情報を管理、利用等する行為は、個人に関する情報をみだりに第三者に開示又は公表するものということはできず、**当該個人がこれに同意していないとしても、憲法13条により保障された上記の自由を侵害するものではない**と解するのが相当である。」としています（住基ネット訴訟／最判平20.3.6）。 P.31

正解 4

MEMO

人権／幸福追求権

問題 6 **次の文章は、利用者の求めに応じてインターネット上のウェブサイトを検索し、ウェブサイトを識別するための符号であるＵＲＬを検索結果として当該利用者に提供することを業として行う者（以下、「検索事業者」という。）に対し、ＵＲＬ等を検索結果から削除することを求めることができる場合に関する最高裁判所決定の一節である。空欄 ア 〜 エ に当てはまる語句を、枠内の選択肢（1〜20）から選びなさい。**

「検索事業者は、インターネット上のウェブサイトに掲載されている情報を網羅的に収集してその複製を保存し、同複製を基にした索引を作成するなどして情報を整理し、利用者から示された一定の条件に対応する情報を同索引に基づいて検索結果として提供するものであるが、この情報の収集、整理及び提供はプログラムにより自動的に行われるものの、同プログラムは検索結果の提供に関する検索事業者の方針に沿った結果を得ることができるように作成されたものであるから、検索結果の提供は検索事業者自身による ア という側面を有する。また、検索事業者による検索結果の提供は、……現代社会においてインターネット上の情報流通の基盤として大きな役割を果たしている。そして、検索事業者による特定の検索結果の提供行為が違法とされ、その削除を余儀なくされるということは、上記方針に沿った一貫性を有する ア の制約であることはもとより、検索結果の提供を通じて果たされている上記役割に対する制約でもあるといえる。

以上のような検索事業者による検索結果の提供行為の性質等を踏まえると、検索事業者が、ある者に関する条件による検索の求めに応じ、その者の イ に属する事実を含む記事等が掲載されたウェブサイトのＵＲＬ等情報を検索結果の一部として提供する行為が違法となるか否かは、当該事実の性質及び内容、当該ＵＲＬ等情報が提供されることによってその者の イ に属する事実が伝達される範囲とその者が被る具体的被害の程度、その者の社会的地位や影響力、上記記事等の目的や意義、上記記事等が掲載された時の社会的状況とその後の変化、上記記事等において当該事実を記載する必要性など、当該事実を ウ されない法的利益と当該ＵＲＬ等情報を検索結果として提供する理由に関する諸事情を エ して判断すべきもので、その結果、当該事実を ウ されない法的利益が優越することが明らかな場合には、検索事業者に対し、当該ＵＲＬ等情報を検索結果から削除することを求めることができるものと解するのが相当である。」

（最三小決平成29年1月31日民集71巻1号63頁）

1 信仰	2 政治的言論	3 制圧	4 比較衡量
5 間接適用	6 営業行為	7 思想良心	8 除外
9 秘匿	10 補足	11 公表	12 職業の自由
13 プライバシー	14 取得	15 自己実現	16 知る権利
17 忘れられる権利	18 推知	19 限定解釈	20 表現行為

【オリジナル問題】

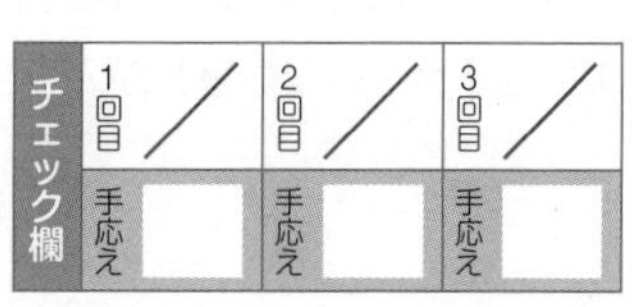

解説　　　　テキスト ▶ **第1編P.33**

本問は、検索事業者に対し、自己の「プライバシーに属する事実を含む記事等が掲載されたウェブサイトのURL等情報」を検索結果から削除することを求めることができる場合に関する最高裁決定(グーグル検索結果削除請求事件／最決平29.1.31)を素材としたものです。

「検索事業者は、インターネット上のウェブサイトに掲載されている情報を網羅的に収集してその複製を保存し、同複製を基にした索引を作成するなどして情報を整理し、利用者から示された一定の条件に対応する情報を同索引に基づいて検索結果として提供するものであるが、この情報の収集、整理及び提供はプログラムにより自動的に行われるものの、同プログラムは検索結果の提供に関する検索事業者の方針に沿った結果を得ることができるように作成されたものであるから、検索結果の提供は検索事業者自身による(ア)**表現行為**という側面を有する。また、検索事業者による検索結果の提供は、……現代社会においてインターネット上の情報流通の基盤として大きな役割を果たしている。そして、検索事業者による特定の検索結果の提供行為が違法とされ、その削除を余儀なくされるということは、上記方針に沿った一貫性を有する(ア)**表現行為**の制約であることはもとより、検索結果の提供を通じて果たされている上記役割に対する制約でもあるといえる。

以上のような検索事業者による検索結果の提供行為の性質等を踏まえると、検索事業者が、ある者に関する条件による検索の求めに応じ、その者の(イ)**プライバシー**に属する事実を含む記事等が掲載されたウェブサイトのURL等情報を検索結果の一部として提供する行為が違法となるか否かは、当該事実の性質及び内容、当該URL等情報が提供されることによってその者の(イ)**プライバシー**に属する事実が伝達される範囲とその者が被る具体的被害の程度、その者の社会的地位や影響力、上記記事等の目的や意義、上記記事等が掲載された時の社会的状況とその後の変化、上記記事等において当該事実を記載する必要性など、当該事実を(ウ)**公表**されない法的利益と当該URL等情報を検索結果として提供する理由に関する諸事情を(エ)**比較衡量**して判断すべきもので、その結果、当該事実を(ウ)**公表**されない法的利益が優越することが明らかな場合には、検索事業者に対し、当該URL等情報を検索結果から削除することを求めることができるものと解するのが相当である。」

以上より、**ア**には**20**＝「表現行為」、**イ**には**13**＝「プライバシー」、**ウ**には**11**＝「公表」、**エ**には**4**＝「比較衡量」が入ります。

正解　ア：20、イ：13、ウ：11、エ：4

解説

本問の題材となっている判例について説明します。

【事案】

❶Xが児童買春により逮捕され、罰金刑となった。

❷Xが逮捕された事実は逮捕当日に報道され、その内容の全部又は一部がインターネット上のウェブサイトの電子掲示板に多数回書き込まれた。

❸検索事業者Y（グーグル）の検索サイトでXの居住する県の名称及びXの氏名を条件として検索すると、事実について書き込まれたウェブサイトが表示される状態になっている。

❹そこでXは、Yに対し本件検索結果の削除を求める仮処分命令の申立てをした。

【決定要旨】

最高裁は、

❶「**個人のプライバシーに属する事実をみだりに公表されない利益は、法的保護の対象となる**」としながら、

❷検索結果の提供は「情報流通の基盤として大きな役割を果たしている」ため、**Xの事実を公表されない利益とYが検索結果を提供する理由を比較衡量したうえで判断すべき**とし、

❸その結果、**公表されない法的利益が優越することが明らかな場合には、Yに対して検索結果の削除を求めることができる。**

としました。

人権／法の下の平等

日本国憲法に規定する法の下の平等に関する次の記述のうち、最高裁判所の判例に照らし、妥当なものはどれか。

1 非嫡出子の相続分を嫡出子の2分の1と定める民法の規定は、父母が婚姻関係になかったという、子が自ら選択・修正する余地のない事柄を理由として子に不利益を及ぼすものであり、同規定は、立法府の裁量権を考慮しても、嫡出子と非嫡出子の法定相続分を区別する合理的な根拠は失われており、憲法14条1項に違反するとした。

2 尊属殺の法定刑を死刑又は無期懲役刑に限ることは、立法目的達成のため必要な限度の範囲内であり、普通殺に関する法定刑に比し著しく不合理な差別的取扱いをするものと認められず、法の下の平等に反しないとした。

3 地方公共団体は、法令の範囲内において自主立法である条例を制定する権限を有するが、売春取締条例の取締規定がそれぞれの都道府県ごとに異なることは、居住地域によって差別を生ずるため、法の下の平等に反するとした。

4 旧所得税法が、給与所得者にだけ必要経費の実額控除を認めないのは、所得の性質の違い等を理由とする当該取扱いの区別が、その目的との関連で著しく不合理であることが明らかであるため、法の下の平等に反するとした。

5 障害福祉年金と児童扶養手当との併給を禁止する旧児童扶養手当法の規定は、障害福祉年金受給者とそうでないものとの間に差別が生じ、当該差別は合理的理由のない不当なものであるため、法の下の平等に反するとした。

【公務員試験アレンジ問題】

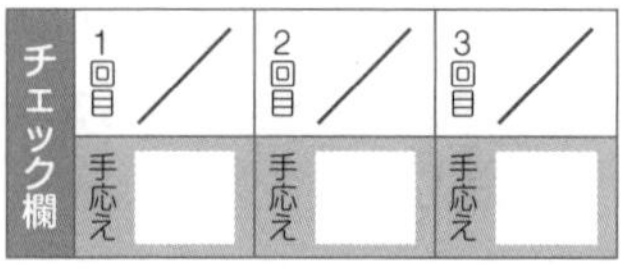

解説

テキスト
第1編

1 **妥当である** 旧民法900条4号但書につき、最大決平25.9.4は、父母が婚姻関係になかったという、子にとっては自ら選択・修正する余地のない事柄を理由としてその子に不利益を及ぼすことは許されず、子を個人として尊重し権利を保障すべきとし、**立法府の裁量権を考慮しても、嫡出子と嫡出でない子の法定相続分を区別する合理的な根拠は失われており、本件規定は、遅くとも相続が開始した平成13年7月当時において14条1項に違反**していたとしました。 P.40

2 **妥当でない** 判例は、尊属殺の**法定刑を死刑または無期懲役刑に限ることは、立法目的達成のために必要な限度をはるかに超え、普通殺に関する法定刑に比し著しく不合理な差別的取扱いをする**ものと認められ、法の下の平等に反するとしました（尊属殺重罰規定事件／最大判昭48.4.4）。 P.39

3 **妥当でない** 判例は、売春取締条例が地域によって異なる点につき、憲法が各地方公共団体の条例制定権を認める以上、地域によって差別を生ずることは当然に予期され、憲法自ら容認するところであるとしました（売春取締条例事件／最大判昭33.10.15）。

4 **妥当でない** 判例は、旧所得税法が、給与所得者にだけ必要経費の実額控除を認めないのは、当該取扱いの区別がその目的との関連で著しく不合理であることが明らかであるとはいえず、法の下の平等に反しないとしました（サラリーマン税金訴訟／最大判昭60.3.27）。

5 **妥当でない** 判例は、**障害福祉年金と児童扶養手当との併給を禁止する旧児童扶養手当法の規定は、合理的理由のない不当なものであるとはいえない**とし、法の下の平等に反しないとしました（堀木訴訟／最大判昭57.7.7）。 P.83

正解 1

法の下の平等に関する判例は試験でも頻出です。結論だけではなく、「なぜ合憲なのか」「なぜ違憲なのか」を意識しながら学習しましょう。

人権／法の下の平等

問題 8　法の下の平等に関する次の記述のうち、最高裁判所の判例に照らし、妥当でないものはどれか。

1　憲法が条例制定権を認める以上、条例の内容をめぐり地域間で差異が生じることは当然に予期されることであるから、一定の行為の規制につき、ある地域でのみ罰則規定が置かれている場合でも、地域差のゆえに違憲ということはできない。

2　選挙制度を政党本位のものにすることも国会の裁量に含まれるので、衆議院選挙において小選挙区選挙と比例代表選挙に重複立候補できる者を、一定要件を満たした政党等に所属するものに限ることは、憲法に違反しない。

3　法定相続分について嫡出性の有無により差異を設ける規定は、合理性を有するとはいえず、憲法に違反する。

4　尊属に対する殺人を、高度の社会的非難に当たるものとして一般殺人とは区別して類型化し、法律上刑の加重要件とする規定を設けることは、それ自体が不合理な差別として憲法に違反する。

5　父性の推定の重複を回避し父子関係をめぐる紛争を未然に防止するために、女性にのみ100日を超える再婚禁止期間を設けることは、立法目的との関係で合理性を欠き、憲法に違反する。

【本試験2016年問7改題】

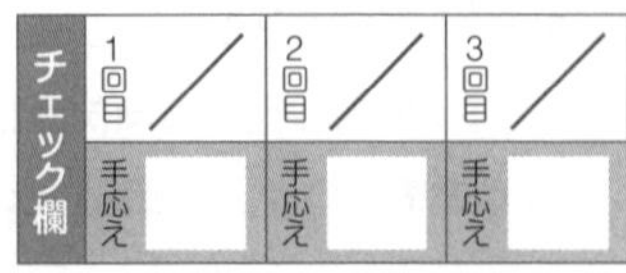

解説

テキスト
第1編

1 **妥当である** 判例は、「憲法が各地方公共団体の条例制定権を認める以上、地域によつて差別を生ずることは当然に予期されることであるから、かかる差別は憲法みずから容認するところであると解すべきである。それ故、**地方公共団体が売春の取締について各別に条例を制定する結果、その取扱に差別を生ずることがあつても、所論のように地域差の故をもつて違憲ということはできない**」としています（売春取締条例事件／最大判昭33.10.15）。

2 **妥当である** 判例は、「政策本位、政党本位の選挙制度というべき比例代表選挙と小選挙区選挙とに重複して立候補することができる者が候補者届出政党の要件と衆議院名簿届出政党等の要件の両方を充足する政党等に所属する者に限定されていることには、相応の合理性が認められるのであって、不当に立候補の自由や選挙権の行使を制限するとはいえず、これが国会の裁量権の限界を超えるものとは解されない」としています（最大判平11.11.10）。

3 **妥当である** 判例は、**本件規定（民法900条4号但書（当時）の規定のうち嫡出でない子の相続分を嫡出子の相続分の2分の1とする部分）について**、「遅くとも……平成13年7月当時においては立法府の裁量権を考慮しても、嫡出子と嫡出でない子の法定相続分を区別する合理的な根拠は失われていたというべき」であり、「本件規定は、**遅くとも平成13年7月当時において、憲法14条1項に違反していたものというべきである**」としています（非嫡出子法定相続分違憲決定／最大決平25.9.4）。 P.40

4 **妥当でない** 判例は、「尊属の殺害は通常の殺人に比して一般に高度の社会的道義的非難を受けて然るべきであるとして、このことをその処罰に反映させても、あながち不合理であるとはいえない」としつつも、刑法200条（当時）は、「**尊属殺の法定刑を死刑または無期懲役刑のみに限っている点において、その立法目的達成のため必要な限度を遥かに超え、普通殺に関する刑法199条の法定刑に比し著しく不合理な差別的取扱いをするものと認められ、憲法14条1項に違反して無効である**」としています（尊属殺重罰規定事件／最大判昭48.4.4）。 P.39

5 **妥当である** 判例は、女性について6カ月の再婚禁止期間を定めていた民法733条1項（当時）の規定のうち、「100日超過部分については、民法 P.39

解説

772条の定める父性の推定の重複を回避するために必要な期間ということはできない」とし、「**100日超過部分は、遅くとも上告人が前婚を解消した日から100日を経過した時点までには、婚姻及び家族に関する事項について国会に認められる合理的な立法裁量の範囲を超えるものとして、その立法目的との関連において合理性を欠くものになっていたと解される。**」として、「**憲法14条1項に違反するとともに、憲法24条2項にも違反するに至っていたというべきである**」としています（再婚禁止規定違憲訴訟／最大判平27.12.16）。

正解 4

肢4を○と判断してしまう方も多かったと思います。尊属殺人罪を設けること自体は憲法違反ではありませんが、法定刑が普通殺人罪と比べて重すぎるという点で憲法違反とされたという点に注意が必要です。

MEMO

人権／法の下の平等

問題 9 **投票価値の平等に関する次の記述のうち、判例に照らし、妥当なものはどれか。**

1 議員定数配分規定は、その性質上不可分の一体をなすものと解すべきであり、憲法に違反する不平等を生ぜしめている部分のみならず、全体として違憲の瑕疵を帯びるものと解すべきである。

2 投票価値の不平等が、国会の合理的裁量の範囲を超えると判断される場合には、選挙は違憲・違法となるが、不均衡の是正のために国会に認められる合理的是正期間を経過していなければ、事情判決の法理により選挙を有効とすることも許される。

3 衆議院議員選挙については、的確に民意を反映する要請が強く働くので、議員１人当たりの人口が平等に保たれることが重視されるべきであり、国会がそれ以外の要素を考慮することは許されない。

4 参議院議員選挙区選挙は、参議院に第二院としての独自性を発揮させることを期待して、参議院議員に都道府県代表としての地位を付与したものであるから、かかる仕組みのもとでは投票価値の平等の要求は譲歩・後退を免れない。

5 地方公共団体の議会の議員の定数配分については、地方自治の本旨にもとづき各地方公共団体が地方の実情に応じ条例で定めることができるので、人口比例が基本的な基準として適用されるわけではない。

【本試験2014年問５】

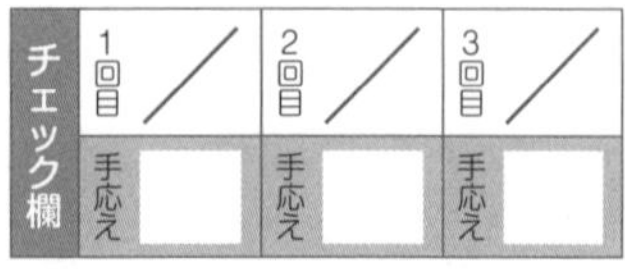

解説

テキスト
第1編

1 **妥当である**　判例は、「選挙区割及び議員定数の配分は、議員総数と関連させながら、前述のような複雑、微妙な考慮の下で決定されるのであって、一旦このようにして決定されたものは、一定の議員総数の各選挙区への配分として、相互に有機的に関連し、一の部分における変動は他の部分にも波動的に影響を及ぼすべき性質を有するものと認められ、その意味において不可分の一体をなすと考えられるから、**右配分規定は、単に憲法に違反する不平等を招来している部分のみでなく、全体として違憲の瑕疵を帯びるものと解すべきである**」としています（最大判昭51.4.14）。 P.42

2 **妥当でない**　議員定数不均衡の是正のために国会に認められる**合理的是正期間を経過していなければ選挙は違憲・違法とまではいえない**から、違憲・違法の際に問題となる**事情判決の法理**（最大判昭51.4.14参照）**を持ち出すまでもなく、選挙は有効**となります。 P.42

3 **妥当でない**　判例は、人口数と定数との比率の平等を「最も重要かつ基本的な基準」としつつも、人口比以外の要素（非人口的要素）の役割を大きく認め、**立法府の裁量を広く認めています**（最大判昭51.4.14）。 P.42

4 **妥当でない**　判例は、**参議院議員に都道府県代表としての地位を付与したとまでは述べておらず**、事実上このような意義ないし機能を有するとしているにとどまります（最大判昭58.4.27）。 P.92

5 **妥当でない**　判例は、「公職選挙法15条7項は、……都道府県議会の議員の定数配分につき、人口比例を最も重要かつ基本的な要素とし、**各選挙人の投票価値が平等であるべきことを強く要求しているものと解される**」としています（最判平元.12.18）。

正解　1

肢4が難しかったかもしれません。
参議院議員選挙区選挙は原則として都道府県単位で選挙を行うので、「都道府県民の代表」という意味があると考えることもできますが、あくまで**国会議員は「全国民の代表」であることが43条で規定**されています。

人権／法の下の平等

問題 10 **次の文章は、ある最高裁判所判決の一節である。空欄［ア］～［エ］に当てはまる語句を、枠内の選択肢（1～20）から選びなさい。**

「公職選挙法の制定又はその改正により具体的に決定された選挙区割と議員定数の配分の下における選挙人の投票の有する［ア］に不平等が存し、あるいはその後の［イ］の異動により右のような不平等が生じ、それが国会において通常考慮し得る諸般の要素をしんしやくしてもなお、一般に［ウ］性を有するものとは考えられない程度に達しているときは、右のような不平等は、もはや国会の［ウ］的裁量の限界を超えているものと推定され、これを正当化すべき特別の理由が示されない限り、憲法違反と判断されざるを得ないものというべきである。

もつとも、制定又は改正の当時合憲であつた議員定数配分規定の下における選挙区間の議員一人当たりの選挙人数又は［イ］（この両者はおおむね比例するものとみて妨げない。）の較差がその後の［イ］の異動によつて拡大し、憲法の選挙権の平等の要求に反する程度に至つた場合には、そのことによつて直ちに当該議員定数配分規定が憲法に違反するとすべきものではなく、憲法上要求される［ウ］的［エ］内の是正が行われないとき初めて右規定が憲法に違反するものというべきである。」

（最大判昭和60年7月17日民集39巻5号1100頁以下）

1 羈束	2 数量	3 地域	4 人事	5 権力
6 価値	7 人工	8 結果	9 票決	10 厳格
11 期間	12 効果	13 機関	14 囲繞	15 合理
16 関連	17 人口	18 明確	19 要件	20 秩序

【本試験2007年問41】

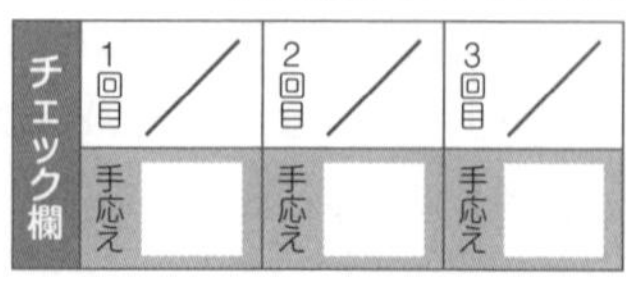

解説

テキスト ▶ 第1編P.42

本問は、議員定数不均衡に関する最高裁判決（最大判昭60.7.17）を素材としたものです。

「公職選挙法の制定又はその改正により具体的に決定された選挙区割と議員定数の配分の下における選挙人の投票の有する (ア) **価値**に不平等が存し、あるいはその後の (イ) **人口**の異動により右のような不平等が生じ、それが国会において通常考慮し得る諸般の要素をしんしやくしてもなお、一般に (ウ) **合理**性を有するものとは考えられない程度に達しているときは、右のような不平等は、もはや国会の (ウ) **合理**的裁量の限界を超えているものと推定され、これを正当化すべき特別の理由が示されない限り、憲法違反と判断されざるを得ないものというべきである。

もつとも、制定又は改正の当時合憲であつた議員定数配分規定の下における選挙区間の議員一人当たりの選挙人数又は (イ) **人口**（この両者はおおむね比例するものとみて妨げない。）の較差がその後の (イ) **人口**の異動によつて拡大し、憲法の選挙権の平等の要求に反する程度に至つた場合には、そのことによつて直ちに当該議員定数配分規定が憲法に違反するとすべきものではなく、憲法上要求される (ウ) **合理**的 (エ) **期間**内の是正が行われないとき初めて右規定が憲法に違反するものというべきである。」

以上より、**ア**には**6**＝「価値」、**イ**には**17**＝「人口」、**ウ**には**15**＝「合理」、**エ**には**11**＝「期間」が入ります。

正解　ア：6、イ：17、ウ：15、エ：11

多肢選択式の問題については、無理に冒頭から入れようとせずに、「入れやすそうな箇所」から検討するのがポイントです。
また、テキストに記載されているような有名な判例からの出題も多いので、何度もテキストを読み込んでおくことも有効な対策です。

人権／自由権

問題11 **日本国憲法に規定する思想及び良心の自由に関する次の記述のうち、判例、通説に照らして、妥当なものはどれか。**

1 思想及び良心の自由は、内心の領域である限り絶対的に保障され、たとえ憲法の根本原理である民主主義を否定する思想であっても、その思想が内心にとどまる限り、制限することは許されない。

2 思想及び良心の自由には、国家権力により内心の思想の告白を強制されないという意味での沈黙の自由までは含まれず、又、国家権力が内心の思想を何らかの手段をもって推知することは禁止されていない。

3 最高裁判所の判例では、謝罪広告を強制することは、単に事態の真相を告白し陳謝の意を表明するにとどまる程度のものであったとしても、個人の有する倫理的な意思や良心の自由を侵害するものであるとした。

4 最高裁判所の判例では、最高裁判所裁判官の国民審査は、罷免の可否不明により記載のない投票に、罷免を可としないという法律上の効果を付与していることから、思想及び良心の自由を制限するものであるとした。

5 最高裁判所の判例では、高等学校受験の際の内申書の記載が、受験生の思想、信条そのものを記載したものであり、又、その思想、信条自体を入学者選抜の資料に供したとしても、思想及び良心の自由を侵害するものではないとした。

【公務員試験アレンジ問題】

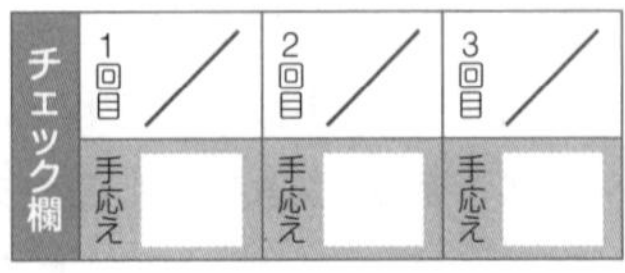

解説

テキスト 第1編

1 **妥当である** 19条は、思想・良心の自由を保障しています。思想・良心の自由の保障の第1の意味は、国民がいかなる国家観、世界観、人生観を持とうとも、**それが内心の領域にとどまる限りは絶対的に自由であり**、国家権力は、内心の思想に基づいて不利益を課したり、特定の思想を抱いたりすることを禁止することはできないということです。したがって、**たとえ憲法の根本原理である民主主義を否定する思想であっても、その思想が内心にとどまる限り、制限することは許されません。** P.44

2 **妥当でない** 思想・良心の自由の保障の第2の意味は、**国民がいかなる思想を抱いているかについて、国家権力が告白を強制することは許されない**こと、すなわち、**思想についての「沈黙の自由」が保障される**ことです。このことから、国家権力は、個人が内心において抱いている思想について、直接または間接に尋ねることは許されません。したがって、**国家権力が内心の思想を何らかの手段をもって推知することも禁止されています。** P.44

3 **妥当でない** 判例は、謝罪広告を強制することは、**単に事態の真相を告白し陳謝の意を表明するにとどまる程度のものであれば**、代替執行の手続によって強制執行したとしても、個人の有する倫理的な意思や**良心の自由を侵害するものではない**としました（謝罪広告事件／最大判昭31.7.4）。 P.45

4 **妥当でない** 判例は、最高裁判所裁判官の国民審査制度の実質は解職の制度とみることができるから、罷免の可否不明により記載のない投票に罷免を可としないという法律上の効果を付与しても**思想および良心の自由を制限するものではない**としました（最大判昭27.2.20）。

5 **妥当でない** 麹町中学内申書事件では、ビラまきなどの校則違反行為その他の事実を高等学校受験の際の内申書に記載したことが思想・良心の自由を侵害するものであるかが争われました。判例は、**受験生の思想・信条そのものを記載したものでないことは明らかであり、当該記載にかかる外部的行為によっては受験生の思想・信条を了知しうるものではない**し、その思想・信条自体を入学者選抜の資料に供したものとは到底解することができないから、**思想および良心の自由を侵害するものではない**としました（最判昭63.7.15）。

正解 1

人権／自由権

問題12 **信教の自由に関する次のア～エの記述のうち、妥当なものの組合せはどれか。**

ア 政教分離原則は、国家が宗教的に中立であることを要求するものではあるが、国家が宗教とのかかわり合いを持つことを全く許さないとするものではなく、宗教とのかかわり合いをもたらす行為の目的及び効果にかんがみ、そのかかわり合いが相当の限度を超える場合に許さないとするのが判例である。

イ 公立学校が、信仰上の真摯な理由から剣道実技に参加することができない学生に対して他の体育実技を履修させるなどの代替措置を採ることは、その目的において宗教的意義を有し、特定の宗教の援助、助長、促進につながるので、憲法に違反する。

ウ 地方公共団体が宗教団体の行う宗教上の祭祀に際して宗教上の名目の金品を奉納することは、社会的儀礼の一つであり、当該宗教団体との間に特別のかかわり合いを生じさせるとはいえないことから、憲法が禁止する宗教的活動には当たらず、公金による支出も許される。

エ 内心における信仰の自由とは、宗教を信仰し又は信仰しないこと、信仰する宗教を選択し又は変更することについて、個人が任意に決定する自由をいう。内心における信仰の自由の保障は絶対的なものであり、国が、信仰を有する者に対してその信仰の告白を強制したり、信仰を有しない者に対して信仰を強制したりすることは許されない。

1 ア・イ
2 ア・エ
3 イ・ウ
4 イ・エ
5 ウ・エ

【公務員試験アレンジ問題】

チェック欄	1回目 ／	2回目 ／	3回目 ／
	手応え	手応え	手応え

解説

テキスト 第1編

ア　妥当である　判例は、政教分離規定は制度的保障の規定であって、間接的に信教の自由の保障を確保しようとするものであるところ、国家と宗教の完全な分離の実現は不可能に近く、逆に不合理な結果が生じてしまうおそれがあることから、**国家と宗教の分離にも一定の限界があることを免れないとしたうえで、本肢のような目的・効果基準を用いることによって、国家の行為が政教分離規定に違反するかを判断**しています（津地鎮祭事件／最大判昭52.7.13など）。 P.49

イ　妥当でない　判例は、本肢と同様の事案で、**信仰上の真摯な理由で剣道実技に参加できない学生に代替措置をとることも、目的効果基準に照らして20条3項に反するものではない**としています（エホバの証人剣道受講拒否事件／最判平8.3.8）。 P.48

ウ　妥当でない　判例は、**靖国神社が行う例大祭であるみたま祭に献灯料を支出することはもはや社会的儀礼とはいえず、憲法が禁止する宗教的活動にあたり**、当該公金支出は許されないとしました（愛媛玉串料事件／最大判平9.4.2）。 P.50

エ　妥当である　信仰の自由とは、宗教を信仰する・しない自由、信仰する宗教を選択・変更する自由をいいます。**かかる自由は内心的精神活動の自由であり、他者の人権と衝突する可能性がないので、19条と相まって絶対的に保障され、公共の福祉による制約も受けません。** P.46

以上より、妥当なものは**ア・エ**であり、正解は**2**となります。

正解　2

野畑のワンポイント

政教分離原則に関する判例の結論をしっかり押さえておきましょう。

【政教分離原則に関する判例】

事案	結論
市が地鎮祭に対して公金支出	**合憲**（津地鎮祭事件／最大判昭52.7.13）
県が靖国神社に対して玉串料として公金支出	**違憲**（愛媛玉串料事件／最大判平9.4.2）
市が神社を管理する町内会に対して無償で土地を貸与	**違憲**（砂川空知太神社事件／最大判平22.1.20）
公立学校が宗教を理由に剣道を受講できない者に代替措置を講じる	**合憲**（エホバの証人剣道受講拒否事件／最判平8.3.8）

人権／自由権

問題13 **信教の自由に関する次の記述のうち、妥当なのはどれか。**

1 県が神社の挙行する重要な宗教上の祭祀に際して玉串料等を奉納したとしても、当該奉納行為は起工式と同じく慣習化した社会的儀礼にすぎないものになっているから、県と神社とのかかわり合いは、我が国の社会的・文化的諸条件に照らし相当とされる限度を超えるものではないとするのが判例である。

2 宗教上の行為の自由は、内心における信仰の自由と異なり、公共の安全、公の秩序、公衆の健康若しくは道徳又は他の者の基本的な権利及び自由を保護するために必要な制約に服すると解されている。

3 政教分離原則とは、国家と宗教との完全な分離、すなわち、国家と宗教とはそれぞれ独立して相互に結びつくべきではなく、国家は宗教の介入を受けず、また宗教に介入すべきでないという国家の非宗教性を意味するものであるとするのが判例である。

4 町内会に対し無償で神社施設の敷地としての利用に供してきた市有地につき、市有地が神社の敷地となっているという市と特定の宗教とのかかわり合いを市が是正解消しようとするときは、当該神社施設を撤去すべきであって、市が当該市有地を当該町内会に譲与することは、市と神社とのかかわり合いを是正解消する手段としておよそ相当性を欠き、憲法第20条第3項及び第89条に違反するとするのが判例である。

5 信教の自由の保障は、何人も自己の信仰と相容れない信仰を持つ者の信仰に基づく行為に対して、それが自己の信教の自由を妨害するものでない限り寛容であるべきことを要請しているが、他方、いわゆる宗教的人格権である静謐な宗教的環境の下で信仰生活を送るべき利益も法的利益として認められるとするのが判例である。

【公務員試験アレンジ問題】

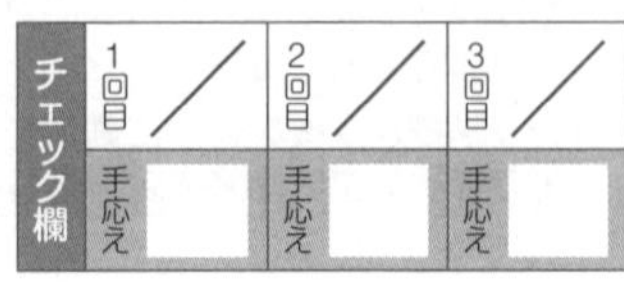

解説

テキスト 第1編

1 **妥当でない** 判例は、**県が玉串料などを奉納したことは、その目的が宗教的意義を持つことを免れず、その効果が特定の宗教に対する援助、助長、促進になる**と認めるべきであり、これによってもたらされる県と靖國神社等とのかかわり合いがわが国の社会的・文化的諸条件に照らし相当とされる限度を超えるものであって、憲法20条3項の禁止する宗教的活動にあたるとしました（**愛媛玉串料事件**、最大判平9.4.2）。 P.50

2 **妥当である** 通説的見解は、宗教上の行為の自由について、国際人権規約（自由権規約）18条の定めるように、公共の安全、公の秩序、公衆の健康もしくは道徳または他の者の基本的な権利および自由を保護するために必要な制約に服するとしています。

3 **妥当でない** 判例は、政教分離原則は、国家が宗教的に中立であることを要求するものではあるが、国家が宗教とのかかわり合いを持つことをまったく許さないとするものではなく、**宗教とのかかわり合いをもたらす行為の目的および効果にかんがみ、そのかかわり合いが社会的・文化的諸条件に照らし相当とされる限度を超えるものと認められる場合にこれを許さない**とするものであるとしています（**津地鎮祭事件**、最大判昭52.7.13）。 P.49

4 **妥当でない** 判例は、本肢のような譲与について、市と本件神社とのかかわり合いを是正解消する手段として相当性を欠くとはいえないので、憲法20条3項および89条に反しないとしています（**富平神社事件**、最大判平22.1.20）。

5 **妥当でない** 判例は、信教の自由の保障は、何人も自己の信仰と相容れない信仰を持つ者の信仰に基づく行為に対して、それが強制や不利益の付与を伴うことにより自己の信教の自由を妨害するものでない限り寛容であることを要請しているとしたうえで、**静謐な宗教的環境のもとで信仰生活を送るべき利益なるものは、これを直ちに法的利益として認めることができない**としています（**殉職自衛官合祀事件**、最大判昭63.6.1）。

正解 2

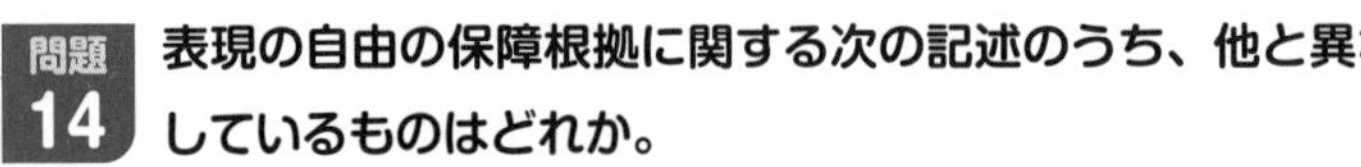

人権／自由権

問題14 **表現の自由の保障根拠に関する次の記述のうち、他と異なる考え方に立脚しているものはどれか。**

1 広告のような営利的な表現活動もまた、国民一般が消費者として様々な情報を受け取ることの重要性に鑑み、表現の自由の保護が及ぶものの、その場合でも保障の程度は民主主義に不可欠な政治的言論の自由よりも低い、とする説がある。

2 知る権利は、「国家からの自由」という伝統的な自由権であるが、それにとどまらず、参政権（「国家への自由」）的な役割を演ずる。個人は様々な事実や意見を知ることによって、はじめて政治に有効に参加することができるからである。

3 表現の自由を規制する立法の合憲性は、経済的自由を規制する立法の合憲性と同等の基準によって審査されなければならない、とする説が存在するが、その根拠は個人の自律にとっては経済活動も表現活動も同等な重要性を有するためである。

4 名誉毀損的表現であっても、それが公共の利害に関する事実について公益を図る目的でなされた場合には、それが真実であるか、真実であると信じたことに相当の理由があるときは処罰されないが、これは政治的な言論を特に強く保護する趣旨と解される。

5 報道機関の報道の自由は、民主主義社会において、国民が国政に関与するために重要な判断の資料を提供し、国民の知る権利に奉仕するものであり、表現の自由の保障内容に含まれる。

【本試験2010年問5】

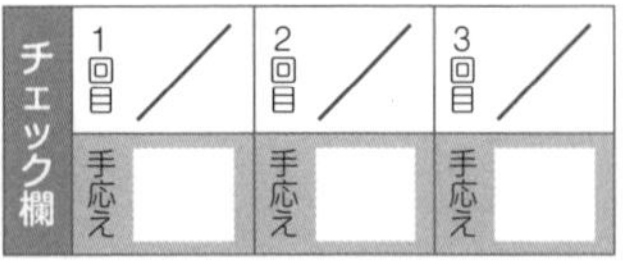

解説

テキスト
第1編

表現の自由の保障根拠には、2つの価値（①自己実現の価値、②自己統治の価値）があります。

1 **②自己統治の価値を重視している** 営利的な表現活動は政治的言論の自由よりも保障の程度が低いとする説は、営利的な表現行為には「自己統治の価値」が希薄であることを理由とするものです。それゆえ、この説は、**自己統治の価値を重視する考え方に立脚する**ものになります。 P.52

2 **②自己統治の価値を重視している** 「知る権利が参政権的な役割を演ずる」ということは、**「自己統治の価値」を重視する考え方に立脚する**ものになります。 P.52

3 **①自己実現の価値を重視している** 「個人の自律にとって経済活動も表現活動も同等な重要性を有する」ということは、**自己実現の価値を重視する考え方に立脚する**ものになります。 P.52

4 **②自己統治の価値を重視している** 「公共の利害に関する事実について公益を図る目的でなされた名誉毀損的表現が一定の場合に処罰されないのは、政治的な言論を特に強く保護する趣旨と解される」ということは、**自己統治の価値を重視する考え方に立脚する**ものになります。 P.52

5 **②自己統治の価値を重視している** 「報道機関の報道の自由が、国民が国政に関与するために重要な判断の資料を提供し、国民の知る権利に奉仕するものである」ということは、**自己統治の価値を重視する考え方に立脚する**ものになります。 P.52

正解 3

野畑のワンポイント

少し難しい問題ですが、行政書士試験にはこのような問題も出題されます。
「自己実現の価値」と「自己統治の価値」の内容を思い出したうえでもう一度チャレンジしてみましょう。

- 表現活動によって、**自己の人格を発展**させることができる。
  →**自己実現**の価値
- 表現活動によって、**国民が政治的意思決定に関与**することができる。
  →**自己統治**の価値

人権／自由権

問題15 **日本国憲法に規定する表現の自由に関する記述として、最高裁判所の判例に照らして、妥当なのはどれか。**

1 税関において公安又は風俗を害すべき書籍等を検査することは、関税徴収手続の一環として行われ、思想内容等を網羅的に審査し規制することを目的とするものではないが、国民が当該書籍等に接する前に規制がなされ、発表の自由と知る自由が著しく制限されることになるので検閲に当たり、違憲である。

2 取材の自由は、報道の自由の一環として憲法の精神に照らして十分尊重に値するものであり、裁判所による報道機関の取材フィルムに対する提出命令は、取材フィルムが刑事裁判の証拠のために使用される場合であっても、報道機関の将来における取材の自由が必ず妨げられることとなるので、違憲である。

3 人格権としての名誉権に基づく出版物の印刷、製本、販売、頒布等の事前差止めは、その出版物が公職選挙の候補者に対する評価、批判等に関するものである場合には、原則として許されず、その表現内容が真実でないか又は専ら公益を図る目的のものでないことが明白であって、かつ、被害者が重大にして著しく回復困難な損害を被るおそれがあるときに限り、例外的に許される。

4 報道機関が公務員に対し秘密を漏示するようそそのかした行為は、その手段・方法が、取材対象者の人格を蹂躙する等法秩序全体の精神に照らし相当なものとして社会観念上是認することができない態様のものであっても、刑罰法令に触れない限り、実質的に違法性を欠き正当な業務行為である。

5 憲法は、表現の自由を保障するため、新聞記者に対し、その取材源に関する証言を拒絶し得る特別の権利を保障したものと解することができるので、新聞記者の証言が、公の福祉のため最も重大な司法権の公正な発動につき必要欠くべからざるものであっても、新聞記者は、取材源の秘匿を理由に、証言を拒絶できる。

【公務員試験アレンジ問題】

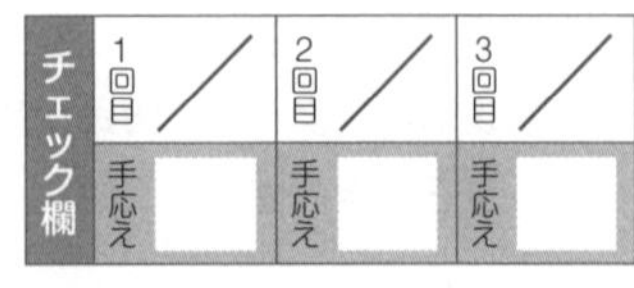

解説

テキスト
第1編

1 **妥当でない**　判例は、**税関検査は、これにより輸入を禁止される表現物は、国外においてすでに発表済みのもの**であり、税関により没収、廃棄されるわけでないから発表の機会が全面的に奪われるものではないとして、**検閲にあたらない**としました（**税関検査事件**、最大判昭59.12.12）。 P.62

2 **妥当でない**　判例は、取材の自由も憲法21条の精神に照らして十分尊重に値し、取材フィルムが刑事裁判の証拠のために使用されるような場合には、報道機関の将来における取材活動の自由を妨げることになるおそれがないわけではないが、公正な刑事裁判の実現を保障するためにある程度制約を受けることもやむをえないとして、提出命令を合憲としました（**博多駅事件**、最大決昭44.11.26）。 P.54

3 **妥当である**　裁判所の行う出版物の頒布などの事前差止めについて、判例は、憲法21条の趣旨に照らし、厳格かつ明確な要件のもとにおいてのみ許容され、差止めの対象が公務員または公職選挙の候補者に対する評価、批判等の表現行為に関するものである場合には、その表現は私人の名誉権に優先する社会的価値を含むので、当該表現行為の事前差止めは原則として許されないが、**①表現内容が真実でなく、またはそれがもっぱら公益を図る目的のものでないことが明白であって、かつ②被害者が重大にして著しく回復困難な損害を被るおそれがあるときは、例外的に事前差止めが許される**としました（**北方ジャーナル事件**、最大判昭61.6.11）。 P.61

4 **妥当でない**　判例は、報道機関が取材の目的で公務員に対し秘密を漏示するようにそそのかすことについて、取材の手段・方法が一般の刑罰法令に触れないものであっても、人格の尊厳を著しく蹂躙する等法秩序全体の精神に照らし社会観念上是認することのできない態様のものである場合には、正当な取材活動の範囲を逸脱し違法であるとした（**西山記者事件**、最決昭53.5.31）。 P.56

5 **妥当でない**　判例は、**憲法21条は、公の福祉のため最も重大な司法権の公正な発動につき必要欠くべからざる証言の義務をも犠牲にして、証言拒絶の権利までも保障したものではない**とし、また憲法21条による表現の自由の保障は一般国民に平等に認められたものであり、**新聞記者に特別の権利を与えたものではない**としました（**石井記者事件**、最大判昭27.8.6）。 P.56

正解 3

人権／自由権

問題16 **次の１～５は、法廷内における傍聴人のメモ採取を禁止することが憲法に違反しないかが争われた事件の最高裁判所判決に関する文章である。判決の趣旨と異なるものはどれか。**

1 報道機関の取材の自由は憲法21条１項の規定の保障の下にあることはいうまでもないが、この自由は他の国民一般にも平等に保障されるものであり、司法記者クラブ所属の報道機関の記者に対してのみ法廷内でのメモ採取を許可することが許されるかは、それが表現の自由に関わることに鑑みても、法の下の平等との関係で慎重な審査を必要とする。

2 憲法82条１項は、裁判の対審及び判決が公開の法廷で行われるべきことを定めているが、その趣旨は、裁判を一般に公開して裁判が公正に行われることを制度として保障し、ひいては裁判に対する国民の信頼を確保しようとすることにある。

3 憲法21条１項は表現の自由を保障しており、各人が自由にさまざまな意見、知識、情報に接し、これを摂取する機会をもつことは、個人の人格発展にも民主主義社会にとっても必要不可欠であるから、情報を摂取する自由は、右規定の趣旨、目的から、いわばその派生原理として当然に導かれる。

4 さまざまな意見、知識、情報に接し、これを摂取することを補助するものとしてなされる限り、筆記行為の自由は、憲法21条１項の規定の精神に照らして尊重されるべきであるが、これは憲法21条１項の規定によって直接保障される表現の自由そのものとは異なるから、その制限又は禁止には、表現の自由に制約を加える場合に一般に必要とされる厳格な基準が要求されるものではない。

5 傍聴人のメモを取る行為が公正かつ円滑な訴訟の運営を妨げるに至ることは通常はあり得ないのであって、特段の事情のない限り、これを傍聴人の自由に任せるべきであり、それが憲法21条１項の規定の精神に合致する。

【本試験2013年問７】

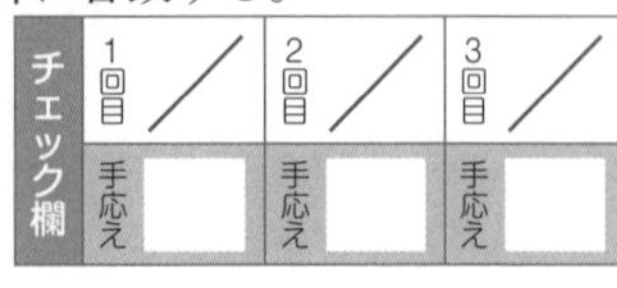

解説

テキスト
第1編

1 **判決の趣旨と異なる** 判例は、「報道機関の報道は、民主主義社会において、国民が国政に関与するにつき、重要な判断の資料を提供するものであって、事実の報道の自由は、表現の自由を定めた憲法21条1項の規定の保障の下にあることはいうまでもなく、このような報道機関の報道が正しい内容をもつためには、**報道のための取材の自由も、憲法21条の規定の精神に照らし、十分尊重に値する**ものである」と述べています（レペタ訴訟／最大判平元.3.8）。本肢のように「報道機関の取材の自由は憲法21条1項の規定の保障の下にあることはいうまでもない」とはしていません。 P.55

2 **判決の趣旨と異なるものではない** 判例は、「憲法82条1項の規定は、裁判の対審及び判決が公開の法廷で行われるべきことを定めているが、その趣旨は、**裁判を一般に公開して裁判が公正に行われることを制度として保障し、ひいては裁判に対する国民の信頼を確保しようとする**ことにある。」としています（レペタ訴訟／最大判平元.3.8）。

3 **判決の趣旨と異なるものではない** 判例は、「憲法21条1項の規定は、表現の自由を保障している。そうして、各人が自由にさまざまな意見、知識、情報に接し、これを摂取する機会をもつことは、その者が個人として自己の思想及び人格を形成、発展させ、社会生活の中にこれを反映させていく上において欠くことのできないものであり、民主主義社会における思想及び情報の自由な伝達、交流の確保という基本的原理を真に実効あるものたらしめるためにも必要であって、このような**情報等に接し、これを摂取する自由は、右規定の趣旨、目的から、いわばその派生原理として当然に導かれるところである**」としています（レペタ訴訟／最大判平元.3.8）。 P.55

4 **判決の趣旨と異なるものではない** 判例は、「筆記行為は、一般的には人の生活活動の一つであり、生活のさまざまな場面において行われ、極めて広い範囲に及んでいるから、そのすべてが憲法の保障する自由に関係するものということはできないが、さまざまな意見、知識、情報に接し、これを摂取することを補助するものとしてなされる限り、筆記行為の自由は、憲法21条1項の規定の精神に照らして尊重されるべきであるといわなければならない。」としていますが、「**右の筆記行為の自由は、憲法21条1項の規定によって直接保障されている表現の自由そのものとは異なるものであるから、その制限又は禁止には、表現の自由に制約を加える場合に一般に必要** P.55

解説

とされる厳格な基準が要求されるものではないというべきである。」としています（レペタ訴訟／最大判平元.3.8）。

5 **判決の趣旨と異なるものではない** 判例は、「**傍聴人のメモを取る行為が公正かつ円滑な訴訟の運営を妨げるに至ることは、通常はあり得ないのであって、特段の事情のない限り、これを傍聴人の自由に任せるべき**であり、それが憲法21条1項の規定の精神に合致するものということができる。」としています（レペタ訴訟／最大判平元.3.8）。

正解 1

MEMO

人権／自由権

問題 17 **次の文章は、最高裁判所判決の一節である。空欄［ア］～［エ］に当てはまる語句を、枠内の選択肢（1～20）から選びなさい。**

筆記行為は、一般的には人の生活活動の一つであり、生活のさまざまな場面において行われ、極めて広い範囲に及んでいるから、そのすべてが憲法の保障する自由に関係するものということはできないが、さまざまな意見、知識、情報に接し、これを摂取することを補助するものとしてなされる限り、筆記行為の自由は、憲法二一条一項の規定の精神に照らして［ア］されるべきであるといわなければならない。……傍聴人が法廷においてメモを取ることは、その見聞する裁判を認識、記憶するためになされるものである限り、［ア］に値し、故なく妨げられてはならないものというべきである。もつとも、……右の筆記行為の自由は、憲法二一条一項の規定によつて直接保障されている［イ］そのものとは異なるものであるから、その制限又は禁止には、［イ］に制約を加える場合に一般に必要とされる［ウ］が要求されるものではないというべきである。これを傍聴人のメモを取る行為についていえば、……そのメモを取る行為がいささかでも法廷における公正かつ円滑な［エ］を妨げる場合には、それが制限又は禁止されるべきことは当然であるというべきである……。しかしながら、……傍聴人のメモを取る行為が公正かつ円滑な［エ］を妨げるに至ることは、通常はあり得ないのであつて、特段の事情のない限り、これを傍聴人の自由に任せるべきであり、それが憲法二一条一項の規定の精神に合致するものということができる。

（最大判平成元年3月8日民集43巻2号89頁）

1	合理性の基準	2	保護	3	重大かつ明白性	4	知る権利
5	尊重	6	法律の根拠	7	裁判を受ける権利	8	訴訟の運営
9	傍聴する権利	10	斟酌	11	表現の自由	12	配慮
13	被告人の処罰	14	報道の自由	15	裁判の公開	16	公共の利益
17	猶予	18	証人の尋問	19	厳格な基準	20	情報の伝達

【オリジナル問題】

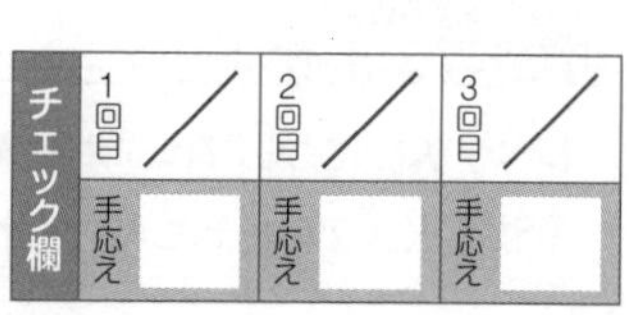

解説

テキスト ▶ **第1編P.55**

本問は、裁判の傍聴人のメモを取る行為を禁止することの合憲性が争点となったレペタ訴訟最高裁判所判決（最大判平元.3.8）を素材としたものです。

「筆記行為は、一般的には人の生活活動の一つであり、生活のさまざまな場面において行われ、極めて広い範囲に及んでいるから、そのすべてが憲法の保障する自由に関係するものということはできないが、さまざまな意見、知識、情報に接し、これを摂取することを補助するものとしてなされる限り、筆記行為の自由は、憲法二一条一項の規定の精神に照らして(ア)**尊重**されるべきであるといわなければならない。……傍聴人が法廷においてメモを取ることは、その見聞する裁判を認識、記憶するためになされるものである限り、(ア)**尊重**に値し、故なく妨げられてはならないものというべきである。もつとも、……右の筆記行為の自由は、憲法二一条一項の規定によつて直接保障されている(イ)**表現の自由**そのものとは異なるものであるから、その制限又は禁止には、(イ)**表現の自由**に制約を加える場合に一般に必要とされる(ウ)**厳格な基準**が要求されるものではないというべきである。これを傍聴人のメモを取る行為についていえば、……そのメモを取る行為がいささかでも法廷における公正かつ円滑な(エ)**訴訟の運営**を妨げる場合には、それが制限又は禁止されるべきことは当然であるというべきである……。しかしながら、……傍聴人のメモを取る行為が公正かつ円滑な(エ)**訴訟の運営**を妨げるに至ることは、通常はあり得ないのであつて、特段の事情のない限り、これを傍聴人の自由に任せるべきであり、それが憲法二一条一項の規定の精神に合致するものということができる。」

以上より、**ア**には**5**＝「尊重」、**イ**には**11**＝「表現の自由」、**ウ**には**19**＝「厳格な基準」、**エ**には**8**＝「訴訟の運営」が入ります。

正解　ア：5、イ：11、ウ：19、エ：8

レペタ訴訟については、本試験2013年問7（択一式）でも出題されています。
多肢選択式での出題も考えられるので、本問を繰り返し解いておきましょう。

MEMO

人権／自由権

問題 18 **憲法第21条第2項の検閲に関する次の記述のうち、最高裁判所の判例に照らし、妥当なものはどれか。**

1 地方公共団体が青少年に有害と考えられる図書を指定し、店頭での販売を禁止することは、検閲にあたらない。

2 裁判所が私人の請求により雑誌の出版前にその内容を審査し、プライバシー侵害のおそれありとして発売を差し止めることは、検閲にあたる。

3 行政によるいわゆる「教科書検定」は、検閲にあたるものではあるが、教育の公正・中立の確保の必要性から例外的に許容される。

4 マスメディアが、ある主張についてその内容が不適正として新聞への掲載やテレビへの出演を拒否することは、検閲にあたる。

5 出版物の表現内容について事後的に刑罰を科すことによってこの公表に影響を与えることは、検閲にあたる。

【公務員試験アレンジ問題】

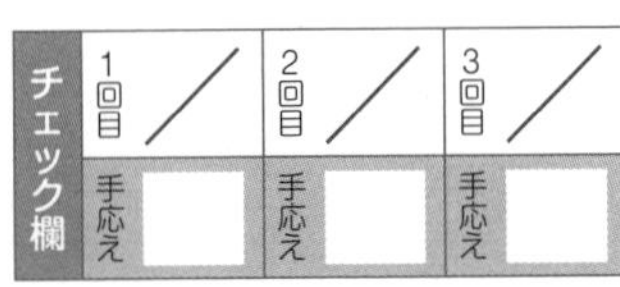

解説

テキスト 第1編

1 **妥当である** 判例は、条例による有害図書の指定が検閲にあたらないとしています（岐阜県青少年保護育成条例事件／最判平元.9.19）。判例は、税関検査事件（最大判昭59.12.12）以来、検閲とは、行政権が主体となって、思想内容等の表現物を対象とし、その全部または一部の発表の禁止を目的として、対象とされる一定の表現物につき網羅的一般的に、発表前にその内容を審査したうえ、不適当と認めるものの発表を禁止することを、その特質として備えるものを指すとしており、したがって、**発表前の禁止ではない有害図書の指定は、検閲にはあたりません。**

2 **妥当でない** 判例の検閲の定義によれば、裁判所によるプライバシー侵害を理由とする出版差止めは、**主体が裁判所である以上、検閲に該当しない**ことになります。実際、プライバシー侵害を理由として出版差止めを命じた判例があります（『石に泳ぐ魚』事件／最判平14.9.24）。 P.60

3 **妥当でない** 判例は、教科書検定は、**一般図書としての発行を何ら妨げるものではなく、発表禁止目的や発表前の審査などの特質がないから、検閲にあたらない**としています（第1次家永教科書事件／最判平5.3.16）。 P.62

4 **妥当でない** 私人である**マスメディアの行う自主的な規制は、行政権が主体となって行うものではないから、発表前の禁止であっても、検閲にはあたりません。** P.60

5 **妥当でない** **事後的に刑罰を科すことは、発表前の禁止ではない**ので、たとえ表現内容の公表に影響を与えるとしても、検閲にはあたりません。 P.60

正解 1

この問題を間違えてしまった方は、「検閲の定義」を見ながらでもいいのでもう一度チャレンジしてみましょう！

❶**行政権が主体**となって、
❷思想内容等の表現物を対象とし、
❸その全部または一部の**発表の禁止を目的**とし、
❹対象とされる一定の表現物につき**網羅的一般的に**、
❺**発表前にその内容を審査**したうえで、
❻不適当と認めるものの**発表を禁止する**こと。
→この6つ**すべてに該当すれば検閲**、1つでも該当しなければ検閲ではありません。

人権／自由権

問題 19 **次の文章の空欄①～⑤に語句群から適切な語句を入れると、表現の自由に対する規制に関する記述となる。空欄①～⑤に入るものをア～カから選んだ組合せとして適当なものはどれか。ただし、異なる空欄に同じ語句は入らない。**

一般的に、表現の内容に着目した規制は、（　①　）、表現の内容に関係ない表現の手段・方法等に対する規制は、（　②　）といわれる。

（　①　）の例としては、（　③　）に対する規制が挙げられる。

他方で、（　②　）には、表現活動の規制を直接の目的とする場合と、何らかの弊害をもたらす行為を規制した結果、付随的に表現活動も規制されることになり得る場合とを区別して考える見解もある。

前者の例としては、（　④　）が挙げられる。ここでは、ビラ配布という表現行為を一定の範囲で規制することが目的となっているからである。

他方で、後者の例としては、（　⑤　）などが挙げられる。

【語句群】

ア　内容規制

イ　内容中立規制

ウ　わいせつ表現や名誉毀損表現

エ　ビラ配布

オ　特定の時間帯や場所でのビラ配布を規制する場合や交通の重大な妨害となる態様でのビラ配布の規制

カ　ビラ配布のために他人の管理する建物などに立ち入った者を建造物侵入罪により処罰する場合

1 ①－ア　③－ウ　⑤－オ
2 ②－ア　④－オ　⑤－カ
3 ①－イ　③－エ　④－オ
4 ②－イ　③－ウ　⑤－カ
5 ③－エ　④－カ　⑤－オ

【公務員試験アレンジ問題】

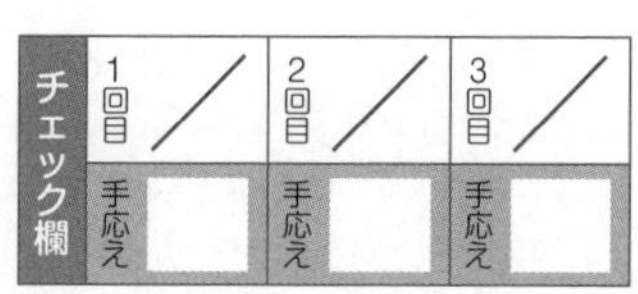

解説　テキスト ▶ 第1編P.56

空欄①～③について。本問では、表現の自由に対する規制の種類およびその具体例について聞いています。一般に、**表現の内容に着目した規制は内容規制**といいます。他方、**表現内容に関係ない表現の手段・方法等に対する規制は内容中立規制**といいます。したがって、空欄①にはアが、空欄②にはイが入ります。内容規制の例としては、「わいせつ」かどうか、または、「名誉毀損」かどうか、という表現の内容に着目したわいせつ表現や名誉毀損表現などがあります。したがって、空欄③にはウが入ります。

空欄④～⑤について。内容中立規制の中でも、表現活動の規制を直接の目的とする場合と、弊害の除去を目的としてなされた行為への規制が結果として表現活動をも間接・付随的に規制する場合に区別する見解に基づいて、それぞれの具体例を検討していくことになります。まず、前者について、**表現活動を規制するため、表現の時・場所・方法を規制すること**が考えられます。具体的には、特定の時間帯や場所でのビラ配布を規制すること（時・場所の規制）や、交通の重大な妨害となる態様でのビラ配布を規制すること（方法の規制）がこれにあたります。したがって、空欄④にはオが入ります。次に、後者について、たとえば、建造物侵入罪（刑法130条前段）自体は、建造物の管理権者が有する管理権を保護し、管理権侵害という弊害を除去するために規定されているので、表現自体を規制することを目的とした罪（規制）ではありません。しかし、ビラ配布のために他人の住居・建造物等に立ち入った場合において、正当な理由を欠く建造物への立ち入りが建造物侵入罪によって処罰されることにより、結果として、かかる建造物等での表現活動ができなくなることから、表現活動を間接的付随的に規制したことになります。したがって、空欄⑤にはカが入ります。

以上より、①－**ア**、②－**イ**、③－**ウ**、④－**オ**、⑤－**カ**であり、正解は**4**となります。

正解　4

MEMO

人権／自由権

問題20 **次の文章は、最高裁判所判決の一節である。空欄［ア］～［エ］に当てはまる語句を、枠内の選択肢（1～20）から選びなさい。**

憲法二一条二項前段は、「検閲は、これをしてはならない。」と規定する。憲法が、表現の自由につき、広くこれを保障する旨の一般的規定を同条一項に置きながら、別に検閲の禁止についてかような特別の規定を設けたのは、検閲がその性質上表現の自由に対する最も厳しい制約となるものであることにかんがみ、これについては、公共の福祉を理由とする例外の許容（憲法一二条、一三条参照）をも認めない趣旨を明らかにしたものと解すべきである。けだし、諸外国においても、表現を事前に規制する検閲の制度により思想表現の自由が著しく制限されたという歴史的経験があり、また、わが国においても、旧憲法下における出版法（明治二六年法律第一五号）、新聞紙法（明治四二年法律第四一号）により、文書、図画ないし新聞、雑誌等を出版直前ないし発行時に提出させた上、その発売、頒布を禁止する権限が内務大臣に与えられ、その運用を通じて［ア］な検閲が行われたほか、映画法（昭和一四年法律第六六号）により映画フイルムにつき内務大臣による典型的な検閲が行われる等、思想の自由な発表、交流が妨げられるに至つた経験を有するのであつて、憲法二一条二項前段の規定は、これらの経験に基づいて、検閲の［イ］を宣言した趣旨と解されるのである。

そして、前記のような沿革に基づき、右の解釈を前提として考究すると、憲法二一条二項にいう「検閲」とは、［ウ］が主体となつて、思想内容等の表現物を対象とし、その全部又は一部の発表の禁止を目的として、対象とされる一定の表現物につき［エ］に、発表前にその内容を審査した上、不適当と認めるものの発表を禁止することを、その特質として備えるものを指すと解すべきである。

（最大判昭和59年12月12日民集38巻12号1308頁）

1 行政権	2 絶対的禁止	3 例外的	4 否定的体験
5 外形的	6 原則的禁止	7 形式的	8 制限的適用
9 抜き打ち的	10 積極的廃止	11 実質的	12 個別的具体的
13 警察権	14 法律的留保的	15 国家	16 網羅的一般的
17 司法権	18 裁量的	19 公権力	20 排他的

【本試験2016年問41】

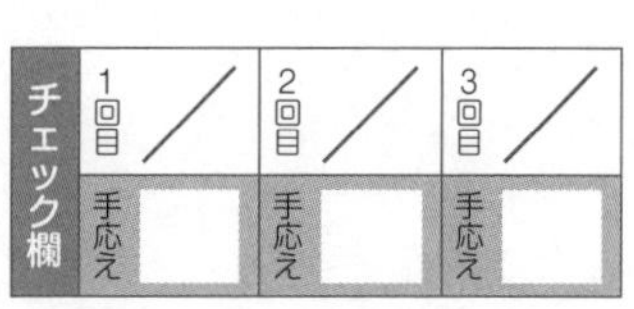

解説　　テキスト ▶ **第1編P.60・P.62**

本問は、税関検査事件最高裁判決（最大判昭59.12.12）を素材としたものです。

「憲法二一条二項前段は、『検閲は、これをしてはならない。』と規定する。憲法が、表現の自由につき、広くこれを保障する旨の一般的規定を同条一項に置きながら、別に検閲の禁止についてかような特別の規定を設けたのは、検閲がその性質上表現の自由に対する最も厳しい制約となるものであることにかんがみ、これについては、公共の福祉を理由とする例外の許容（憲法一二条、一三条参照）をも認めない趣旨を明らかにしたものと解すべきである。けだし、諸外国においても、表現を事前に規制する検閲の制度により思想表現の自由が著しく制限されたという歴史的経験があり、また、わが国においても、旧憲法下における出版法（明治二六年法律第一五号）、新聞紙法（明治四二年法律第四一号）により、文書、図画ないし新聞、雑誌等を出版直前ないし発行時に提出させた上、その発売、頒布を禁止する権限が内務大臣に与えられ、その運用を通じて (ア) **実質的**な検閲が行われたほか、映画法（昭和一四年法律第六六号）により映画フイルムにつき内務大臣による典型的な検閲が行われる等、思想の自由な発表、交流が妨げられるに至つた経験を有するのであつて、憲法二一条二項前段の規定は、これらの経験に基づいて、検閲の (イ) **絶対的禁止**を宣言した趣旨と解されるのである。

そして、前記のような沿革に基づき、右の解釈を前提として考究すると、憲法二一条二項にいう『検閲』とは、(ウ) **行政権**が主体となつて、思想内容等の表現物を対象とし、その全部又は一部の発表の禁止を目的として、対象とされる一定の表現物につき (エ) **網羅的一般的**に、発表前にその内容を審査した上、不適当と認めるものの発表を禁止することを、その特質として備えるものを指すと解すべきである。」

以上より、**ア**には**11**＝「実質的」、**イ**には**2**＝「絶対的禁止」、**ウ**には**1**＝「行政権」、**エ**には**16**＝「網羅的一般的」が入ります。

正解　ア：11、イ：2、ウ：1、エ：16

MEMO

人権／自由権

学問の自由及び大学の自治に関する次の記述のうち、妥当なものはどれか。

1 学問の自由は、教授の自由を含み、普通教育における教員の教授の自由についても、大学における教員の教授の自由と同じ程度に保障されているとするのが判例である。

2 公務員は憲法第99条により憲法を尊重し擁護する義務を負っているから、国立大学の教員が憲法改正の必要性の理解を広めることにつながる研究を行うことの自由は、同条により一定の制約を受けると解するのが通説である。

3 大学の自治は、憲法第23条には明文の規定はないことから、同条により保障されているものではなく、憲法第21条第1項が規定する結社の自由により保障されていると解するのが通説である。

4 大学の自治は、専ら研究又は教育の自由を確保するために保障されているから、施設の管理に関する自治は認められず、大学構内における警察権の行使の範囲については構外における場合と異ならないとするのが判例である。

5 憲法第23条は、大学においての学問の自由とその研究成果の発表の自由にとどまることなく、広くすべての国民に対してもそれらの自由を保障しているものであると解するのが通説である。

【公務員試験アレンジ問題】

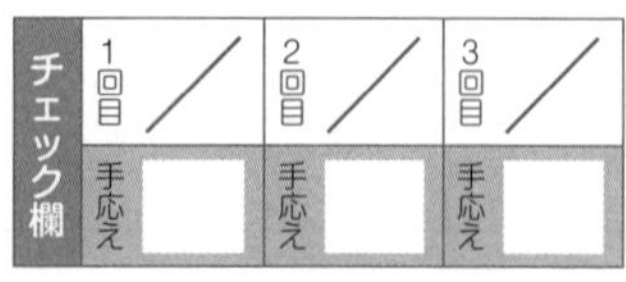

解説

テキスト
第1編

1 **妥当でない** 学問の自由は、教授の自由を含み、普通教育の場においても教授の自由が保障されます。しかし、判例は、普通教育の場においては、児童生徒に教授内容を批判する能力がないことや、教育の機会均等を図るうえからも全国的に一定の水準を確保すべき強い要請があることを考慮して、**普通教育における教師に完全な教授の自由を認めることは許されない**としています（旭川学テ事件／最大判昭51.5.21）。 P.85

2 **妥当でない** 99条は公務員の憲法尊重擁護義務を規定していますが、通説は、この義務は一般的には倫理的・道徳的性質のものであって、ここから直ちに具体的な法的効果が生ずるものではないと解しています。したがって、**国立大学の教員であったとしても、憲法改正の必要性の理解を広めることにつながる研究を行うことの自由は、制約を受けない**と考えられています。

3 **妥当でない** **23条には大学の自治に関する明文の規定はありません。**しかし、通説は、学問の自由と大学の自治が密接不可分の関係にあることから、大学の自治は23条によって保障されると解しています。**判例も、大学における学問の自由を保障するために大学の自治が認められるとしています**（東大ポポロ事件／最大判昭38.5.22）。 P.64

4 **妥当でない** 判例は、**大学における学問の自由を保障するために大学の施設や学生の管理について大学の自治を認め、大学にある程度の自主的な秩序維持の権能を認めている**ので（東大ポポロ事件／最大判昭38.5.22）、その限度で公権力の干渉は排除されています。したがって、大学構内における警察権行使の範囲について、構外における場合と異ならないとはいえません。

5 **妥当である** 学問の自由は、沿革的には大学を中心とする高等研究教育機関の研究者に認められてきたのですが、通説は、**学問の自由は、大学における学術研究活動の自由に限定する必要はなく、広く何人にも保障されると解しています。**なお、判例も、同様の趣旨と解されています（東大ポポロ事件／最大判昭38.5.22）。 P.64

正解 5

人権／自由権

問題22　憲法に定める職業選択の自由に関する次の記述のうち、最高裁判所の判例に照らし、妥当なものはどれか。

1　小売市場事件では、小売市場開設の許可規制が消極的・警察的目的の規制であると認定したが、規制の目的に対して規制手段は必要以上に制限的でないとして、許可規制の合理性を認めた。

2　薬局距離制限事件では、薬局開設の距離制限が薬局等の経営保護という社会経済政策の一環としての規制であり、目的に合理性が認められ、規制の手段・態様も著しく不合理であるとはいえないとして、距離制限の合理性を認めた。

3　酒類販売免許制事件では、租税の適正・確実な賦課徴収のための許可制は、その必要性と合理性について、立法府の政策的・技術的な裁量を逸脱し著しく不合理なものでない限り違憲ではないとの立場から、免許制度の合理性を認めた。

4　1989年の公衆浴場距離制限事件では、公衆浴場の設立を業者の自由に委ねると偏在のおそれや乱立による過当競争のおそれがあるとし、制限を消極的・警察的目的の規制であるとしたうえで、距離制限規定は違憲であるとした。

5　職業選択の自由には、従事すべき職業を選択する自由のみでなく、選択した職業を遂行する自由も含まれるが、営利を目的とする自主的活動の自由である営業の自由は、職業選択の自由には含まれず、財産権行使の自由として憲法第29条により保障されるとするのが判例である。

【公務員試験アレンジ問題】

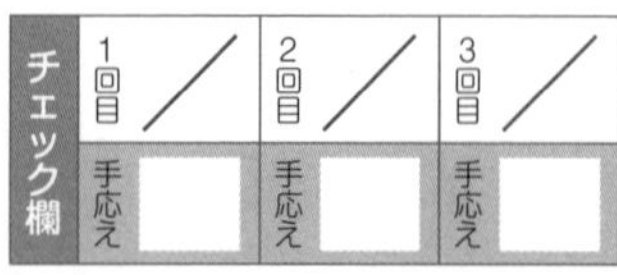

解説

テキスト
第1編

1 **妥当でない** 小売市場事件で、判例は、**小売市場開設の許可規制を**、社会経済の分野における積極的な法的規制措置、すなわち、**積極目的の規制であると認定**し、当該規制は、著しく不合理であることが明白であるとは認められないとして、**許可規制の合理性を認めています**（最大判昭47.11.22）。 P.66

2 **妥当でない** 薬局距離制限事件で、判例は、**薬局の適正配置規制**は、主として国民の生命および健康に対する危険の防止という**消極的・警察的目的のための規制措置である**としたうえで、その**目的達成のための必要性と合理性を肯定することができない**としました（最大判昭50.4.30）。 P.67

3 **妥当である** 酒類販売免許制事件で、判例は、**租税の適正・確実な賦課徴収を図るという国家の財政目的のための職業の許可制による規制**は、その必要性と合理性についての**立法府の判断が政策的・技術的な裁量の範囲を逸脱し著しく不合理でない限り、22条1項に違反しない**としました（最判平4.12.15）。 P.65

4 **妥当でない** 1989年には、**公衆浴場の距離制限についての判例が2つ**出ています（公衆浴場距離制限事件／最判平元.1.20、最判平元.3.7）。そして前者は、当該規制を積極的・社会経済政策的なものとしたうえで明白性の原則により**合憲**とし、後者は、消極目的と積極目的とをあわせ持っているとしたうえで、合理性の基準により**合憲**としました。

5 **妥当でない** 職業選択の自由には、①自己が従事すべき職業を選択する自由と、②選択した職業を遂行する自由とが含まれることに争いはありません。また、判例も、**営利を目的とする自主的活動の自由たる営業の自由は、職業選択の自由の1つとして保障される**としています（小売市場事件／最大判昭47.11.22）。 P.65

正解 3

肢4の公衆浴場の距離制限については、1989（平成元）年に2つの最高裁判例が出ていますが、どちらも「合憲」ということだけ押さえておけば十分です。

人権／自由権

問題 23 **次の文章は、小売商業調整特別措置法による小売市場の許可規制に関する最高裁判所の判決（最大判昭47.11.22刑集26巻9号586頁）の抜粋及び同判決に対する評釈である。文章中の空欄Ａ～Ｇに入る言葉に関する１～５の記述のうち、妥当なものはどれか。**

【判決】

「個人の経済活動に対する法的規制は、個人の自由な経済活動からもたらされる諸々の弊害が社会公共の安全と秩序の維持の見地から看過することができないような場合に、［　Ａ　］的に、かような弊害を除去ないし緩和するために必要かつ合理的な規制である限りにおいて許されるべきことはいうまでもない。のみならず、憲法の他の条項をあわせ考察すると、憲法は、全体として、［　Ｂ　］的理想のもとに、社会経済の均衡のとれた調和的発展を企図しており、その見地から、すべての国民にいわゆる生存権を保障し、その一環として、国民の勤労権を保障する等、経済的劣位に立つ者に対する適切な保護政策を要請していることは明らかである。このような点を総合的に考察すると、憲法は、国の責務として［　Ｃ　］的な社会経済政策の実施を予定しているものということができ、個人の経済活動の自由に関する限り、個人の［　Ｄ　］的自由等に関する場合と異なつて、右社会経済政策の実施の一手段として、これに一定の合理的規制措置を講ずることは、もともと、憲法が予定し、かつ、許容するところと解するのが相当であり、国は、［　Ｃ　］的に、国民経済の健全な発達と国民生活の安定を期し、もつて社会経済全体の均衡のとれた調和的発展を図るために、立法により、個人の経済活動に対し、一定の規制措置を講ずることも、それが右目的達成のために必要かつ合理的な範囲にとどまる限り、許されるべきであつて、決して、憲法の禁ずるところではないと解すべきである。もつとも、個人の経済活動に対する法的規制は、決して無制限に許されるべきものではなく、その規制の対象、手段、態様等においても、自ら一定の限界が存するものと解するのが相当である。

ところで、社会経済の分野において、法的規制措置を講ずる必要があるかどうか、その必要があるとしても、どのような対象について、どのような手段・態様の規制措置が適切妥当であるかは、主として立法政策の問題として、立法府の［ E ］的判断をまつほかない。というのは、法的規制措置の必要の有無や法的規制措置の対象・手段・態様などを判断するにあたつては、その対象となる社会経済の実態についての正確な基礎資料が必要であり、具体的な法的規制措置が現実の社会経済にどのような影響を及ぼすか、その利害得失を洞察するとともに、広く社会経済政策全体との調和を考慮する等、相互に関連する諸条件についての適正な評価と判断が必要であつて、このような評価と判断の機能は、まさに立法府の使命とするところであり、立法府こそがその機能を果たす適格を具えた国家機関であるというべきだからである。したがって、右に述べたような個人の経済活動に対する法的規制措置については、立法府の政策的技術的な裁量に委ねるほかはなく、裁判所は、立法府の右［ E ］的判断を尊重するのを建前とし、ただ、立法府がその裁量権を逸脱し、当該法的規制措置が著しく不合理であることの明白である場合に限つて、これを違憲として、その効力を否定することができるものと解するのが相当である。」

【評釈】

個人の経済活動の自由の法的規制について、本判決の意義は、第一に、規制の目的によって、社会公共の安全と秩序の維持の見地からする［ A ］的な［ F ］的規制と、［ B ］的理想の下における社会経済政策実施のための［ C ］的な政策的規制の二つに分類されることを明らかにしたこと、第二に、個人の経済活動の自由については、［ D ］的自由等の場合と異なって合理的規制が許されるという、いわゆる［ G ］の考え方を判例上初めて明らかにしたところにある。

1 Aには「積極」、Bには「福祉国家」、Fには「警察」が入る。
2 Cには「積極」、Dには「精神」、Gには「二重の基準」が入る。
3 Aには「積極」、Eには「裁量」、Fには「合理」が入る。
4 Cには「消極」、Dには「精神」、Eには「専門」が入る。
5 Bには「夜警国家」、Cには「積極」、Gには「二重の基準」が入る。

【公務員試験アレンジ問題】

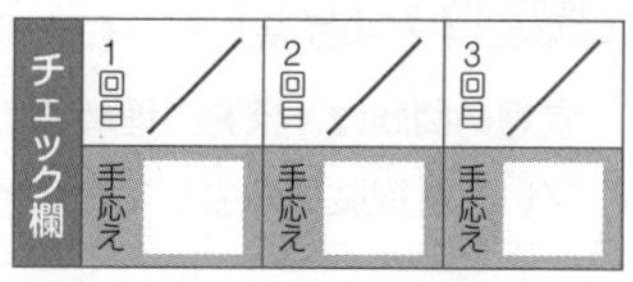

解説　　テキスト ▶ **第1編P.66**

本問の小売市場事件判決は、小売市場相互の共倒れを防止するための距離制限という、経済的自由に対する規制の合憲性が争われた事案に関するものです。

ところで、基本的人権を制約する立法の合憲性判断については、**優越的地位にある精神的自由については厳格な基準**で、**経済的自由については比較的緩やかな合理性の基準**でこれを行おうとする、いわゆる**二重の基準論が学説上有力**です。

さらに、経済的自由に妥当する合理性の基準については、これを規制目的に応じて分類する見解が有力です。この見解は、規制目的を消極的・警察的規制（国民の生命・身体の保護や社会秩序維持を目的とする規制）と、積極的・政策的規制（福祉国家理念の実現を目的とする規制）とに分類したうえで、**消極的・警察的規制の場合には、裁判所が規制の必要性・合理性および同じ目的を達成できる、より緩やかな規制手段の有無を判断する「厳格な合理性の基準」で合憲性を判断**しようとします。**消極的・警察的目的規制の場合には、裁判所が合理性の有無を客観的に審査することが可能**であるからです。他方、**積極的・政策的規制（福祉国家理念の実現を目的とする規制）の場合には、当該規制措置が著しく不合理であることの明白である場合に限って違憲であるとする「明白性の原則」で行う**とします。**どのような政策が福祉国家理念の実現にとって有効かは、裁判所よりも政治部門の裁量的判断に委ねたほうが国民の福利に役立つ**と考えられるからです。

本問の小売市場事件判決は、小売市場相互の共倒れを防止するための距離制限という積極的・政策的規制の合憲性に関する事案についてのものであり、上記の学説に類似した基準で合憲性を判断しています（最大判昭47.11.22)。

以上のことを前提に【評釈】の空欄を先に埋めてみると、**A**＝「消極」、**B**＝「福祉国家」、**C**＝「積極」、**D**＝「精神」、**F**＝「警察」、**G**＝「二重の基準」が入ることがわかり、正解は**2**となります。なお、**E**には「裁量」が入ります。

正解　2

穴埋め問題は、確実に埋めることができるところから埋めていき、間違った語句が入っている選択肢を消去していくと短時間で正解に達することができます。

MEMO

人権／自由権

人身の自由に関する次のア～オの記述のうち、妥当なものの組合せはどれか。

ア　第三者の所有物を没収する場合に、その没収に関して所有者に対し、告知、弁解、防御の機会を与えることなくその所有権を奪うことは、適正手続を保障する憲法の規定に反する。

イ　適正手続の保障は、直接には刑事手続に関するものであるが、行政手続にも及ぶと解されるから、行政処分をする際には、常に処分の相手方に事前の告知、弁解、防御の機会を与えなければならない。

ウ　捜索・押収についての令状主義は、刑事事件における手続を保障したものなので、手続が刑事責任追及を目的とするものでないときには一切適用されない。

エ　法定手続の保障は、刑罰によって生命、自由などを侵害する際の手続に関するものであり、刑罰以外の公権力により自由を制限する場合についても、公正な法定手続を要求するものではない。

オ　憲法38条1項は、何人も自己が刑事上の責任を問われるおそれがある事項について供述を強要されないことを保障したのであって、氏名は原則として「不利益な供述」に該当しない。

1　ア・イ
2　ア・オ
3　イ・ウ
4　ウ・エ
5　エ・オ

【公務員試験アレンジ問題】

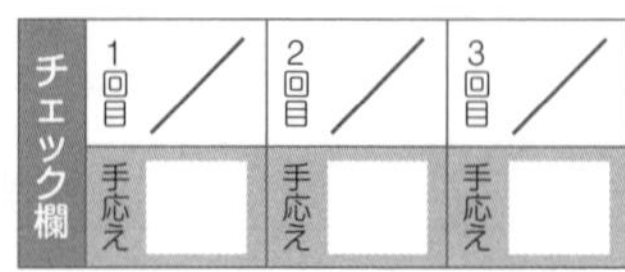

解説

テキスト
第1編

ア　妥当である　判例は、所有者たる**第三者に告知、弁解、防御の機会を与えていない点で関税法の旧規定は29条・31条に反する**としました（第三者所有物没収事件／最大判昭37.11.28）。

イ　妥当でない　**行政手続についても、国民の権利義務にかかわることから、31条の適正手続の保障が及ぶべき**です。もっとも、**行政手続は多様であるから**、処分の性質、目的、不利益を受ける程度、態様などを総合較量して処分の相手方に事前の告知、弁解、防御の機会の付与をするべきかどうかが決せられ、**常に必ずそのような機会を与えることを必要とするものではない**とするのが判例です（成田新法事件／最大判平4.7.1）。　P.71

ウ　妥当でない　**刑事責任追及を目的とする行政作用には、令状主義が及びます。令状主義は、行政手続については直接定めてはいません。**しかし、行政手続は多様であり、国民に対する制約の程度もさまざまです。そこで、判例も、**一定の場合には、行政手続にも令状主義を定めた35条の保障が及びうる**ことを認めています（川崎民商事件／最大判昭47.11.22）。

エ　妥当でない　判例は、**31条の定める適正手続の保障は、直接には刑事手続に関するもの**ですが、**行政手続については、それが刑事手続ではないとの理由のみで、そのすべてが当然に同条による保障の枠外にあると判断することは相当ではない**として、刑罰以外の、公権力により自由を制限する場合（主として行政手続）についても、**31条の適用ないし準用の可能性がある**ことを認めています（成田新法事件／最大判平4.7.1）。　P.71

オ　妥当である　判例は、38条1項の**「自己に不利益な供述」には自己の氏名は含まれない**としています（最大判昭32.2.20）。　P.73

以上より、妥当なものは**ア・オ**であり、正解は**2**となります。

正解　2

人権／社会権

問題 25 **社会権に関する次のア～エの記述のうち、判例に照らし、妥当なものの組合せはどれか。**

ア 親は、子どもの教育に対する一定の支配権、すなわち子女の教育の自由を有すると認められ、また、私学教育における自由や普通教育における教師の教授の自由も、それぞれ限られた一定の範囲において認められる。それ以外の領域においては、一般に社会公共的な問題について国民全体の意思を組織的に決定、実現すべき立場にある国は、国政の一部として広く適切な教育政策を樹立、実施すべく、また、し得る者として、憲法上は、必要かつ相当と認められる範囲において、教育内容についてもこれを決定する権能を有する。

イ 高等学校の教育は、高等普通教育及び専門教育を施すことを目的とするものであり、高等学校においても、教師は依然生徒に対し相当な影響力、支配力を有しているが、生徒の側には、教師の教育内容を批判する能力が備わっており、教師を選択する余地もあるため、国が定立する高等学校教育の内容及び方法について遵守すべき基準は必要最低限とすべきであって、高等学校の教師には、教育の具体的内容及び方法につき広い裁量が認められる。

ウ 地方議会議員の選挙に当たり、労働組合が、その組合員の居住地域の生活環境の改善その他生活向上を図る目的で、その利益代表を議会に送り込むための選挙活動をすること、そして、その一方策として、いわゆる統一候補を決定し、組合を挙げてその選挙運動を推進することは、組合の活動として許されないわけではないが、立候補の自由は、選挙権の自由な行使と表裏の関係にあり、自由かつ公正な選挙を維持する上で極めて重要であるため、労働組合が、統一候補以外の組合員で立候補しようとする者に対し、立候補を思いとどまるように勧告し又は説得することは、組合の統制権の限界を超えるものとして違法である。

エ 政党や選挙による議員の活動は、各種の政治的課題の解決のために労働者の生活利益とは関係のない広範な領域にも及ぶものであるから、選挙においてどの政党又はどの候補者を支持するかは、投票の自由と表裏をなすものとして、組合員各人が市民としての個人的な政治的思想、見解、判断ないしは感情等に基づいて自主的に決定すべき事柄であり、したがって、労働組合が、組合員に、臨時組合費として、選挙に際し特定の立候補者支援のためにその所属政党に寄付する資金の支払を強いることは許されない。

1 ア・ウ
2 ア・エ
3 イ・ウ
4 イ・エ
5 ウ・エ

【公務員試験アレンジ問題】

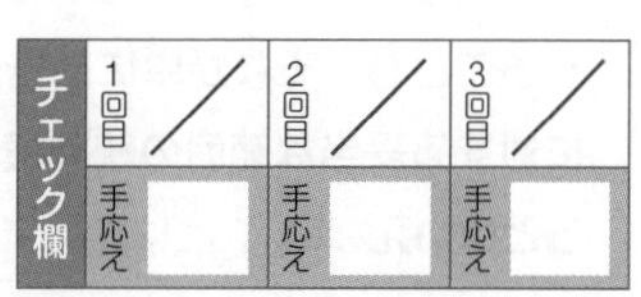

解説

テキスト
第1編

ア　妥当である　判例は、「まず親は、子どもに対する自然的関係により、子どもの将来に対して最も深い関心をもち、かつ、配慮をすべき立場にある者として、子どもの教育に対する一定の支配権、すなわち子女の教育の自由を有すると認められるが、このような親の教育の自由は、主として家庭教育等学校外における教育や学校選択の自由にあらわれるものと考えられるし、また私学教育における自由や……教師の教授の自由も、それぞれ限られた一定の範囲においてこれを肯定するのが相当であるけれども、それ以外の領域においては、一般に社会公共的な問題について国民全体の意思を組織的に決定、実現すべき立場にある国は、国政の一部として広く適切な教育政策を樹立、実施すべく、また、しうる者として、憲法上は、あるいは子ども自身の利益の擁護のため、あるいは子どもの成長に対する社会公共の利益と関心にこたえるため、必要かつ相当と認められる範囲において、教育内容についてもこれを決定する権能を有するものと解さざるをえず、これを否定すべき理由ないし根拠は、どこにもみいだせないのである。」としています（旭川学テ事件／最大判昭51.5.21）。 P.85

イ　妥当でない　判例は、「国が、教育の一定水準を維持しつつ、高等学校教育の目的達成に資するために、高等学校教育の内容及び方法について遵守すべき基準を定立する必要があり、特に法規によってそのような基準が定立されている事柄については、教育の具体的内容及び方法につき**高等学校の教師に認められるべき裁量にもおのずから制約が存する**のである。」としています（最判平2.1.18）。

ウ　妥当でない　判例は、「地方議会議員の選挙にあたり、労働組合が、その組合員の居住地域の生活環境の改善その他生活向上を図るうえに役立たしめるため、その利益代表を議会に送り込むための選挙活動をすること、そして、その一方策として、いわゆる統一候補を決定し、組合を挙げてその選挙運動を推進することは、組合の活動として許されないわけではなく、また、統一候補以外の組合員であえて立候補しようとするものに対し、組合の所期の目的を達成するため、立候補を思いとどまるよう勧告または説得することも、**それが単に勧告または説得にとどまるかぎり、組合の組合員に対する妥当な範囲の統制権の行使にほかならず、別段、法の禁ずるところとはいえない。**」としています（三井美唄炭鉱事件／最大判昭43.12.4）。 P.87

解説

エ　妥当である　判例は、「政党や選挙による議員の活動は、各種の政治的課題の解決のために労働者の生活利益とは関係のない広範な領域にも及ぶものであるから、選挙においてどの政党又はどの候補者を支持するかは、投票の自由と表裏をなすものとして、組合員各人が市民としての個人的な政治的思想、見解、判断ないしは感情等に基づいて自主的に決定すべき事柄である。したがつて、労働組合が組織として支持政党又はいわゆる統一候補を決定し、その選挙運動を推進すること自体は自由であるが……、組合員に対してこれへの協力を強制することは許されないというべきであり、その費用の負担についても同様に解すべきことは、……明らかである。」としています（国労広島地本事件／最判昭50.11.28）。 P.88

以上より、妥当なものは**ア**・**エ**であり、正解は**2**となります。

正解　**2**

人権／社会権

問題 26 **日本国憲法に規定する社会権に関する次のア～オの記述のうち、誤っているものの組合せはどれか。**

ア 憲法第25条第1項にいう「健康で文化的な最低限度の生活」の水準については、特定の時代の特定の社会においてその内容を一応は客観的に決定することができるので、行政府の裁量的判断の余地を認めないのが判例である。

イ 憲法第26条第1項の規定の背後には、子どもは、その学習要求を充足するための教育を自己に施すことを大人一般に対して要求する権利を有するとの観念が存在しているとするのが判例である。

ウ 教育を受ける権利を実質化するための義務教育の無償について、その範囲には、授業料を徴収しないことだけでなく、教科書の無償配布も含まれる。

エ 最高裁判所の判例では、普通教育における国の教育内容の決定権を必要かつ相当と認められる範囲内で肯定する一方、学問の自由に含まれる教授の自由について、普通教育の場においても教師に一定の範囲内で保障されるとした。

オ 労働組合が、地方議会議員の選挙に当たり、いわゆる統一候補を決定し、組合を挙げて選挙運動を推進している場合、統一候補の選に漏れた組合員に対し、立候補を取りやめることを要求し、これに従わないことを理由に統制違反者として処分することは許されない。

1. ア・イ
2. ア・ウ
3. イ・オ
4. ウ・エ
5. エ・オ

【公務員試験アレンジ問題】

チェック欄	1回目 ／	2回目 ／	3回目 ／
	手応え	手応え	手応え

解説

テキスト 第1編

ア **誤** 判例は、健康で文化的な最低限度の生活なるものは、抽象的な相対的概念であり、その具体的内容は、種々の不確定的要素を総合考量して決定されることを理由として、**何が健康で文化的な最低限度の生活であるかの認定判断は、一応厚生大臣（当時）の合目的的な裁量に委されている**としています（朝日訴訟／最大判昭42.5.24）。 P.82

イ **正** 判例は、26条の規定の背後には、国民各自が学習をする固有の権利（学習権）を有すること、特に、**自ら学習することのできない子どもは、その学習要求を充足するための教育を自己に施すことを大人一般に対して要求する権利（子どもの学習権）を有する**との観念が存在しているとしています（旭川学テ事件／最大判昭51.5.21）。 P.84

ウ **誤** 判例は、**義務教育の無償とは、教育の対価たる授業料の無償をいう**ものとしています（最大判昭39.2.26）。現在教科書の無償配布が行われていますが、これは教科書無償法に基づくものであり、憲法上の要請ではありません。 P.85

エ **正** 教育権の所在について、判例は、**国は必要かつ相当と認められる範囲において、教育内容についても決定する権能を有する**としています。他方、現場の教師にも、教授の具体的内容および方法につきある程度自由な裁量が認められなければならないという意味においては、**一定の範囲における教授の自由が保障されうる**としています（旭川学テ事件／最大判昭51.5.21）。 P.85

オ **正** 労働組合が推す統一候補に対抗し対立候補として選挙に立候補した組合員を統制違反を理由に処分しうるかについて、判例は、**労働組合が組合員に対し、勧告または説得の域を超え、立候補を取りやめることを要求し、これに従わないことを理由に当該組合員を統制違反者として処分するのは、組合の統制権を超えるものであり、違法である**としています（三井美唄炭鉱事件／最大判昭43.12.4）。 P.87

以上より、誤っているものは**ア・ウ**であり、正解は**2**となります。

正解 2

統治／国会

問題27 **日本国憲法における国会に関する次の記述のうち、出席議員の３分の２以上の多数による議決を必要とするものはいくつあるか。**

ア 憲法の改正を発議するとき。
イ 秘密会を開くとき。
ウ 議員を除名するとき。
エ 議員の資格に関する争訟の裁判により、議員の議席を失わせるとき。
オ 条約の締結を承認するとき。

1 1つ
2 2つ
3 3つ
4 4つ
5 5つ

【本試験1996年問22】

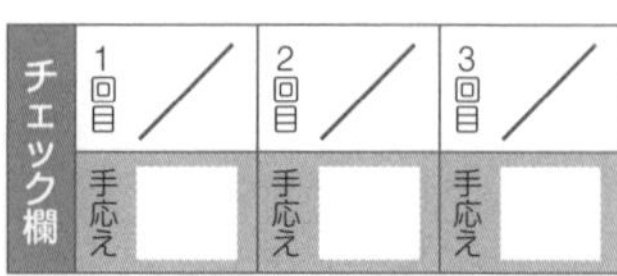

解説

テキスト
第1編

表決数とは、会議体の意思決定をするのに必要な賛成数をいいます。会議体の意思決定方法としては、通常、多数決の原則が用いられ、相対多数（比較多数）、絶対多数（過半数）および特別多数があります。

憲法は、両議院における議事の表決数を「出席議員の過半数」を原則としています（56条2項）。

ア　必要としない　日本国憲法の改正は、**各議院の総議員の3分の2以上**の賛成で、国会が、これを発議し、国民に提案してその承認を経なければなりません（96条1項前段）。 P.96

イ　必要とする　**出席議員の3分の2以上**の多数で議決したときは、秘密会を開くことができます（57条1項但書）。 P.96

ウ　必要とする　院内の秩序をみだした議員を除名するには、**出席議員の3分の2以上**の多数による議決を必要とします（58条2項但書）。 P.96

エ　必要とする　資格争訟の裁判で議員の議席を失わせるには、**出席議員の3分の2以上**の多数による議決を必要とします（55条但書）。 P.96

オ　必要としない　条約の締結に必要な国会の承認については、憲法に別段の定めがないから、**出席議員の過半数**でこれを決し、可否同数のときは、議長の決するところによります（56条2項）。 P.96

以上より、出席議員の3分の2以上の議決を必要とするものは**イ・ウ・エ**の3つであり、正解は**3**となります。

正解　3

【表決数】

原則	出席議員の過半数（56条2項）	
例外	出席議員の3分の2以上	①資格争訟裁判で議員の議席を失わせる場合（55条） ②秘密会の開催を決定する場合（57条1項） ③懲罰により議員を除名する場合（58条2項） ④衆議院で法律案を再可決する場合（59条2項）
	総議員の3分の2以上	憲法改正の発議（96条1項）

統治／国会

問題28 **日本国憲法に規定する国会に関する次の記述のうち、妥当なものはどれか。**

1 衆議院が解散された場合、内閣は、国に緊急の必要があるときは参議院の緊急集会を求めることができるが、当該緊急集会において採られた措置は、次の国会開会の後10日以内に、衆議院の同意がない場合には、その効力を失う。

2 衆議院と参議院で予算について異なった議決をした場合は、衆議院の優越が認められているため、衆議院は両議院の協議会の開催を求める必要はなく、衆議院の議決が直ちに国会の議決となる。

3 内閣総理大臣の指名の議決について、衆議院が議決をした後、国会休会中の期間を除いて10日以内に参議院が議決しない場合、衆議院の総議員の３分の２以上の多数で再び可決したときは、衆議院の議決が国会の議決となる。

4 国の収入支出の決算は、先に衆議院に提出され、参議院で衆議院と異なった議決をした場合、両議院の協議会を開いても意見が一致しないときは、衆議院の議決が国会の議決となる。

5 参議院が、衆議院の可決した条約の締結に必要な国会の承認を受け取った後、国会休会中の期間を除いて30日以内に議決しない場合、衆議院で出席議員の３分の２以上の多数で再び可決したときは、衆議院の議決が国会の議決となる。

【公務員試験アレンジ問題】

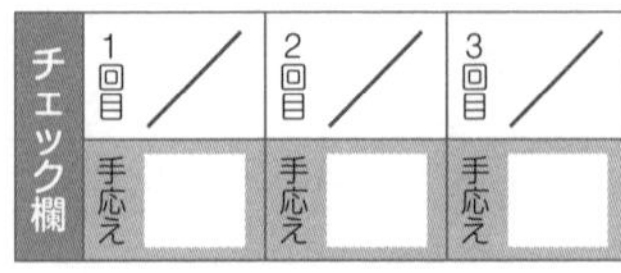

解説

テキスト
第1編

1 **妥当である** 本肢は、54条2項・3項の規定のとおりであり、妥当となります。**衆議院が解散されたときは、参議院は同時に閉会となります（両院同時活動の原則）が、内閣は、国に緊急の必要があるときは、参議院の緊急集会を求めることができます**（54条2項）。そして、当該緊急集会でとられた措置は、**次の国会開会の後10日以内に、衆議院の同意がない場合は、将来に向かってその効力を失う**こととなります（54条3項）。 P.94

2 **妥当でない** 本肢は、衆議院と参議院で予算について異なった議決をした場合について、衆議院は両議院の協議会の開催を求める必要はなく、衆議院の議決が直ちに国会の議決となる、としている点で妥当ではありません。議決の効力面での衆議院の優越は、①法律案、②予算、③条約、④内閣総理大臣の指名の4つがあります。このうち、**衆議院と参議院が異なった議決をした場合に両院協議会の開催が義務付けられないのは、法律案だけ**になります（59条3項）。本肢は、予算について問うており、衆議院は両議院の協議会の開催を求めなければなりません（60条2項、国会法85条1項）。 P.98

3 **妥当でない** 本肢は、内閣総理大臣の指名につき、衆議院の議決と参議院の議決が異なった場合に、衆議院の再議決を必要とする旨を述べている点において妥当ではありません。肢2の解説で述べた衆議院の優越のうち、衆議院の再可決が必要なのは、法律案だけです（59条2項）。内閣総理大臣の指名につき、衆議院が議決した後、10日以内に参議院が議決しないときは、衆議院の議決が国会の議決となる（67条2項）のであり、衆議院の再議決を必要とするのではありません。 P.99

4 **妥当でない** 本肢は、決算につき衆議院に先議権がある旨を述べ、また、衆議院の優越を認める旨を述べている点において妥当ではありません。**国の収入支出の決算は、毎年会計検査院が検査し、内閣が、次の年度に国会に提出しなければなりません**（90条1項）**が、予算と異なり、衆議院の先議を認める規定がありません**（60条1項参照）。また、議決の効力面での衆議院の優越は、肢2の解説で述べたとおり4つであり、決算については憲法上、明文がありません。 P.98

5 **妥当でない** 本肢は、条約の締結に必要な国会の承認につき、衆議院が議決した後、参議院が議決しない場合に、衆議院の再議決を必要とする旨を述べている点において妥当ではありません。条約の締結に必要な国会の P.99

解説

承認について、衆議院の優越が認められています（61条・60条２項）が、肢３の解説で述べたとおり、衆議院の再可決が必要なのは法律案だけです（59条２項）。したがって、条約の締結に必要な国会の承認については、衆議院が議決したところによります。

正解 1

衆議院の優越や、議決の流れについては、何度も基本テキストを読み返して復習しましょう。

【国会の議決（衆議院の優越）】

	参議院の議決がなされない期間	両院協議会	参議院で異なる議決があった場合
法律案	60日	任意的	衆議院で**出席議員の**3分の2**以上で再可決**すると成立する
予算	30日	必要的	衆議院の議決**が国会の議決**となる
条約	30日	必要的	衆議院の議決**が国会の議決**となる
内閣総理大臣の指名	10日	必要的	衆議院の議決**が国会の議決**となる

MEMO

統治／国会

問題29 **日本国憲法に規定する議院の権能に関する次の記述のうち、妥当なものはどれか。**

1 両議院は、それぞれその議員の逮捕に対し許諾を与えることができるが、議員は、その許諾がなければ、院外における現行犯罪の場合でも、国会の会期中は逮捕されない。

2 両議院は、それぞれその議員の資格に関する争訟を裁判するが、議員は、その裁判に不服がある場合には、司法裁判所に救済を求めて出訴することができる。

3 両議院は、それぞれその会議その他の手続及び内部の規律に関する規則を定めることができるが、その規則は、各議院の議決のみで成立し、公布を必要としない。

4 両議院は、それぞれ院内の秩序をみだした議員を懲罰することができるが、議員を除名するには、所属議院の総議員の３分の２以上の多数による議決を必要とする。

5 両議院は、それぞれその会議の出席議員の３分の２以上の多数で議決したときは、秘密会を開くことができ、秘密会の記録はすべて非公開としなければならない。

【公務員試験アレンジ問題】

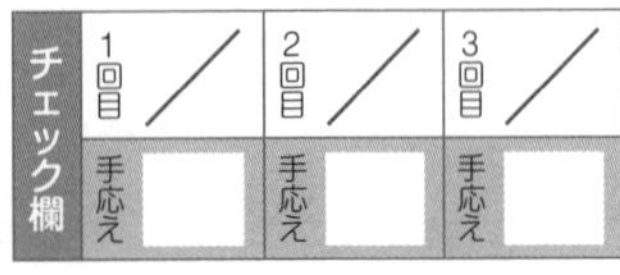

解説

テキスト 第1編

1 **妥当でない** 50条は、両議院の議員は法律の定める場合を除いては国会の会期中逮捕されないとしています。この憲法の規定を受けて、**国会法33条は、①院外における現行犯罪の場合、または、②所属議院の許諾がある場合には、議員は逮捕される**としています。 P.101

2 **妥当でない** 裁判所法3条1項は、裁判所は日本国憲法に特別の定めのある場合を除いて一切の法律上の争訟を裁判すると規定しています。とすると、議員の資格に関する争訟の裁判についても裁判所は裁判できそうになります。しかし、通説は、**議院の自律性を尊重し、議員の資格に関する争訟の裁判については裁判所法3条1項の日本国憲法に特別の定めのある場合にあたり、裁判所は裁判できない**としています。

3 **妥当である** **両議院は、各々その会議その他の手続および内部の規律に関する規則を定めることができます**（58条2項本文前段）。通説は、この議院規則の制定は一院の議決で足りるとし、また、議院規則は議院の内部事項を規律するにとどまることから、法律とは異なり、公布を必要としないとしています。

4 **妥当でない** 両議院は、院内の秩序をみだした議員を懲罰することができます（58条2項本文後段）。しかし、**除名は、議員の身分を剥奪するものであることにかんがみ、憲法は、所属議院の出席議員の3分の2以上の多数による議決を要求しています**（58条2項但書）。もっとも、憲法は、所属議院の総議員の3分の2以上の多数による議決までは要求していません。 P.96

5 **妥当でない** 両議院の会議は公開とされます（57条1項本文）。しかし、両議院は、各々出席議員3分の2以上の多数で議決したときは秘密会を開くことができます（57条1項但書）。もっとも、**秘密会の記録については、特に秘密を要すると認められるもの以外は、公表し、かつ、一般に頒布しなければなりません**（57条2項）。 P.96

正解 3

正解である肢3は細かい知識ですが、ほかの肢が基本レベルの知識なので、消去法で正解を導き出す問題です。本試験では、消去法で解くべき問題も出題されます。

統治／国会

問題 30 **日本国憲法によって認められる「議院の権能」として、誤っているものはどれか。**

1 国政調査権の行使
2 議院規則の制定
3 議員に対する懲罰
4 議員の資格争訟の裁判
5 弾劾裁判所の設置

【本試験2002年問4】

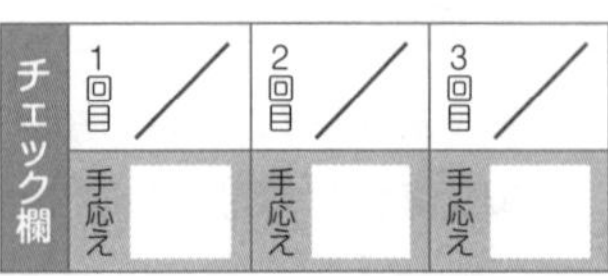

解説

テキスト
第1編

1 正 国政調査権の行使は、**議院の権能**です（62条）。62条には、「両議院は、各々国政に関する調査を行ひ……」と規定されています。 P.102

2 正 議院規則の制定は、**議院の権能**です（58条2項前段）。58条2項本文には、「両議院は、各々その会議その他の手続及び内部の規律に関する規則を定め……」と規定されています。 P.102

3 正 議員に対する懲罰は、**議院の権能**です（58条2項後段）。58条2項本文には、「両議院は、各々……院内の秩序をみだした議員を懲罰することができる。」と規定されています。 P.102

4 正 議員の資格争訟の裁判は、**議院の権能**です（55条）。55条本文には、「両議院は、各々その議員の資格に関する争訟を裁判する。」と規定されています。 P.102

5 誤 弾劾裁判所の設置は、**国会の権能**です（64条1項）。64条1項には、「国会は、罷免の訴追を受けた裁判官を裁判するため、両議院の議員で組織する弾劾裁判所を設ける。」と規定されています。 P.102

正解 5

国会の権能と議院の権能を混同しないように気をつけましょう。

【国会の権能と議院の権能】

国会の権能	議院の権能
①法律の制定（59条）	①議員逮捕の許諾および釈放の要求（50条）
②**弾劾（だんがい）裁判所の設置**（64条）	②**議員の資格争訟の裁判**（55条）
③内閣総理大臣の指名（67条）	③会議の公開の停止（57条1項）
④条約の承認（73条3号）	④役員の選任（58条1項）
⑤租税の決定（84条）	⑤議院規則の制定（58条2項）
⑥国費支出および債務負担行為の議決（85条）	⑥議員の懲罰（58条2項）
⑦予備費の議決（87条）	⑦**国政調査権**（62条）
⑧皇室経費の議決（88条）	⑧国務大臣の出席要求（63条）
⑨決算の審査（90条）	
⑩**憲法改正の発議**（96条）	

統治／国会

問題 31　日本国憲法に規定する国会議員の特権に関する次の記述のうち、妥当なものはどれか。

1　国会議員は、議院で職務上行った演説、討論、表決について、院外において民事上の責任は問われるが、刑事上の責任は問われない。

2　国会議員は、国会の会期中においては、院外における現行犯罪であっても、当該議員の所属する議院の許諾がなければ逮捕されることはない。

3　国会議員の不逮捕特権は、衆議院の解散中に開催された参議院の緊急集会中における参議院議員には、認められていない。

4　国会議員の不逮捕特権は、国会が閉会中に開催される継続審議中の委員会の委員である国会議員には、認められている。

5　国会の会期前に逮捕された国会議員は、当該議員の所属する議院の要求があれば、会期中釈放される。

【公務員試験アレンジ問題】

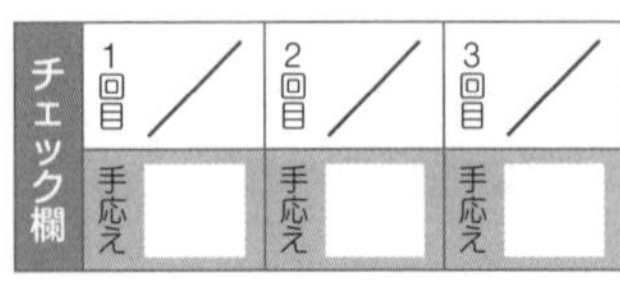

解説

テキスト 第1編

1 **妥当でない** 両議院の議員は、議院で行った演説、討論または表決について、院外で責任を問われません（免責特権／51条）。**ここで免除される責任とは一般国民が負うべき法的責任のことであり**、具体的には、名誉毀損罪（刑法230条）や侮辱罪（刑法231条）などの**刑事上の責任、行政上・資格上（弁護士など）の懲戒処分などの責任のみならず、不法行為に基づく損害賠償責任**（民法709条）**などのような民事上の責任も含まれます。** P.101

2 **妥当でない** 国会議員は不逮捕特権を持ちます（50条）。本条の趣旨は、議員の身体の自由を政府・権力による不当逮捕から保護するとともに、構成員の保護を通じて政府を監視する議院の活動を保障することにあります。したがって、この趣旨に反しないのであれば、不逮捕特権を及ぼす必要はありません。憲法は、**不逮捕特権が及ばない例外的場合を法律で定めるとし、国会法がその例外として院外の現行犯罪と議員が所属する議院の許諾がある場合を定めています**（国会法33条）。 P.101

3 **妥当でない** 緊急集会は国会の会期ではありませんが、国会の権能を代行するものです。よって、議員の身体の自由を確保し、議院の活動を保障するという国会議員の不逮捕特権の要請は、参議院の緊急集会についても等しく及ぶことになります。このため、**参議院の緊急集会においても参議院議員に不逮捕特権が認められます**（国会法100条1項）。 P.101

4 **妥当でない** 国会議員の不逮捕特権は、会期中における国会議員の身体の自由および議院の活動の自由の保障を目的としています。このため、不逮捕特権は、閉会中に活動している議員には及ばないとしています。国会が閉会後も案件が継続審議されることがありますが、この場合も閉会中である以上、継続審議中の委員会の委員である国会議員に不逮捕特権は及ばないとしています。

5 **妥当である** 国会議員の不逮捕特権は、**会期前に逮捕された議員についても、議員が所属する議院の要求があれば会期中は釈放しなければならない**という形で保障されています（50条後段）。会期中の議員の身体の自由と議院の活動の保障を実質化するためとされています。 P.101

正解 5

統治／国会

問題32 **議員の地位に関する次の1～4の記述のうち、法令および最高裁判所の判例に照らし、妥当なものはどれか。**

1 衆参両議院の比例代表選出議員に欠員が出た場合、当選順位に従い繰上補充が行われるが、名簿登載者のうち、除名、離党その他の事由により名簿届出政党等に所属する者でなくなった旨の届出がなされているものは、繰上補充の対象とならない。

2 両議院の議員は、国会の会期中逮捕されないとの不逮捕特権が認められ、憲法が定めるところにより、院外における現行犯の場合でも逮捕されない。

3 両議院には憲法上自律権が認められており、所属議員への懲罰については司法審査が及ばないが、除名処分については、一般市民法秩序と関連するため、裁判所は審査を行うことができる。

4 地方議会の議員は、住民から直接選挙されるので、国会議員と同様に免責特権が認められ、議会で行った演説、討論または表決について議会外で責任を問われない。

【本試験2019年問3改題】

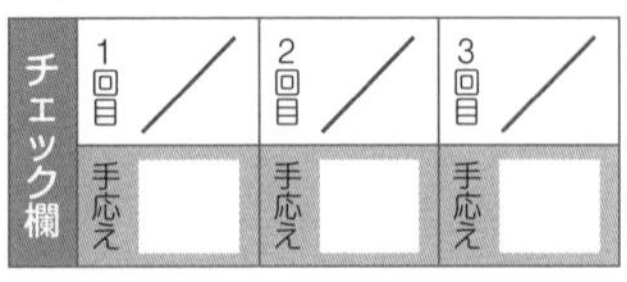

解説

テキスト
第1編

1 **妥当である** **衆参両議院の比例代表選出議員に欠員が出た場合には、当選順位に従い繰上補充が行われます**（公職選挙法97条の2）。もっとも、名簿登載者のうち、除名、離党その他の事由により名簿届出政党等に所属する者でなくなった旨の届出がなされているものは、繰上補充の対象となりません（公職選挙法98条3項）。

2 **妥当でない** 各議院の議員は、**院外における現行犯罪の場合を除いては、**会期中その院の許諾がなければ逮捕されません（国会法33条）。 P.101

3 **妥当でない** 両議院による議員への除名処分についても、**司法審査は及ばない**と解されています。 P.111

4 **妥当でない** 判例は、「憲法上、国権の最高機関たる国会について、広範な議院自律権を認め、ことに、議員の発言について、憲法51条に、いわゆる免責特権を与えているからといつて、**その理をそのまま直ちに地方議会にあてはめ、地方議会についても、国会と同様の議会自治・議会自律の原則を認め、さらに、地方議会議員の発言についても、いわゆる免責特権を憲法上保障しているものと解すべき根拠はない。**」としています（最大判昭42.5.24）。

正解 1

統治／内閣

問題33 **内閣に関する憲法の規定の説明として正しいものはどれか。**

1 内閣総理大臣は、衆議院議員の中から、国会の議決で指名する。

2 国務大臣は、内閣総理大臣の指名に基づき、天皇が任命する。

3 内閣は、衆議院で不信任の決議案が可決されたとき、直ちに総辞職しなければならない。

4 内閣は、総選挙の結果が確定すると同時に、直ちに総辞職しなければならない。

5 内閣は、総辞職の後、新たに内閣総理大臣が任命されるまで引き続き職務を行う。

【本試験2014年問6】

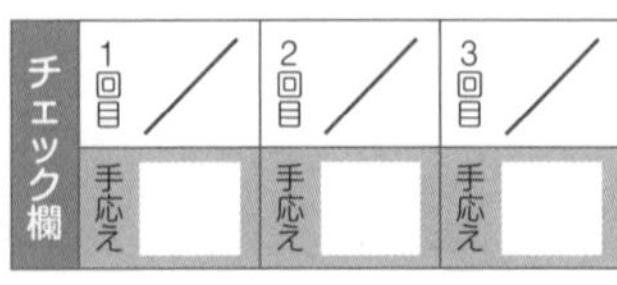

解説

テキスト 第1編

1 **誤** **内閣総理大臣は、国会議員の中から国会の議決でこれを指名します**（67条1項前段）。なお、天皇は、国会の指名に基づいて、内閣総理大臣を任命します（6条1項）。 P.104

2 **誤** **内閣総理大臣は、国務大臣を任命します**（68条1項本文）。ただし、その過半数は、国会議員の中から選ばれなければなりません（68条1項但書）。68条1項の規定は、内閣が国会の信任を基礎とする議院内閣制の趣旨を徹底するために設けられたものです。**天皇は、国務大臣の任命を認証します**（7条5号）。 P.104

3 **誤** **内閣は、衆議院で不信任の決議案を可決し、または信任の決議案を否決したときは、10日以内に衆議院が解散されない限り、総辞職をしなければなりません**（69条）。すなわち、衆議院で内閣不信任の決議案を可決し、または信任の決議案を否決した場合に、内閣は、衆議院を解散するか、総辞職するかのいずれかを選ばなければなりません。 P.107

4 **誤** **内閣総理大臣が欠けたとき、または衆議院議員総選挙の後に初めて国会の召集があったときは、内閣は、総辞職をしなければなりません**（70条）。内閣総理大臣が欠けたときに内閣が総辞職するのは、内閣の一体性を保障することを目的とし、衆議院議員総選挙の後に初めて国会の召集があったときに内閣が総辞職するのは、内閣の衆議院への依存性を確保することを目的としています。 P.107

5 **正** 69条および70条により内閣が総辞職した場合には、**内閣は、あらたに内閣総理大臣が任命されるまで引き続きその職務を行います**（71条）。行政の継続性を確保するためです。 P.108

正解 5

解説

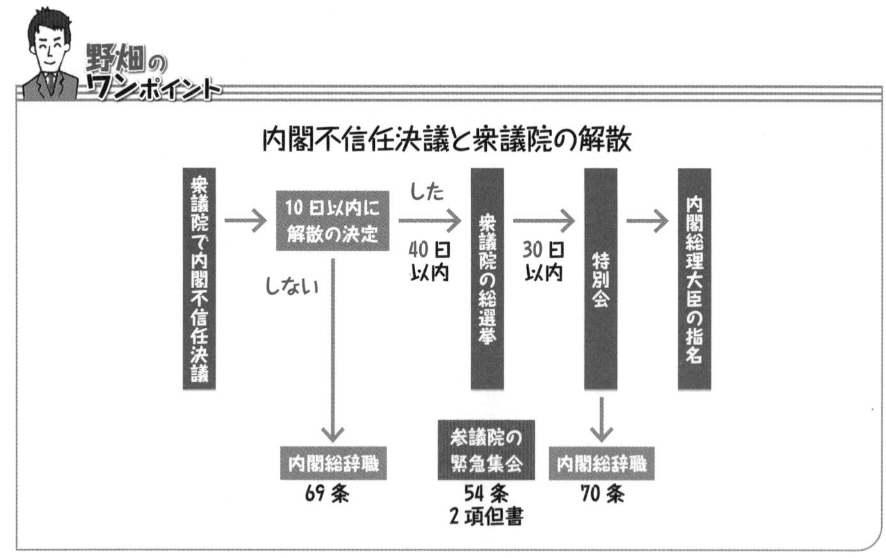

野畑のワンポイント
内閣不信任決議と衆議院の解散
衆議院で内閣不信任決議
10日以内に解散の決定
した
しない
40日以内
衆議院の総選挙
30日以内
特別会
内閣総理大臣の指名
内閣総辞職
69条
参議院の緊急集会
54条2項但書
内閣総辞職
70条

MEMO

統治／内閣

問題 34 **内閣に関する次のア～オの記述のうち、妥当なものの組合せはどれか。**

ア 内閣が国会に対し連帯して責任を負うだけでなく、特定の国務大臣がその所管する事項に関して単独の責任を負うことも否定されていないが、個別の国務大臣に対する不信任決議は、参議院はもとより、衆議院においても行うことができない。

イ 内閣総理大臣は、国会議員の中から国会の議決で指名される。内閣総理大臣は国務大臣を任命するが、その過半数は国会議員の中から選ばれなければならない。また、国務大臣は、その在任中、内閣総理大臣の同意がなければ訴追されず、閣議決定によらなければ罷免されない。

ウ 内閣総理大臣の職務として、内閣を代表して議案を国会に提出し、一般国務及び外交関係について国会に報告し、行政各部を指揮監督することが、憲法上規定されている。

エ 条約の締結は、内閣の職務として憲法上規定されているが、必ず事後に国会の承認を経ることが必要である。

オ 法律及び政令には、全て主任の国務大臣が署名し、内閣総理大臣が連署することが必要である。政令には、特に法律の委任がある場合を除き、罰則を設けることができない。

1 ア・イ
2 ア・ウ
3 イ・エ
4 ウ・オ
5 エ・オ

【公務員試験アレンジ問題】

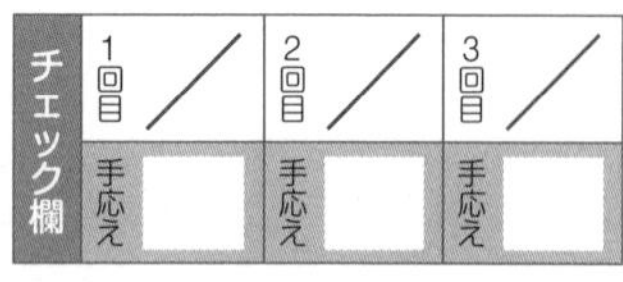

解説

テキスト
第1編

ア　妥当でない　**個々の国務大臣に対する不信任決議は衆議院および参議院にも認められています。**この点において、本肢の後半部分が妥当ではありません。ただし、衆議院の内閣不信任決議（69条）と異なり、いずれについても、国務大臣の辞職を強制する法的効果まではないことに注意を要します。 P.97

イ　妥当でない　本肢の第1文および第2文は、妥当です（67条1項・68条1項）。しかし、第3文が妥当ではありません。内閣総理大臣は任意に国務大臣を罷免することができます（68条2項）が、**ここに「任意」とは、内閣総理大臣の単独の意思という意味であり、閣議決定による必要はありません。**したがって、閣議決定によらなければ罷免されないと述べる点が妥当ではありません。 P.105

ウ　妥当である　憲法72条は「**内閣総理大臣は、内閣を代表して議案を国会に提出し、一般国務及び外交関係について国会に報告し、並びに行政各部を指揮監督する。**」と規定しています。このように、内閣総理大臣の職務につき憲法上規定があります。 P.106

エ　妥当でない　憲法73条各号で内閣の職務を規定しており、その中に条約の締結も規定されています（73条3号本文）。しかし、事前に、時宜によっては事後に、国会の承認を経ることを必要としています（同号但書）。したがって、**必ず事後に国会の承認を経ることが必要となるわけではない**ので、本肢は妥当ではありません。なお、国会の承認を求めた趣旨は、条約は、国家の命運や国民の権利義務に直接関係することから、憲法は、条約の締結権は内閣に帰属させつつも、条約の締結に国会の承認を要することとして、内閣の権限行使を国会の直接の統制下に置こうという点にあります。 P.105

オ　妥当である　法律および政令には、すべて主任の国務大臣が署名し、内閣総理大臣が連署することを必要とします（74条）。また、内閣の職務として、政令の制定権が認められています（73条6号）が、政令に罰則を設ける場合には、特に法律の委任が必要となります（同条同号但書）。したがって、**法律の委任がある場合を除き、罰則を設けることはできません。**

以上より、妥当なものは**ウ・オ**であり、正解は**4**となります。

正解　4

統治／総合

問題 35　日本国憲法に規定する衆議院の解散に関する次の記述のうち、妥当なものはどれか。

1　衆議院の解散は、内閣の助言と承認によって天皇が行う国事行為であり、解散を実質的に決定する権限は天皇にある。

2　衆議院で内閣不信任の決議案を可決したときは、内閣は、10日以内に衆議院を必ず解散しなければならない。

3　衆議院が解散された場合であっても、衆議院議員は、次の国会が召集されるまで、議員としての身分を失わない。

4　衆議院が解散されたときは、参議院は同時に閉会となるが、内閣は、国に緊急の必要があるときは、参議院の緊急集会を求めることができる。

5　衆議院が解散されたときは、解散の日から40日以内に、衆議院議員の総選挙を行い、選挙の日から30日以内に、国会の臨時会を召集しなければならない。

【公務員試験アレンジ問題】

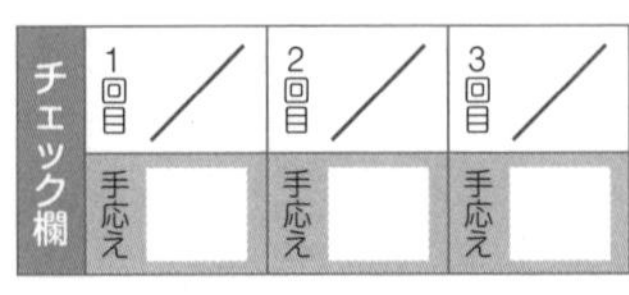

解説

テキスト
第1編

1 **妥当でない**　衆議院の解散は、内閣の助言と承認によって天皇が行う国事行為です（7条3号）。**衆議院の実質的解散権は、内閣が有するとするのが通説であり、天皇が有しない**ことには争いがありません。天皇は、国政に関する権能を有しないからです（4条1項）。

2 **妥当でない**　衆議院で内閣不信任の決議案を可決したときは、内閣は10日以内に衆議院を解散することができます。しかし、**内閣は必ず衆議院を解散しなければならないというわけではなく、総辞職するという途を採ることができます**（69条）。 P.107

3 **妥当でない**　衆議院の解散とは、任期の満了する前に全衆議院議員の地位を失わせることをいいます。**衆議院が解散された場合、衆議院議員の任期は、総選挙の後に国会が召集されたときではなく、衆議院が解散されたときに終了**します（45条但書参照）。

4 **妥当である**　衆議院と参議院について、両議院の召集、開会、閉会は同時に行われるべきであるとされています（両院同時活動の原則）。この**同時活動の原則から、衆議院が解散されたときは、参議院は同時に閉会となります**（54条2項本文）。しかし、常に国会は活動ができないとすると災害緊急措置を要する場合などの非常事態に対応できず不当になります。そこで、**内閣は、国に緊急の必要があるときは、参議院の緊急集会を求めることができる**とされています（54条2項但書）。 P.94

5 **妥当でない**　**衆議院が解散されたときは、解散の日から40日以内に、衆議院議員の総選挙を行い、選挙の日から30日以内に、国会を召集しなければなりません**（54条1項）。ここにいう国会とは**特別会をいい、臨時会ではありません。**臨時会とは、常会のほかに、必要に応じて臨時に召集される国会のことです（53条）。 P.107

正解 4

内閣不信任決議と衆議院の解散について、流れを整理しておきましょう。

統治／司法権

問題 36 **司法権の限界に関する次の１～４の記述のうち、最高裁判所の判例の趣旨に照らし、妥当でないものはどれか。**

1 具体的な権利義務ないしは法律関係に関する紛争であっても、信仰対象の価値または教義に関する判断が前提問題となる場合には、法令の適用による解決には適さず、裁判所の審査は及ばない。

2 大学による単位授与行為（認定）は、純然たる大学内部の問題として大学の自律的判断にゆだねられるべきものであり、一般市民法秩序と直接の関係を有すると認めるにたる特段の事情がない限り、裁判所の審査は及ばない。

3 衆議院の解散は高度の政治性を伴う国家行為であって、その有効無効の判断は法的に不可能であるから、そもそも法律上の争訟の解決という司法権の埒外にあり、裁判所の審査は及ばない。

4 政党の結社としての自律性からすると、政党の党員に対する処分は原則として自律的運営にゆだねるべきであり、一般市民法秩序と直接の関係を有しない内部的問題にとどまる限りは、裁判所の審査は及ばない。

【本試験2015年問６改題】

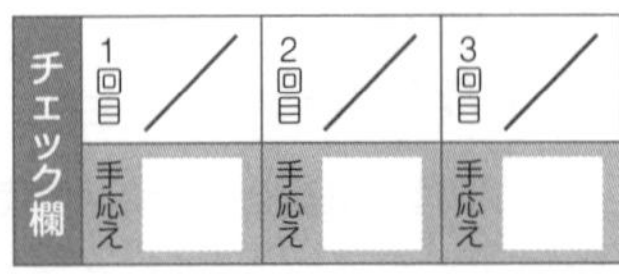

解説

テキスト
第1編

1 **妥当である** 判例は、「具体的な権利義務ないし法律関係に関する紛争であつても、法令の適用により解決するのに適しないものは裁判所の審判の対象となりえない」としたうえで、訴訟が具体的な権利義務ないし法律関係に関する紛争の形式をとる場合でも、**信仰の対象の価値または宗教上の教義に関する判断が訴訟の帰趨を左右する前提問題となり、訴訟の争点および当事者の主張立証の核心となっているときには、その訴訟は実質において法令の適用によっては終局的解決の不可能なものであって、法律上の争訟にあたらない**としています（板まんだら事件／最判昭56.4.7）。 P.110

2 **妥当である** 判例は、大学は「一般市民社会とは異なる特殊な部分社会を形成している」から、「**単位授与（認定）行為は、**他にそれが一般市民法秩序と直接の関係を有するものであることを肯認するに足りる特段の事情のない限り、**純然たる大学内部の問題として大学の自主的、自律的な判断に委ねられるべきものであって、裁判所の司法審査の対象とならない**」としています（富山大学事件／最判昭52.3.15）。 P.111

3 **妥当でない** 判例は、「直接国家統治の基本に関する高度に政治性のある国家行為のごときは**たとえそれが法律上の争訟となり、これに対する有効無効の判断が法律上可能である場合であっても、かかる国家行為は裁判所の審査権の外にある**」としています（苫米地事件／最大判昭35.6.8）。 P.111

4 **妥当である** 判例は、「政党が党員に対してした処分が**一般市民法秩序と直接の関係を有しない内部的な問題にとどまる限り、裁判所の審査権は及ばない**」としています（共産党袴田事件／最判昭63.12.20）。

正解 3

肢3の衆議院の解散については、「法律上の争訟にあたるが、あえて判断しないケース」という点が理解できていたかどうかを知るうえで重要です。
間違えてしまった方は、しっかり復習しておきましょう。

統治／司法権

問題 37 **日本国憲法における司法に関する次の記述のうち、正しいものはどれか。**

1 最高裁判所の裁判官は、内閣の指名に基づいて天皇が任命し、下級裁判所の裁判官は、最高裁判所の指名した者の名簿に基づいて内閣が任命する。

2 最高裁判所の裁判官は、国民審査又は弾劾裁判所の裁判によらなければ罷免されない。

3 最高裁判所の裁判官は、衆議院議員の総選挙又は参議院議員の通常選挙のうち、その任命後最初に行われる選挙の際に国民審査に付される。

4 最高裁判所の裁判官は、国民審査において投票者の多数がその裁判官の罷免を可とするときは、罷免される。

5 下級裁判所の裁判官については、国民審査の制度がなく、任期が20年と定められているが、任期満了の際に再任されることができる。

【本試験1999年問25】

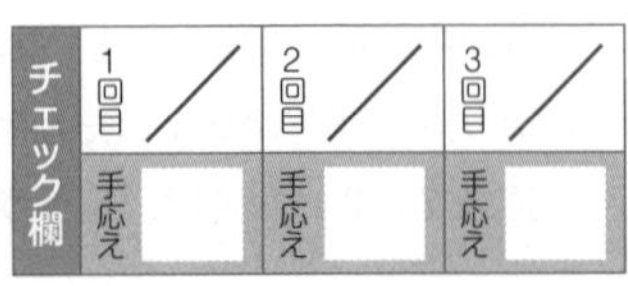

解説

テキスト
第1編

1 **誤** 最高裁判所の**長たる裁判官は、内閣の指名に基づいて天皇が任命**する（6条2項）のに対し、最高裁判所の長たる裁判官以外の裁判官は、内閣で任命します（79条1項）。下級裁判所の裁判官は、最高裁判所の指名した名簿によって、内閣でこれを任命します（80条1項）。 P.113

2 **誤** 最高裁判所の裁判官は、国民審査による場合（79条2項・3項）、弾劾裁判所の裁判による場合（78条前段）のほかに、**裁判により心身の故障のため職務をとることができないと決定された場合**にも罷免されます（78条前段）。 P.113

3 **誤** 最高裁判所の裁判官の任命は、**その任命後初めて行われる衆議院議員総選挙の際、国民の審査に付されます**（79条2項）。参議院議員の通常選挙の際には、最高裁判所裁判官の国民審査は実施されません。 P.113

4 **正** 最高裁判所の裁判官の国民審査において、投票者の多数が裁判官の罷免を可とするときは、その裁判官は、罷免されます（79条3項）。なお、現行法上、罷免の可否について不明の者の票（白票）を罷免を可としない票に数えることになっていますが、これについて、判例は、国民審査制度の実質を解職制とみて、白票を罷免を可としない票に数えても思想・良心の自由に反しないとしています（最大判昭27.2.20）。 P.113

5 **誤** **下級裁判所の裁判官には、最高裁判所の裁判官と異なり、国民審査の制度はありません。下級裁判所の裁判官は、任期を10年とし、再任されることができます**（80条1項本文）。なお、下級裁判所の裁判官は、再任されても、法律の定める年齢に達した時には退官します（80条1項但書）。裁判所法50条は、高等裁判所、地方裁判所および家庭裁判所の裁判官の定年を65歳、簡易裁判所の裁判官の定年を70歳と定めています。 P.113

正解 4

統治／天皇

問題38　日本国憲法における天皇に関する次の記述のうち、正しいものはいくつあるか。

ア　皇室典範の定めるところにより摂政を置くときは、摂政は、天皇の名でその国事に関する行為を行う。

イ　皇位は、世襲のものであって、皇室典範の定めるところにより、これを継承する。

ウ　天皇は、法律の定めるところにより、その国事に関する行為を委任することができる。

エ　天皇は、国会の指名に基づいて、最高裁判所の長たる裁判官を任命する。

オ　天皇は、日本国憲法の定める国事に関する行為のみを行い、国政に関する権能を有しない。

1　1つ
2　2つ
3　3つ
4　4つ
5　5つ

【本試験1998年問21】

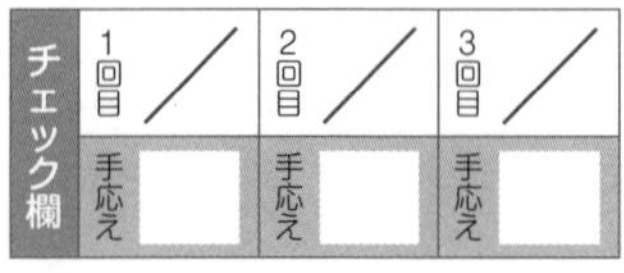

解説

テキスト
第1編

ア 正 皇室典範の定めるところにより摂政を置くときは、摂政は、天皇の名でその国事に関する行為を行います（5条前段）。この場合には、4条1項の規定（オの解説参照）を準用します（5条後段）。なお、天皇が成年に達しないときは、摂政を置きます（皇室典範16条1項）。天皇が、精神もしくは身体の重患または重大な事故により、国事に関する行為をみずからすることができないときは、皇室会議の議により、摂政を置きます（皇室典範16条2項）。

イ 正 皇位は、世襲のものであって、国会の議決した皇室典範の定めるところにより、これを継承します（2条）。なお、皇位は、皇統に属する男系の男子が継承します（皇室典範1条）。 P.118

ウ 正 天皇は、法律の定めるところにより、その国事に関する行為を委任することができます（4条2項）。この規定を受けて、「国事行為の臨時代行に関する法律」が制定され、委任の要件等を定めています。

エ 誤 **天皇は、内閣の指名に基づいて、最高裁判所の長たる裁判官を任命**します（6条2項）。**なお、天皇は、国会の指名に基づいて、内閣総理大臣を任命**します（6条1項）。 P.118

オ 正 天皇は、日本国憲法の定める国事に関する行為のみを行い、国政に関する権能を有しません（4条1項）。 P.118

以上より、正しいものは**ア・イ・ウ・オ**の4つであり、正解は**4**となります。

正解 4

天皇に関する問題が出題される可能性は低いですが、直前期にこの問題が解ける程度に準備しておきましょう。

統治／財政

財政に関する次の記述のうち、妥当なものはどれか。

1 国費の支出は国会の議決に基づくことを要するが、国による債務の負担は直ちに支出を伴うものではないので、必ずしも国会の議決に基づく必要はない。

2 予算の提出権は内閣にのみ認められているので、国会は予算を修正することができず、一括して承認するか不承認とするかについて議決を行う。

3 予見し難い予算の不足に充てるため、内閣は国会の議決に基づき予備費を設けることができるが、すべての予備費の支出について事後に国会の承認が必要である。

4 予算の公布は、憲法改正・法律・政令・条約の公布と同様に、憲法上、天皇の国事行為とされている。

5 国の歳出の決算は毎年会計検査院の検査を受けなければならないが、収入の見積もりにすぎない歳入の決算については、会計検査院の検査を受ける必要はない。

【本試験2015年問7】

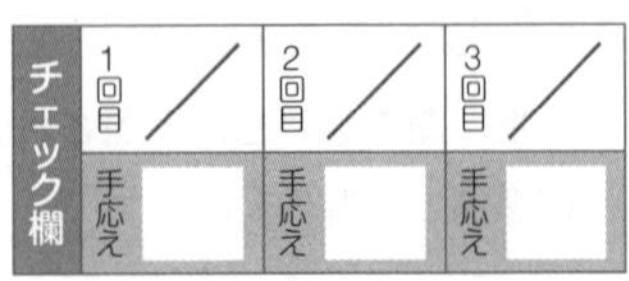

解説

テキスト
第1編

1 **妥当でない** 国費を支出し、または国が債務を負担するには、**国会の議決**に基づく必要があります（85条）。 P.121

2 **妥当でない** **憲法上明文はありませんが、国会には予算修正権が認められる**と解されており、国会の議決は一括承認、不承認に限られていません。

3 **妥当である** 予見し難い予算の不足に充てるため、**国会の議決に基づいて予備費を設け、内閣の責任でこれを支出することができます**（87条1項）。すべて予備費の支出については、**内閣は、事後に国会の承諾を得なければなりません**（87条2項）。 P.120

4 **妥当でない** 7条1号は、憲法改正、法律、政令、条約の公布を国事行為とします。**予算の公布は国事行為に含まれていません。** P.118

5 **妥当でない** **会計検査院は**、歳入歳出の決算報告書等に基づいて作成された歳入歳出決算等の送付を受け、**国の収入支出の決算を検査することになります**（90条、財政法39条）。 P.121

正解 3

財政については、条文がそのまま出題されることが多いです。条文数も少ないのでしっかり読み込んでおきましょう。

第2編

民法

著者の**野畑講師**が解説！

書籍購入者限定
無料解説動画

アクセスは
こちら

重要問題や間違えやすい問題をピックアップして解説しています。

※動画の視聴開始日・終了日は、専用サイトにてご案内いたします。

※ご視聴の際の通信料はお客様負担となります。

URL

https://www.lec-jp.com/gyousei/book/member/torisetsu/2025_mondai.html

総則／能力

問題40 **未成年者A（16歳）は、法定代理人Bの同意を得ることなく、自己の所有する自転車を代金10万円でCに売却する契約を締結した。この事例に関する次のア〜エの記述のうち、妥当なものの組合せはどれか。**

ア　Aは売買契約を締結した後で思い直し、A単独でこれを取り消す意思表示をした。Aの取消しの意思表示は、Bの同意なくなされたものであるから、Bはこの意思表示を取り消すことができる。

イ　Aは、Cから売買代金の内金として3万円を受け取り、この3万円の大部分をゲームセンターで使ってしまった。Bがこの売買契約を取り消した場合、Aは受領した3万円全額をCに返還しなければならない。

ウ　売買契約を締結してから1年後、CはAに対し、2か月以内に追認するか、取り消すかの返事をするよう催告したが、Aは2か月の間に返事をしなかった。Bはこの売買契約を取り消すことができる。

エ　Cが売買代金を支払わないため、Aは、売買契約を締結してから1年後にCに対し、代金を支払うよう請求した。Bはこの売買契約を取り消すことができる。

1. ア・イ
2. ア・エ
3. イ・ウ
4. イ・エ
5. ウ・エ

【公務員試験アレンジ問題】

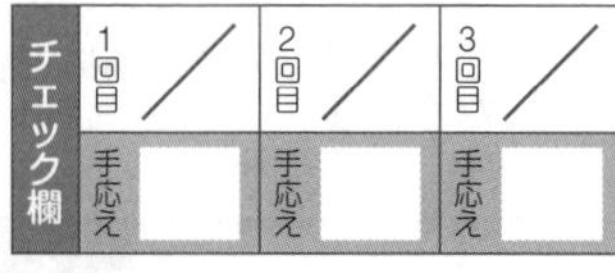

解説

テキスト
第2編

ア **妥当でない**　未成年者Aが売買契約などの法律行為をするには、原則として法定代理人Bの同意を得なければならず（5条1項本文）、同意なしになされた法律行為は取り消すことができます（5条2項）。**この取消しは、未成年者A本人も単独で（法定代理人Bの同意なしに）することができます**（120条1項）。なぜなら、①法律行為の取消しは元に戻るだけで、それ以上に制限行為能力者に不利益が及ぶわけではありませんし、②制限行為能力者が単独でした取消しの意思表示を行為能力の制限を理由に取り消すことができるとすると、相手方を著しく不安定な地位に陥れることになるからです。

イ **妥当でない**　BがAC間の売買契約を取り消した場合、当該売買契約は初めから無効となるので（121条）、Aが受け取った売買代金の内金3万円は不当利得となりますが、未成年者Aは現存利益を返還すれば足ります（121条の2第3項後段）。**現存利益は、受けた利益がそのままの形で、または形を変えて残っているという意味であり、生活費や債務の弁済などに充てた場合は含まれますが**（大判昭7.10.26）、**浪費した場合は含まれません**（大判昭14.10.26）。したがって、Aは、Cから受け取った3万円のうち、ゲームセンターで使ってしまった分はCに返還する必要はありません。　P.16

ウ **妥当である**　制限行為能力者の相手方は、取り消すことができる行為の効力を確定させるため、催告権を有します（20条）。すなわち、相手方は、制限行為能力者が行為能力者となった後は、本人に対して、1カ月以上の期間を定めて、追認するかどうかの確答を催告することができ、本人が期間内に確答を発しなければ、追認したものとみなされます（20条1項）。しかし、未成年者は催告の受領能力がないので（98条の2参照）、未成年者に対する催告はその者に対抗することができないのが原則です。本肢では、AC間の売買契約締結から1年後のAはまだ未成年者（17歳）ですから、CのAに対する催告の効力は認められず、Aが2カ月の間に返事をしなくても、Aの法定代理人Bは当該売買契約を取り消すことができます（120条1項）。　P.23

エ **妥当である**　本肢では、売買契約締結から1年後のAはまだ未成年者（17歳）ですから、このAがCに対し代金の支払請求（125条2号参照）をしても法定追認は認められず、Bは売買契約を取り消すことができます。　P.63

以上より、妥当なものは**ウ・エ**であり、正解は**5**となります。

正解　5

総則／能力

行為能力に関する次のア～オの記述のうち、誤っているものの組合せはどれか。

ア　未成年者は、親権者である両親の同意を得て法律行為をしたときは、当該法律行為を取り消すことはできない。

イ　親権者は、代理人として、未成年者に代わって契約を締結することができる。

ウ　本人以外の者の請求により補助開始の審判をするには、本人の同意がなければならない。

エ　成年後見人は、成年被後見人がした日用品の購入行為を取り消すことができる。

オ　被保佐人が保佐人の同意を得ずに不動産を売却した場合、保佐人は、代理人にならなければ、当該行為を取り消すことができない。

1　ア・イ
2　ア・ウ
3　イ・オ
4　ウ・エ
5　エ・オ

【公務員試験アレンジ問題】

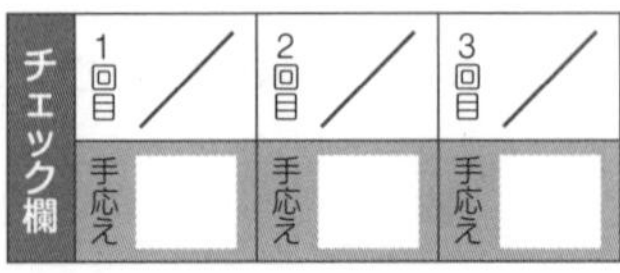

解説

テキスト第2編

ア 正 未成年者が法律行為をするには、原則として法定代理人（親権者または未成年後見人）の同意が必要であり（5条1項本文）、同意を得ずに未成年者が行った法律行為は取り消すことができます（5条2項）。したがって、**未成年者が親権者である両親の同意を得て法律行為をしたときは、当該法律行為を取り消すことはできません。** P.15

イ 正 親権者は未成年者の法定代理人ですから（824条本文）、代理人として、未成年者に代わって契約を締結することができます。 P.15

ウ 正 精神上の障害により事理を弁識する能力が不十分である者については、本人、配偶者、4親等内の親族、後見人、後見監督人、保佐人、保佐監督人または検察官の請求に基づいて、家庭裁判所は補助開始の審判をすることができます（15条1項本文）。ただし、本人には一定程度の判断能力があるので、自己決定の尊重の趣旨から、**本人以外の者の請求によって補助開始の審判をするには、本人の同意が必要となります**（15条2項）。 P.21

エ 誤 成年被後見人がした法律行為は、取り消すことができますが（9条本文）、**「日用品の購入その他日常生活に関する行為」は取り消すことができません**（9条但書）。日常生活に関する行為の限りで、成年被後見人の自己決定を尊重する趣旨になります。 P.17

オ 誤 被保佐人が保佐人の同意を得ずに行った不動産の売却行為は取り消すことができます（13条1項3号・4項）。民法は、この場合の取消権を「同意をすることができる者」にも与えています（120条1項）。したがって、**保佐人は、代理権を付与されていない場合でも当該行為を取り消すことができます。** P.19

以上より、誤っているものは**エ・オ**であり、正解は**5**となります。

野畑のワンポイント

正解 5

制限行為能力者と保護者の関係性について、しっかり理解しておきましょう。

【制限行為能力者の保護者の権限のまとめ】

	代理権	同意権	取消権	追認権
親権者または未成年後見人	○	○	○	○
成年後見人	○	×	○	○
保佐人	△	○	○	○
補助人	△	△	△	△

総則／失踪宣告

民法に規定する失踪宣告に関する次の記述のうち、妥当なものはどれか。

1 失踪宣告を受けた者は、不在者の生死が明らかでないときは、７年間の失踪期間の満了時に、沈没した船舶の中に在った者で生死が明らかでないときは、船舶の沈没した後１年を経過した時に、それぞれ死亡したものとみなされる。

2 失踪宣告は、利害関係人又は検察官の請求により家庭裁判所が行うが、この利害関係人には、失踪宣告に法律上の利害関係を有する者のみならず、単に事実上の利害関係を有する者も含まれる。

3 失踪宣告は、失踪者の従来の住所を中心とする法律関係において、失踪者が死亡したのと同じ法律効果を求めるもので、権利能力を消滅させるものではないので、失踪者が生存していた場合に他の場所でした法律行為は有効である。

4 失踪宣告は、失踪者が失踪宣告によって死亡したとみなされた時と異なった時に死亡したことの証明があった場合には、家庭裁判所の取消しがなくても当然にその効力を失う。

5 失踪宣告により財産を得た者は、失踪者の生存による失踪宣告の取消しで権利を失い、善意・悪意にかかわらず、現存利益ではなく、失踪宣告により得たすべての財産を返還する義務を負う。

【公務員試験アレンジ問題】

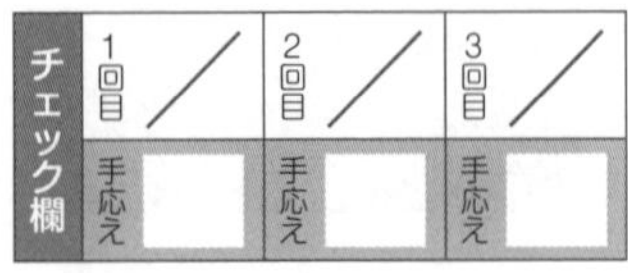

解説

テキスト第2編

1 **妥当でない** 失踪宣告を受けた者は、①**不在者の生死が明らかでないときは、７年間の失踪期間の満了時に死亡**したものとみなされます（31条前段）。これに対し、②**沈没した船舶の中に在った者で生死が明らかでないときは、その危難が去った時に死亡**したものとみなされます（31条後段）。 P.27

2 **妥当でない** 失踪宣告は、「利害関係人」の請求により家庭裁判所が行います（30条１項）。**検察官に請求権はありません。**また、「利害関係人」とは失踪宣告に法律上の利害関係を有する者をいい、**単なる親友などの事実上の利害関係人は「利害関係人」に含まれないとされています。** P.27

3 **妥当である** 失踪宣告は、失踪者の従来の住所を中心とする法律関係を処理するために、失踪者が死亡したのと同じ法律効果を認めるものにすぎず、権利能力を消滅させるものではありません。したがって、**権利能力がある以上、失踪者が他の場所でした法律行為は有効**となります。 P.27

4 **妥当でない** 失踪者が生存すること、または、失踪者が失踪宣告によって死亡したとみなされた時と異なった時に死亡したことの証明があった場合には、**家庭裁判所は、本人または利害関係人の請求により、失踪の宣告を取り消さなければなりません**（32条１項前段）。 P.28

5 **妥当でない** 失踪宣告によって財産を得た者は、失踪宣告の取消しによって権利を失うことになります（32条２項本文）。しかし、このことにより死亡したと信じていた者の利益を害するおそれがあります。そこで、**失踪宣告によって財産を得た者は、現に利益を受けている限度においてのみ、財産を返還する義務を負う**とされています（32条２項但書）。 P.28

正解 3

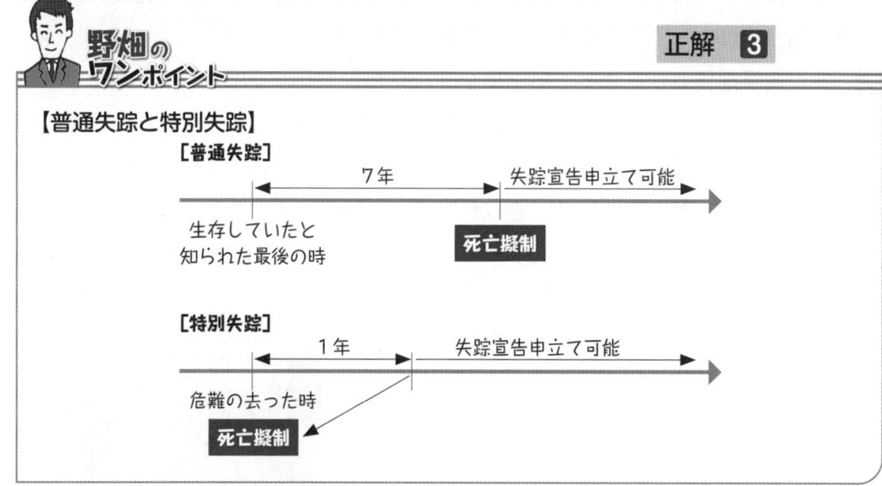

総則／意思表示

問題 43 **意思表示に関する次の記述のうち、妥当なものはどれか。**

1 Aが心裡留保によって甲土地をBに売却し、かつ、Aの心裡留保についてBが悪意であった場合、その後にBがAの心裡留保について善意のCに甲土地を転売したとしても、Aは、AB間の売買契約の無効をCに対抗することができる。

2 Aは、その意思がないにもかかわらず、Bに対して自分の所有している甲土地を売却すると話を持ちかけたところ、Bは、Aの話を過失なく信じて、甲土地を購入する意思を示した。この場合、Aの意思表示は無効であり、Bは甲土地の所有権を取得することができない。

3 Aは、その意思がないにもかかわらず、Bに対して自分の所有している甲土地を売却すると話を持ちかけたところ、Bは甲土地を購入する意思を示した。しかし、Bは、甲土地の上にAが自宅を建設中であるため、Aには甲土地を売却する意思がないと知っていた。この場合、Aの意思表示は無効であり、Bは甲土地の所有権を取得することができない。

4 Aが通謀虚偽表示によって甲土地をBに売却し、その後にBがAB間の通謀虚偽表示について善意のCに甲土地を転売した場合、Cは、AB間の売買契約が通謀虚偽表示によって無効であることを主張できない。

5 Aが通謀虚偽表示によって甲土地をBに売却し、その後にBが甲土地をCに転売した場合、Cが、AB間の通謀虚偽表示についてBC間の売買契約の時点ではこれを知らなかったとしても、その後にBから事情を聞いてこれを知るに至ったときは、Cは、Aに対して甲土地の所有権の取得を対抗することはできない。

【公務員試験アレンジ問題】

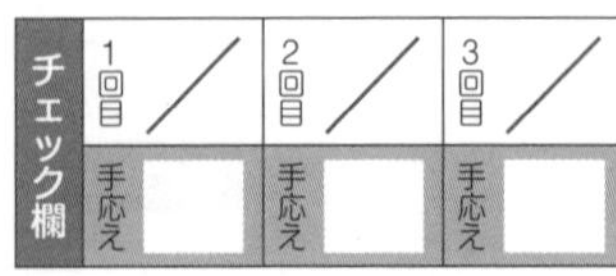

解説

テキスト
第2編

1 **妥当でない**　Aの心裡留保による意思表示は、原則として有効ですが(93条1項本文)、相手方Bが悪意または有過失のときは無効となるから（93条1項但書)、AB間の売買契約は無効となります。しかし、**この無効は善意の第三者Cに対抗できません**（93条2項)。 P.32

2 **妥当でない**　Aの意思表示は心裡留保になります。**心裡留保による意思表示は、原則として有効ですが**（93条1項本文)、**相手方Bが悪意または有過失のときは無効となります**（93条1項但書)。本肢では、相手方Bは、Aの話を過失なく信じている（善意・無過失）から、Aの意思表示は有効であり、Bは甲土地の所有権を取得することができます。 P.31

3 **妥当である**　Aの意思表示は心裡留保になります。しかし、**相手方Bは、Aには甲土地を売却する意思がないと知っていた（悪意）ので、Aの意思表示は無効**であり（93条1項但書)、Bは甲土地の所有権を取得することはできません。 P.31

4 **妥当でない**　94条2項の「対抗することができない」とは、虚偽表示の当事者ならびにその包括承継人は善意の第三者に対して無効を主張しえないことを意味します。これに対して、**善意の第三者Cからは無効を主張することも有効を主張することも許されます。**

5 **妥当でない**　Aが虚偽表示によって甲土地をBに売却し、その後にBが甲土地をCに売却した場合、CがAB間の虚偽表示について「善意」であれば、94条2項によって保護されます。**この「善意」が要求される時期は、第三者が利害関係を有するに至った時点**になります（最判昭55.9.11)。したがって、Cが、AB間の虚偽表示についてBC間の売買契約の時点で知らなかったときは、その後にBから事情を聞いてこれを知るに至ったとしても、Cは、Aに対して甲土地の所有権取得を対抗することができます。

正解 3

野畑のワンポイント

AやBなど、人物が登場した場合は図で表してみましょう。もしわからなければ、基本テキストの講義図解を参考にしてください。

総則／意思表示

Aが自己の所有する甲土地をBと通謀してBに売却（仮装売買）した場合に関する次のア～オの記述のうち、民法の規定および判例に照らし、妥当でないものの組合せはどれか。

ア　Bが甲土地をAに無断でCに転売した場合に、善意のCは、A・B間の売買の無効を主張して、B・C間の売買を解消することができる。

イ　Bが甲土地をAに無断でCに転売した場合に、善意のCに対して、AはA・B間の売買の無効を対抗することはできないが、Bはこれを対抗することができる。

ウ　Aの一般債権者Cは、A・B間の売買の無効を主張して、Bに対して、甲土地のAへの返還を請求することができる。

エ　Bが甲土地につきAに無断でCのために抵当権を設定した場合に、Aは、善意のCに対して、A・B間の売買の無効を対抗することができない。

オ　Bの一般債権者CがA・B間の仮装売買について善意のときは、Aは、Cに対して、Cの甲土地に対する差押えの前であっても、A・B間の売買の無効を対抗することができない。

1　ア・イ
2　ア・ウ
3　ア・オ
4　イ・エ
5　イ・オ

【本試験2008年問27】

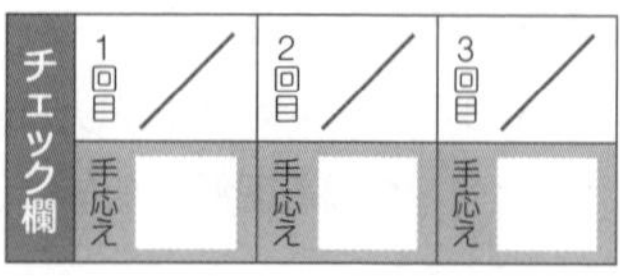

解説

テキスト
第2編

ア　妥当である　相手方と通謀してした虚偽の意思表示は、無効です（94条1項）が、当該意思表示の無効は、善意の第三者に対抗することができません（94条2項）。もっとも、**善意の第三者Cからは、A・B間の売買の無効を主張してB・C間の売買を解消することができます。** P.33

イ　妥当でない　表意者Aだけでなく、**相手方Bからも、善意の第三者Cに対して無効を主張することができません。** P.33

ウ　妥当である　虚偽表示は、無効です（94条1項）。甲土地の所有権は依然Aにあるので、Aは、Bに対して、所有権に基づき、甲土地の返還を請求することができます。Aの一般債権者であるCは、債権者代位権行使のための要件を満たせば、Aの所有権に基づく返還請求権を代位行使することができます（423条）。 P.35

エ　妥当である　94条2項の「第三者」とは、虚偽表示の当事者またはその一般承継人以外の者であって、その表示の目的につき新たに独立して法律上利害関係を有するに至った者を指します（大判大9.7.23）。**甲土地の仮装譲受人Bから善意で抵当権の設定を受けたCは、94条2項の善意の「第三者」にあたります**（大判昭6.10.24）。 P.35

オ　妥当でない　財産の仮装譲受人に対する一般債権者は、94条2項の「第三者」にあたりません（大判昭18.12.22）。これに対し、財産の仮装譲受人に対する差押債権者は、94条2項の「第三者」にあたります（最判昭48.6.28）。目的財産を差し押さえることにより、目的財産について具体的・現実的支配を確立することになり、新たに独立して法律上の利害関係を有しているといえるからです。よって、**Cは、甲土地に対する差押えをしなければ、94条2項の「第三者」にあたりません。**Aは、Cに対して、Cの甲土地に対する差押えの前であれば、A・B間の売買の無効を対抗することができます。 P.35

以上より、妥当でないものは**イ・オ**であり、正解は**5**となります。

正解　5

本問の事案（A・B間の土地の仮装売買）において、善意の「第三者」に該当する例としない例を押さえておきましょう。

【虚偽表示の第三者】

第三者にあたる	第三者にあたらない
①土地をBから譲り受けたC	①Bの一般債権者C
②土地をBから譲り受けたCからの転得者D	②土地の上にBが所有する建物を借りたC
③土地を差し押さえたBの債権者C	
④土地に抵当権の設定を受けた抵当権者C	

総則／意思表示

問題 45 **意思表示に関する次のア～オの記述のうち、誤っているものの組合せはどれか。**

ア Aは、BがCから金員を借りるに際し、Bにだまされて、Cと保証契約を締結した。この場合、Aは、Cが詐欺の事実を知っていたときは、詐欺を理由にCとの保証契約を取り消すことができる。

イ Aは、Bにだまされて自己所有の土地をBに売却し、Bはこの土地を詐欺の事実につき善意・無過失のCに転売し、その旨の移転登記も済ませた。その後、Aが詐欺を理由にBとの売買契約を取り消した場合、Cは、民法第96条第3項の「善意でかつ過失がない第三者」に該当し、法律上の保護を受ける。

ウ Aは、Bに強迫されて自己所有の土地をBに売却し、Bはこの土地を強迫の事実につき善意・無過失のCに転売し、その旨の移転登記も済ませた。その後、Aが強迫を理由にBとの売買契約を取り消しても、Aは、Cに土地の返還を請求することができない。

エ 錯誤により意思表示をした者に重大な過失があり、その表意者自ら意思表示の取消しを主張することができない場合は、表意者以外の者もその取消しを主張することができない。

オ Aは、Bに強迫されて自己所有の土地をCに売却した。この場合、Aは、Cが強迫の事実を過失なく知らなかったときは、強迫を理由にCとの売買契約を取り消すことができない。

1 ア・イ
2 ア・ウ
3 イ・オ
4 ウ・エ
5 ウ・オ

【公務員試験アレンジ問題】

チェック欄	1回目 ／	2回目 ／	3回目 ／
	手応え	手応え	手応え

解説

テキスト
第2編

ア **正** 保証契約の当事者は保証人Aと債権者Cであり、債務者Bは第三者にあたります。保証人Aが債務者Bにだまされて債権者Cと保証契約を締結した場合は「第三者による詐欺」となります。この場合、詐欺に関与していない善意・無過失の相手方を保護する趣旨から、**相手方CがBの詐欺の事実を知り、または知ることができたときに限り、Aは意思表示（Cとの保証契約）を取り消すことができます**（96条2項）。 P.41

イ **正** Bにだまされて自己所有の土地をBに売却したAは、詐欺を理由にBとの売買契約を取り消すことができます（96条1項）。しかし、**取消しの効果は「善意でかつ過失がない第三者」に対抗することはできません**（96条3項）。96条3項は、取消しの遡及効（121条）により第三者が害されるのを防ぐ趣旨ですから、その適用は取消前の第三者に限られます（大判昭17.9.30）。 P.40

ウ **誤** Bに強迫されて自己所有の土地をBに売却したAは、強迫を理由にBとの売買契約を取り消すことができます（96条1項）。そして、本人の帰責性という点から、詐欺よりも強迫のほうが本人保護の要請が強いため、**詐欺と異なり、取消前に出現した第三者Cが善意・無過失であっても、Aは取消しの効果を対抗することができます**（96条3項の反対解釈）。 P.43

エ **正** 民法は、意思表示に重要な錯誤があったときは、表意者を保護するために、その意思表示を取り消すことができるとしていますが（95条1項）、**表意者に重大な過失があったときは、そのような表意者を保護する必要がないから、表意者は原則として自らその取消しを主張することができない**としています（95条3項柱書）。また、**表意者以外の者（相手方・第三者）は取消しを主張することができません**（120条2項参照）。 P.36

オ **誤** AがBに強迫されて自己所有の土地をCに売却した場合は「第三者による強迫」にあたります。そして、詐欺よりも強迫のほうが表意者を保護すべき要請が強いため、**第三者による詐欺の場合と異なり、相手方CがBの強迫の事実を過失なく知らなくても、Aは意思表示を取り消すことができます**（96条2項の反対解釈）。 P.44

以上より、誤っているものは**ウ**・**オ**であり、正解は**5**となります。

正解 5

詐欺（本人の帰責性がある）と強迫（本人の帰責性がない）の違いについて理解しておきましょう。

総則／意思表示

問題46 A男とB女は、勤務先で知り合いとなり、アパートの一室で同棲を開始した。しかし、その3年後に、Aは、Bとの同棲を解消したいと考えて、別れ話を切り出した。しかし、Bが同棲の解消に同意しないことから、Aは、Bを説得するために、支払うつもりがないのに、慰謝料として1,000万円を支払う旨の契約（以下、「本件契約」という。）を締結してしまった。民法の規定によれば、Aは、一定の場合に限り、Bに対して1,000万円の支払いを拒むための主張をすることができる。では、Aは、Bがどのような場合に、どのようなことを主張できるか。「Aは、」に続けて、「を主張できる。」で終わるように、40字程度で記述しなさい。記述に当たっては、「本件契約」を入れることとする。

Aは、

									10					15

を主張できる。

【オリジナル問題】

チェック欄	1回目	／	2回目	／	3回目	／
	手応え		手応え		手応え	

解説

テキスト▶第2編P.31

解答例（43字）

Aは、

B	が	A	の	意	思	表	示	が	真	意	で	は	な	い
こ	と	を	知	り	、	ま	た	は	知	る	こ	と	が	で
き	た	場	合	に	、	本	件	契	約	の	無	効		

を主張できる。

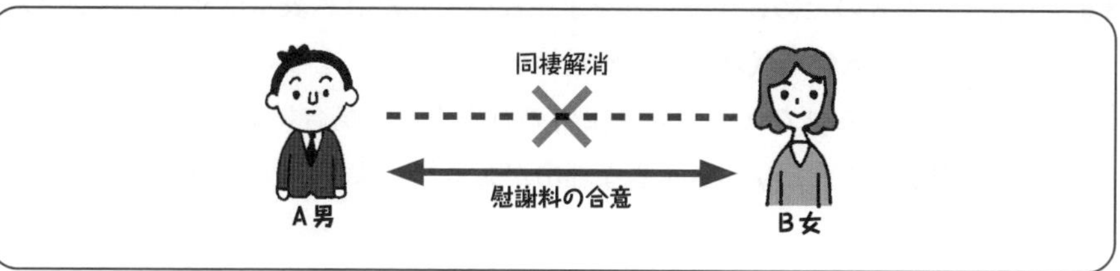

本問は、心裡留保に関する知識を問うものです。

意思表示は、表意者がその真意ではないことを知ってしたときであっても、そのためにその効力を妨げられません（心裡留保／93条1項本文）。ただし、**相手方がその意思表示が表意者の真意ではないことを知り、または知ることができたときは、その意思表示は、無効**とします（93条1項但書）。

記述式では、ただ条文のとおり記載するだけでなく、与えられた事例に即して解答することが求められます。
登場人物（A・B）を記載することを忘れないようにしましょう。

総則／代理

問題47　民法に規定する代理に関する次の記述のうち、通説に照らして、妥当なものはどれか。

1　代理人による自己契約及び双方代理は、本人の利益を害するおそれが大きいので禁じられており、本人は、これらの行為をあらかじめ許諾することができない。

2　代理人が本人のためにすることを示さないでした意思表示は錯誤とみなされ、その効果は、本人にも代理人にも帰属しない。

3　代理人が与えられた代理権の権限外の行為をした場合において、相手方が代理人に権限があると信ずべき正当な理由があるときは、その代理行為の効果は本人に帰属する。

4　無権代理人と契約をした相手方は、本人に対し、相当の期間を定めて、その期間内に追認をするかどうかを確答すべき旨の催告をすることができ、この場合、本人がその期間内に確答をしないときは、追認をしたものとみなされる。

5　法定代理人は、本人の許諾を得たとき、又はやむを得ない事由があるときでなければ、復代理人を選任することができない。

【公務員試験アレンジ問題】

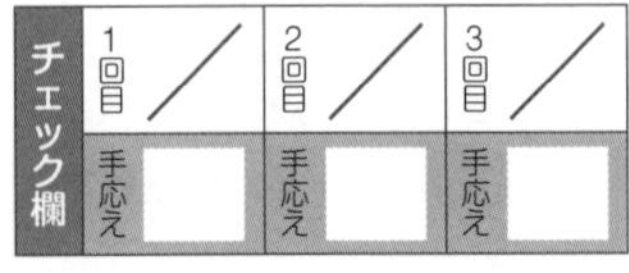

解説

テキスト
第2編

1 **妥当でない** 同一の法律行為について、相手方の代理人となり（自己契約）、または当事者双方の代理人となること（双方代理）は無権代理とみなされます（108条1項本文）。本人または一方の本人の利益を不当に害するおそれがあるからです。ただし、**①債務の履行と②本人があらかじめ許諾した行為については、自己契約・双方代理が認められます**（108条1項但書）。 P.46

2 **妥当でない** 代理人の行った意思表示の効果が本人に帰属するためには、本人のためにすることを相手方に示すこと（顕名）が必要となります（顕名主義／99条1項）。代理人が顕名をしなかった場合は、相手方が代理人の代理意思（本人のためにする意思）を知りまたは知ることができたときを除き、代理人が**自己のために意思表示をしたもの**とみなされ、その効果は**代理人に帰属する**ことになります（100条）。自己のためにしたものと「みなす」のですから、代理人は、錯誤を主張して、その意思表示の効果が自分に帰属することを拒否することはできません。

3 **妥当である** 代理人が与えられた代理権の権限外の行為をした場合は無権代理であり、本来、その効果は本人に帰属しません。しかし、**相手方が代理人に権限があると信ずべき正当な理由があるときは、本人が責任を負う**とされているので（権限外の行為の表見代理／110条）、その代理行為の効果は本人に帰属することになります。 P.59

4 **妥当でない** 無権代理行為の相手方は、追認されるかどうかわからない不安定な状態から脱するために、本人に対して、相当の期間を定め、その期間内に無権代理人がした契約を追認するかどうかを確答すべき旨を催告することができます（催告権／114条前段）。**もしその期間内に本人が確答しないときは、本人が「追認を拒絶した」ものとみなされます**（114条後段）。 P.54

5 **妥当でない** **任意代理人**（104条）**と異なり、法定代理人は、いつでも、自己の責任で復代理人を選任することができます**（105条前段）。法定代理人の権限は広範囲に及び、辞任も容易にできないからです。 P.50

正解 3

総則／代理

Bは、Cに対し、Aの代理人と称して、A所有の甲土地を売ったが、BはAから甲土地を売る代理権を与えられていなかった。この事案に関する次の記述のうち、正しいものはどれか。

1 Aは、甲土地の売買契約を取り消すことができる。

2 Cが相当の期間を定めて追認するか否かを答えるようにAに催告し、Aがその期間内に答えなかった場合には、Aが追認したものとみなされる。

3 Cは、甲土地の売買契約の際、Bに甲土地を売る代理権がないことを知っていた場合でも、甲土地の売買契約を取り消すことができる。

4 Aが甲土地の売買契約を追認した場合、その売買契約の効果は、追認の時からAに帰属することになり、売買契約の時にさかのぼってAに帰属することはない。

5 甲土地の売買契約の際、CがBに甲土地を売る代理権があると信じ、それに過失がなかった場合、その売買契約の前にBがAから車を売る代理権を与えられていれば、Cは、Aに対して甲土地の引渡しを請求できることがある。

【公務員試験アレンジ問題】

チェック欄	1回目	2回目	3回目
	／	／	／
	手応え	手応え	手応え

解説

テキスト第2編

1 誤 **そもそも、無権代理人がした契約は、本人が追認しない限り、本人にその効果が帰属しない**（113条1項）ため、契約の効果が帰属することを望まない本人に取消権を認める必要はありません。そのため、本人に取消権はありません。 P.53

2 誤 相手方Cが本人Aに相当の期間を定めて追認するか否かを催告した場合（催告権）に、本人Aがその期間内に答えなかったとき、114条後段では、**本人Aは追認を拒絶したものとみなすと規定されています。** P.54

3 誤 115条但書では、**相手方は、契約の時点で無権代理であることについて悪意であった場合には、取消権を行使することができない**旨が規定されています。 P.54

4 誤 本肢では無権代理行為を本人が追認した場合、いつの時点からその効果が発生するのかが問題となります。この点について、116条本文では、追認は、**別段の意思表示がない場合には契約の時点に遡って効果が生じる**と規定されています。 P.53

5 正 110条では、**何らかの代理権（基本代理権）を有する者がその権限外の行為をしたが、相手方に代理人の権限があると信ずべき「正当な理由」がある場合（相手方が善意・無過失の場合）には、表見代理により本人に対して効果が生じる**ことが規定されています。本肢では、Bに車を売る代理権（基本代理権）が存在するので、相手方Cが甲土地の売却の代理権があると過失なく信頼した場合には、当該土地売買契約の効果が本人Aに帰属することになります。 P.59

正解 5

無権代理の相手方の権利についてしっかり整理しておきましょう。

【無権代理の相手方の権利のまとめ】

権利	内容	要件
催告権（114条）	本人に**相当期間を定めて催告**をする。 ※確答なければ本人は**追認拒絶**したものとみなされる。	**悪意**でも行使できる。
取消権（115条）	本人が**追認するまでの間は**無権代理行為を取り消すことができる。	**善意**の場合に行使できる。
無権代理人の責任追及（117条）	以下の要件を満たす場合、無権代理人に対して、**契約の履行または損害賠償の請求**ができる。 ①代理人が代理権を証明できないとき ②本人の**追認**が得られないとき ③無権代理人が**制限行為能力者**でないこと ④相手方が**取消権**を行使していないこと	**善意・無過失**の場合に行使できる。

総則／代理

問題 49 **Aが所有する甲土地につき、Aの長男BがAに無断で同人の代理人と称してCに売却した（以下「本件売買契約」という。）。この場合に関する次の記述のうち、民法の規定および判例に照らし、妥当でないものはどれか。**

1 Aが死亡してBが単独相続した場合、Bは本人の資格に基づいて本件売買契約につき追認を拒絶することができない。

2 Bが死亡してAの妻DがAと共に共同相続した後、Aも死亡してDが相続するに至った場合、Dは本人の資格で無権代理行為の追認を拒絶する余地はない。

3 Aが本件売買契約につき追認を拒絶した後に死亡してBが単独相続した場合、Bは本件売買契約の追認を拒絶することができないため、本件売買契約は有効となる。

4 Bが死亡してAが相続した場合、Aは本人の資格において本件売買契約の追認を拒絶することができるが、無権代理人の責任を免れることはできない。

5 Aが死亡してBがAの妻Dと共に共同相続した場合、Dの追認がなければ本件売買契約は有効とならず、Bの相続分に相当する部分においても当然に有効となるものではない。

【本試験2016年問28】

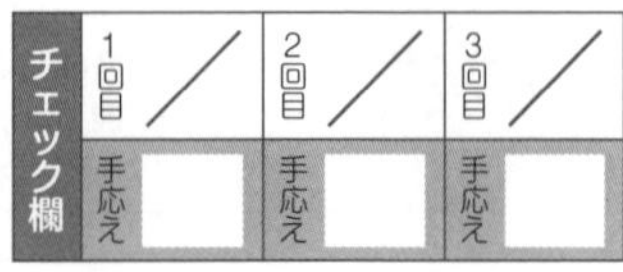

解説

テキスト 第2編

1 **妥当である** 判例は、「無権代理人が本人を相続し本人と代理人との資格が同一人に帰するにいたつた場合においては、本人が自ら法律行為をしたのと同様な法律上の地位を生じたものと解するのが相当である」としています（最判昭40.6.18）。よって、Bは、本人の資格に基づいて本件売買契約につき追認を拒絶することができません。 P.56

2 **妥当である** 判例は、「無権代理人を本人とともに相続した者がその後更に本人を相続した場合においては、当該相続人は本人の資格で無権代理行為の追認を拒絶する余地はなく、本人が自ら法律行為をしたと同様の法律上の地位ないし効果を生ずるものと解するのが相当である。」としています（最判昭63.3.1）。

3 **妥当でない** 判例は、「無権代理人がした行為は、本人がその追認をしなければ本人に対してその効力を生ぜず（113条1項）、**本人が追認を拒絶すれば無権代理行為の効力が本人に及ばないことが確定**し、追認拒絶の後は本人であっても追認によって無権代理行為を有効とすることができず、**右追認拒絶の後に無権代理人が本人を相続したとしても、右追認拒絶の効果に何ら影響を及ぼすものではない。**」としています（最判平10.7.17）。 P.56

4 **妥当である** 判例は、「本人が無権代理人を相続した場合……においては、相続人たる本人が被相続人の無権代理行為の追認を拒絶しても、何ら信義に反するところはないから、**被相続人の無権代理行為は一般に本人の相続により当然有効となるものではない**と解するのが相当である。」とし（最判昭37.4.20）、「**民法117条による無権代理人の債務が相続の対象となることは明らか**であつて、このことは本人が無権代理人を相続した場合でも異ならないから、本人は相続により無権代理人の右債務を承継するのであり、**本人として無権代理行為の追認を拒絶できる地位にあつたからといつて右債務を免れることはできない**と解すべきである。」としています（最判昭48.7.3）。 P.57

5 **妥当である** 判例は、「無権代理人が本人を他の相続人と共に共同相続した場合において、無権代理行為を追認する権利は、その性質上相続人全員に不可分的に帰属するところ、**無権代理行為の追認は、本人に対して効力を生じていなかった法律行為を本人に対する関係において有効なものにするという効果を生じさせるものであるから、共同相続人全員が共同してこれを行使しない限り、無権代理行為が有効となるものではない**」とし、「他の共同相続人全員が無権代理行為の追認をしている場合に無権代理人が追認を拒絶することは信義則上許されないとしても、**他の共同相続人全員の追認がない限り、無権代理行為は、無権代理人の相続分に相当する部分においても、当然に有効となるものではない。**」としています（最判平5.1.21）。 P.56

正解 3

総則／代理

問題50 **代理に関する次のア～オの記述のうち、妥当なものの組合せはどれか。ただし、争いのある場合は、判例の見解による。**

ア　本人Ａが代理人Ｂに対して事業資金の調達のためにＣから2,000万円を借り入れる代理権を付与していたところ、Ｂは自らの借金の返済に充てるつもりでＣから1,000万円を借り入れ、当該借金の返済をした場合において、ＣがＢの意図を知っていたとき、又は知ることができたときは、ＣはＡに対して貸金の返還を請求することができない。

イ　Ｂは本人Ａから代理権を付与されていないにもかかわらず、Ａの代理人と称してＣ所有の土地を買い受ける契約を締結した後、Ａによる追認がない間に、ＣがＡに対して当該売買契約を取り消す旨の意思表示をした場合、当該売買契約当時において、ＣがＢの無権代理について善意であれば、ＣはＢに対して無権代理人としての責任を追及することができる。

ウ　本人Ａが代理人Ｂに対してＣ所有の土地を買い受ける代理権を付与しており、Ｂはその代理権に基づいてＣから土地を買い受ける契約を締結したが、当該契約がＢのＣに対する詐欺に基づくものである場合には、Ａが当該詐欺の事実を過失なく知らないときであっても、Ｃは当該売買契約を取り消すことができる。

エ　復代理人は、代理人の代理人ではなく、本人の代理人であるから、代理行為の相手方から受領した物を直接本人に引き渡す義務を負い、代理人に引き渡したとしても本人に対する引渡義務が消滅するわけではない。

オ　Ｂは本人Ａから代理権を付与されていないにもかかわらず、Ａの代理人と称してＣから金銭を借り受けた後、Ａが死亡し、ＢがＤと共にＡを共同相続した場合において、ＤがＢの行った無権代理行為の追認を拒絶しているときは、ＣはＢの相続分の限度でＢに対して貸金の返還を請求することができる。

1　ア・ウ
2　ア・オ
3　イ・エ
4　イ・オ
5　ウ・エ

【公務員試験アレンジ問題】

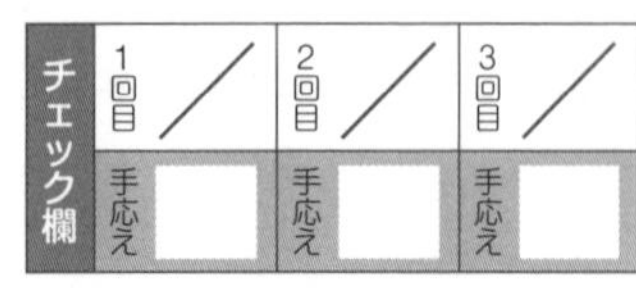

解説

テキスト
第2編

ア **妥当である** 代理人Bは、自己の利益を図る（自らの借金の返済に充てる）ために、代理権の範囲内の行為（Cから1,000万円を借り入れる）を行っています。このような**代理権の濫用であっても、客観的には代理権の範囲内の行為であるから、原則として代理行為は有効**です（CはAに対して貸金の返還を請求することができます）。しかし、**相手方Cが代理人Bの目的（濫用の意図）を知っていたとき、または知ることができたときは、無権代理とみなされ**（107条）、CはAに対して貸金の返還を請求することができません。 P.48

イ **妥当でない** 無権代理人Bと契約してしまった相手方Cは、契約時に無権代理であることを知らなかった場合に限り、本人Aの追認前に、無権代理人Bとの契約を取り消すことができます（115条）。しかし、取り消すと、無権代理による契約は遡及的に無効となるので、**本人Aは当該契約を追認することができなくなると同時に、相手方Cも無権代理人Bの責任**（117条）**を追及することができなくなります。** P.54

ウ **妥当である** 代理人Bの詐欺によって意思表示をした相手方Cは、本人Aの知･不知にかかわらず、常にその意思表示を取り消すことができます（96条1項）。AとBは一体とみるべきですから、Bを96条2項の「第三者」として扱うことはできません。 P.51

エ **妥当でない** 復代理人が代理行為によって相手方から物を受領した場合には、代理人との委任関係に基づいて代理人に対して受領物の引渡義務を負う（646条1項）ほか、本人に対しても引渡義務を負います（106条2項）。もっとも、どちらの義務も本人に受領物を帰属させるという同一目的を有するものであるから、復代理人が代理人に受領物を引き渡せば、**本人に対する引渡義務も消滅する**とするのが判例です（最判昭51.4.9）。

オ **妥当でない** 判例は、追認権はその性質上、相続人全員に不可分的に帰属し、全員が共同して行使する必要があるので、①**他の共同相続人Dが追認をしているのに、無権代理人Bだけが追認を拒絶することは信義則上許されません**が、②**他の共同相続人Dの追認がない限り、無権代理行為は無権代理人Bの相続分に相当する部分についても当然に有効となるものではない**としています（最判平5.1.21）。 P.56

以上より、妥当なものは**ア・ウ**であり、正解は**1**となります。

正解 1

総則／代理

問題 51 Xは、自己の所有する土地の売却に関する代理権をYに与えていた。ところが、Yは、土地の売却代金を自己の借金の返済に充てるつもりで、Xの代理人として、土地をZに売却する旨の契約を締結した。民法の規定によれば、このようなYの行為は、代理権を有しない者がした行為とみなされることがある。では、①このようなYの行為は何と呼ばれ、②どのような場合に代理権を有しない者がした行為とみなされるか、40字程度で記述しなさい。

【オリジナル問題】

チェック欄	1回目 ／	2回目 ／	3回目 ／
	手応え	手応え	手応え

解説

テキスト ▶ 第2編P.48

解答例（38字）

代理権の濫用と呼ばれ、ZがYの目的を知り、または知ることができた場合である。

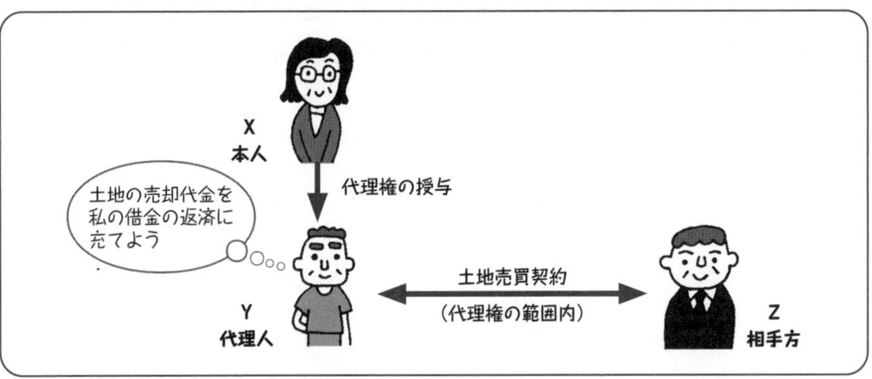

本問は、代理権の濫用（代理人の権限濫用）に関する知識を問うものです。

代理人が自己または第三者の利益を図るため権限内の行為をすることを、代理権の濫用（代理人の権限濫用）といいます。107条では、代理人が自己または第三者の利益を図る目的で代理権の範囲内の行為をした場合において、**相手方がその目的を知り、または知ることができたときは、その行為は、代理権を有しない者がした行為とみなす**としています。

「代理権の濫用」の要件を満たす場合、その行為は無権代理人がした行為とみなされます。

本問では解答を求められませんでしたが、本人の追認拒絶権、相手方の取消権などの要件も確認しておくようにしてください。

総則／時効

問題52 **時効の援用権に関する次の１～４の記述のうち、判例に照らし、妥当なものはどれか。**

1 時効は、当事者が援用しなければ裁判所がこれによって裁判をすることができないが、この当事者には抵当不動産の第三取得者は含まれない。

2 物上保証人は被担保債権の消滅時効を援用することができない。

3 詐害行為の受益者は、詐害行為取消権を行使する債権者の有する債権の消滅時効を援用することができる。

4 後順位抵当権者は、先順位抵当権の被担保債権の消滅時効を援用することができる。

【公務員試験アレンジ問題】

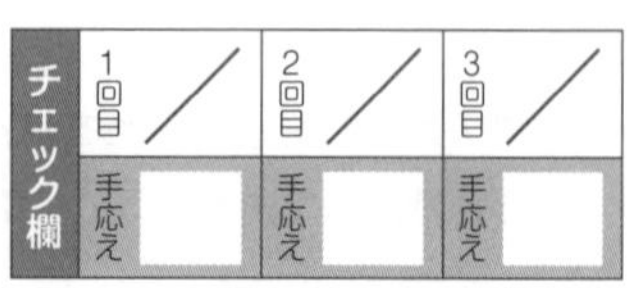

解説

テキスト第2編

1 **妥当でない** 時効は、「当事者」が援用しなければ、裁判所がこれによって裁判をすることができません（145条）。145条かっこ書は、消滅時効を援用できる当事者とは、権利の消滅について「正当な利益を有する者」であるとして、**第三取得者を例示しています。** P.70

2 **妥当でない** 145条かっこ書は、消滅時効を援用できる「当事者」として、**物上保証人を例示しています。** P.70

3 **妥当である** 判例は、**詐害行為の受益者は、**詐害行為取消権（424条）が行使されると詐害行為が取り消され、同行為によって得ていた利益を失う関係にあり、その反面、詐害行為取消権を行使する債権者（取消債権者）の債権が消滅すれば、その利益喪失を免れる地位にあるから、取消債権者の債権の消滅によって直接利益を受ける者にあたり、**取消債権者の債権について消滅時効を援用できる**としています（最判平10.6.22）。 P.70

4 **妥当でない** 判例は、先順位抵当権の被担保債権が消滅すれば、後順位抵当権の順位が上昇し、配当額が増加する可能性がありますが、これは「反射的な利益」にすぎないことを理由に、**後順位抵当権者は、**先順位抵当権の被担保債権の消滅により直接利益を受ける者ではなく、**先順位抵当権の被担保債権の消滅時効を援用できない**としています（最判平11.10.21）。 P.70

正解 3

野畑のワンポイント

時効の援用権者については、確実に正解できるように準備をしておきましょう。

【時効の援用権者】

時効の援用ができる者	・保証人（145条） ・物上保証人（145条） ・抵当不動産の第三取得者（145条） ・詐害行為の受益者
時効の援用ができない者	・一般債権者 ・後順位抵当権者

総則／時効

問題53 占有の承継による土地の時効取得に関する次の記述のうち、妥当なものはどれか。

1 Aは、Cの土地を善意・無過失で８年間継続して占有した後、当該土地の登記記録を見て名義人がCであることを知っていたBに当該土地を譲渡した。Bは、その後３年間継続して占有しても、当該土地の所有権を時効取得することはできない。

2 Aは、Cの土地をC所有と知りながら無断で７年間継続して占有した後、当該土地の登記記録を見て名義人がCであることを知っていたBに当該土地を譲渡した。Bは、その後14年間継続して占有しても、当該土地の所有権を時効取得することはできない。

3 AがCの土地をC所有と知りながら無断で15年間継続して占有した後、Aが死亡してBが相続した。Bは相続の開始を知らなかったが、現実の占有状態に変化がなく、さらに７年間経過した後にBが相続の事実に気づいても、Bは当該土地の所有権を時効取得することはできない。

4 AがCの土地を借りて14年間継続して占有した後、登記記録を見て当該土地の名義人がCであることを知っていたBに譲渡した。Bは、その後７年間継続して占有しても、当該土地の所有権を時効取得することはできない。

5 AがCの土地を借りて７年間継続して占有した後、Aが死亡してBが相続した。Bは、当該土地が始めからA所有だと過失なく信じて当該土地の現実の占有を開始し、所有の意思をもって占有を10年間継続しても、当該土地の所有権を時効取得することはできない。

【公務員試験アレンジ問題】

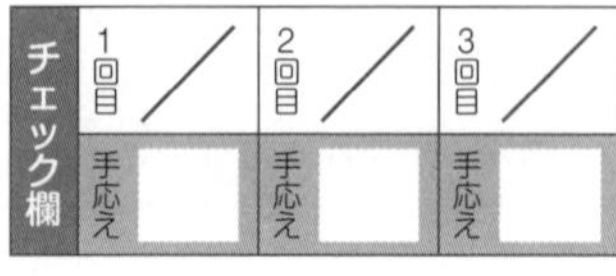

解説

テキスト
第2編

1 **妥当でない**　10年の取得時効の要件である占有者の善意・無過失は、占有開始の時点であればよいとされています（162条2項）。この規定は、①時効期間を通じて占有主体に変更がない場合についてだけでなく、②占有主体に変更があって承継された2個以上の占有をあわせて主張される場合についても適用され、**②の場合にはその主張される最初の占有者につきその占有開始の時点に善意・無過失を判定すれば足ります**（最判昭53.3.6）。したがって、Bが自己の占有に前主Aの占有をあわせて主張すれば、10年の取得時効が認められることになります。 P.66

2 **妥当でない**　占有者の承継人Bは、①自己の占有のみを主張してもよいですし、②自己の占有に前主Aの占有をあわせて主張してもよいです（187条1項）。ただし、**Bが②を選択すると、前主Aの占有の瑕疵（悪意・有過失など）も承継する**ことになります（同条2項）。もっとも、AとBの占有期間の合計は21年ですから、Bが②を選択しても20年の取得時効（162条1項）が認められます。 P.66

3 **妥当でない**　判例・通説は、①被相続人の事実的支配の中にあった物は、原則として当然に相続人の支配の中に承継されるとみるべきだから、その結果として、占有権も承継され、②**相続が開始するときは**、相続開始の知・不知や相続財産の実際の所持の有無にかかわりなく、**特別の事情のない限り、それまで被相続人の占有に属していた物が当然相続人の占有に移る**としています（最判昭44.10.30）。したがって、相続人Bが自己の占有に被相続人Aの占有をあわせて主張すれば（最判昭37.5.18）、20年の取得時効が認められます。 P.66

4 **妥当である**　**AによるCの土地の占有は他主占有であるから、それを知ってAから当該土地を譲り受けたBによる占有も他主占有**となります。したがって、BがAの占有とあわせて21年間Cの土地の占有を継続したとしても、所有の意思のある自主占有を要件とする取得時効は認められません。 P.66

5 **妥当でない**　AによるCの土地の占有は他主占有であるから、Aを相続したBによる当該土地の占有も他主占有となるのが原則です。しかし、判例は、①**相続人Bが新たに当該土地を事実上支配することにより占有を開始し、②相続人Bに所有の意思があるとみられる場合には、相続人は、185条にいう新権原（「新たな権原」）により当該土地の自主占有を開始したということができる**としています（最判昭46.11.30）。したがって、Bが自己の占有のみを主張すれば、10年の取得時効が認められます。 P.66

正解 4

総則／時効

消滅時効に関する次のア～オの記述のうち、適当なものの組合せはどれか。

ア　後順位抵当権者は、先順位抵当権者の被担保債権について、その消滅時効を援用することができる。

イ　金銭債権の債権者は、債務者が無資力のときは、他の債権者が当該債務者に対して有する債権について、その消滅時効を債権者代位権に基づいて援用することができる。

ウ　所有権は時効によって消滅することがないが、所有権に基づく移転登記請求権は、時効によって消滅する。

エ　連帯保証人は、主たる債務者が時効の利益を放棄した場合でも、主債務の消滅時効を援用することができる。

オ　債務者は、その債務につき消滅時効が完成した後に、債務の承認をしたときでも、時効完成の事実を知らなかった場合には、完成した消滅時効を援用することができる。

1　ア・イ
2　ア・ウ
3　イ・エ
4　ウ・オ
5　エ・オ

【公務員試験アレンジ問題】

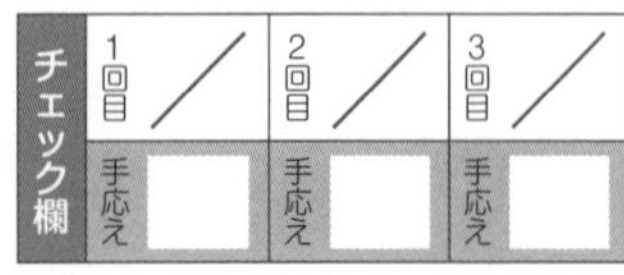

解説

テキスト
第2編

ア　適当でない　消滅時効を援用できる「当事者」は、権利の消滅について「正当な利益を有する者」です（145条かっこ書）。判例は、後順位抵当権者が先順位抵当権者の被担保債権の消滅時効を援用できるかについて、先順位抵当権の被担保債権が消滅すれば、後順位抵当権の順位が上昇し、配当額が増加する可能性がありますが、これは反射的な利益にすぎないとして、これを**否定**しました（最判平11.10.21）。 P.70

イ　適当である　判例は、消滅時効の援用権の代位行使を認めています。すなわち、金銭債権の債権者は、債務者が他の債権者に対して負担する債務の消滅時効を援用しない場合は、債務者が無資力である限り、423条1項本文により、自己の債権を保全するに必要な限度で、債務者に代位して、他の債権者に対する債務の消滅時効を援用することができます（最判昭43.9.26）。

ウ　適当でない　消滅時効の対象につき、財産権の消滅時効について定める166条2項で所有権を除外しているから、**所有権は消滅時効にかかりません。**さらに、判例は、**所有権に基づく物権的請求権も、物権から独立して消滅時効にかかることはない**としています（大判大5.6.23）。なぜなら、物権的請求権は、物権による物の直接支配の実効性を確保するために認められた権利であり、物権から切り離しては存在しえないからです。 P.68

エ　適当である　145条かっこ書は、消滅時効の援用権者として、保証人を例示しています。ここにいう保証人には、連帯保証人も含まれます。判例も、**主たる債務者が時効利益を放棄しても、連帯保証人にはその効力が生じず（時効利益の放棄の相対効）、連帯保証人は、独立して主たる債務の消滅時効を援用できる**としました（大判昭6.6.4）。 P.70

オ　適当でない　本肢のような時効完成後の債務の承認について、判例は、①債務者は時効完成の事実を知らないのが通例であるから、時効完成の事実を知って承認をしたと推定することは許されませんが、②**そのような行為があれば、相手方も債務者は時効を援用しないとの期待を抱くから、信義則上、債務者はその債務について時効を援用することは許されない**としました（最判昭41.4.20）。 P.72

以上より、適当なものは**イ・エ**であり、正解は**3**となります。

正解　3

総則／時効

時効に関する次のア～オの記述のうち、妥当なものの組合せはどれか。

ア　詐害行為の受益者は、詐害行為取消権を行使する債権者の債権の消滅によって直接利益を受ける者に当たり、当該債権について消滅時効を援用することができる。

イ　所有権の取得時効完成の時期を定めるに当たっては、必ず時効の基礎となる事実が開始した時を起算点として定めなければならず、取得時効を援用する者が任意にその起算点を選択することはできない。

ウ　時効の利益の放棄があったとするためには、債務者において時効完成の事実を知っていたことを要し、債務者が消滅時効の完成後に当該債務の承認をした場合には、時効完成の事実を知って承認したものと推定される。

エ　債権の消滅時効の完成後に債務者が当該債務を承認した場合には、承認以後再び消滅時効が完成しても、当該債務者は再度完成した消滅時効を援用することができない。

オ　時効の更新とは、時効の進行中に、そのまま時効を進行させるのは妥当でない一定の事情が発生した場合に、時効の完成を延期するものであり、それまでに経過した期間を無意味なものとはしない点で、時効の完成猶予とは異なる。

1　ア・イ
2　ア・オ
3　イ・ウ
4　ウ・エ
5　エ・オ

【公務員試験アレンジ問題】

チェック欄	1回目 ／	2回目 ／	3回目 ／
	手応え	手応え	手応え

解説

テキスト第2編

ア 妥当である 詐害行為の受益者は、詐害行為取消権（424条）が行使されると、詐害行為により得た利益を失う反面、詐害行為取消権を行使する債権者（取消債権者）の債権が消滅すれば、この利益喪失を免れることができる地位にあります。そこで、判例は、詐害行為の受益者は、取消債権者の債権の消滅によって直接利益を受ける者にあたり、消滅時効を援用することができるとしました（最判平10.6.22）。 P.70

イ 妥当である 時効による所有権取得は、第三者の出現が時効完成の前か後かによって、第三者に対抗するうえで登記の要否が決まります（最判昭41.11.22、最判昭33.8.28）。それゆえ、援用者が起算点を任意に選択できるとすると、援用権者は第三者に対抗するうえで常に登記が不要となるように起算点を選択しかねません。そこで、判例は、**起算点は取得時効の基礎となる事実が開始した時点（占有開始時）であるとし、時効援用者が起算点を任意に選択することはできない**としています（最判昭35.7.27）。 P.88

ウ 妥当でない 判例は、債務者が消滅時効の完成後に債務の承認をした場合、時効完成の事実を知らないのが通常であるから、消滅時効完成の事実を知って承認したものとは推定されないとしました（最判昭41.4.20）。

エ 妥当でない 債権の消滅時効の完成後に債務者が当該債務を承認した場合には、判例は、債務者が時効完成の事実を知らなかったときでも、その後その時効を援用することは信義則上許されないとしています（最判昭41.4.20）。しかし、このことはすでに経過した時効期間について消滅時効を援用できないというだけであって、その**承認後再び時効期間が進行することを否定するものではありません**（最判昭45.5.21）。

オ 妥当でない 本肢は、時効の完成猶予についての説明であって、時効の更新の説明ではありません。**時効の更新とは、時効の進行中に時効を覆すような事情が生じたことを理由として、それまでの時効期間の経過をまったく無意味にすること**をいいます。 P.73

以上より、妥当なものは**ア・イ**であり、正解は**1**となります。

正解 **1**

肢オを間違えてしまった方は、時効の更新と完成猶予の違いをしっかりと確認しておきましょう。

物権法／物権総論

問題56 **所有権に基づく物権的請求権に関する次のア～オの記述のうち、適当なものの組合せはどれか。**

ア AがBに対して所有権に基づく妨害排除請求権を行使する場合、Aの請求が認められるためには、妨害状態の発生についてBに故意又は過失があることが必要である。

イ Aがその所有する建物をBに賃貸し、当該賃貸借契約が終了したとき、Aは、Bに対し、賃貸借契約の終了に基づいて当該建物の返還を求めることはできるが、所有権に基づいて返還を求めることはできない。

ウ Aは、自己の所有する土地をBに譲渡したが、所有権移転登記が未了である場合、Bは、同土地上に権原なく自動車を置いているCに対し、所有権に基づく物権的請求権を行使することができない。

エ Aの所有するギターをBが無断でCに賃貸し、当該賃貸借契約に基づいてCがこれを占有している場合、Aは、当該ギターを直接占有するCに対してだけでなく、Bに対しても、所有権に基づく返還請求権を行使することができる。

オ Aは、Bの所有する土地上に無断で建物を建築したが、AC間の合意により当該建物の所有権保存登記は所有権者ではないCの名義でなされていた場合、Cは、Bに対し、当該建物の収去義務を負わない。

1 ア・イ
2 ア・オ
3 イ・ウ
4 ウ・エ
5 エ・オ

【公務員試験アレンジ問題】

チェック欄	1回目 ／	2回目 ／	3回目 ／
	手応え	手応え	手応え

解説

テキスト
第2編

ア **適当でない**　所有権に基づく妨害排除請求権（物権的請求権）は、所有権の行使が占有侵奪以外の方法で妨害されている（物権の円満な実現が妨げられている）だけで当然に認められるのであって、**不法行為に基づく損害賠償請求権**（709条）**と異なり、侵害者（相手方）の故意・過失は不要**となります（大判昭12.11.19）。

イ **適当でない**　ＡＢ間の建物賃貸借契約が終了した場合、賃貸人Ａは、賃借人Ｂに対し、賃貸借契約の終了に基づく契約上の返還請求権を有すると同時に、所有権に基づく返還請求権も有します。**両請求権の関係について、**通説は、両請求権の要件・効果は異なるので、**どちらの請求権を選択して行使してもよい**としています。

ウ **適当でない**　Ａから土地を譲り受けたＢは、所有権移転登記が未了です。P.82しかし、当該土地に権原なく自動車を置いている（土地所有権を侵害している）**Ｃは、Ｂの登記の欠缺を主張する正当の利益を有しないので、177条の「第三者」に該当しません**（不法占拠者の場合につき最判昭25.12.19）。したがって、Ｂは、Ｃに対して、登記がなくても当該土地の所有権の取得を対抗できるので、所有権に基づく物権的請求権（妨害排除請求権）を行使すること（本肢では自動車の撤去を請求すること）ができます。

エ **適当である**　Ａによるギターの所有権に基づく返還請求の相手方は、現にギターを「占有」している者になります。本肢のように、侵奪者Ｂがギターを Ｃに賃貸している場合には、Ａは、ギターを直接占有するＣに対しても（大判大10.6.22）、ギターを（Ｃを通じて）間接占有するＢに対しても（最判昭36.2.28）、所有権に基づく返還請求権を行使できます。

オ **適当である**　本肢の場合、Ｂは土地所有権に基づく妨害排除請求権を行P.80使して建物収去・土地明渡しを請求することができます。その相手方は、現実に建物を所有することによってその土地を占拠し、土地所有権を侵害するＡとなります。**Ｃのように、建物の所有権を有しない者は、建物所有者Ａとの合意により建物の登記名義人となっていたとしても、土地所有者Ｂに対して、建物収去・土地明渡しの義務を負いません**（最判昭47.12.7）。

以上より、適当なものは**エ・オ**であり、正解は**5**となります。

正解　5

本問は少し難しかったかもしれませんが、肢ア・ウ・オについて正誤判断ができるようにしておきましょう。

物権法／物権総論

問題57 甲土地上には乙建物が存する。乙建物は、Aの所有であったが、Aは甲土地を占有する権原を有していなかった。その後、Aが死亡したため、Aの妻Bが相続により乙建物を取得してその旨の登記を経由した。さらに、Bは乙建物をCに売り渡したが、登記簿上、乙建物はB所有名義のままとなっている。この場合において、甲土地の競売による売却によってDが甲土地の所有権を取得したときは、Dは、甲土地の所有権に基づいて、だれに対して、どのようなことを主張することができるか。「Dは、甲土地の所有権に基づいて、」に続けて、40字程度で記述しなさい。

Dは、甲土地の所有権に基づいて、

									10					15

【オリジナル問題】

チェック欄	1回目 ／	2回目 ／	3回目 ／
	手応え	手応え	手応え

解説

テキスト ▶ 第2編P.80

解答例（38字）

Dは、甲土地の所有権に基づいて、

B	ま	た	は	C	に	対	し	て	、	乙	建	物	の	収
去	お	よ	び	甲	土	地	の	明	渡	し	を	請	求	す
る	こ	と	が	で	き	る	。							

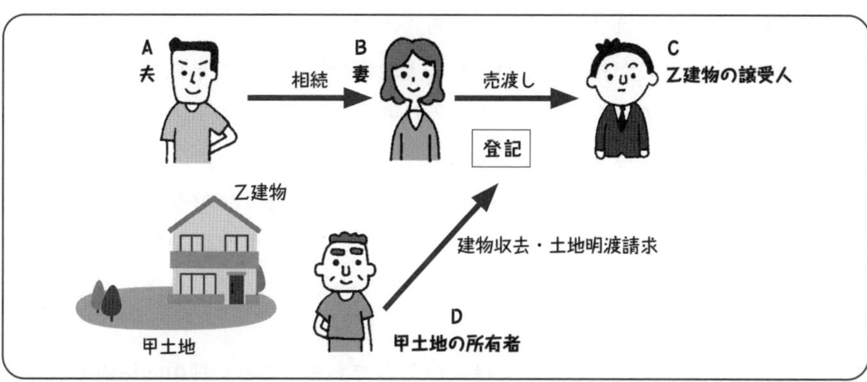

本問は、物権的請求権に関する知識を問うものです。

判例は、「土地所有権に基づく物上請求権を行使して建物収去・土地明渡しを請求するには、現実に建物を所有することによってその土地を占拠し、土地所有権を侵害している者を相手方とすべきであるが、**他人の土地上の建物の所有権を取得した者が自らの意思に基づいて所有権取得の登記を経由した場合には、たとい建物を他に譲渡したとしても、引き続き右登記名義を保有する限り、土地所有者に対し、右譲渡による建物所有権の喪失を主張して建物収去・土地明渡しの義務を免れることはできないものと解するのが相当である**」としています（最判平6.2.8）。

これを本問についてみると、Dは、甲土地の所有権に基づいて、乙建物の登記名義人Bまたは譲受人Cに対して、乙建物の収去および甲土地の明渡しを請求することができます。

野畑のワンポイント

本問の事例は、本試験2017年問31、2018年問29（択一式）などで出題されています。択一式で出題された問題が記述式で出題される傾向にあるので、本問についても解答できるようにしておきましょう。

物権法／不動産物権変動

不動産物権変動に関する次のア～オの記述のうち、妥当なものの組合せはどれか。

ア　AがBに土地を売却したが、さらにAは、Bへの売却の事実を知っているCにも当該土地を売却した。Cは民法第177条の第三者に当たるので、BがCに土地所有権を主張するには登記が必要である。

イ　Aの土地をBとCが相続したが、Bは土地の登記を自己の単独名義にしてDに当該土地を売却した。Dは民法第177条の第三者に当たるので、CがDに自己の持分権を主張するには登記が必要である。

ウ　Aの土地について、Bが自己に所有権がないことを知りながら20年間占有を続けた。その間の14年が経過した時点でAはCに当該土地を売却していた。Cは民法第177条の第三者に当たるので、BがCに当該土地の時効取得を主張するには登記が必要である。

エ　AがBに土地を売却したが、Aは未成年者であったことを理由に契約を取り消した。その後、BがCに当該土地を売却した場合、Cは民法第177条の第三者に当たるので、AがCに土地所有権を主張するには登記が必要である。

オ　AがBに土地を売却したが、Bの債務不履行を理由にAは契約を解除した。その後、BがCに当該土地を売却した場合、Cは民法第545条第1項によって保護されるので、CがAに土地所有権を主張するには登記は不要である。

1　ア・ウ
2　ア・エ
3　イ・エ
4　ウ・エ
5　エ・オ

【公務員試験アレンジ問題】

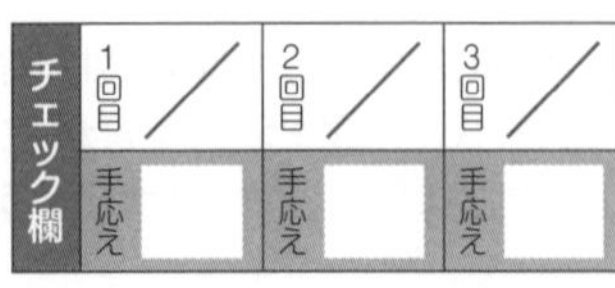

解説

テキスト
第2編

ア　妥当である　本肢では、AがBおよびCに土地を二重譲渡していることから、BCは対抗関係に立ち、両者の優劣は177条で決せられることになります。そして、判例は、177条の「第三者」に、登記の欠缺を主張する正当の利益を有する者をいい（大判明41.12.15）、**単なる悪意者も含むとしています**（最判昭32.9.19）。したがって、Bへの売却の事実を知っているCも177条の「第三者」にあたるので、BがCに土地所有権を主張するには登記が必要となります。　P.82

イ　妥当でない　相続する権利の承継は、遺産の分割によるものかどうかにかかわらず、法定相続分を超える部分については、登記、登録その他の対抗要件を備えなければ、第三者に対抗することができないとされています（899条の2第1項）。これに対し、CがDに法定相続分としての自己の持分権を主張するには登記は不要です。　P.89

ウ　妥当でない　判例は、**時効取得者は、時効完成前の第三者に対して、登記なくして所有権を対抗できる**としています（最判昭41.11.22）。両者は時効によって同一の権利を取得し喪失する点で当事者と同視できるからです。したがって、Cは177条の「第三者」にあたらないので、BがCに土地所有権を主張するには登記が不要です。　P.87

エ　妥当である　判例は、取消後の第三者との関係は、対抗要件の問題として扱うことになります（詐欺取消しにつき、大判昭17.9.30）。**取消後の第三者Cは177条の「第三者」にあたり、AとCは対抗関係に立つ**ので、AがCに土地所有権を主張するには登記が必要となります。　P.84

オ　妥当でない　判例は、545条1項但書で保護される「第三者」とは解除前の第三者をいうとしています（大判大10.5.17）。同条同項但書は解除の遡及効によって直接の影響を受ける第三者を保護する趣旨であるからです。そして、**解除後の第三者と解除権者との関係は、解除に伴う復帰的物権変動があったものとして、177条で処理する**としています（最判昭35.11.29）。したがって、解除後の第三者Cは545条1項但書によって保護されません。CがAに土地所有権を主張するには177条によって登記が必要となります。　P.86

以上より、妥当なものは**ア・エ**であり、正解は**2**となります。

正解　2

「〇〇と第三者」については、基本テキストの講義図解を見ながら状況を把握するようにしましょう。

物権法／動産物権変動

問題59 **即時取得に関する次のア～オの記述のうち、妥当なものの組合せはどれか。なお、争いのあるものは判例の見解による。**

ア　未成年者Aが、Bの所有するパソコンを盗み、善意・無過失のCに売却し、引き渡した後、Aの親権者DがAC間の売買契約を取り消した場合、Cは、当該パソコンの引渡時から２年が経過していれば、当該パソコンの所有権を取得することができる。

イ　Aが、Bの所有する、道路運送車両法による登録を受けている自動車を借り受けて占有していたにもかかわらず、当該自動車を善意・無過失のCに売却し、引き渡した場合、Cは当該自動車の所有権を取得することができる。

ウ　Aが、Bの所有するパソコンを借り受けて占有していたところ、Cが、当該パソコンを盗み、善意･無過失のDに売却し、引き渡した場合、Bのみならず、Aも、盗まれた時から２年間は、Dに対して当該パソコンの返還を求めることができる。

エ　Aが、Bの所有するパソコンを借り受けて占有していたにもかかわらず、当該パソコンをCに売却し、引き渡した場合、Cは、当該パソコンを即時取得するには、当該パソコンの引渡時に自己に過失がなかったことを立証しなければならない。

オ　Aが盗品であるパソコンを競売によって取得し占有している場合、Aは、その占有開始時において当該パソコンが盗品であることにつき善意･無過失であれば、被害者であるBから当該パソコンの返還請求を受けたとしても、買受代金相当額の支払を受けるまでは、当該請求を拒むことができ、また、当該パソコンの使用収益を行う権限を有する。

1　ア・イ
2　ア・ウ
3　イ・エ
4　ウ・オ
5　エ・オ

【公務員試験アレンジ問題】

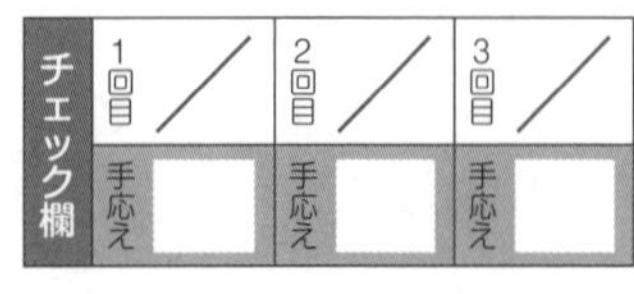

解説

テキスト
第2編

ア **妥当でない**　本肢のパソコンは「盗品」であることから、193条（肢ウの解説参照）の適用が問題となりますが、同条は192条の即時取得の要件を充足していることを前提とします。そして、即時取得が成立するためには、「取引行為」によって動産の占有を取得したことが必要ですが、その取引行為は有効でなければなりません（通説）。**即時取得は、前主の占有に対する信頼を保護する制度であって、無効な取引行為を有効とする制度ではない**からです。したがって、売主Aが未成年者であることを理由にAC間のパソコンの売買契約が取り消された場合、Aは無権利者であり、Cが善意・無過失であっても、Cによるパソコンの即時取得は認められません。 P.96

イ **妥当でない**　**即時取得の目的物は「動産」に限られます**（192条）。もっとも、即時取得は占有という権利の外形に対する信頼を保護するものであるから、その適用は占有が公示方法である動産に限られます。したがって、**道路運送車両法による登録を受けた自動車については、192条の適用はない**と解されています（最判昭62.4.24）。 P.95

ウ **妥当である**　192条の要件を充足する場合であっても、占有物が盗品または遺失物であるときは、「被害者又は遺失者」は、盗難または遺失の時から2年間、占有者に対してその物の回復を請求できます（193条）。**回復請求の主体は「被害者又は遺失者」であり、所有者のみならず、賃借人や受寄者も含まれます**。したがって、本肢の場合、所有者Bのみならず、Bから借り受けていたAも、盗まれた時から2年間は、Dに対して当該パソコンの返還を請求できます。

エ **妥当でない**　Cが当該パソコン（動産）を即時取得するためには、当該パソコンの引渡時（占有取得時）に平穏・公然・善意・無過失であることが必要です（192条）。平穏・公然・善意については、取得時効の場合（162条）と同様に、186条1項によって推定されます。また、**無過失については、188条によって前主Aが所有権を有すると推定される結果、Aと取引したCがAの所有権を信じても、過失がないと推定されます**（最判昭41.6.9）。したがって、即時取得を主張するCは、自己に過失がなかったことを立証する必要はありません。

オ **妥当である**　占有者Aが盗品であるパソコンを競売によって善意・無過失で買い受けたときは、被害者Bは、Aが支払った代価（買受代金）を弁償

解説

テキスト
第2編

しなければ、当該パソコンを回復することができません（194条）。したがって、Bからの当該パソコンの返還請求に対し、Aは支払った代価の弁償があるまで当該パソコンの引渡しを拒むことができます。この場合、**占有者Aは、代価の「弁償の提供があるまで盗品等の使用収益を行う権限を有する」と解されています**（最判平12.6.27）。なぜなら、被害者Bが回復をあきらめると、占有者Aは所有権の即時取得者として使用利益を享受しうるのに、被害者Bが代価弁償を選択したら、弁償以前の使用利益まで喪失するというのでは、占有者Aの地位があまりに不安定になるからです。

以上より、妥当なものは**ウ・オ**であり、正解は**4**となります。

正解 4

MEMO

物権法／所有権

A、B及びCが各３分の１の持分の割合で甲土地を共有している場合の法律関係に関する次のア～オの記述のうち、正しいものの組合せはどれか。

ア　Aは、B及びCの同意を得なければ、自己の持分を放棄することができない。

イ　甲土地につき共有物の分割の裁判を行う場合には、裁判所は、Aに債務を負担させて、B及びCの持分全部を取得させる方法による分割を命ずることもできる。

ウ　Cが所在不明である場合において、Aが甲土地にその形状又は効用の著しい変更を伴う変更を加えようとするときは、Aは、裁判所に対し、Bの同意を得てその変更を加えることができる旨の裁判を請求することができる。

エ　AがBに対して甲土地の管理費用の支払を内容とする金銭債権を有する場合において、BがDに甲土地の持分を譲渡したときは、Aは、Bに対してその債権を行使することができなくなる。

オ　Aが甲土地を駐車場として使用させる目的でDのために賃借権を設定する場合には、賃貸借の存続期間の長短にかかわらず、B及びCの同意が必要である。

1　ア・エ
2　ア・オ
3　イ・ウ
4　イ・エ
5　ウ・オ

【司法書士試験アレンジ問題】

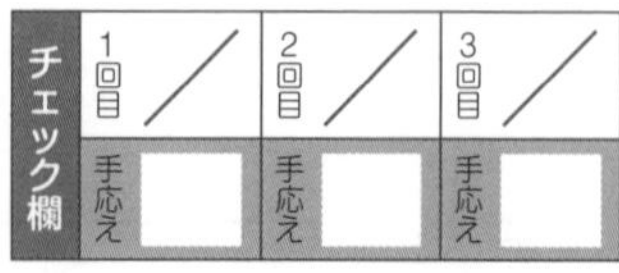

解説

テキスト
第2編

ア 誤 各共有者（A・B・C）は、共有物の全部について、その持分に応じた使用をすることができます（249条1項）。Aは、自己の持分を放棄することについて、**BおよびCの同意を得る必要はありません。**

イ 正 共有物の分割について共有者（A・B・C）間に協議が調わないとき、または協議をすることができないときは、その分割を裁判所に請求することができます（258条1項）。裁判所は、①「共有物の現物を分割する方法」（現物分割）、②「**共有者（A）に債務を負担させて、他の共有者（B・C）の持分の全部又は一部を取得させる方法**」（賠償分割）により、共有物の分割を命ずることができます（258条2項）。2021年の民法改正により、賠償分割に関するルールが明確化されました。 P.104

ウ 正 各共有者（A・B・C）は、他の共有者の同意を得なければ、共有物に変更（その形状または効用の著しい変更を伴わないものを除く。）を加えることができません（251条1項）。もっとも、**共有者（A）が他の共有者（C）を知ることができず、またはその所在を知ることができないときは、裁判所は、共有者（A）の請求により、当該他の共有者以外の他の共有者（B）の同意を得て共有物に変更（その形状または効用の著しい変更を伴わないものを除く。）を加えることができる旨の裁判をすることができます**（251条2項）。2021年の民法改正により、所在等不明共有者がいても共有物の変更を可能にする制度が設けられました。 P.102

エ 誤 共有者の一人（A）が共有物について他の共有者（B）に対して有する債権は、**その特定承継人（D）に対しても行使することができます**（254条）。

オ 誤 共有物についての**所定の期間を超えない**賃借権その他の使用および収益を目的とする権利（① 樹木の栽植または伐採を目的とする山林の賃借権等は10年、② **それ以外の土地の賃借権等は5年**、③ 建物の賃借権等は3年、④ 動産の賃借権等は6カ月）の設定は、**各共有者（A・B・C）の持分の価格に従い、その過半数で決します**（252条4項）。2021年の民法改正により、**所定の期間を超えない**賃借権等の設定について、**全員の同意がなくても、持分の価格の過半数で決定できる**ものとされました。 P.104

以上より、正しいものは**イ・ウ**であり、正解は肢**3**となります。

正解 3

物権法／所有権

共有に関する次のア～オの記述のうち、妥当なものの組合せはどれか。

ア　共有物である土地を不法に占有する者に対して、各共有者は、単独で、その共有物全部の返還を請求することができる。

イ　共有物である土地を不法に占有する者に対して、各共有者は、単独で、各自の共有持分の割合に応じた額を限度として損害賠償を請求することができる。

ウ　ある土地の共有者の一人が相続人なくして死亡した場合、その持分は国庫に帰属する。

エ　共有物である土地を５年間分割しない旨の共有者間の合意は、登記をしてなくても、その後に共有持分を譲り受けた者に対抗することができる。

オ　共有物である建物の賃借人が賃料の支払を遅滞したときは、各共有者は、単独で、賃貸借契約を解除することができる。

1　ア・イ
2　ア・ウ
3　イ・ウ
4　イ・エ
5　エ・オ

【公務員試験アレンジ問題】

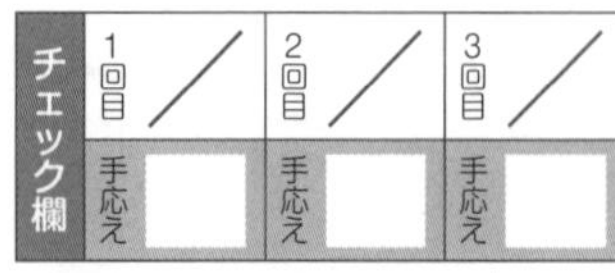

解説

テキスト第2編

ア　妥当である　共有物の不法占有者に対する返還請求は共有物の「保存行為」（252条5項）にあたるので、**各共有者は、「単独で」共有物「全部」の返還を請求できる**とするのが判例です（大判大10.6.13）。 P.103

イ　妥当である　共有物が不法占有者によって侵害された場合、**各共有者は不法占有者に対して損害賠償**（709条）**を請求することができます。**もっとも、当該損害賠償請求権は各共有者に持分の割合に応じて分割帰属し、**各共有者は、単独ではその持分相当額の損害賠償しか請求することはできません**（最判昭51.9.7）。 P.103

ウ　妥当でない　共有者の１人が相続人なくして死亡した場合は、その持分は「**他の共有者**」に帰属することになります（255条）。

エ　妥当でない　共有物の不分割の合意は、５年を超えない期間であれば有効ですが（256条１項但書）、不動産については登記事項とされているので（不動産登記法59条６号）、**登記**をしなければ共有持分を譲り受けた者（第三者）に対抗することはできません。 P.104

オ　妥当でない　**共有物の賃貸借契約の解除は共有物の「管理」行為**（252条１項）**にあたり、各共有者の持分価格の過半数で決定**され、この場合には544条１項（解除権の不可分性）は適用されません（最判昭39.2.25）。 P.102

以上より、妥当なものは**ア**・**イ**であり、正解は**1**となります。

正解　1

肢アと肢イの「共有物の不法占拠者に対する請求」は重要です。
しっかり押さえておきましょう。

物権法／占有権

占有権に関する次の記述のうち、妥当なものはどれか。

1 土地の所有者が自己所有地を他人に賃貸して土地を引き渡した場合、土地の占有権は賃借人に移転するから、所有者は土地の占有権を失う。

2 動産の質権者が占有を奪われた場合、占有回収の訴えによって質物を取り戻すことができるほか、質権に基づく物権的請求権によっても質物を取り戻すことができる。

3 だまされて任意に自己所有の動産を他人に引き渡した者は、占有回収の訴えを提起してその動産を取り戻すことができる。

4 土地賃借人である被相続人が死亡した場合、その相続人は、賃借地を現実に支配しなくても賃借人の死亡により当然に賃借地の占有権を取得する。

5 Aが横浜のB倉庫に置いてある商品をCに売却し、B倉庫の経営会社に対して以後はCのために商品を保管するように通知した場合、B倉庫会社がこれを承諾したときに占有権はAからCに移転する。

【本試験2002年問28】

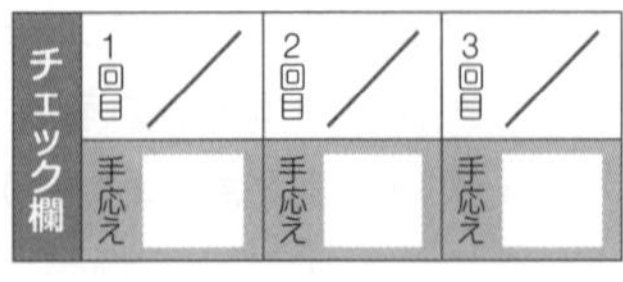

解説

テキスト
第2編

1 **妥当でない**　占有は、占有者が自ら直接物を支配する自己占有（直接占有）と、他人（占有代理人）を介して間接的に物を支配する代理占有（間接占有）とに分類されます。本肢の場合、土地の所有者である賃貸人は、賃借人を介して間接的に当該土地を支配することができるので、**代理占有（間接占有）を取得する**ことになります（181条）。よって、本肢の土地所有者は、土地賃借人に土地を引き渡しても土地の占有権を失うわけではありません。

2 **妥当でない**　**動産質権者は、質物の占有を奪われたときは、占有回収の訴えによってのみ、その質物を回復することができます**（353条）。動産質権者は、質権に基づく物権的請求権によって質物を取り戻すことはできません。動産質権の場合、目的物の占有を継続することが第三者に対する対抗要件となるため（352条）、目的物の占有を失ったときは質権を第三者に対抗できないからです。 P.127

3 **妥当でない**　占有者がその占有を奪われたときは、占有回収の訴えにより、その物の返還および損害の賠償を請求することができます（200条1項）。ここにいう**「占有を奪われた」とは、占有者がその意思によらずして物の所持を失った場合を指し、占有者が他人に任意に物を移転したときは、移転の意思が他人の欺罔によって生じた場合であっても、これにあたりません**（大判大11.11.27）。よって、占有者がだまされて任意に目的物を相手方に引き渡した場合は、占有回収の訴えを提起して目的物を取り戻すことはできません。 P.108

4 **妥当である**　**土地を耕作していた被相続人の当該土地に対する占有は、特別の事情のない限り、相続人により相続されます**（最判昭44.10.30）。占有権の承継のためには、支配可能性があれば足り、被相続人が事実上支配していた物は当然に相続人の支配に承継されるからです。

5 **妥当でない**　代理人によって占有する場合において、**本人がその代理人に対して以後第三者のためにその物を占有することを命じ、その第三者がこれを承諾したときは、その第三者は、占有権を取得します**（指図による占有移転／184条）。本肢の占有権の移転は、Aを本人、Bを占有代理人とし、Cを第三者とする指図による占有移転にあたります。本肢の場合、占有代理人であるBの承諾ではなく、第三者であるCが承諾したときに占有権がAからCに移転します。 P.93

正解　4

正解の肢4については、「被相続人が亡くなれば相続人が所有権を承継する。」のと同様に、「被相続人が亡くなれば相続人が占有権を承継する。」と考えましょう。

物権法／占有権

問題 63 XがYから預かっていた甲自転車を、ZがXに無断で持ち去った。民法の規定によれば、Xは、自らの占有権に基づき、Zに対して、どのような訴えにより、どのような期間に、甲自転車について、どのようなことを請求できるか。「Xは、Zに対して、甲自転車について、」に続けて、40字程度で記述しなさい。

Xは、Zに対して、甲自転車について、

【オリジナル問題】

チェック欄	1回目 ／	2回目 ／	3回目 ／
	手応え	手応え	手応え

解説

テキスト ▶ 第2編P.108

解答例（43字）

Xは、Zに対して、甲自転車について、

占	有	回	収	の	訴	え	に	よ	り	、	占	有	を	奪
わ	れ	た	時	か	ら	1	年	以	内	に	、	返	還	お
よ	び	損	害	賠	償	を	請	求	で	き	る	。		

本問は、占有訴権に関する知識を問うものです。

占有者がその**占有を奪われたときは、占有回収の訴えにより、その物の返還および損害の賠償を請求することができます**（200条1項）。占有回収の訴えは、**占有を奪われた時から1年以内に提起しなければなりません**（201条3項）。

占有回収の訴えは、①詐取や遺失の場合は行使できないこと、②善意の特定承継人には行使できないことも重要な知識です。合わせて確認しておきましょう。

物権法／担保物権

民法に規定する抵当権に関する次の記述のうち、妥当なものはどれか。

1 抵当権設定契約の当事者は、抵当権者と抵当権設定者であり、抵当権設定者は債務者に限られる。

2 抵当権の設定は、登記又は登録などの公示方法が可能なものに認められ、不動産だけでなく地上権や永小作権上にも設定することができる。

3 抵当権者は、被担保債権の一部の弁済があった場合においては、目的物の全部に対して抵当権を実行することができない。

4 抵当権者が利息を請求する権利を有するときは、いかなる場合でも、満期となった全期間の利息について、抵当権を実行し優先弁済を受けることができる。

5 抵当権は、抵当権設定者に不動産の使用又は収益権を留保する制度であり、抵当不動産から生じた果実に抵当権の効力が及ぶことは一切ない。

【公務員試験アレンジ問題】

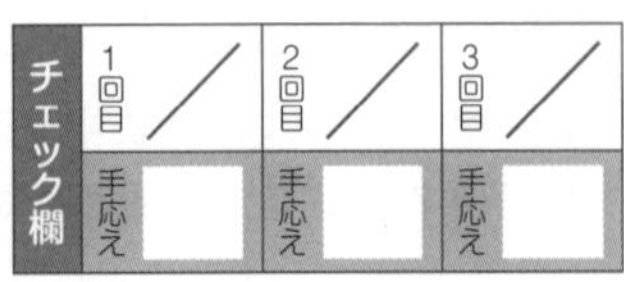

解説

テキスト
第2編

1 **妥当でない** 抵当権設定契約の当事者は、抵当権者（債権者）と抵当権設定者になります。普通は、**抵当権設定者は債務者ですが、債務者以外の第三者（物上保証人）であってもよい**とされています。 P.115

2 **妥当である** 抵当権は、登記・登録などの公示方法が可能なものについて設定することができます。そして、民法は、**不動産**（369条1項）**だけでなく、地上権および永小作権も抵当権の目的として認めています**（同条2項）。

3 **妥当でない** 抵当権の効力は、**被担保債権の全部の弁済があるまで**は、**抵当目的物の全部に及びます**（372条・296条）。そのため、被担保債権の全部の弁済があるまでは、抵当権者は、目的物の全部に対して抵当権を実行することができます。このことを、**抵当権の不可分性**といいます。 P.114

4 **妥当でない** 抵当権者は、利息その他の定期金を請求する権利を有するときは、**その満期となった最後の2年分についてのみ、抵当権を実行できます**（375条1項本文）。これは、抵当権は、目的物が設定者の手元に置かれ、抵当権設定後も後順位抵当権者や一般債権者などの第三者が目的物について利害関係を持つことが多いので、抵当権者の優先弁済権の範囲を一定に限定して、第三者の保護を図るためのものです。 P.117

5 **妥当でない** 抵当権設定者は、抵当権設定後も抵当不動産を使用・収益することが許されるので、抵当不動産から生じた果実は、本来、抵当権設定者に帰属し、これに抵当権の効力は及びません。しかし、**債務不履行後は抵当不動産の果実に抵当権の効力が及ぶ**とされています（371条）。なお、債務不履行後は、法定果実たる賃料に物上代位（372条・304条）をすることで、債権を回収することもできます。

正解 2

野畑のワンポイント

正解の肢2について、抵当権は「お金の回収を確実にする権利」ですから、不動産（所有権）だけでなく、財産的な価値のある地上権や永小作権にも設定できると覚えましょう。

物権法／担保物権

物上代位権に関する次の記述のうち、妥当なものはどれか。

1 担保の目的物が滅失又は損傷したような場合に、担保設定者の受けるべき金銭その他の物に担保権の効力を及ぼすことができるとする物上代位権は、民法の定める担保物権のうち、先取特権と抵当権には認められるが、担保権者が目的物を占有する留置権と質権には認められない。

2 抵当権設定契約がされ登記が経由された後に成立した抵当不動産の賃貸借契約の締結後に抵当不動産が転貸された場合、転貸人は、抵当不動産をもって被担保債権の履行について物的責任を負担するものではなく、抵当権者は、転貸人である抵当不動産の賃借人を所有者と同視することを相当とするときを除いて、転貸賃料債権について物上代位権を行使することはできない。

3 買戻特約付売買の買主から目的不動産につき抵当権の設定を受けた者は、買戻権の行使により買主が取得した買戻代金債権を、抵当権に基づく物上代位権の行使として差し押さえることができない。

4 抵当権は、抵当権の実行までは抵当権設定者に使用及び収益を認める非占有担保権であるから、その効力は目的不動産の賃料債権には及ばず、抵当権者は、目的不動産の賃料債権については物上代位権を行使することができない。

5 債権について一般債権者の差押えと抵当権者の物上代位権に基づく差押えが競合した場合、両者の優劣は一般債権者の申立てによる差押命令の第三債務者への送達と、抵当権者の申立てによる差押命令の第三債務者への送達の先後によって決せられる。

【公務員試験アレンジ問題】

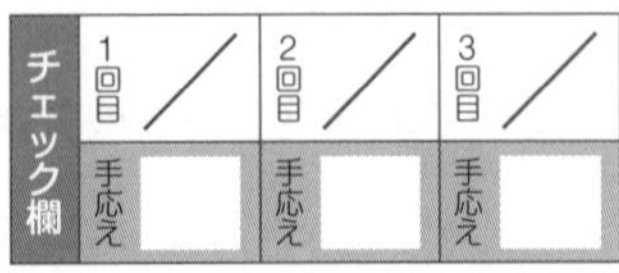

解説

テキスト
第2編

1 **妥当でない**　優先弁済的効力を有する先取特権（303条）・質権（342条）・抵当権（369条）には物上代位性が認められます（304条・350条・372条）。**優先弁済的効力を有しない留置権**（295条）**には物上代位性が認められません。**

2 **妥当である**　抵当権設定者から抵当不動産を賃借した者がさらに転貸した場合における**転貸賃料債権に対する物上代位について、判例は、抵当不動産の賃借人を抵当権設定者と同視することを相当とする場合を除き、否定しました**（最決平12.4.14）。 P.118

3 **妥当でない**　判例は、本肢の事案で、**買戻権の行使により買主が取得した買戻代金債権に対する物上代位を認めています**（最判平11.11.30）。 P.119

4 **妥当でない**　判例は、**抵当権の目的不動産が賃貸された場合における賃料債権に対する物上代位について、**抵当権と同じ非占有担保である先取特権では明文上、賃料への物上代位が認められていること（304条1項）、**賃料への物上代位を認めても、設定者の目的物に対する使用を妨げるものではないことを理由に肯定しています**（最判平元.10.27）。 P.118

5 **妥当でない**　判例は、**債権について一般債権者の差押えと抵当権者の物上代位権に基づく差押えが競合した場合について、一般債権者の申立てによる差押命令の第三債務への送達と抵当権設定登記の先後によって決すべき**であるとしています（最判平10.3.26）。 P.119

正解　2

野畑のワンポイント

物上代位が認められる場合について確認しておきましょう。

【物上代位の可否】

①目的物の売却による代金請求権	○
②目的物の滅失、損傷によって設定者が受けるべき保険金の請求権	○
③第三者が抵当権の目的不動産を滅失または損傷させた場合に生ずる所有者の不法行為に基づく損害賠償請求権	○
④賃料債権	○
⑤転貸賃料債権	原則×
⑥買戻代金債権	○

物権法／担保物権

問題66 **Aは、Bに対する債務を担保するため、Bのために A所有の甲地に抵当権を設定し、この抵当権が実行されてCが甲地を買い受けた。法定地上権に関する次の記述のうち、正しいものはどれか。**

1 抵当権設定当時甲地にA所有の建物が建っていたが、Aが抵当権設定後この建物を取り壊して旧建物と同一規模の新建物を建てた場合、新建物のために法定地上権は成立しない。

2 抵当権設定当時甲地にA所有の建物が建っていたが、Aが抵当権設定後この建物をDに譲渡し、Dのために甲地に賃借権を設定した場合、この建物のために法定地上権は成立しない。

3 抵当権設定当時甲地にはE所有の建物が建っていたが、抵当権設定後この建物をAが買い受け、抵当権実行当時この建物はAの所有となっていた場合、この建物のために法定地上権は成立しない。

4 Bのための一番抵当権設定当時甲地は更地であったが、Fのために二番抵当権が設定される前に甲地に建物が建てられた場合、Fの申立てに基づいて土地抵当権が実行されたときは、この建物のために法定地上権が成立する。

5 抵当権設定当時甲地にはA所有の建物が建っていたが、この建物が地震で倒壊したため、抵当権者の承諾を得て建物を建築することになっていた場合、競売後に建物が建築されれば、その建物のために法定地上権が成立する。

【本試験2001年問28】

チェック欄	1回目 ／	2回目 ／	3回目 ／
	手応え	手応え	手応え

解説

テキスト 第2編

法定地上権とは、抵当権設定当時、土地と建物の所有者が同一である場合に、土地および建物、または土地・建物のいずれか一方に抵当権が設定され、抵当権実行の結果、土地と建物の所有者が異なることになった場合に、建物所有者のために法律上当然に設定される地上権をいいます（388条）。

1 誤 **土地および建物の所有者が土地に抵当権を設定した後に建物を取り壊し、新建物を建てた場合は**、旧建物が存在する場合におけるのと同一の範囲内で新建物のために**法定地上権が成立します**（大判昭10.8.10）。 P.122

2 誤 **抵当権が設定された当時、同一の所有者に属していた土地・建物が、抵当権実行の際に各別の所有者に属していても、建物には法定地上権が成立します**（大判大12.12.14）。本肢でも抵当権設定時の土地・建物の所有者はともにAであるから、その後、建物がDに譲渡されても、建物のために法定地上権が成立します。 P.122

3 正 **抵当権設定当時、土地・建物の所有者が異なる場合には**、その土地または建物に対する抵当権の実行による買受けの際、たまたま、土地・建物が同一の所有者に帰しても、**法定地上権は成立しません**（最判昭44.2.14）。 P.122

4 誤 判例は、「土地の抵当権設定当時、その地上に建物が存在しなかつたときは、民法388条の規定の適用はないものと解すべきところ、**土地に対する先順位抵当権の設定当時、その地上に建物がなく、後順位抵当権設定当時には建物が建築されていた場合に、後順位抵当権者の申立により土地の競売がなされるときであつても**、右土地は先順位抵当権設定当時の状態において競売されるべきものであるから、**右建物のため法定地上権が成立するものではない**と解される。」としています（最判昭47.11.2）。 P.123

5 誤 **抵当権設定時には建物が存在したが、その後、当該建物が滅失した場合**において、滅失後、**再築されないうちに、土地に設定されている抵当権が実行されたときは、法定地上権は成立しません。** P.122

法定地上権はとにかく要件を覚えて事例に当てはめることが重要です。繰り返し練習をしておきましょう。

物権法／担保物権

抵当権に関する次のア〜オの記述のうち、妥当なものの組合せはどれか。

ア　抵当権は目的物の利用を伴わない価値権であるため、第三者が抵当不動産を不法占有することにより抵当不動産の交換価値の実現が妨げられ抵当権者の優先弁済権の行使が困難となるような状態があるときであっても、抵当権に基づく妨害排除請求として、抵当権者が当該状態の排除を求めることは認められない。

イ　抵当権者は、債務者である抵当権設定者から被担保債権の一部について弁済を受けた場合であっても、被担保債権全部について弁済を受けるまでは、目的物の全部について抵当権を実行することができる。

ウ　抵当権設定契約は、諾成契約であり、当事者の合意のみで効力を生ずる。

エ　抵当権設定当時に土地及び建物の所有者が異なっていた場合であっても、その土地又は建物に対する抵当権の実行による競落の際に、土地及び建物が同一人の所有に帰していたときは、法定地上権の成立が認められる。

オ　抵当権の目的物が第三者の放火により焼失した場合、抵当権者は、目的物の所有者である抵当権設定者が取得した請求権のうち、損害賠償請求権に対しては物上代位権を行使することができるが、火災保険金請求権に対しては物上代位権を行使することができない。

1　ア・エ
2　ア・オ
3　イ・ウ
4　イ・オ
5　ウ・エ

【公務員試験アレンジ問題】

チェック欄	1回目	／	2回目	／	3回目	／
	手応え		手応え		手応え	

解説

テキスト
第2編

ア　妥当でない　判例は、「第三者が抵当不動産を不法占有することにより**抵当不動産の交換価値の実現が妨げられ抵当権者の優先弁済請求権の行使が困難となるような状態があるときは、抵当権に基づく妨害排除請求として、抵当権者が右状態の排除を求めることも許される**」としています（最大判平11.11.24）。 P.120

イ　妥当である　抵当権には**不可分性**があり、抵当権者は、**被担保債権の全部の弁済を受けるまでは、目的物の全部について抵当権を行使することができます**（372条・296条）。 P.114

ウ　妥当である　抵当権設定契約は、**諾成契約**であり、**債権者と抵当権設定者（債務者または第三者）の合意のみで効力を生じます**（176条）。 P.115

エ　妥当でない　法定地上権が成立するためには、抵当権設定当時に土地と建物が同一の所有者に属することが必要です（388条前段）。これに対し、**抵当権設定当時、土地と建物の所有者が異なるときには、**両者の間で土地利用権が設定されているはずですから、法定地上権を認める必要はありません。本肢のように、その後に土地と建物が同一人の所有に帰したとしても、土地利用権は混同の例外として存続すると考えられるので（179条1項但書参照）、**法定地上権は成立しません**（最判昭44.2.14）。 P.122

オ　妥当でない　抵当権は、物上代位性を有し、その目的物の滅失または損傷によって抵当権設定者が受けるべき金銭その他の物に対しても行使することができます（372条・304条1項本文）。本肢のように、**抵当権の目的物が第三者の放火（不法行為）により焼失した場合、第三者に対する損害賠償請求権**（709条）**が物上代位の対象となり**（大判大6.1.22）、**火災保険金請求権についても物上代位が認められます**（大判大12.4.7）。 P.118

以上より、妥当なものは**イ・ウ**であり、正解は**3**となります。

正解　3

物権法／担保物権

問題68 **質権に関する次の記述のうち、民法の規定および判例に照らし、妥当でないものはどれか。**

1 動産質権者は、継続して質物を占有しなければ、その質権をもって第三者に対抗することができず、また、質物の占有を第三者によって奪われたときは、占有回収の訴えによってのみ、その質物を回復することができる。

2 不動産質権は、目的不動産を債権者に引き渡すことによってその効力を生ずるが、不動産質権者は、質権設定登記をしなければ、その質権をもって第三者に対抗することができない。

3 債務者が他人の所有に属する動産につき質権を設定した場合であっても、債権者は、その動産が債務者の所有物であることについて過失なく信じたときは、質権を即時取得することができる。

4 不動産質権者は、設定者の承諾を得ることを要件として、目的不動産の用法に従ってその使用収益をすることができる。

5 質権は、債権などの財産権の上にこれを設定することができる。

【本試験2019年問31】

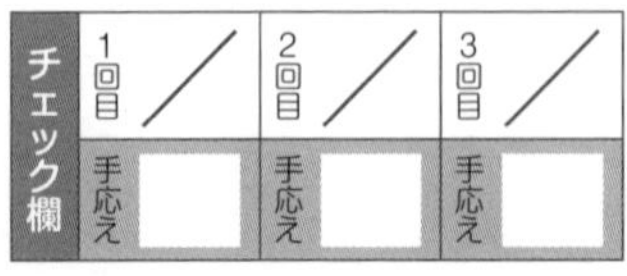

解説

テキスト
第2編

1 **妥当である** 動産質権者は、継続して質物を占有しなければ、その質権をもって第三者に対抗することはできません（352条）。**動産質権者は、質物の占有を奪われたときは、占有回収の訴えによってのみ、その質物を回復することができます**（353条）。 P.127

2 **妥当である** 質権の設定は、債権者にその目的物を引き渡すことによって、その効力を生じます（344条）。**不動産質権者は、質権設定登記をしなければ、その質権をもって第三者に対抗することができません。** P.127

3 **妥当である** 債務者が他人の所有に属する動産につき質権を設定した場合であっても、**債権者は、その動産が債務者の所有物であることについて過失なく信じたときは、質権を即時取得**（192条）**することができます。**

4 **妥当でない** **不動産質権者は**、質権の目的である不動産の用法に従い、**その使用および収益をすることができます**（356条）。質権設定者の承諾は不要です。 P.127

5 **妥当である** 質権は、財産権をその目的とすることができます（362条1項）。 P.127

正解 4

物権法／担保物権

問題69 **留置権に関する次のア～オの記述のうち、民法の規定および判例に照らし、誤っているものの組合せはどれか。**

ア 留置権は、担保されるべき債権が弁済期にないときは、成立しない。

イ 留置権者は、目的物の滅失によって債務者が受けるべき金銭その他の物に対して物上代位することができる。

ウ 留置権者が債務者の承諾を得ずに留置物を賃貸した場合、債務者は、留置権の消滅を請求することができる。

エ 留置権においては、目的物の留置自体により被担保債権の権利行使がされていることになるから、債権者が目的物を占有している限り、被担保債権が時効消滅することはない。

オ 留置権者は、留置権の目的物が第三者に譲渡された場合でも、目的物に関して生じた債権の全部の弁済を受けるまでは、当該第三者に対して留置権を主張することができる。

1 ア・ウ
2 ア・エ
3 イ・エ
4 イ・オ
5 ウ・オ

【オリジナル問題】

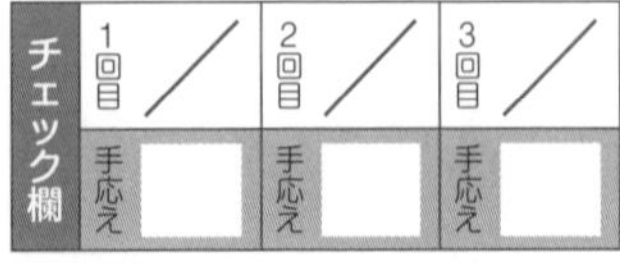

解説

テキスト 第2編

ア　正　留置権は、**被担保債権が弁済期にないときは成立しません**（295条1項但書）。留置権行使の前提として、被担保債権を行使しうることが必要だからです。 P.128

イ　誤　先取特権・質権・抵当権には、物上代位権がそれぞれ認められています（304条・350条・372条）。これに対し、**留置権には、物上代位権は認められていません。**留置権は、目的物の交換価値を把握し、その物から優先弁済を受ける権利ではないからです。

ウ　正　留置権者は、債務者の承諾を得なければ、留置物を使用し、賃貸し、または担保に供することができません（298条2項本文）。**留置権者が、298条1項・2項の規定に違反したときは、債務者は、留置権の消滅を請求することができます**（298条3項）。よって、留置権者が債務者の承諾を得ずに留置物を賃貸した場合、債務者は、留置権の消滅を請求することができます。 P.130

エ　誤　留置権の行使は、債権の消滅時効の進行を妨げません（300条）。留置権の行使、すなわち目的物を留置していることそのものは、債権自体を行使することではないからです。よって、**目的物を留置したとしても、被担保債権の消滅時効は進行します。**

オ　正　留置権者は、債権の全部の弁済を受けるまでは、目的物の全部につき留置権を主張することができます（296条）。判例は、「留置権が成立したのち債務者からその目的物を譲り受けた者に対しても、債権者がその留置権を主張しうることは、留置権が物権であることに照らして明らかである」としています（最判昭47.11.16）。よって、**留置権者は、留置権の目的物が第三者に譲渡された場合でも、目的物に関して生じた債権の全部の弁済を受けるまでは、当該第三者に対して留置権を主張することができます。** P.130

以上より、誤っているものは**イ・エ**であり、正解は**3**となります。

正解　3

肢オについて、第三者に対しても主張できる留置権（物権）と、契約の相手方に対してしか主張できない同時履行の抗弁権（債権）の違いを理解しておきましょう。

物権法／担保物権

問題 70 Aは、自己の所有する甲土地をBに売却して登記を移転したうえで、甲土地の明渡しについては代金の支払いと引換えに履行することを約した。その後、Bは、Aに代金を支払わないうちに、甲土地をCに転売して登記を移転した。CがAに対して甲土地の明渡しを請求した場合に、Aは、どのような権利を保全するために、どのようなことがあるまで、どのような権利を行使することができるか。40字程度で記述しなさい。

【オリジナル問題】

チェック欄	1回目 ／	2回目 ／	3回目 ／
	手応え	手応え	手応え

解説

テキスト ▶ 第2編P.130

解答例（43字）

A	は	B	に	対	す	る	代	金	債	権	を	保	全	す
る	た	め	に	、	代	金	の	支	払	い	を	受	け	る
ま	で	、	留	置	権	を	行	使	で	き	る	。		

本問は、留置権に関する知識を問うものです。

他人の物の占有者は、その物に関して生じた債権を有するときは、その債権の弁済を受けるまで、その物を留置することができます（295条1項本文）。ただし、その債権が弁済期にないときは、この限りではありません（295条1項但書）。295条1項の規定は、占有が不法行為によって始まった場合には、適用されません（295条2項）。

判例は、「**留置権が成立したのち債務者からその目的物を譲り受けた者に対しても、債権者がその留置権を主張しうることは、留置権が物権であることに照らして明らかである**」としています（最判昭47.11.16）。

これを本問についてみると、売主Aの買主Bに対する代金債権は「その物に関して生じた債権」にあたるから、Aは、Bに対する代金債権を保全するために、代金の支払いを受けるまで、甲土地について留置権を行使することができます。さらに、**Aは、留置権が成立したのち債務者Bから甲土地を譲り受けたCに対しても、その留置権を行使することができます。**

同時履行の抗弁権（533条）は、契約の相手方以外に主張できないことも押さえておきましょう。

債権法／債権の効力

民法に規定する債務不履行に関する次の記述のうち、妥当なものはどれか。

1 債権者が債務の履行を受けることを拒み、又は受けることができない場合、その債務の目的が特定物の引渡しであるときは、債務者は、履行の提供をした時からその引渡しをするまで、自己の財産に対するのと同一の注意をもって、その物を保存すれば足りる。

2 債務の履行について不確定期限がある場合、債務者がその期限の到来したことを既に知っていたとしても、債務者は、その期限の到来した後に履行の請求を受けた時から遅滞の責任を負う。

3 金銭の給付を目的とする債務不履行における損害賠償については、必ず債権者が損害の証明をしなければならない。

4 当事者は、債務不履行について損害賠償額を予定することができない。

5 最高裁判所の判例では、不動産の二重売買において、一方の買主に対する売主の債務は、他の買主に対する所有権移転登記が完了した時点ではなく、契約した時点で履行不能となるとした。

【公務員試験アレンジ問題】

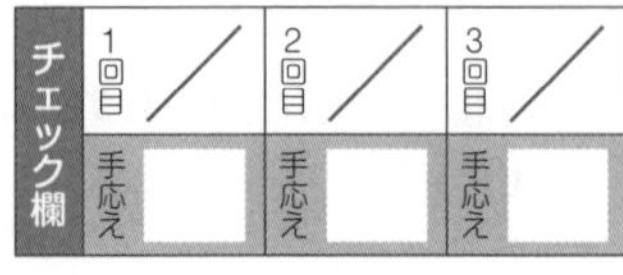

解説

テキスト 第2編

1 **妥当である** 債権者が債務の履行を受けることを拒み、または受けることができない場合（受領遅滞）、その債務の目的が特定物の引渡しであるときは、**目的物の保管に関する債務者の注意義務の程度が善良な管理者の注意**（400条）**から自己の財産に対するのと同一の注意に軽減**されます（413条1項）。

2 **妥当でない** 不確定期限がある債務については、債務者は、**その期限の到来した後に履行の請求を受けた時またはその期限の到来したことを知った時のいずれか早い時**から遅滞の責任を負うことになります（412条2項）。 P.141

3 **妥当でない** **金銭の給付を目的とする債務（金銭債務）の不履行については、損害について債権者は証明をすることを要しません**（419条2項）。これは、金銭は通常だれにとってもほぼ同じ価値を有することから、金銭債務の履行遅滞について画一的に扱う趣旨になります。 P.144

4 **妥当でない** 損害の有無やその額について債権者が証明しなければならないという困難を回避するため、**将来の債務不履行に備えて、あらかじめ損害賠償の額を契約によって定めること（損害賠償額の予定）ができます**（420条1項）。 P.143

5 **妥当でない** 不動産の売買契約において、売主が当該不動産を二重に譲渡した場合、**一方の買主に対する所有権移転登記が完了した時点で、他方の買主に対する当該不動産の所有権を移転すべき債務は履行不能になる**とするのが判例です（最判昭35.4.21）。 P.141

正解 1

肢1は、「債務者はやるべきことをやったのだから、その後の保管について注意義務を軽くしてあげる。」という感覚でみておくとよいでしょう。

債権法／債権の効力

問題72 **債務不履行に関する次のア～エの記述のうち、判例の趣旨に照らし、誤っているものの組合せはどれか。**

ア 特別の事情によって生じた損害については、債務者は、その債務の成立時に当該特別の事情を予見し、又は予見することができた場合に限り、債務不履行に基づく賠償責任を負う。

イ 雇用契約上の安全配慮義務に違反したことを理由とする債務不履行に基づく損害賠償債務は、その原因となった事故の発生した日から直ちに遅滞に陥る。

ウ 他人の権利を目的とする売買の売主は、当該権利を取得して買主に移転することができない場合には、契約の時にその権利が売主に属しないことを買主が知っていたとしても、債務不履行に基づく損害賠償責任を負う。

エ 不動産の買主は、売主が当該不動産を第三者に売却し、かつ、当該第三者に対する所有権の移転の登記がされた場合には、履行不能を理由として直ちに契約を解除することができる。

1 ア・イ
2 ア・ウ
3 イ・ウ
4 イ・エ
5 ウ・エ

【司法書士試験アレンジ問題】

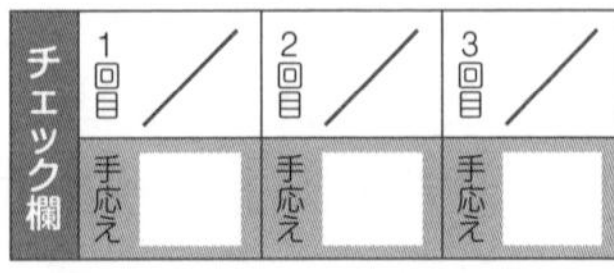

解説

テキスト
第2編

ア　誤　**特別の事情によって生じた損害であっても、当事者がその事情を予見すべきであったときは、債権者は、その賠償を請求することができます**（416条2項）。この点、特別の事情によって生じた損害の**予見可能性の判断時期は債務不履行時**と解されます（大判大7.8.27、最判昭37.11.16）。 P.143

イ　誤　安全配慮義務違反を理由とする債務不履行に基づく損害賠償債務は、期限の定めのない債務であり、**債権者から履行の請求を受けた時**に履行遅滞となります（最判昭55.12.18）。

ウ　正　他人の権利（権利の一部が他人に属する場合におけるその権利の一部を含む。）を売買の目的としたときは、売主は、その権利を取得して買主に移転する義務を負います（561条）。この点、**売主が買主に権利を移転することができないときは、買主は、債務不履行の一般原則の規定**（415条）**に従い、損害賠償の請求をすることができます。** P.192

エ　正　債務の全部の履行が不能であるときは、債権者は、催告をすることなく、直ちに契約の解除をすることができます（542条1項1号）。この点、履行不能とは、物理的不能に限らず、社会的・法律的不能も含み、**売主が売買の目的不動産を第三者に譲渡し、所有権移転登記がされた場合には、特別の事情がない限り、売主の所有権移転義務は履行不能となり、買主は、催告をすることなく契約を解除することができます**（大判大2.5.12）。 P.187

以上より、誤っているものは**ア・イ**であり、正解は**1**となります。

正解　1

債権法／債権の効力

問題73 Aは自己の所有する甲建物をBに売却する旨の契約をして、Bから代金の支払いを受けた。甲建物の引渡しについては後日に履行するものとされたが、その履行期日を過ぎたのに、Aは甲建物の引渡しをしていない。民法の規定によれば、甲建物の引渡しが不能である場合や、Aが甲建物の引渡しを拒絶する意思を明確に表示した場合のほかに、BがAの履行遅滞を理由とするAB間の売買契約の解除権を取得するのは、どのような場合か。40字程度で記述しなさい。

									10					15

【オリジナル問題】

チェック欄	1回目 ／	2回目 ／	3回目 ／
	手応え	手応え	手応え

解説

テキスト ▶ 第2編P.186

解答例（40字）

B	が	A	に	対	し	て	相	当	の	期	間	を	定	め
て	履	行	の	催	告	を	し	た	が	、	そ	の	期	間
内	に	履	行	が	な	い	場	合	。					

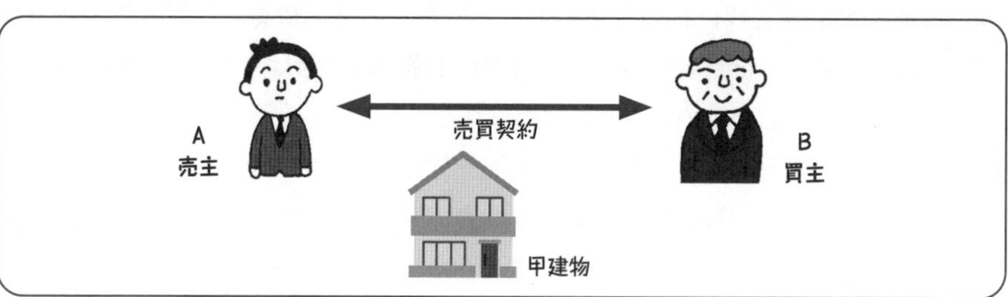

本問は、契約の解除に関する知識を問うものです。

当事者の一方がその債務を履行しない場合において、**相手方が相当の期間を定めてその履行の催告をし、その期間内に履行がないときは、相手方は、契約の解除をすることができます**（541条本文）。もっとも、「債務の全部の履行が不能であるとき」や「債務者がその債務の全部の履行を拒絶する意思を明確に表示したとき」などは、債権者は、催告をすることなく、直ちに契約の解除をすることができます（542条1項）。

本問では、Aが甲建物の引渡しの履行期日を過ぎたのに、その履行をしていないことから、原則として、BがAに対して相当の期間を定めて履行の催告をしたが、その期間内に履行がないときに、BはAの履行遅滞を理由とするＡＢ間の売買契約の解除権を取得します。

相当期間を定めていない催告でも当然に無効とはならず、客観的に相当な期間を経過すれば有効となる（解除ができる）という知識も押さえておきましょう。

債権法／責任財産の保全

債権者代位権に関する次の記述のうち、妥当なものはどれか。

1 債権者代位権は裁判上でのみ行使することができ、裁判外で行使することは認められない。

2 債権者が債権者代位権の行使によって債務者の第三債務者に対する金銭債権を行使する場合、債務者への金銭の引渡しを求めることはもちろん、債権者自身への直接の引渡しを求めることも認められる。

3 債権者が、自己の有する500万円の金銭債権を保全するために債務者の有する1,000万円の金銭債権を代位行使する場合、代位行使することができる金額は1,000万円全額であり、被保全債権である500万円に限定されない。

4 債権者代位権は債権者の債権の引当てとなる債務者の責任財産を保全するための制度であるから、被保全債権は金銭債権であることが必要であり、金銭以外の債権を保全するために用いることは認められない。

5 債権者代位における債権者は債務者の債権を代位行使するにすぎないから、自己の名で権利行使することは認められず、あくまで債務者の代理人としての地位に基づきこれを行使することができるにとどまる。

【公務員試験アレンジ問題】

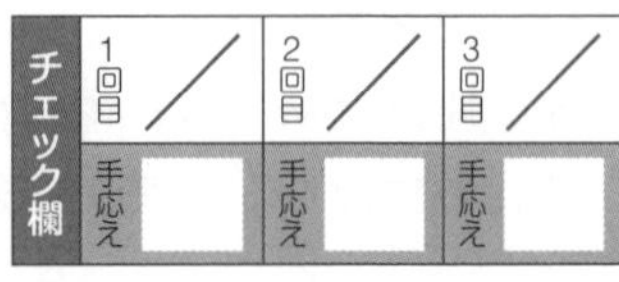

解説

テキスト
第2編

1 **妥当でない** 債権者代位権（423条1項）は、詐害行為取消権（424条1項）とは異なり、**裁判外で行使することもできます。** P.147

2 **妥当である** 債権者が債権者代位権（423条1項本文）の行使によって債務者の第三債務者に対する金銭債権を行使する場合、債権者は、第三債務者に対して、①債務者への弁済を求めることができるだけでなく、②**債権者自身への直接の支払いを求めることもできます**（423条の3前段）。②を認めないと、債務者が弁済の受領を拒絶しているときに代位権行使の目的を達成できないからです。 P.147

3 **妥当でない** 被代位権利の目的が可分である場合、債権者は、**自己の債権の額の限度においてのみ、被代位権利を行使することができます**（423条の2）。したがって、債権者が自己の有する500万円の金銭債権を保全するために、債務者の有する1,000万円の金銭債権を代位行使する場合、代位行使することができる金額は被保全債権である500万円の範囲に限定されることになります。 P.147

4 **妥当でない** 債権者代位権は、強制執行の準備として、債権者の債権の引当てとなる債務者の責任財産を保全するための制度であるから、被保全債権は「金銭債権」であることが予定されています。もっとも、**金銭債権以外の特定債権を実現するためにも、債権者代位権の行使が認められています**（債権者代位権の転用／423条の7参照）。 P.148

5 **妥当でない** 債権者代位権の行使は、債権者が自己の名で自ら債務者の債権を行使するものになります。**代位債権者は、債務者の代理人としてではなく、自己の名で債務者に属する権利を行使する**ことになります（大判昭9.5.22）。 P.145

正解 2

野畑のワンポイント

本問の選択肢はすべて重要です。間違えてしまった方は基本テキストで確認しておきましょう。

債権法／責任財産の保全

問題 75　債権者代位権および詐害行為取消権に関する次のア～オの記述のうち、誤っているものの組合せはどれか。

ア　ＡＢ間で土地の賃貸借契約が締結され、Ｂが当該土地を借り受けていたが、第三者Ｃが同土地上に勝手に建物の建築を始めた。この場合、Ｂは、ＡのＣに対する妨害排除請求権を代位行使することができる。

イ　金銭債権に基づいて債務者の金銭債権を代位行使する場合には、代位行使することができる債権の範囲は、責任財産保全の観点から、代位債権者の有する債権額に限定される。

ウ　詐害行為取消権を行使した債権者が第三債務者から金銭の引渡しを受けた場合、他の一般債権者は当該債権者に対して自己への分配請求をすることができる。

エ　離婚に伴う財産分与は、民法第768条第３項の規定の趣旨に反して不相当に過大であり、財産分与に仮託してされた財産処分であると認めるに足りるような特段の事情がない限り、詐害行為とはならない。

オ　債権者代位権及び詐害行為取消権を行使する場合には、裁判上の行使である必要はなく、裁判外においても、自由にこれを行使することができる。

1　ア・イ
2　イ・オ
3　ウ・エ
4　ウ・オ
5　エ・オ

【公務員試験アレンジ問題】

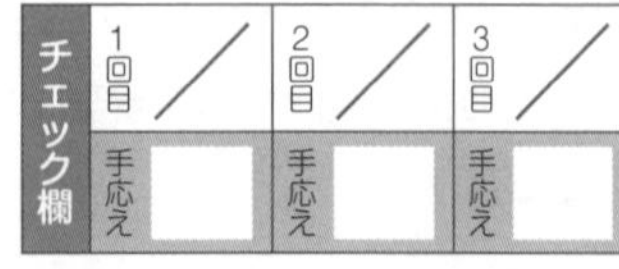

解説

テキスト
第2編

ア 正 債権者代位権（423条）は、債務者の責任財産の保全を図る制度なので、被保全債権としては金銭債権が予定されています。もっとも、金銭債権以外の特定債権を実現するためにも、債権者代位権の行使が認められています（債権者代位権の転用／423条の7参照）。本肢の場合、**Bは、Aに対して有する賃借権を被保全債権として、AのCに対する（所有権に基づく）妨害排除請求権を代位行使することができます**（大判昭4.12.16）。 P.149

イ 正 債権者代位権は、債権の保全のために例外的に債務者の財産処分への干渉が認められるものであるから、その行使の範囲は、債権保全のために必要最小限の範囲に限られます。したがって、**金銭債権の債権者が債務者の金銭債権を代位行使する場合には、代位行使できる範囲は、代位債権者の有する債権額に限られます**（423条の2）。 P.147

ウ 誤 判例は、第三債務者から金銭の引渡しを受けた取消債権者は、**他の一般債権者に対してその金銭を平等の割合で（債権額に応じて）分配すべき義務を負うものではない**としています（最判昭37.10.9）。取消債権者は優先弁済を受ける権利を取得するものではありませんが、現行法では他の債権者に分配する手続を欠くからです。

エ 正 財産権を目的としない法律行為は、詐害行為取消権の対象となりません（424条2項）。もっとも、**離婚に伴う財産分与**（768条）**について、判例は、①それが768条3項の規定に反して不相当に過大であり、②財産分与に仮託してなされた財産処分であると認めるに足りるような特段の事情のない限り、詐害行為とはならない**として（最判昭58.12.19）、取消しの余地を認めています。 P.151

オ 誤 債権者代位権は、裁判外でも行使することができます。これに対して、**詐害行為取消権は、必ず裁判上で行使しなければなりません**（424条1項本文）。これは、他人間の法律行為を取り消すというのは重大な効果であり、第三者にも影響が及ぶので、要件充足の有無を裁判所に判断させるべきだということによるものです。 P.154

以上より、誤っているものは**ウ・オ**であり、正解は**4**となります。

正解 4

債権法／責任財産の保全

問題 76 Aは、Bに対して、弁済期の到来している金銭債権を有しているが、Bが無資力に陥ったため、未だ弁済を受けていない。他方、Bは、Cに対して動産引渡請求権を有しているが、これを行使しようとせず、また、当該動産の引渡しを受けるつもりもないと言明している。このような事情の下で、Aは、Bに対する金銭債権を保全するために、Cに対して、どのような手段をとり、どのような内容の請求をすることができるか。「Aは、Bに対する金銭債権を保全するために、」に続けて、40字程度で記述しなさい。

Aは、Bに対する金銭債権を保全するために、

【オリジナル問題】

チェック欄	1回目	／	2回目	／	3回目	／
	手応え		手応え		手応え	

解説

テキスト ▶ 第2編P.147

解答例（44字）

Aは、Bに対する金銭債権を保全するために、

B	の	C	に	対	す	る	動	産	引	渡	請	求	権	を
代	位	行	使	し	て	、	直	接	自	己	に	引	き	渡
す	よ	う	請	求	す	る	こ	と	が	で	き	る	。	

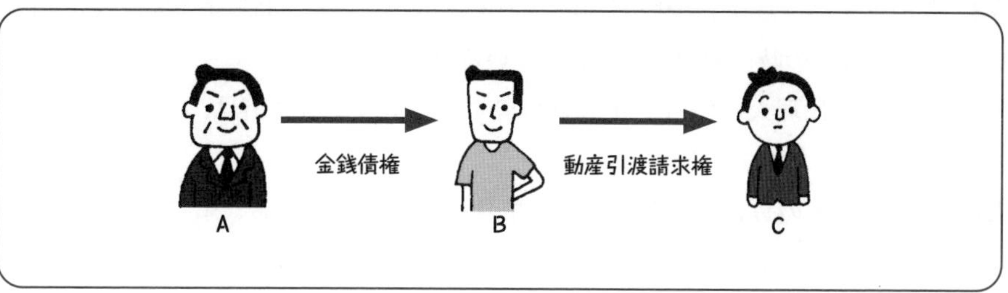

本問は、債権者代位権に関する知識を問うものです。

債権者は、自己の債権を保全するため、債務者に属する権利を行使することができます(423条1項本文)。すなわち、債務者が財産の減少を防止する措置を講じない場合、債権者が債務者に代わって、債務者の権利を行使することが認められます。本問では、債権者Aが、債務者Bに代わって、Bの有する動産引渡請求権を代位行使することになります。

本問では、Bは無資力であり、動産引渡請求権を行使していないこと、Aの債権の弁済期が到来していること等が認められ、債権者代位権の要件を満たしています。**債権者代位権は、債務者の権利を行使するものですから、引渡請求権に代位した場合は、原則として債務者に引き渡すよう求めることになります。**もっとも、**債務者が受領しない場合には、債権者代位権の目的を達することができません。そこで、債権者は、直接自己に引き渡すよう請求することもできます**（423条の3）。

債権法／債権の消滅

問題 77 **弁済に関する次の記述のうち、妥当なものはどれか。**

1 債務の弁済は、債務者以外の第三者が行うこともできるが、弁済をするについて正当な利益を有しない第三者が行うことはできない。

2 弁済をすべき場所について別段の意思表示がないときは、特定物の引渡し場所は、引渡しの時にその物が存在している場所である。

3 債権者の代理人と偽って弁済を請求する者に対する弁済は、弁済者が善意・無過失である場合でも無効である。

4 債務者がその負担した給付に代えて他の給付をする場合、債権者との合意がなくても、弁済と同一の効力を生じる。

5 債権者があらかじめ弁済の受領を拒む場合、債務者は口頭の提供をすれば足りるが、債権者が明白に受領を拒絶する場合は口頭の提供すら不要である。

【公務員試験アレンジ問題】

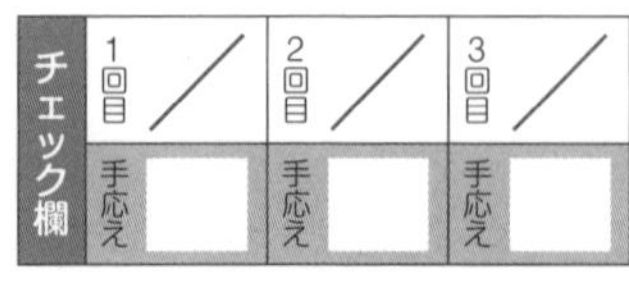

解説

テキスト
第2編

1 **妥当でない** 弁済は、債務の性質がそれを許さないときや当事者が禁止・制限する旨の意思表示をしたときでない限り、債務者以外の第三者もすることができます（474条1項・4項）。もっとも、**弁済をするについて正当な利益を有しない第三者は、原則として債務者または債権者の意思に反して弁済をすることはできません**（474条2項本文・3項本文）。したがって、債務者または債権者の意思に反しなければ、弁済をするについて正当な利益を有しない第三者も弁済をすることができます。 P.158

2 **妥当でない** 別段の意思表示がないときは、**特定物の引渡しは、債権発生時（契約成立時）にその物が存在した場所においてしなければなりません**（484条1項前段）。引渡しの時にその物が存在している場所とすると、債権者に調べる負担をかけてしまうためです。なお、それ以外の弁済は原則として債権者の現在の住所において行わなければなりません（持参債務の原則／484条1項後段）。

3 **妥当でない** 弁済の受領権限がない者に対する弁済であっても、受領権者としての外観を有する者に対して善意かつ無過失で弁済した場合、その弁済は有効とされます（478条）。**債権者の代理人と称する者（詐称代理人）も、受領権者としての外観を有する者**にあたります（最判昭37.8.21参照）。 P.160

4 **妥当でない** 代物弁済（482条）は、弁済と同じく債権を消滅させる行為です。**代物弁済は契約なので、債権者との合意が必要となります。**

5 **妥当である** 債務者は、弁済の提供をすれば、履行遅滞による債務不履行責任を免れます（492条）。債権者があらかじめ弁済の受領を拒む場合には、口頭の提供、すなわち、弁済の準備をしたことを通知して受領の催告をすれば弁済の提供になります（493条但書）。さらに、**債権者が明白に受領を拒絶する場合には、口頭の提供すら不要となります**（最大判昭32.6.5）。 P.157

正解 5

債権法／債権の消滅

問題 78 Aは、Bに対して100万円の借金をしている。Aの友人Cは、Aには他にも借金があって弁済をする資力のないことを知って、Aを助けるために、Aに代わって100万円をBに弁済し、Bはこれを受領した。民法の規定によれば、Cの弁済が有効なものとされるのは、どのような場合か。40字程度で記述しなさい。

【オリジナル問題】

チェック欄	1回目 ／	2回目 ／	3回目 ／
	手応え	手応え	手応え

解説

テキスト ▶ 第2編P.158

解答例（42字）

C	の	弁	済	が	A	の	意	思	に	反	し	な	い	場
合	、	ま	た	は	A	の	意	思	に	反	す	る	こ	と
を	B	が	知	ら	な	か	っ	た	場	合	。			

本問は、第三者の弁済に関する知識を問うものです。

債務の弁済は、原則として、第三者もすることができます（第三者の弁済／474条1項）。

もっとも、**弁済をするについて正当な利益を有する者でない第三者は、債務者の意思に反して弁済をすることができません**（474条2項本文）。ただし、**債務者の意思に反することを債権者が知らなかったときは、この限りではありません**（474条2項但書）。

よって、Aの友人Cの弁済は、Aの意思に反しない場合、またはAの意思に反することをBが知らなかった場合に、有効なものとされます。

野畑のワンポイント

第三者の弁済の可否について、確認しておきましょう。

［第三者弁済の可否］

<table>
<tr><th></th><th>正当な利益を有する第三者</th><th>正当な利益を有しない第三者</th></tr>
<tr><td>原則（474条1項）</td><td colspan="2">○</td></tr>
<tr><td>債務の性質上第三者弁済を許さない場合（474条4項）</td><td colspan="2">×</td></tr>
<tr><td>当事者が第三者の弁済を禁止、もしくは制限する旨を表示した場合（474条4項）</td><td colspan="2">×</td></tr>
<tr><td>債務者の意思に反する場合（474条2項）</td><td>○</td><td>原則：×
例外：○（債権者が知らなかった場合）</td></tr>
<tr><td>債権者の意思に反する場合（474条3項）</td><td>○</td><td>原則：×
例外：○（第三者が債務者の委託を受けて弁済する場合で、債権者がそれを知っていた場合）</td></tr>
</table>

債権法／債権の消滅

相殺に関する次のア～オの記述のうち、妥当なものの組合せはどれか。

ア　損害賠償の債務が悪意による不法行為に基づいて生じたときは、その債務者は相殺によって債権者に対抗することは原則として認められない。

イ　相殺は、相殺適状にある債権の債権者にとって担保的な機能を有し、当該担保的機能への期待は尊重されるべきであることから、民法上、差押禁止債権を受働債権として相殺を行うことも認められる。

ウ　相殺を行うには当事者双方の債務が弁済期にあることが要件とされているから、自働債権が弁済期にある場合であっても、受働債権が弁済期にないときには、受働債権の期限の利益を放棄して相殺を行うことも認められない。

エ　相殺が認められるためには、当事者相互が同種の目的を有する債務を負担することが必要であり、当事者双方の債務の履行地が同じであることが必要である。

オ　Ａに対する債権者Ｂが、ＡのＣ銀行に対する定期預金債権を差し押さえたところ、それを知ったＣが、差押え前から有していた、弁済期が差押え後に到来するＡに対する貸付債権を自働債権としてＡのＣに対する定期預金債権と相殺する旨の意思表示をした。この場合において、ＣはＢに対しその相殺をもって対抗することができる。

1　ア・イ
2　ア・オ
3　イ・ウ
4　ウ・エ
5　エ・オ

【公務員試験アレンジ問題】

チェック欄	1回目	2回目	3回目
	／	／	／
	手応え	手応え	手応え

解説

テキスト
第2編

ア 妥当である **損害賠償の債務が悪意による不法行為によって生じたときは、その債務者は、相殺をもって債権者に対抗することができません**（509条1号）。同条同号の趣旨は、不法行為の誘発の防止にあります。 P.163

イ 妥当でない 相殺は、相殺適状にある債権の債権者にとって（他の債権者に優先して回収できるという意味で）担保的な機能を有しており、当該担保的機能への期待は尊重されるべきです。しかし、**差押禁止債権の債務者は、これを受働債権として相殺することができません**（510条）。差押禁止の趣旨は、債権者の生活保障に関わる債権につき現実の給付を確保することであるから、その趣旨を貫徹するために債務者による相殺も禁止しています。 P.163

ウ 妥当でない 相殺を行うには、「双方の債務が弁済期にある」ことが要件となります（505条1項本文）。弁済期にない債権を自働債権とする相殺を認めると、債務者の期限の利益を一方的に奪うことになるからです。しかし、自働債権が弁済期にある場合、受働債権が弁済期にないときでも、債務者は原則として期限の利益を放棄できるので（136条2項本文）、**債務者が受働債権の期限の利益を放棄して相殺を行うことは可能となります。** P.162

エ 妥当でない 相殺が認められるためには、当事者相互が「同種の目的」を有する債務を負担することが必要となります(505条1項本文)。もっとも、**「双方の債務の履行地が異なるときであっても」、相殺することができます**（507条前段）。履行地が異なる債務の相殺により当事者の利益が害されることもありえますが、民法は相殺の利益を優先し、害される利益については損害賠償（同条後段）で解決することにしました。

オ 妥当である AのC銀行に対する定期預金債権が差し押さえられたところ、第三債務者Cが債務者Aに対して貸付債権を有していた場合、**貸付債権は「差押え前に取得した債権」であるから、その債権（自働債権）と被差押債権（受働債権）の弁済期の前後を問わず、相殺適状に達しさえすれば、その債権を自働債権とする相殺が認められます**（511条1項後段）。 P.164

以上より、妥当なものは**ア・オ**であり、正解は**2**となります。

正解 2

債権法／多数当事者間の債権債務関係

連帯債務に関する次の記述のうち、妥当なものはどれか。

1 連帯債務者の１人に対して行った履行の請求は、他の連帯債務者に対してもその効力が及ぶ。

2 反対債権を有する連帯債務者が相殺を援用しない間は、その連帯債務者の負担部分を超えて、他の連帯債務者は、債権者に対して債務の履行を拒むことができる。

3 債権者が連帯債務者の１人に対して行った債務の免除の効力は、その連帯債務者の負担部分については、他の連帯債務者にも及ぶ。

4 連帯債務者の１人のために消滅時効が完成しても、その効力は、他の連帯債務者には及ばない。

5 連帯債務者の１人が債務の承認を行った場合、その効力は、他の連帯債務者に対しても及ぶ。

【公務員試験アレンジ問題】

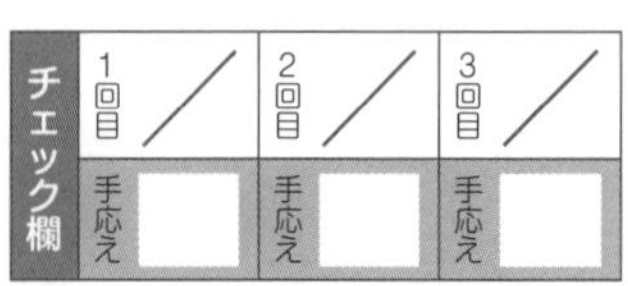

解説

テキスト
第2編

1 **妥当でない** **連帯債務者の1人に対する履行の請求は、他の連帯債務者に対して効力を生じません**（441条本文）。 P.167

2 **妥当でない** 反対債権を有する連帯債務者の1人が相殺を援用しない間は、その**連帯債務者の「負担部分の限度において」、他の連帯債務者は、債権者に対して債務の履行を拒むことができます**（439条2項）。 P.169

3 **妥当でない** **連帯債務者の1人に対してした債務の免除は、他の連帯債務者に対して効力を生じません**（441条本文）。なお、連帯債務者の1人に対して免除がされた場合に、債権者に弁済をした他の連帯債務者は、免除を受けた連帯債務者に対して求償をすることができます（445条）。 P.167

4 **妥当である** **連帯債務者の1人についての時効の完成は、他の連帯債務者に対して効力を生じません**（441条本文）。なお、連帯債務者の1人について時効が完成した場合に、債権者に弁済をした他の連帯債務者は、時効が完成した連帯債務者に対して求償をすることができます（445条）。 P.167

5 **妥当でない** **連帯債務者の1人がした債務の承認は、他の連帯債務者に対して効力を生じません**（441条本文）。 P.167

正解 4

連帯債務については、絶対効と相対効の事例を把握することが重要です。基本テキストの表や講義図解を参考にしてください。

債権法／多数当事者間の債権債務関係

A、B及びCの三人がDに対して連帯して600万円の金銭債権を有する場合（A、B及びCの分与されるべき利益は等しいものとする。）に関する次のア～オの記述のうち、誤っているものの組合せはどれか。

ア　Aは、Dに対して600万円全額の請求をするに当たり、B及びCの同意を得ることを要しない。

イ　AがDに対して債権の全部を免除した場合であっても、BはDに対して400万円の限度で支払を請求することができる。

ウ　AのDに対する権利が時効により消滅したが、BのDに対する権利については消滅時効が完成していない場合、Bは、Dに対して600万円の支払を請求することができる。

エ　DがAに対して300万円の金銭債権を有している場合において、DがAに対して相殺を援用したときは、その相殺は200万円の限度で効力を生ずる。

オ　CがDを単独で相続した場合には、Aは、Cに対して400万円の支払を請求することができる。

1　ア・イ
2　ア・オ
3　イ・ウ
4　ウ・エ
5　エ・オ

【司法試験アレンジ問題】

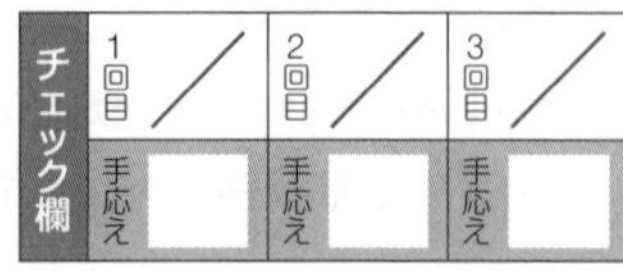

解説

テキスト
第2編

ア **正** 債権の目的がその性質上可分である場合において、法令の規定または当事者の意思表示によって数人が連帯して債権を有するときは、各債権者は、すべての債権者のために全部または一部の履行を請求することができ、債務者は、すべての債権者のために各債権者に対して履行をすることができます（**連帯債権**／432条）。よって、連帯債権者Aは、債務者Dに対して600万円全額の請求をするに当たり、他の連帯債権者B・Cの同意を得る必要はありません。

イ **正** 連帯債権者の１人と債務者との間に更改または免除があったときは、その連帯債権者がその権利を失わなければ分与されるべき利益に係る部分については、他の連帯債権者は、履行を請求することができません（433条）。よって、連帯債権者Aの持分（200万円）が消滅して、他の連帯債権者Bは債務者Dに対して残額400万円の限度で支払を請求することができます。

ウ **正** 民法432条～435条に規定する場合を除き、連帯債権者の１人の行為または１人について生じた事由は、他の連帯債権者に対してその効力を生じません（相対的効力の原則／435条の２本文）。ただし、他の連帯債権者の１人および債務者が別段の意思を表示したときは、当該他の連帯債権者に対する効力は、その意思に従います（435条の２但書）。よって、連帯債権者Aの債務者Dに対する権利が時効により消滅しても、他の連帯債権者Bの権利については時効消滅の効力を生じません。他の連帯債権者Bは、債務者Dに対して600万円の支払を請求することができます。

エ **誤** 債務者が連帯債権者の１人に対して債権を有する場合において、その債務者が相殺を援用したときは、その相殺は、他の連帯債権者に対しても、その効力を生じます（434条）。よって、DがAに対して相殺を援用したときは、**300万円の限度で**効力を生じます。

オ **誤** 連帯債権者の１人と債務者との間に混同があったときは、債務者は、**弁済をしたものとみなされます**（435条）。債権および債務が同一人（C）に帰属したことによって債権の混同（520条本文）があったことから、**債務者Dは600万円全額の弁済をしたものとみなされます**。Aは、Cに対して**200万円の支払を請求することができます**。

以上より、誤っているものは**エ・オ**であり、正解は肢**5**となります。

正解 5

債権法／多数当事者間の債権債務関係

問題 82 **民法に規定する保証債務に関する次の記述のうち、通説に照らし、妥当なものはどれか。**

1 保証契約は、債務者と保証人との間の契約であるが、保証契約の締結に際しては、債権者の同意が必要である。

2 保証契約は、口頭で締結することができる。

3 保証債務は主たる債務とは別個の債務であるから、主たる債務者に対する履行の請求その他の事由による時効の完成猶予及び更新は、保証人に対しては、その効力を生じない。

4 債権者が指名した保証人が弁済をする資力を有することの要件を欠くに至ったときは、当該債権者は、弁済をする資力を有することの要件を具備する者をもってこれに代えることを常に債務者に請求することができる。

5 保証人は催告の抗弁権および検索の抗弁権を有するが、連帯保証人はこれらの抗弁権を有しない。

【公務員試験アレンジ問題】

チェック欄	1回目 ／	2回目 ／	3回目 ／
	手応え	手応え	手応え

解説

テキスト 第2編

1 **妥当でない** 保証契約は、債権者と保証人との間の契約です。保証人が債務者から頼まれて保証すること（保証委託契約）も多いですが、**保証契約の当事者はあくまで債権者と保証人です。なお、その締結に際して債務者の意思を問う必要はありません。** P.170

2 **妥当でない** 保証契約は要式行為とされ、**書面**でしなければその効力を生じません（446条２項）。2004（平成16）年民法改正前は不要式行為でしたが、保証契約に関する事後的な紛争を防ぐため、要式行為となりました。 P.170

3 **妥当でない** 保証債務は、主たる債務の発生原因とは別の保証契約（肢１の解説参照）によって成立するから、主たる債務とは別個の債務となります。しかし、同時に、保証債務は、主たる債務を担保するものであるから、主たる債務に対して付従性を有します。したがって、**主たる債務者に対する履行の請求その他の事由による時効の完成猶予・更新は、保証人に対してもその効力を生じます**（457条１項）。 P.171

4 **妥当でない** 保証人の資格について一般的な制限はありませんが、債務者が法律上または契約上保証人を立てる義務を負っている場合には、その保証人は、①行為能力者であること、②弁済の資力を有することが必要となります（450条１項）。そして、保証人が②の要件を欠くに至ったときは、債権者は、債務者に対して、代わりの保証人を立てることを請求できます（450条２項）。もっとも、これらの規定は、債権者を保護するためのものであるので、**債権者が保証人を指名した場合には適用されません**（450条３項）。

5 **妥当である** 保証債務の補充性から、保証人は催告の抗弁権・検索の抗弁権を有します（452条・453条）。しかし、**連帯保証には補充性がなく、連帯保証人は上記２つの抗弁権を有しません**（454条）。 P.174

正解 5

債権法／多数当事者間の債権債務関係

問題83 **保証債務（連帯保証の場合を除く。）に関する次の記述のうち、正しいものはどれか。**

1 債権者が主たる債務者に対して債務の履行を催告した後に保証人の財産について執行してきた場合でも、保証人は、主たる債務者に弁済の資力があり、かつ、執行が容易であることを証明して、まず主たる債務者の財産に対して執行すべきことを主張することができない。

2 主たる債務者が主たる債務を承認しても、保証人の保証債務の時効は更新されない。

3 主たる債務者が時効利益を放棄した場合でも、保証人は主たる債務についての消滅時効を援用することができる。

4 主たる債務者が同時履行の抗弁権を有している場合でも、保証人はその同時履行の抗弁権を行使することはできない。

5 主たる債務について取消事由がある場合には、保証人は主たる債務者の取消権を行使することができる。

【公務員試験アレンジ問題】

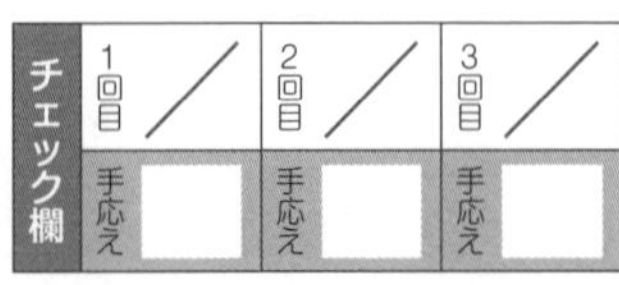

解説

テキスト第2編

1 **誤** 保証債務の補充性から、保証人は検索の抗弁権を有します。すなわち、債権者が主たる債務者に催告した後でも、先に保証人の財産に対して執行してきた場合、保証人は、**主たる債務者に弁済の資力があり、かつ、執行が容易であることを証明すれば、まず主たる債務者の財産に対して執行すべきことを主張することができます**（453条）。 P.171

2 **誤** **主たる債務者に対する時効の完成猶予・更新は、すべて保証人に対しても効力が及びます**（457条1項）。これは、保証債務の付従性です。 P.171

3 **正** 保証人は、主たる債務の時効の援用権者です（145条かっこ書）。そして、**時効利益の放棄の効果はその者についてのみ生じるにすぎないので（時効利益の放棄の相対効）、主たる債務者が時効利益を放棄しても保証人の援用権に影響はありません。**それゆえ、保証人は独立に時効を援用し、付従性による保証債務の消滅を主張できることになります（大判昭6.6.4）。

4 **誤** 保証債務は主たる債務の履行を担保するものであり、主たる債務の成立・内容・消滅の影響を受けるものであることから、保証人は、債権者からの保証債務の履行請求に対して、主たる債務の消滅ないし効力制限を理由とした抗弁を提出することができます（付従性に基づく抗弁権／457条2項）。例えば、**同時履行の抗弁権**（533条）などがこれにあたります。

5 **誤** **保証人が主たる債務について取消権を行使することは認められません**（大判昭20.5.21）。保証人に取消権を認める規定はないからです（120条参照）。もっとも、主たる債務者が取消権の行使によって債務を免れるべき限度において、保証人は、債権者に対して債務の履行を拒むことができます（457条3項）。

正解 3

債権法／債権譲渡

債権譲渡に関する次の記述のうち、正しいものはどれか。

1 債権の譲渡契約は、必ず書面によらなければならない。

2 債権の譲受人が、債務者に対して、債権譲渡の事実を対抗するためには、債権の譲渡人の債務者に対する確定日付ある証書による通知又は確定日付ある証書による債務者の承諾が必要である。

3 債権が二重譲渡され、譲渡人が債務者に対して、いずれの債権譲渡についても確定日付ある証書による通知を行った場合に、どちらの譲受人が優先するかは、確定日付の先後で決定される場合もある。

4 債権が二重譲渡され、譲渡人が債務者に対して、いずれの債権譲渡についても確定日付ある証書による通知を行ったが、これらの通知が、確定日付が同日であり、かつ、到達も同時であった場合、債務者は、どちらの譲受人に対しても弁済を拒絶することができる。

5 債務者は、対抗要件具備時より前に取得した譲渡人に対する債権による相殺をもって譲受人に対抗することができる。

【公務員試験アレンジ問題】

チェック欄	1回目 ／	2回目 ／	3回目 ／
	手応え	手応え	手応え

解説

テキスト
第2編

1 **誤** 債権譲渡は、旧債権者（譲渡人）と新債権者（譲受人）との間の合意のみによって効力を生ずる諾成・不要式契約であり、**書面によらずに当事者の意思表示のみで譲渡契約を締結することも許されています。**

2 **誤** 債権の譲受人が、債務者に対して、債権譲渡の事実を対抗するためには、譲渡人の債務者に対する通知または債務者の承諾が必要となります（467条1項）。ただし、**この通知・承諾は、確定日付ある証書によって行う必要はありません。第三者に対する対抗要件**（467条2項）**とは異なる点に注意が必要**です。 P.177

3 **誤** 判例は、**債権が二重に譲渡され、2人の譲受人がともに、確定日付のある証書による通知または承諾を得ているとき、譲受人相互間の優劣は、その通知が債務者に到達した日時、または債務者の承諾の日時の先後によって決まる**としています（到達時説／最判昭49.3.7）。また、判例は、債権が二重に譲渡され、**確定日付ある譲渡通知が同時に債務者に到達した場合にも、二重譲渡の譲受人の優劣は譲渡通知の到達時を基準にすべき**としています（最判昭55.1.11）。 P.179

4 **誤** 肢3の解説で述べたように、判例は、債権が二重に譲渡され、確定日付のある譲渡通知が同時に到達した場合にも、二重譲渡の譲受人の優劣は譲渡通知の到達時を基準にすべきとし、その結果、**各譲受人は債務者に対し、それぞれの譲受債権について、その全額の弁済を請求することができる**としています（最判昭55.1.11）。同時到達の場合、二重譲受人は、両者とも債権譲渡を債務者に対抗できるからです。 P.179

5 **正** 債務者は、対抗要件具備時より前に取得した譲渡人に対する債権による相殺をもって譲受人に対抗することができます（469条1項）。

正解 5

肢2と肢3では、債務者に対する対抗要件と第三者に対する対抗要件を混同しないように気をつけましょう。

債権法／契約総論

同時履行に関する次のア～エの記述のうち、誤っているものの組合せはどれか。

ア　弁済と債権証書の返還は同時履行の関係にあるが、弁済と受取証書の交付は同時履行の関係にない。

イ　双務契約の当事者の一方は、相手方から履行の提供があっても、その提供が継続されない限り、同時履行の抗弁権を行使することができる。

ウ　家屋の賃貸借終了に伴う賃借人の家屋明渡債務と賃貸人の敷金返還債務とは、特別の約定のない限り、同時履行の関係にある。

エ　土地の所有者Ａが、第三者Ｃの詐欺によって当該土地をＢに売却して移転登記を行ったが、Ａが詐欺を理由に売買契約を取り消した場合、Ａの代金返還義務とＢの移転登記抹消義務とは、同時履行の関係にある。

1　ア・ウ
2　ア・エ
3　イ・ウ
4　イ・エ
5　ウ・エ

【公務員試験アレンジ問題】

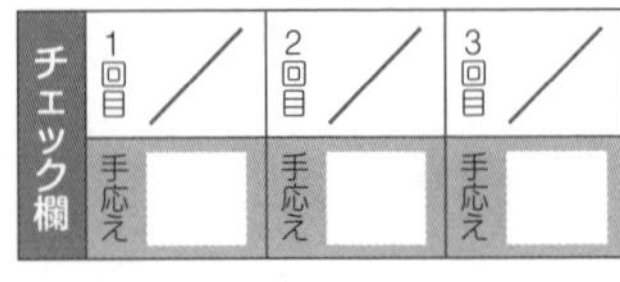

解説

テキスト 第2編

ア 誤　弁済者は、弁済と引換えに、弁済受領者に対して受取証書（弁済の受領を証明する書面）の交付を請求することができます（486条1項）。これは、弁済者による二重弁済の危険を避けるために認められた権利であるから、**弁済と受取証書の交付は同時履行の関係にあります。**これに対し、債権証書（債権の成立を証明する書面）がある場合に、全部の弁済をした弁済者は、債権証書の返還を請求することができます（487条）。この**債権証書の返還と弁済は同時履行の関係にはありません。**受取証書の交付があれば、弁済の証拠として十分であり、また、債権者が債権証書を紛失した場合に弁済を受けられないのは不都合だからです。 P.183

イ 正　同時履行の抗弁権の要件として、相手方が自己の債務の履行の提供をしないで履行を請求することが必要です（533条本文）。しかし、**履行の提供があっただけでは債務は消滅しないのだから、その後履行の提供が継続されていないときは、相手方は、なお同時履行の抗弁権を行使できる**とするのが判例です（大判明44.12.11）。 P.182

ウ 誤　敷金返還請求権は、賃貸借が終了し、かつ、賃貸物の返還を受けたときに発生します（622条の2第1項1号）。したがって、**賃貸物返還義務（明渡義務）と敷金返還義務とは同時履行の関係に立たず、明渡義務が先履行義務**となります。 P.183

エ 正　同時履行の抗弁権（533条）は、直接的には双務契約から生じた債務について適用されますが、当事者間の公平を図るという趣旨から、**双務契約が取り消された場合に両当事者が負う原状回復義務**（121条の2第1項）**も同時履行の関係に立つ**と解されています。判例も、土地売買契約が第三者の詐欺（96条2項）によって取り消された事案で、移転登記の抹消登記手続と代金返還が同時履行の関係に立つとしています（最判昭47.9.7）。 P.183

以上より、誤っているものは**ア・ウ**であり、正解は**1**となります。

正解 1

何と何が同時履行の関係にあるかは重要です。基本テキストの表で確認しておきましょう。

債権法／契約総論

問題86 **危険負担に関する次の記述のうち、最高裁判所の判例に照らし、妥当なのはどれか。**

1 Aは、Aが所有する築5年の木造アパートをBに売却しようと考え、Bとの間で売買契約を結ぶことになった。ところが、契約締結の前日に、アパートは落雷による火災で滅失してしまった。この場合には、危険負担の問題となり、Bはアパートの売買代金全額の支払いを拒むことができない。

2 Aは、Bとの間で、Bの自宅の冷暖房工事を請け負う契約を締結した。ところが、工事の途中で、Bが正当な理由なく工事の続行を拒んだため、工事の完成は不可能となった。この場合には、危険負担の問題となり、Aは、Bに対し、工事の請負代金全額を請求することができ、また、いかなる義務も負わない。

3 Aは、Bとの間で、Bの自宅の建築請負契約を締結し、工事を行っていたところ、建築中の建物が落雷による火災で滅失し、建物の完成は不可能となった。この場合には、危険負担の問題となり、Aは、Bに対し、建物の請負代金全額を請求することができる。

4 Aは、Bとの間で、Aが所有する築5年の別荘を3ヶ月間賃貸する契約を結び、Bに賃貸していたところ、隣家の火災の延焼により別荘が滅失してしまった。この場合には、危険負担の問題となり、Aは、Bに対し、契約期間中の別荘の賃料全額を請求することができる。

5 Aは、Bとの間で、Aが所有する走行距離5万キロの自動車をBに売却する契約を締結した。ところが、Aは、自動車をBに引き渡す前に、自らのたばこの火の不始末が原因で自動車を滅失させてしまった。この場合には、債務不履行の問題となり、AB間に危険負担の問題は生じない。

【公務員試験アレンジ問題】

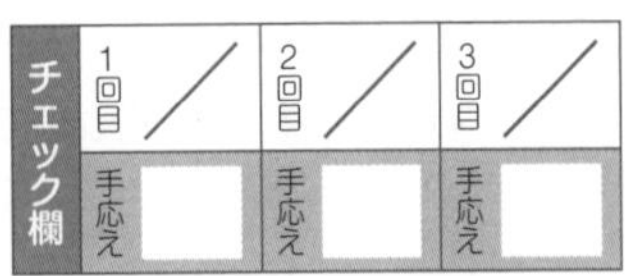

解説

テキスト
第2編

1 **妥当でない** **契約締結時点で履行が不能（原始的不能）であっても、当然に契約が無効となるわけではありません**（412条の2第2項参照）。本肢では、売買契約の目的物であるアパートが、落雷による火災という当事者双方の責めに帰することができない事由によって滅失し、Aの引渡債務は履行不能となっています。したがって、Bは売買代金の支払いを拒むことができます（536条1項）。 P.184

2 **妥当でない** 請負契約の目的たる工事が注文者B（工事完成義務における債権者）の責めに帰すべき事由で完成不可能となった場合、請負人Aの工事完成義務は消滅しますが、**Bは報酬（請負代金）の支払いを拒むことができません**（536条2項前段）。したがって、**Aは、Bに対し、工事の請負代金全額を請求できます**。ただし、Aが自己の債務を免れたことによって利益を得たとき（購入せずに済んだ材料費等）は、これをBに償還する義務を負います（同項後段、最判昭52.2.22）。 P.184

3 **妥当でない** 建築請負契約の目的物である建物が、建築中に落雷による火災という当事者双方の責めに帰することができない事由によって滅失し、建物の完成が不可能となった場合には、**仕事が完成していない以上、AはBに対して報酬（請負代金）の支払いを請求することができません。**報酬の支払いを請求することができないのは仕事が完成していないからであって、危険負担（536条1項）の問題ではありません。 P.200

4 **妥当でない** 賃貸借の目的物の全部が滅失等により使用・収益できなくなった場合は、各当事者の帰責事由の有無を問わず、賃貸借契約は当然に終了します（616条の2）。一般的には、債務不履行・危険負担の問題がありえますが、賃貸借を存続させる意味がないからです。したがって、AはBに対して賃料を請求することができません。

5 **妥当である** AB間の売買契約は、Aが所有する走行距離5万キロの自動車を目的物とする特定物売買です。そして、たばこの火の不始末という売主A（引渡債務における債務者）の責めに帰すべき事由によって滅失した場合、**Aの引渡債務は「債務不履行」（履行不能）となり、損害賠償債務（415条）として存続する**ので、AB間に危険負担の問題は生じません。

正解 5

債権法／契約総論

問題87 **民法に規定する契約の解除に関する次の記述のうち、通説に照らし、妥当なものはどれか。**

1 契約解除の意義は、債務者が契約上の債務を履行しないことで契約が債務不履行になったときに債権者を保護することにあるため、当事者間の契約によって解除権をあらかじめ留保することはできない。

2 契約の解除は、契約の効力を遡及的に消滅させるため、当事者間に原状回復義務を生じさせ、債務不履行による債権者の損害賠償請求権は消滅する。

3 履行遅滞を理由として契約を解除するには、相当の期間を定めてその履行の催告を行うことが必要であり、期間の指定のない催告は一切無効である。

4 契約の相手側が数人ある場合に契約の解除をするときは、そのうちの一人に対して解除の意思表示をすることで足り、その全員に対して解除の意思表示をする必要はない。

5 定期行為に当たる契約において、当事者の一方が履行をしないでその履行期を経過したときは、相手方は、履行の催告をすることなく、直ちにその契約の解除をすることができる。

【公務員試験アレンジ問題】

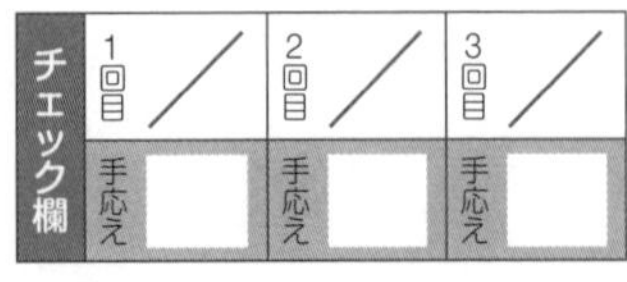

解説

テキスト
第2編

1 **妥当でない** 解除権は、債務不履行を理由とする解除（541条・542条）のように、法律の規定によって一方当事者に与えられる場合（法定解除権）のほかに、解約手付による解除（557条1項）のように、**当事者間の契約によって解除権をあらかじめ留保する場合**（約定解除権）もあります。 P.185

2 **妥当でない** 当事者の一方がその解除権を行使したときは、各当事者は、その相手方を原状に復させる義務を負います（545条1項本文）。そして、**解除権の行使は、損害賠償の請求を妨げません**（545条4項）。これは、解除によって契約が遡及的に効力を失うとしても、解除をした債権者を保護するために、債務不履行による損害賠償請求権だけは残存すると定めたものです。

3 **妥当でない** 履行遅滞を理由として契約を解除するには、①債務者が履行遅滞にあることに加えて、②債権者が相当の期間を定めて履行を催告すること、③催告期間内に債務者が履行をしないことが必要になります（541条本文）。しかし、②で「相当の期間」を要するとしたのは、催告がされたのに相当の期間内に履行しなければ、債務者は契約を解除されても仕方がないという考慮に基づきます。そのため、**債権者が期間を定めないで催告した場合でも、催告自体は無効ではなく、催告から相当の期間が経過すれば解除権が発生する**と解されています（大判昭2.2.2）。 P.186

4 **妥当でない** 解除は、相手方に対する意思表示によって行います（540条1項）。ただし、**契約当事者の一方が数人ある場合には、契約の解除は、その全員からまたはその全員に対して行う**ことが必要です（544条1項）。 P.187

5 **妥当である** 契約の性質または当事者の意思表示により、**特定の日時または一定の期間内に履行をしなければ契約をした目的を達することができない場合（定期行為）**、当事者の一方（債務者）が履行をしないでその時期を経過したときは、相手方（債権者）は、**催告をすることなく、直ちに契約を解除することができます**（542条1項4号）。 P.187

正解 5

債権法／契約各論

民法に規定する贈与に関する次の記述のうち、妥当なものはどれか。

1 贈与は、当事者の一方がある財産を無償で相手方に与える意思を表示することによって成立し、当該相手方が受諾することは要しない。

2 特定物の贈与者には財産権移転義務があるが、売買と異なり、引渡前には民法に規定する善管注意義務を負わず、不注意で目的物を損傷しても債務不履行責任は生じない。

3 負担付贈与とは、贈与契約の際に受贈者に負担を課すもので、双務契約に関する規定が適用されるが、同時履行の抗弁権の規定の適用はない。

4 書面によらない贈与でも、履行の終わった部分は解除できないが、最高裁判所の判例では、不動産については、登記の移転があれば引渡しがなくても履行があったものとされている。

5 最高裁判所の判例では、贈与不動産の登記名義が贈与者の前主に残っていた事案で、贈与者が前主に対して、受贈者に移転登記するよう求める書面は、受贈者に対するものではないため、書面による贈与の書面に当たらないとした。

【公務員試験アレンジ問題】

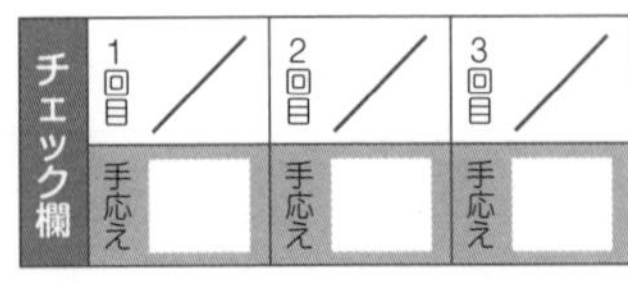

解説

テキスト
第2編

1 **妥当でない** 贈与は契約であるから、その成立には、当事者の一方（贈与者）がある財産を無償で相手方に与える意思を表示し、**相手方（受贈者）が受諾することを要します**（549条）。 P.189

2 **妥当でない** 贈与者は、契約内容に従って財産権を受贈者に移転する義務を負います。その目的物が特定物の場合には贈与者は受贈者に対し特定物を引き渡す義務を負うので、400条により**贈与者は引渡しの時まで善管注意義務を負う**ことになります。したがって、**引渡以前に不注意で目的物を損傷すれば、贈与者は債務不履行責任を負う**ことになります。 P.138

3 **妥当でない** 贈与契約の際に受贈者に負担を課す**負担付贈与には、双務契約に関する規定が適用されるので**（553条）、**同時履行の抗弁権**（533条）**の適用があります。** P.189

4 **妥当である** 書面によらない贈与は、各当事者が解除することができます（550条本文）。これは、書面によらない贈与については、贈与者の軽率な贈与をいましめるとともに、贈与の意思を明確にして後日の紛争を避けることにあります。もっとも、書面によらない贈与でも、「履行の終わった」部分は解除することはできません（550条但書）。履行の終了によって贈与の意思が明確化したと考えられるためです。したがって、贈与の意思が明確となる外形的行為が存在すればよく、**不動産については、引渡しがあれば登記の移転がなくてもよいですし**（大判大9.6.17）、**逆に、登記の移転があれば引渡しがなくてもよい**とされています（最判昭40.3.26）。 P.190

5 **妥当でない** 書面によらない贈与の解除（550条本文）の趣旨は、肢4で述べたように贈与者の軽率な贈与の防止と後日の紛争防止にあります。そのため、「書面」はごく緩やかに解されており贈与契約の書面に記載されている必要はなく、**贈与者の贈与の意思が表示された書面であればよい**とされています。判例は、贈与不動産の登記名義が贈与者Bの前主Aに残っていた事案で、贈与者Bが前主Aに対して、受贈者Cに移転登記（中間省略登記）するよう求める書面（Bが司法書士に依頼して作成し、内容証明郵便でAに送付）も、**贈与の「書面」にあたる**としています（最判昭60.11.29）。

正解 4

債権法／契約各論

手付に関する次のア～オの記述のうち、適当なものの組合せはどれか。

ア　売買契約における手付は、反対の意思表示がない限り、解約手付の性質を有するものと解釈される。

イ　売主は、手付の倍額を償還して売買契約を解除するためには、買主に対し、手付の倍額を償還する旨を告げてその受領を催告すれば足りる。

ウ　手付金を交付した者は、売買契約が合意解除されたときには、特段の事情がない限り、相手方に対し、手付金相当額の返還を求めることができる。

エ　手付金を交付した者は、相手方に債務不履行があっても、手付解除ができるにとどまり、損害賠償請求をすることはできない。

オ　手付金を交付した者は、相手方が履行の提供をするまでは、手付解除をすることができる。

1　ア・イ
2　ア・ウ
3　イ・オ
4　ウ・オ
5　エ・オ

【公務員試験アレンジ問題】

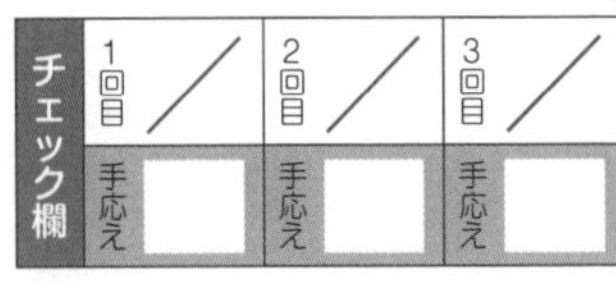

解説

テキスト
第2編

ア **適当である**　手付にはいろいろな種類がありますが、557条1項は手付を解約手付の性質を有するものと規定していることから、判例は、売買契約において交付された手付は、**反対の意思表示がない限り、解約手付と推定される**としています（最判昭29.1.21）。 P.191

イ **適当でない**　買主が売主に交付した（解約）手付により売買契約を解除するには、**買主はその手付を放棄すれば足りますが、売主はその手付の倍額を現実に提供しなければなりません**（557条1項本文）。 P.191

ウ **適当である**　手付の交付自体が1つの契約であり、しかも売買契約に従たる契約となります。したがって、主たる契約である売買契約が合意解除された場合には、手付契約も効力を失い、特段の事情がない限り、**手付金の交付者は、受領者に対し、不当利得として手付金相当額の返還を請求することができます**（大判昭11.8.10）。

エ **適当でない**　解約手付による解除（約定解除）は、債務不履行による解除（法定解除）とは異なるから、損害賠償請求をすることができません（557条2項）。しかし、判例は、**解約手付の授受があっても、債務不履行により契約を解除したとき**（541条・542条）**は、557条2項は適用されず、債務不履行によって生じた損害の賠償を請求することができる**（545条4項）としました（大判大7.8.9）。

オ **適当でない**　557条1項は、相手方が「履行に着手」するまでに限り、手付による契約の解除を認めています。この「履行に着手」の意義につき、判例は、**客観的に外部から認識しうるような形で履行行為の一部をなし、または、履行の提供をするために欠くことのできない前提行為をした場合**としています（最判昭40.11.24）。よって、相手方が履行の提供をする前段階においても、手付による契約解除ができなくなる場合があります。 P.191

以上より、適当なものは**ア**・**ウ**であり、正解は**2**となります。

正解　**2**

債権法／契約各論

Aが土地（以下「当該土地」という。）を自己所有のものとしてBに売却した場合の担保責任等に関する次のア～オの記述のうち、妥当なものの組合せはどれか。

ア　当該土地の全部が他人Cの所有するものであった場合、AはCから当該土地の所有権を取得してBに移転する義務を負い、Aがこの義務を履行することができないときは、Bは、当該土地がCの所有するものであることについて善意である場合に限り、売買契約を解除することができる。

イ　当該土地の一部が他人Dの所有するものであった場合、AはDから当該土地の一部の所有権を取得してBに移転する義務を負い、Aがこの義務を履行することができないときは、Bは、当該土地の一部がDの所有するものであることについて善意であるか悪意であるかを問わず、売買契約を解除することはできない。

ウ　当該土地に抵当権が設定されており、その抵当権が実行されてBが所有権を失った場合、Bは、当該土地に抵当権が設定されていることについて善意であるか悪意であるかを問わず、売買契約を解除することができる。

エ　当該土地の面積が100坪あると売買契約時に表示し、かつ、この数量を基礎として代金額を定めて売却されたが、実際に測量したところ90坪しかなかった場合、Bは、当該土地の面積が売買契約時に表示された面積より狭いことについて善意であるときは、売買契約を解除することはできない。

オ　当該土地に地上権を有するEが存在したために、移転した土地所有権が契約の内容に適合しない場合、Bは、売買契約を解除することができる。

1　ア・イ
2　ア・オ
3　イ・エ
4　ウ・エ
5　ウ・オ

【公務員試験アレンジ問題】

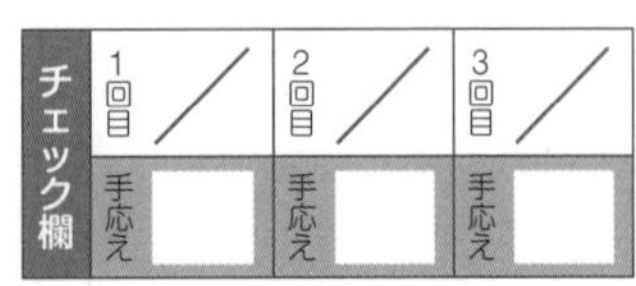

解説

テキスト
第2編

ア　妥当でない　他人Cの土地を目的とした売買（他人物売買）において、売主Aは、その土地を取得してCから買主Bに移転する義務を負います（561条）。そして、**Aがその土地を取得してBに移転することができない場合には、Aの債務不履行であり、Bは、善意・悪意を問わず、契約の解除ができ**（541条・542条）、**損害賠償も請求できます**（415条）。 P.192

イ　妥当でない　売買の目的物である**土地の一部**が他人Dに属する場合において、売主Aが当該**土地の一部**をDから取得してこれを買主Bに移転することができないときは、**Bは、善意・悪意を問わず、追完請求**（562条）、**代金減額請求**（563条）、**損害賠償請求**（564条）、**解除**（564条）**をすることが認められます**（565条）。 P.192

ウ　妥当である　売買の目的物である土地の上に存在した抵当権が実行されて買主Bが所有権を失ったときは、**権利移転の全部不能が生じているため、売主Aの債務不履行であり、Bは、善意・悪意を問わず、契約を解除し、損害賠償を請求できます**（541条・542条・415条）。 P.192

エ　妥当でない　数量を指示した売買（一定の面積、容積、重量、員数または尺度あることを売主が契約において表示し、かつ、この数量を基礎として代金額が定められた売買／最判昭43.8.20）の目的物（土地）の数量が不足していた場合、**買主Bは、善意・悪意を問わず、追完請求**（562条）、**代金減額請求**（563条）、**損害賠償請求**（564条）、**解除**（564条）**をすることが認められます。** P.192

オ　妥当である　売買の目的物の上に他人の地上権が存在し、移転した権利が契約の内容に適合しないものである場合、**買主Bは、善意・悪意を問わず、追完請求**（562条）、**代金減額請求**（563条）、**損害賠償請求**（564条）、**解除**（564条）**をすることが認められます**（565条）。 P.192

以上より、妥当なものは**ウ・オ**であり、正解は**5**となります。

正解　5

債権法／契約各論

Aがパソコン50台をBに売却する旨の契約が締結されて、代金の支払いとパソコンの引渡しがなされたが、そのうちの10台のパソコンが品質に関して契約の内容に適合しないものであることが判明した。民法の規定によれば、BがAに対して契約不適合の程度に応じた代金減額請求をすることができるのは、どのような場合か。「Bが」に続けて、40字程度で記述しなさい。

なお、契約不適合がBの責めに帰すべき事由によるものである場合については考慮しないものとする。

Bが

									10					15

【オリジナル問題】

チェック欄	1回目	/	2回目	/	3回目	/
	手応え		手応え		手応え	

解説

テキスト ▶ 第2編P.192

解答例（44字）

Bが

A	に	対	し	て	相	当	の	期	間	を	定	め	て	履
行	の	追	完	の	催	告	を	し	た	が	、	そ	の	期
間	内	に	履	行	の	追	完	が	な	い	場	合	。	

本問は、売買における売主の契約不適合責任に関する知識を問うものです。

引き渡された目的物が種類、品質または数量に関して契約の内容に適合しないものであるときは、買主は、売主に対し、目的物の修補、代替物の引渡しまたは不足分の引渡しによる履行の追完を請求することができます（買主の追完請求権／562条1項本文）。もっとも、その不適合が買主の責めに帰すべき事由によるものであるときは、買主は、履行の追完の請求をすることができません（562条2項）。

この場合において、買主が相当の期間を定めて履行の追完の催告をし、その期間内に履行の追完がないときは、買主は、その不適合の程度に応じて代金の減額を請求することができます（買主の代金減額請求権／563条1項）。もっとも、その不適合が買主の責めに帰すべき事由によるものであるときは、買主は、代金の減額の請求をすることができません（563条3項）。

債権法／契約各論

賃貸借契約に関する次のア～オの記述のうち、妥当なものの組合せはどれか。

ア　賃貸人は、賃借人に賃貸物の使用及び収益をさせる義務を負うとともに、それに必要な修繕をする義務を負う。

イ　不動産の賃借人は、賃貸人に対し、特約がなくても、賃借権の登記をするように請求することができる。

ウ　不動産の賃借人は、不動産の不法占拠者に対し、賃借権の対抗要件を具備していなくても、賃借権に基づき、不動産の明渡しを請求することができる。

エ　建物の賃貸借契約の終了時において、賃貸人の敷金返還債務と賃借人の建物明渡債務は同時履行の関係にあり、賃借人は、敷金の返還を受けるまで、建物の使用を継続することができる。

オ　賃借人は、賃貸物について賃貸人の負担に属する必要費を支出したときは、賃貸人に対し、直ちにその償還を請求することができる。

1　ア・イ
2　ア・オ
3　イ・ウ
4　ウ・エ
5　エ・オ

【公務員試験アレンジ問題】

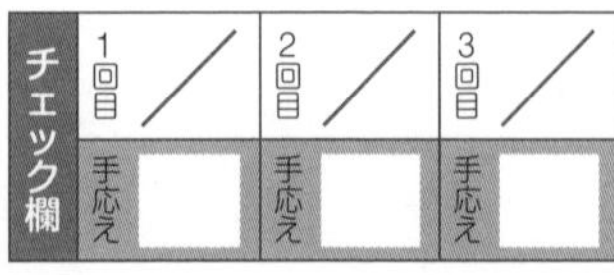

解説

テキスト
第2編

ア　妥当である　賃貸借契約における賃貸人の中心的義務として、賃貸人は、賃借人に対し、賃借物を使用・収益させる義務を負うことになります（601条）。この使用・収益させる義務を全うするため、**賃貸人は、賃借物について必要な修繕をする義務も負う**ことになります（606条1項本文）。 P.194

イ　妥当でない　不動産賃借権は、登記をすれば目的物の新所有者等にも対抗することができます（605条）。しかし、判例は、賃借権は債権であるから、**特約がない限り、賃借人は登記請求権を有しない**としています（大判大10.7.11）。

ウ　妥当でない　不動産の賃借人が対抗要件（605条、借地借家法10条・31条）を備えた場合、第三者が賃貸不動産を不法に占有しているときは、その第三者に対して、賃貸不動産の返還を請求することができます（605条の4第2号）。これに対して、**賃借人が対抗要件を備えていない場合は、不法占拠者に対しても返還請求することができない**とするのが判例です（最判昭29.7.20）。 P.195

エ　妥当でない　敷金返還請求権は、賃貸借が終了し、かつ、賃貸物の返還を受けたときに発生します（622条の2第1項1号）。したがって、**賃貸物返還義務（明渡義務）と敷金返還義務とは同時履行の関係に立たず、明渡義務が先履行義務**となります（最判昭49.9.2）。 P.197

オ　妥当である　本来、賃借物の修繕義務を負うのは賃貸人であるから（肢アの解説参照）、**賃借人は、賃借物について賃貸人の負担に属する必要費を支出したときは、賃貸人に対し、直ちにその償還を請求することができます**（608条1項）。 P.194

以上より、妥当なものは**ア・オ**であり、正解は**2**となります。

正解　2

賃貸借は本試験でも頻出です。基本テキストを繰り返し確認してマスターしましょう。

債権法／契約各論

問題93 **敷金に関する次のア～オの記述のうち、適当なもののみをすべて挙げているのはどれか。なお、争いのある場合は、判例の見解による。**

ア　賃借人から賃貸人に対し、十分な敷金が差し入れられている場合、賃料不払があっても、敷金がこれに充当されるから、賃貸人は、賃料不払を理由として賃貸借契約の解除をすることはできない。

イ　賃貸借契約終了時に賃借人に賃料不払の債務がある場合、不払の賃料額分が当然に敷金から控除されるのではなく、当事者による相殺の意思表示が必要である。

ウ　賃貸借契約終了後の賃借人の目的物返還義務と賃貸人の敷金返還義務は同時履行の関係に立つ。

エ　賃貸借契約の存続中に目的物である建物が譲渡され、賃借人が建物の譲受人に賃借権を対抗できる場合、賃借人が旧賃貸人に対して差し入れていた敷金の法律関係は、旧賃貸人に対する未払賃料等の債務を控除した残額につき、当然に譲受人に引き継がれる。

オ　賃貸借契約終了後に目的物の修補に要した費用は、その修補が通常の使用によって生じた損耗に対するものである場合、特約のない限り賃貸人の負担であり、これを敷金から控除することはできない。

1　ア・イ
2　ア・エ・オ
3　イ・ウ
4　ウ
5　エ・オ

【公務員試験アレンジ問題】

チェック欄	1回目 ／	2回目 ／	3回目 ／
	手応え	手応え	手応え

解説

テキスト
第2編

ア **適当でない**　契約存続中に賃料不払いがあった場合、**①賃貸人は敷金をこれに充当できますが、②賃借人は敷金を自己の債務に充当するよう求めることはできません**（充当するかどうかは賃貸人の自由／622条の2第2項）。賃借人から充当を求めることを認めると、担保の意味がなくなりますし、敷金の交付は債務不履行を正当化しないからです。したがって、たとえ十分な敷金が差し入れられていても、賃貸人は、賃料不払いを理由とする賃貸借契約の解除も可能です。 P.197

イ **適当でない**　賃貸借契約終了時に賃借人に賃料不払いなどの債務があれば、当然に敷金から控除されます（622条の2第1項1号）。**この敷金の充当による債務の消滅は、敷金契約から発生する効果であって、相殺のような当事者の意思表示を必要としません**（最判平14.3.28）。

ウ **適当でない**　敷金返還請求権は、賃貸借が終了し、かつ、賃貸物の返還を受けたときに発生します（622条の2第1項1号）。したがって、**賃貸物返還義務（明渡義務）と敷金返還義務とは同時履行の関係に立たず、明渡義務が先履行義務**となります（最判昭49.9.2）。 P.197

エ **適当である**　賃貸借契約の目的物である建物が譲渡され、賃借人が建物の譲受人に賃借権を対抗できる場合（605条、借地借家法31条1項）には、賃貸人の地位は建物の譲受人に移転します（605条の2第1項）。この場合、**旧賃貸人に差し入れられた敷金は、賃借人の旧賃貸人に対する未払賃料債務があればこれに充当され、残額があればそれについての権利義務が新賃貸人に承継**されます（同条4項）。つまり、敷金契約は、賃貸借契約に従たる契約であるから、賃貸借関係に随伴して移転するのです。 P.197

オ **適当である**　賃貸借契約が終了した場合、賃借人は、賃借物件を原状に復する義務を負います（621条）。もっとも、**賃借人が社会通念上通常の使用をした場合に生ずる賃借物件の劣化や価値の減少（通常損耗）は、当然に予定されているため、賃貸人が負担すべき**であり（同条本文かっこ書）、賃借人が負担するためには、それが明確に合意されていることが必要です（最判平17.12.16）。したがって、通常損耗の補修費用を敷金から控除することはできません。 P.194

以上より、適当なものは**エ・オ**であり、正解は**5**となります。

正解　5

債権法／契約各論

問題 94 **Aの所有する土地がBに賃貸され、さらにCに転貸されて、実際にCがその土地を使用している事例に関する次のア～オの記述のうち、判例に照らし、妥当なものの組合せはどれか。**

ア Ａに無断で転貸借契約がされた場合には、Ｃの土地の使用によりＡＢ間の信頼関係が破壊されているか否かを問うことなく、Ａは賃貸借契約を解除することができる。

イ Ａの承諾を得て転貸借契約がされ、その後、Ｃが土地の所有権を取得した結果賃貸人の地位を有するに至った場合であっても、転貸借関係は、ＢＣ間でこれを消滅させる合意が成立しない限り当然には消滅しない。

ウ Ａの承諾を得て転貸借契約がされ、その後、Ｂが賃料の支払を延滞したためＡが賃貸借契約を解除しようとする場合には、特段の事情のない限り、Ａは、解除前にＣに対して当該延滞賃料を支払う機会を与えなければならない。

エ Ａの承諾を得て転貸借契約がされ、その後、Ｂの債務不履行を理由にＡが賃貸借契約を解除した場合には、転貸借契約は、原則としてＡがＣに対して土地の返還を請求した時に、ＢのＣに対する転貸人としての債務の履行不能により終了する。

オ Ａに無断で転貸借契約がされた場合には、Ａは賃貸借契約を解除しなくても、Ｃに対して所有権に基づき土地の明渡しを請求することができる。

1 ア・イ・ウ
2 ア・ウ・オ
3 ア・エ・オ
4 イ・ウ・エ
5 イ・エ・オ

【公務員試験アレンジ問題】

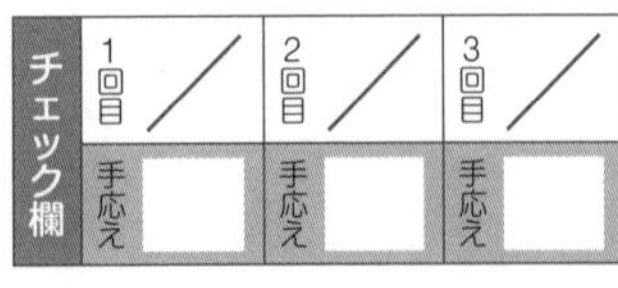

解説

テキスト
第2編

ア　妥当でない　賃借人Bが借地を転貸するには賃貸人Aの承諾が必要であり（612条1項）、BがAに無断で借地を第三者Cに使用·収益させたときは、Aは賃貸借契約を解除できます（同条2項）。しかし、判例は、民法がこの解除権を認めているのは無断転貸が個人的信頼を基礎とする賃貸借関係では背信的行為にあたるからであると解し、**形式的には無断転貸にあたる場合でも賃貸人Aに対する背信的行為と認めるに足らない特段の事情がある**（つまり、Bが無断転貸をしても、AB間の信頼関係を破壊しないと認められる）**ときは、賃貸人Aの解除権は発生しないと解しています**（最判昭28.9.25）。 P.198

イ　妥当である　土地の転借人Cが当該土地の所有権を取得したため、転借人の地位と賃貸人の地位とが同一人に帰属した場合であっても、転貸借関係は、当事者BC間でこれを消滅する合意が成立しない限り、当然には消滅しないとするのが判例です（最判昭35.6.23）。賃貸借関係と転貸借関係とは別個の関係だからです。

ウ　妥当でない　BC間の転貸借について賃貸人Aの承諾があっても、AB間の賃貸借契約が賃借人Bの債務不履行を理由に解除（541条）されたときは、賃借人Bは転貸人としての義務を履行することが不能となり、BC間の転貸借は終了します（最判昭36.12.21）。判例は、**Aは、Bに対して催告すれば足り、Cに対して催告する（賃料支払いの機会を与える）必要はない**としています（最判昭37.3.29）。

エ　妥当である　AB間の賃貸借契約が賃借人Bの債務不履行を理由に解除（541条）された場合、**賃貸人Aの承諾があるBC間の転貸借契約は、原則として、Aが転借人Cに目的物（土地）の返還を請求した時に、BのCに対する債務が履行不能となって終了する**と解するのが判例です（最判平9.2.25）。 P.199

オ　妥当である　賃貸人Aに無断で締結されたBC間の転貸借契約の効力はAには対抗できません。その結果、転借人CはAにとってまったくの無権利者となり、**Aは、AB間の賃貸借契約を解除するまでもなく、Cに対して所有権に基づいて土地の明渡しを請求できます**（最判昭26.4.27）。

以上より、妥当なものは**イ・エ・オ**であり、正解は**5**となります。

正解　5

債権法／契約各論

問題 95 Xは、みずからの所有する家屋（以下、「本件家屋」という。）を賃料月額12万円でYに賃貸する旨の契約を締結して、Yに本件家屋を引き渡した。そして、Yは、Xの承諾を得て、本件家屋を賃料月額15万円でZに賃貸する旨の契約を締結して、Zに本件建物を引き渡した。その後、XY間の賃貸借契約が両者の合意により解除された（以下、「本件解除」という。）。Xは、本件解除をZに対抗できるか。民法の規定する例外的な場合も含めて、「Xは、」に続けて、40字程度で記述しなさい。

なお、記述にあたっては、「場合を除き、」を入れることとする。

Xは、

【オリジナル問題】

チェック欄	1回目	2回目	3回目
	／	／	／
手応え			

解説

テキスト ▶ 第2編P.199

解答例（42字）

Xは、

本	件	解	除	の	当	時	、	Y	の	債	務	不	履	行
に	よ	る	解	除	権	を	有	し	て	い	た	場	合	を
除	き	、	Z	に	対	抗	で	き	な	い	。			

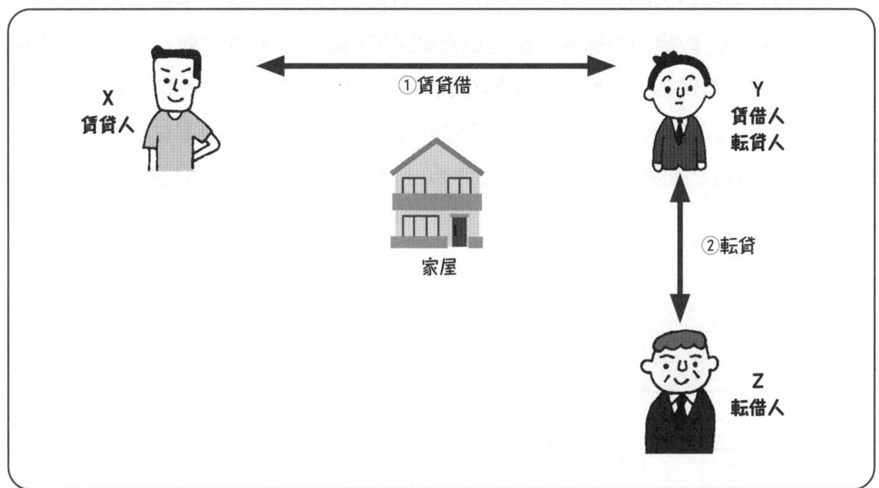

本問は、賃貸借契約における賃借物の転貸に関する知識を問うものです。

賃借人（Y）は、賃貸人（X）の承諾を得なければ、その賃借権を譲り渡し、または賃借物を転貸することができません（612条1項）。

賃借人（Y）が適法に賃借物を転貸した場合には、賃貸人（X）は、賃借人（Y）との間の賃貸借を合意により解除したことをもって**転借人（Z）に対抗することができません**（613条3項本文）。ただし、**その解除の当時、賃貸人（X）が賃借人（Y）の債務不履行による解除権を有していたときは、この限りでない**（613条3項但書）とされています。

よって、Xは、**本件解除の当時、Yの債務不履行による解除権を有していた場合を除き、**本件解除をZに**対抗することができません。**

債権法／契約各論

問題 96 Aの所有する甲建物がAからBへ賃貸され、Bに引き渡された（以下、この賃貸借を「本件賃貸借」という。）。その際、BからAに対して敷金が交付された。その後、資金繰りが悪化したAは、甲建物を特段の留保なくCに売却し、登記を移転した。Bは、甲建物の売却後も、賃借人として甲建物を使用していたが、本件賃貸借が期間満了により終了し、Cは、Bに対して甲建物の明渡しを請求した。これに対して、Bは、甲建物からは出ていくが、敷金の返還を求めたいと考えている。BがAに対して本件賃貸借に関する未払い賃料等の債務を負っている場合に、Bは、いつから、だれに対し、どのような範囲で、敷金の返還を請求できるか。「Bは、」に続けて、「の範囲で敷金の返還を請求できる。」で終わるように、40字程度で記述しなさい。

Bは、

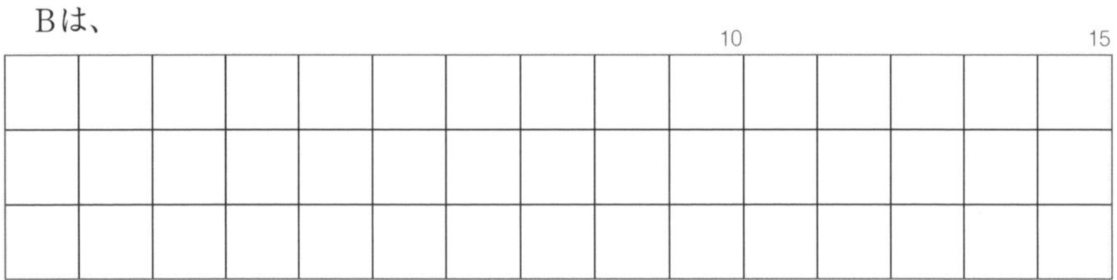

の範囲で敷金の返還を請求できる。

【オリジナル問題】

チェック欄　1回目　／　手応え　2回目　／　手応え　3回目　／　手応え

解説

テキスト ▶ 第2編P.197

解答例（42字）

Bは、

甲	建	物	を	明	け	渡	し	た	時	か	ら	、	C	に
対	し	、	A	に	対	す	る	未	払	い	賃	料	等	の
債	務	に	充	当	さ	れ	た	後	の	残	額			

の範囲で敷金の返還を請求できる。

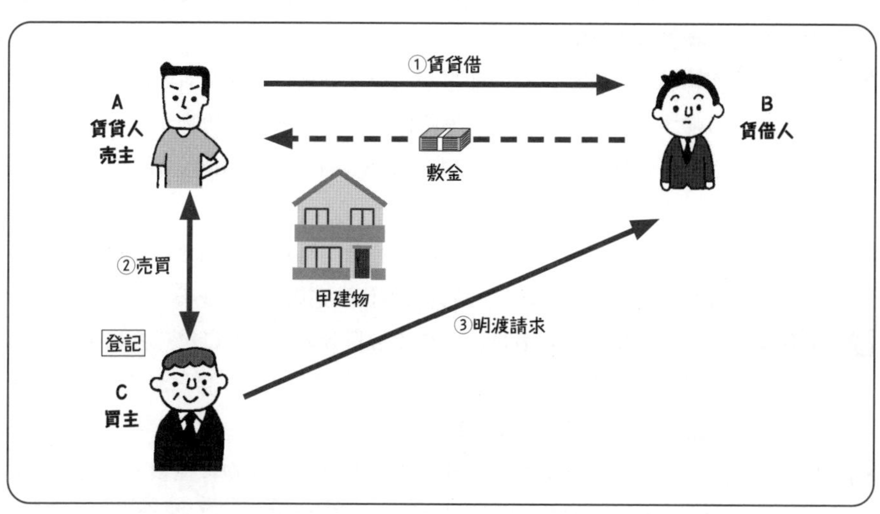

本問は、敷金返還請求権に関する知識を問うものです。

賃貸人は、敷金を受け取っている場合において、**賃貸借が終了し、かつ、賃貸物の返還を受けたとき**は、賃借人に対し、**その受け取った敷金の額から賃貸借に基づいて生じた賃借人の賃貸人に対する金銭の給付を目的とする債務の額を控除した残額**を返還しなければなりません（622条の2第1項1号）。不動産賃貸借の対抗要件を備えた場合に、不動産が譲渡されたときは、賃貸人たる地位は譲受人に移転します（605条の2第1項）が、賃貸人たる地位の移転があった場合には、敷金の返還に係る債務は譲受人が承継することになります（605条の2第4項）。

債権法／契約各論

請負に関する次の記述のうち、妥当なものはどれか。

1 請負契約が締結されたが、その仕事が完成する前に、注文者と請負人のいずれの責めにも帰することのできない事由によって仕事の目的物が滅失した場合は、仕事を再開すれば契約で規定された期間内に完成が可能であっても、請負人の仕事完成義務は消滅する。

2 請負契約が締結されたが、その仕事が完成する前に、注文者と請負人のいずれの責めにも帰することのできない事由によって仕事の目的物が滅失した場合は、仕事の完成が不能となったときであっても、注文者は報酬全額の支払義務を負う。

3 請負契約において、注文者の報酬支払義務と同時履行の関係に立つのは、請負人の目的物の引渡義務ではなく、請負人の仕事完成義務である。

4 委任契約においては、受任者は、いつでも自分の代わりに第三者に事務を処理させることができるが、請負契約においては、請負人は、自らが請け負った仕事を第三者に請け負わせることはできない。

5 建物の建築請負契約において、完成し引き渡された建物に種類・品質に関する契約不適合があり、契約をした目的を達することができない場合、注文者は、契約を解除して原状回復の請求をすることができる。

【公務員試験アレンジ問題】

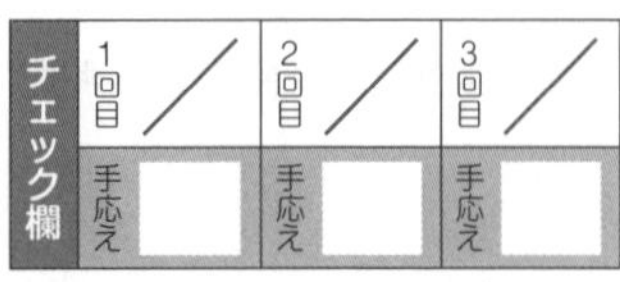

解説

テキスト
第2編

1 **妥当でない**　請負契約が締結されたが、その仕事が完成する前に、仕事の目的物が滅失した場合でも、**仕事の完成が可能であれば、請負人の仕事完成義務は存続する**ことになります。滅失の原因がいずれの当事者の帰責事由によるかは、仕事完成義務の存続に影響を与えるものではなく、仕事の続行により生じた予定外のコストをどちらが負担するかが異なってくるだけになります。

2 **妥当でない**　請負契約（双務契約）締結後、仕事完成前に、当事者双方のいずれの責めにも帰することができない事由によって仕事完成が不能となったときは、請負人の仕事完成義務は消滅することになります。この場合、**仕事が完成していない以上、注文者は報酬全額の支払義務は負いません。** P.200

3 **妥当でない**　請負における報酬の支払時期は、特約のない限り、仕事の目的物の引渡しと同時になります（633条本文）。したがって、**注文者の報酬支払義務に対して、請負人の仕事完成義務は先履行の関係に立ちますが、請負人の目的物引渡義務は同時履行の関係に立ちます。** P.200

4 **妥当でない**　委任は当事者間の高度の信頼関係を基礎としているから、受任者は自ら事務を処理しなければならず、第三者に自分の代わりに事務を処理させること（復委任）は原則としてできません（644条の2第1項）。これに対して、請負の目的は仕事の完成にあるから、請負人が自ら労務を提供する必要はなく、特約がある場合や演奏・講演など請負人自身による仕事が特に意義を持つ場合を除き、**請負人が請け負った仕事を第三者に請け負わせること（下請負）は許されます。** P.200

5 **妥当である**　**本肢の場合、注文者は、契約不適合を理由として契約を解除し**（559条・564条・542条1項5号）、**原状回復を請求することができます**（545条1項本文）。仕事の目的物が建物その他土地の工作物であっても、解除権が制限されることはありません。 P.201

正解　5

債権法／契約各論

請負に関する次のア～オの記述のうち、妥当なものの組合せはどれか。

ア　請負代金の支払時期は、仕事の目的物の引渡しを要しない場合には、請負人を保護する観点から、先払いとされている。

イ　注文者の責めに帰することができない事由によって仕事を完成することができなくなった場合において、請負人が既にした仕事の結果のうち可分な部分の給付によって注文者が利益を受けるときは、その部分は仕事の完成とみなされ、請負人は、注文者が受ける利益の割合に応じて報酬を請求することができる。

ウ　建物建築工事を元請負人から一括下請負の形で請け負った下請負人は、注文者との関係では、元請負人の履行補助者的立場に立つものにすぎず、注文者のためにする当該工事に関して元請負人と異なる権利関係を主張し得る立場にはないとするのが判例である。

エ　注文者が破産手続開始の決定を受けたときは、請負人は、仕事の完成後であっても、請負契約を解除することができる。

オ　請負人が仕事を完成しない間は、注文者は、正当な理由があるときに限り、損害を賠償して請負契約を解除することができる。

1　ア・イ
2　ア・オ
3　イ・ウ
4　ウ・エ
5　エ・オ

【公務員試験アレンジ問題】

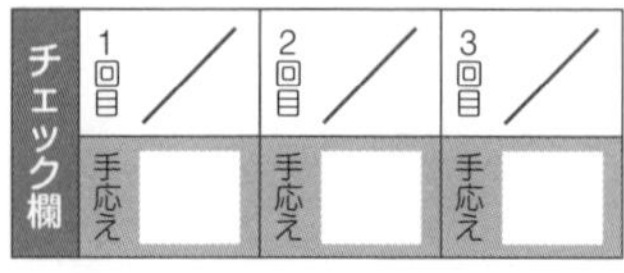

解説

テキスト
第2編

ア　妥当でない　請負代金（報酬）の支払時期は後払いが原則です。すなわち、仕事の目的物の引渡しを要するときは引渡しと同時、**引渡しを要しないときは仕事を完成した後**です（633条・624条1項）。 P.200

イ　妥当である　①**注文者の責めに帰することができない事由によって仕事を完成できなくなった**場合、または、②**請負が仕事の完成前に解除された**場合において、請負人がすでにした仕事の結果のうち可分な部分の給付によって注文者が利益を受けるときは、**その部分を仕事の完成とみなして、請負人は、注文者が受ける利益の割合に応じて報酬を請求できます**（634条）。 P.200

ウ　妥当である　判例は、建物建築工事を元請負人から一括下請負の形で請け負う下請契約は、その性質上、元請契約の存在および内容を前提とし、元請負人の債務を履行することを目的とするものであるから、下請負人は、注文者との関係では、元請負人のいわば履行補助者的立場に立つものにすぎず、注文者のためにする建物建築工事に関して、元請負人と異なる権利関係を主張しうる立場にはないとしています（最判平5.10.19）。

エ　妥当でない　注文者が破産手続開始の決定を受けたときは、請負人または破産管財人は、請負契約を解除できます（642条1項本文）。ただし、**請負人は、仕事を完成した後は解除できません**（同項但書）。請負人からの解除を認めたのは、注文者の破産により報酬の支払いを確保できないまま仕事を続行させられる状態から請負人を解放する必要があるためであり、仕事完成後ならその必要はないからです。 P.201

オ　妥当でない　**請負人が仕事を完成しない間は、注文者は、いつでも**（正当な理由があるときに限らない）**損害を賠償して**請負契約を解除できます（641条）。無用になった仕事を続けさせて注文者のコストを大きくする必要はないからです。 P.201

以上より、妥当なものは**イ・ウ**であり、正解は**3**となります。

正解　3

債権法／契約各論

問題99 **委任契約に関する次の記述のうち、妥当なものはどれか。なお、争いがある場合は、判例の見解による。**

1 受任者は、受任した事務を、いつでも他の者に行わせることができる。

2 報酬支払特約がある委任契約において、受任者は報酬の前払いを請求することができる。

3 委任契約が委任者のみならず受任者にとっても有益な場合でも、委任者は当該委任契約を解除することができ、解除したときでも相手方の損害を賠償する必要はない。

4 受任者が後見開始の審判を受けた場合、委任契約は終了する。

5 委任契約は、委任者の死亡によって終了するので、委任者が死亡後の事務を受任者に委託した場合でも、当該委任契約は効力を生じない。

【公務員試験アレンジ問題】

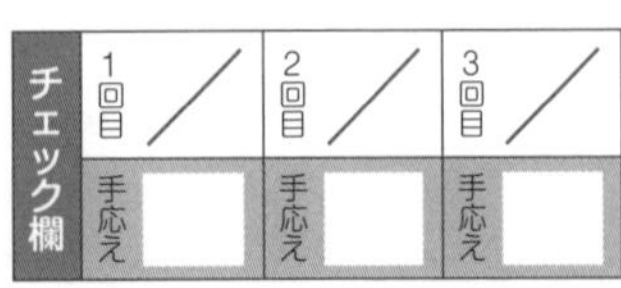

解説

テキスト
第2編

1 **妥当でない**　委任は委任者と受任者との間の信頼関係に基づくものであるから、事務処理そのものは受任者が自らこれをするべきことを原則としています。それゆえ、**受任者は、委任者の許諾を得たとき、またはやむを得ない事由があるときでなければ、復受任者を選任することはできません**（644条の2第1項）。 P.202

2 **妥当でない**　報酬支払特約を締結した場合、**報酬は、委任事務を履行した後でなければ請求することができないのが原則です**（648条2項本文）。もっとも、期間によって報酬を定めたときは、624条2項が準用され、期間経過後に報酬請求をすることができます（648条2項但書）。

3 **妥当でない**　委任は、当事者の信頼関係に基づくものですから、各当事者はいつでも解除することができます（651条1項）。もっとも、**委任者が受任者の利益をも目的とする委任を解除したときは、相手方の損害を賠償しなければなりません**（651条2項2号）。 P.203

4 **妥当である**　受任者が後見開始の審判を受けた場合には、委任契約は終了するとされています（653条3号）。後見開始は、信頼の基礎となっている受任者の経済的取引の能力を否定するものだからです。 P.203

5 **妥当でない**　653条1号は委任者の死亡を終了原因としています。しかし、653条は任意規定であるため、当事者の合意により反対の特約（例：委任者の死亡によっても委任契約を終了させない旨の合意など）が可能ですから、**委任者の死亡によって委任契約が終了しない旨の合意は有効**となります（最判平4.9.22）。よって、委任者が死亡後の事務を受任者が委託した場合であっても、委任契約は効力を生じえます。

正解　4

野畑のワンポイント

委任契約の終了原因について確認しておきましょう。

【委任契約の終了原因】

各当事者による任意解除	各当事者は、**いつでも委任契約を解除できる**（651条1項）。 **※相手方に不利な時期に委任契約を解除する場合または委任者が受任者の利益をも目的とする委任契約を解除する場合は、やむを得ない事由があったときを除き損害賠償が必要**（651条2項）。
委任特有の終了原因	①当事者が死亡・破産した場合（653条1号・2号） ②受任者が後見開始の審判を受けた場合（653条3号）

債権法／委任・事務管理

問題100 **甲建物（以下「甲」という。）を所有するAが不在の間に台風が襲来し、甲の窓ガラスが破損したため、隣りに住むBがこれを取り換えた場合に関する次の記述のうち、民法の規定および判例に照らし、妥当でないものはどれか。**

1 BがAから甲の管理を頼まれていた場合であっても、A・B間において特約がない限り、Bは、Aに対して報酬を請求することができない。

2 BがAから甲の管理を頼まれていなかった場合であっても、Bは、Aに対して窓ガラスを取り換えるために支出した費用を請求することができる。

3 BがAから甲の管理を頼まれていなかった場合であっても、Bが自己の名において窓ガラスの取換えを業者Cに発注したときは、Bは、Aに対して自己に代わって代金をCに支払うことを請求することができる。

4 BがAから甲の管理を頼まれていなかった場合においては、BがAの名において窓ガラスの取換えを業者Dに発注したとしても、Aの追認がない限り、Dは、Aに対してその請負契約に基づいて代金の支払を請求することはできない。

5 BがAから甲の管理を頼まれていた場合であっても、A・B間において特約がなければ、窓ガラスを取り換えるに当たって、Bは、Aに対して事前にその費用の支払を請求することはできない。

【本試験2019年問33】

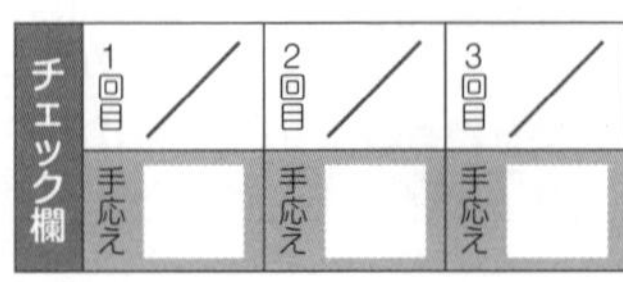

解説

テキスト
第2編

1 **妥当である**　BがAから甲の管理を頼まれていた場合は、準委任契約（656条）にあたります。準委任契約においても、**受任者は、特約がなければ、委任者に対して報酬を請求することができません**（656条・648条1項）。 P.202

2 **妥当である**　BがAから甲の管理を頼まれていなかった場合は、Bの行為は事務管理（697条）にあたります。**管理者は、本人のために有益な費用を支出したときは、本人に対し、その償還を請求することができます**（702条1項）。 P.207

3 **妥当である**　BがAから甲の管理を頼まれていなかった場合は、Bの行為は事務管理（697条）にあたります。**管理者が本人のために有益な債務を負担した場合には、本人に対し、自己に代わってその弁済をすることを請求することができます**（702条2項・650条2項）。 P.207

4 **妥当である**　BがAから甲の管理を頼まれていなかった場合は、Bの行為は事務管理（697条）にあたります。判例は、「事務管理は、事務管理者と本人との間の法律関係を謂うのであつて、管理者が第三者となした法律行為の効果が本人に及ぶ関係は事務管理関係の問題ではない。従つて、事務管理者が本人の名で第三者との間に法律行為をしても、その行為の効果は、当然には本人に及ぶ筋合のものではなく、そのような効果の発生するためには、代理その他別個の法律関係が伴うことを必要とするものである。」としています（最判昭36.11.30）。

5 **妥当でない**　BがAから甲の管理を頼まれていた場合は、準委任契約（656条）にあたります。準委任契約においても、**委任事務を処理するについて費用を要するときは、委任者は、受任者の請求により、その前払をしなければなりません**（656条・649条）。 P.202

正解　5

野畑のワンポイント

委任と事務管理の比較は重要です。次の表でしっかり確認しておきましょう。

【委任と事務管理の比較】

	受任者	事務管理者
善管注意義務	○（644条）	原則○　例外×（緊急事務管理の場合）
報告義務	○（645条）	○（701条・645条）
引渡し義務	○（646条）	○（701条・646条）
報酬支払請求権	特約があれば○（648条）	×
費用前払い請求権	○（649条）	×
費用償還請求権	○（650条1項）	有益な費用につき○（702条1項）
代弁済請求権	○（650条2項）	有益な債務を負担した場合○（702条2項）
損害賠償請求権	○（650条3項）	×

債権法／不当利得

民法の規定によれば、不法な原因のために給付をした者は、原則としてその給付をしたものの返還を請求することができない。では、未登記建物および既登記建物の贈与について「給付をした」というためには、それぞれ、どのような要件を満たす必要があるか。40字程度で記述しなさい。

【オリジナル問題】

チェック欄	1回目 ／	2回目 ／	3回目 ／
	手応え	手応え	手応え

解説

テキスト ▶ 第2編P.209

解答例（44字）

未	登	記	建	物	に	つ	い	て	は	引	渡	し	、	既
登	記	建	物	に	つ	い	て	は	そ	れ	で	は	足	り
ず	、	所	有	権	移	転	登	記	も	要	す	る	。	

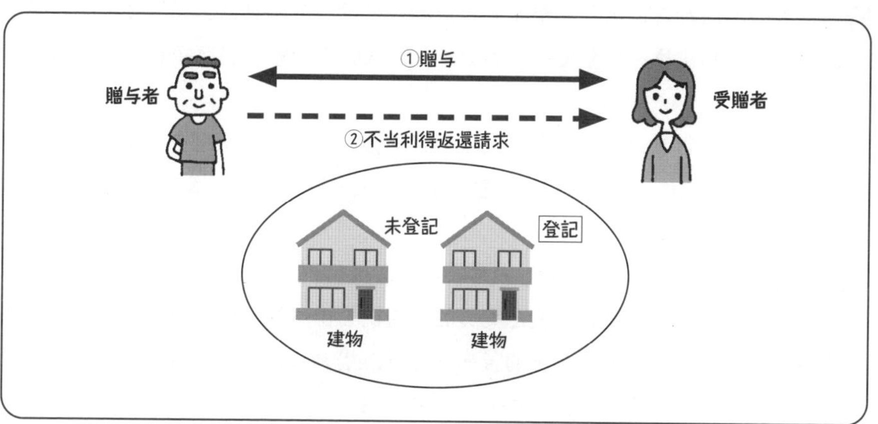

本問は、不法原因給付に関する知識を問うものです。

公の秩序または善良の風俗（公序良俗）に反する法律行為は、無効となります（90条）。しかし、不法な原因のために給付をした者は、その給付したものの返還を請求することができません（不法原因給付／708条本文）。

判例は、「民法708条にいう不法の原因のためになされた給付とは、公の秩序若しくは善良の風俗に反してなされた給付をさす」としています（最判昭27.3.18）。

708条の「給付をした」というためには、相手方に終局的な利益を与えたことを要します。判例は、①**不法な原因のために未登記の建物を贈与した場合には**、「その引渡しにより贈与者の債務は履行を完了したものと解されるから、**右引渡しが民法708条本文にいわゆる給付に当たる**」としています（最大判昭45.10.21）。②**不法な原因のために既登記の建物を贈与した場合には**、708条の「給付があつたとして贈与者の返還請求を拒みうるとするためには、……その**占有の移転のみでは足りず、所有権移転登記手続が履践されていることをも要する**」としています（最判昭46.10.28）。

債権法／不法行為

問題102 **生命侵害等に対する近親者の損害賠償請求権に関する次の記述のうち、妥当なものはどれか。**

1 他人の不法行為により夫が即死した場合には、その妻は、相続によって夫の逸失利益について損害賠償請求権を行使することはできない。

2 他人の不法行為により夫が死亡した場合には、その妻は、相続によって夫本人の慰謝料請求権を行使できるので、妻には固有の慰謝料請求権は認められていない。

3 他人の不法行為により、夫が慰謝料請求権を行使する意思を表明しないまま死亡した場合には、その妻は、相続によって夫の慰謝料請求権を行使することはできない。

4 他人の不法行為により死亡した被害者の父母、配偶者、子以外の者であっても、被害者との間にそれらの親族と実質的に同視し得る身分関係が存在するため被害者の死亡により甚大な精神的苦痛を受けた場合には、その者は、加害者に対して直接固有の慰謝料請求をすることができる。

5 他人の不法行為により子が重い傷害を受けたために、当該子が死亡したときにも比肩しうべき精神上の苦痛をその両親が受けた場合でも、被害者本人は生存しており本人に慰謝料請求権が認められるので、両親には固有の慰謝料請求権は認められていない。

【本試験2014年問34】

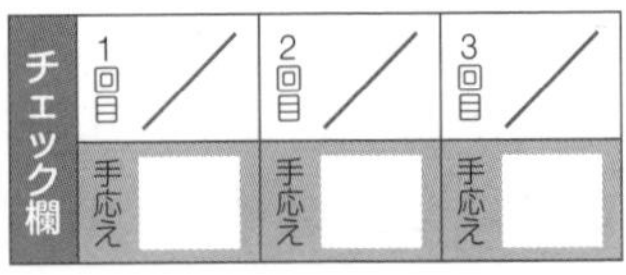

解説

テキスト
第2編

1 **妥当でない** 被害者が即死した場合でも、傷害と死亡との間に観念上時間の間隔があるため、**被害者には受傷の瞬間に賠償請求権が発生し、これが被害者の死亡によって相続人に承継されています**（大判大15.2.16）。よって、被害者の妻は、夫（被害者）の逸失利益について損害賠償請求権を行使することができます。 P.211

2 **妥当でない** 他人の生命を侵害した者は、被害者の父母、配偶者および子に対しては、その財産権が侵害されなかった場合においても、損害の賠償をしなければなりません（近親者に対する損害の賠償／711条）。よって、**被害者の妻（配偶者）には、固有の慰謝料請求権が認められる**ことになります。 P.211

3 **妥当でない** 他人の不法行為によって財産以外の損害を被った者は、損害の発生と同時に慰謝料請求権を取得し、この請求権を放棄したものと解しうる特別の事情がない限り、その相続人は当然に慰謝料請求権を相続することになります（最大判昭42.11.1）。よって、**被害者の妻は、当然に夫（被害者）の慰謝料請求権を行使することができます。** P.211

4 **妥当である** 711条に該当しない者（他人の不法行為により死亡した被害者の父母、配偶者、子以外の者／肢２の解説参照）であっても、被害者との間に711条所定の者と実質的に同視できる身分関係が存在し、被害者の死亡により甚大な精神的苦痛を受けた者には、711条が類推適用されます（最判昭49.12.17）。 P.211

5 **妥当でない** 不法行為により身体に傷害を受けた者の母が、そのために**被害者の生命侵害の場合にも比肩しうるべき精神上の苦痛を受けたときは、**709条、710条に基づいて**自己の権利として慰謝料を請求することができます**（最判昭33.8.5）。 P.211

正解 4

野畑のワンポイント

不法行為に基づく慰謝料請求については、①近親者固有の権利として請求する場合と②被害者の権利を相続して請求する場合があることに注意しましょう。

債権法／不法行為

次の事案についての記述のうち、最も適当なのはどれか。

【事案】

Aは、自動車で住宅街を猛スピードで走行していたところ、突然わき道から飛び出してきた幼児Bに自動車を衝突させ、傷害を負わせた。

1 BがAに対し不法行為に基づき治療費を請求した場合、Bの親権者Cの監督過失を被害者側の過失として過失相殺されることがある。

2 幼児であるBには苦痛を感受しうる能力が備わっていないから、精神的損害というものが観念できず、BはAに対し、治療費の請求ができるにとどまり、傷害の程度にかかわらず、慰謝料を請求することはできない。

3 Bの親権者Cは、Bの傷害の程度にかかわらず、Aに対し、不法行為に基づきC固有の慰謝料を請求することができる。

4 この事故でAの自動車が損傷した場合、Aは、Bに対し、不法行為に基づき自動車の修理費を請求することができる。

5 不法行為に基づく損害賠償請求権は、不法行為の時から３年が経過すると時効によって消滅するから、B及びその親権者Cは、事故の日から３年が経過すると、加害者がAであることを知らなかったとしても、Aに対して治療費等を請求できない。

【公務員試験アレンジ問題】

チェック欄	1回目 ／	2回目 ／	3回目 ／
	手応え	手応え	手応え

解説

テキスト 第2編

1 **最も適当である** **被害者側の過失とは、被害者と身分上ないしは生活関係上一体をなす関係にある者の過失**をいいます(最判昭42.6.27)。本肢では、**CはBの親権者であるので被害者と身分上ないしは生活関係上一体をなす関係にある者**となります。したがって、Cの監督過失を被害者側の過失として過失相殺されることがあります。 P.212

2 **適当でない** 慰謝料請求権について、判例は、両親が死亡した1歳4カ月の幼児について、慰謝料請求権の前提である苦痛の感受性は被害の当時備わっている必要はないとし、**将来における感受性の発生を期待しうる以上、慰謝料請求権を認めることができる**としました(大判昭11.5.13)。

3 **適当でない** 生命侵害については近親者に慰謝料請求権が認められます(711条)。傷害の場合について、判例は、**被害者の生命侵害の場合にも比肩しうるべき精神上の苦痛を受けたときには、**709条・710条に基づいて**自己の権利として慰謝料を請求しうる**としました(最判昭33.8.5)。 P.211

4 **適当でない** 未成年者は、他人に損害を加えた場合に、自己の行為の責任を弁識するに足りる知能(責任能力)を備えていなかったときは、その行為について不法行為に基づく損害賠償責任を負いません(712条)。被害者は、責任無能力者の監督義務者等に責任を追及することになります(714条)。本肢のBは幼児であり、**自己の行為の責任を弁識するに足りる知能を備えていないので、不法行為に基づく損害賠償責任を負わない**ことになります。 P.214

5 **適当でない** 人の生命・身体を害する不法行為による損害賠償請求権は、被害者またはその法定代理人が**損害および加害者を知った時から5年間行使しないときに時効によって消滅する**ことになります(724条の2)。また、**不法行為の時から20年を経過したときも時効によって消滅**します(724条2号)。 P.213

正解 1

選択肢1について、「被害者側の過失」の具体例を押さえておきましょう。

【被害者側の過失】

被害者側の過失が肯定された例	①子の損害賠償請求における親の過失。 ②妻の損害賠償請求における夫の過失。 ※婚姻関係が破綻している場合は除く。
被害者側の過失が否定された例	園児の損害賠償請求における引率中の保育士の過失。

債権法／不法行為

不法行為における使用者責任に関する次のア～エの記述のうち、妥当なものの組合せはどれか。

ア　使用者は、被用者の選任及びその事業の監督について相当の注意をしたことを証明した場合、責任を免れる。

イ　使用者責任に基づき、使用者が被害者に全額の損害賠償を行った場合であっても、被用者が民法709条の不法行為責任に基づき被害者に全額の損害賠償を行う義務は存続する。

ウ　被用者の加害行為は、使用者の事業の執行についてされたものであることが必要であるが、これは、その加害行為が、被用者の職務執行行為そのものには属しないが、行為の外形から観察して、あたかも被用者の職務の範囲内の行為に属するものとみられる場合も含む。

エ　普段から業務として使用者である会社の自動車を運転していた被用者が、終電車に乗り遅れたため、その自動車を無断で持ち出して運転して帰宅する途中、被害者を轢いて死亡させた。この場合、被用者の行為は、使用者の事業の執行についてされたものであることの要件を満たさない。

1　ア・ウ
2　ア・エ
3　イ・ウ
4　イ・エ
5　ウ・エ

【公務員試験アレンジ問題】

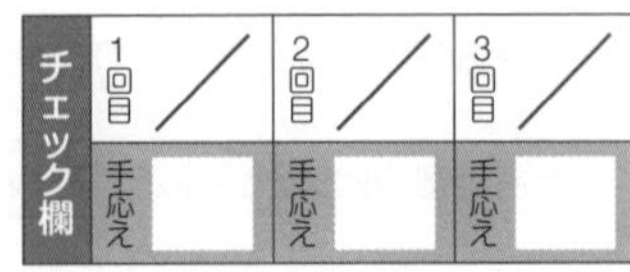

解説

テキスト
第2編

ア　妥当である　使用者は、①被用者の選任およびその事業の監督について相当の注意をしたこと、または②相当の注意をしても損害が生じたこと（使用者の選任・監督上の過失と損害発生との間に因果関係がないこと）を**使用者の側で立証したときは免責される**ことになります（715条1項但書）。 P.215

イ　妥当でない　使用者責任が認められるためには、被用者について一般不法行為の成立要件を具備することが必要ですから、**使用者責任**（715条1項）**が成立する場合には、常に被用者にも709条の不法行為が成立する**ことになります。使用者と被用者の責任については連帯債務の規定が適用されて、一方が全額の損害賠償を行った場合には他方の責任も消滅します。

ウ　妥当である　使用者責任が認められるためには、被用者の不法行為（肢イの解説参照）が使用者の「事業の執行について」なされたことが必要となります（715条1項本文）。この「事業の執行について」とは、**被用者の職務の執行行為そのものには属しませんが、その行為の外形から観察して、あたかも被用者の職務の範囲内の行為に属するものとみられる場合をも含む**ことになります（外形理論／最判昭36.6.9）。 P.215

エ　妥当でない　本肢と同様の事案で、判例は、**被用者の行為（会社の自動車を私用で無断運転したこと）は外形上その職務の範囲内の行為と認められ、その結果起こした事故による損害は会社（使用者）の「事業の執行について」生じたものである**としています（最判昭39.2.4）。 P.215

以上より、妥当なものは**ア**・**ウ**であり、正解は**1**となります。

正解　1

肢エでわかるように、使用者責任における「事業の執行」の範囲はかなり広いと押さえておきましょう。

債権法／不法行為

問題105 自動車の運転ミスによる交通事故によって被害者が死亡して、被害者の妻が被害者を相続した。この場合において、被害者の妻は、被害者および自己の受けた精神的損害について、加害者に対し、どのような立場で、どのような権利を行使することができるか。「被害者の妻は、加害者に対し、」に続けて、40字程度で記述しなさい。

被害者の妻は、加害者に対し、

【オリジナル問題】

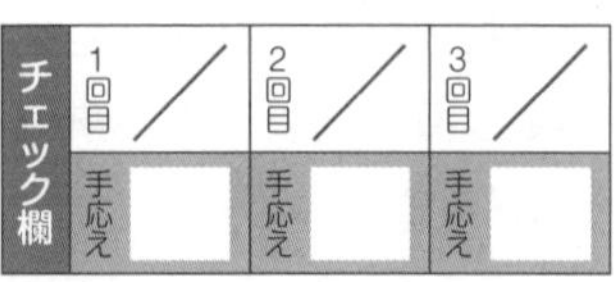

解説

テキスト ▶ 第2編P.211

解答例（43字）

被害者の妻は、加害者に対し、

相	続	人	と	し	て	慰	謝	料	請	求	権	を	行	使
す	る	と	と	も	に	、	配	偶	者	と	し	て	固	有
の	慰	謝	料	請	求	権	を	行	使	す	る	。		

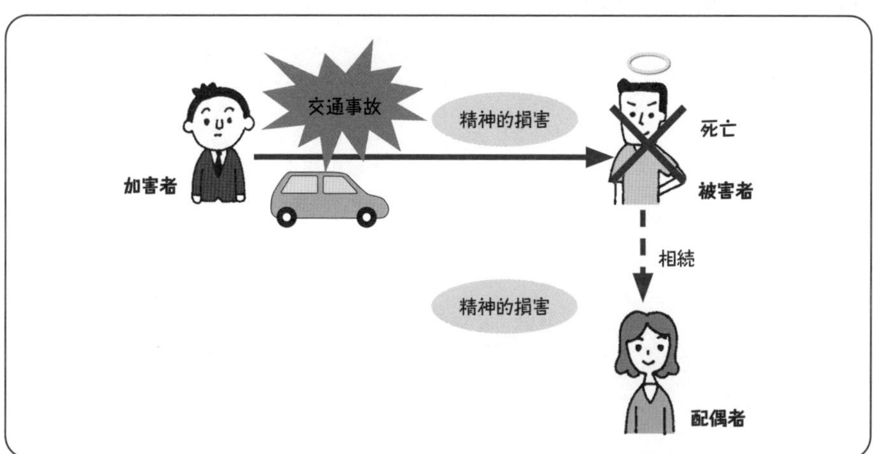

本問は、不法行為による慰謝料請求権に関する知識を問うものです。

故意または過失によって他人の権利または法律上保護される利益を侵害した者は、これによって生じた損害を賠償する責任を負います（709条）。他人の身体、自由もしくは名誉を侵害した場合または他人の財産権を侵害した場合のいずれであるかを問わず、709条の規定により損害賠償の責任を負う者は、財産以外の損害に対しても、その賠償をしなければなりません（710条）。財産以外の損害についての賠償を請求する権利を、慰謝料請求権といいます。

判例は、「ある者が他人の故意過失によつて財産以外の損害を被つた場合には、その者は、財産上の損害を被つた場合と同様、損害の発生と同時にその賠償を請求する権利すなわち慰藉（謝）料請求権を取得し、右請求権を放棄したものと解しうる特別の事情がないかぎり、これを行使することができ、その損害の賠償を請求する意思を表明するなど格別の行

解説

為をすることを必要とするものではない。そして、**当該被害者が死亡したときは、その相続人は当然に慰藉（謝）料請求権を相続するものと解するのが相当である**」としています（最大判昭42.11.1）。よって、被害者の妻は、加害者に対し、被害者の相続人として被害者から相続した慰謝料請求権を行使することができます。

さらに、**他人の生命を侵害した者は、被害者の父母、配偶者および子に対しては、その財産権が侵害されなかった場合においても、損害の賠償をしなければならない**（711条）としています。よって、被害者の妻は、加害者に対し、被害者の配偶者として固有の慰謝料請求権を行使することができます。

「固有の慰謝料請求権」と記載できるかが合否を分ける大きなポイントです。

MEMO

家族法／親族法

問題 106 **婚姻の効力に関する次のア〜オの記述のうち、妥当なものの組合せはどれか。**

ア 当事者間に婚姻をする意思の合致があれば、民法上婚姻の効力が生じる。婚姻の届出は、あくまで行政関係法規に基づく義務であることから、届出の有無は、民法上の婚姻の効力には影響しない。

イ 婚姻の成立に必要な婚姻をする意思とは、法律上の夫婦という身分関係を設定する意思で足り、当事者間に真に社会観念上夫婦であると認められる関係の設定を欲する効果意思までも要求するものではない。

ウ 将来婚姻することを目的に性的交渉を続けてきた者が、婚姻意思を有し、かつ、その意思に基づいて婚姻の届出を作成したときは、仮に届出が受理された当時意識を失っていたとしても、その受理前に翻意したなど特段の事情がない限り、当該届出の受理により婚姻は有効に成立する。

エ 直系姻族間及び養親子間の婚姻は禁止されており、これに反して婚姻したとしても当然に無効であり、婚姻の効力は発生しない。

オ 事実上の夫婦の一方が他方の意思に基づかないで婚姻届を作成して提出した場合においても、当時両名に夫婦としての実質的生活関係が存在しており、かつ、後に他方の配偶者が届出の事実を知ってこれを追認したときは、当該婚姻は追認によりその届出の当初に遡って有効となる。

1 ア・イ
2 ア・ウ
3 イ・ウ
4 イ・エ
5 ウ・オ

【公務員試験アレンジ問題】

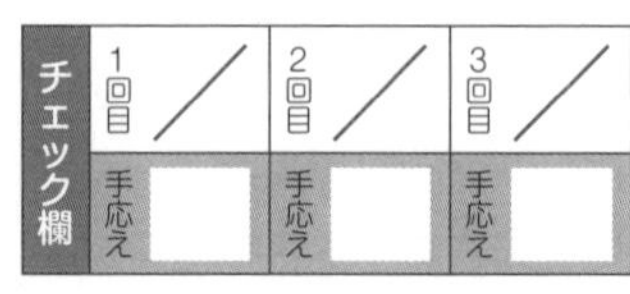

解説

テキスト 第2編

ア 妥当でない 民法は、当事者間に婚姻をする意思がないときは、婚姻は無効になると規定するので（742条1号）、婚姻が有効となるためには、当事者間に婚姻をする意思があること（婚姻意思の合致）が必要となります。さらに、民法は、婚姻は、戸籍法の定めるところにより届け出ることによって効力を生ずる（739条1項）と規定していますが、判例・通説によれば、**婚姻の届出は、婚姻の成立要件である**と解されています。 P.221

イ 妥当でない 判例は、婚姻意思とは、「当事者間に真に社会観念上夫婦であると認められる関係の設定を欲する効果意思」であり、**子に嫡出子としての地位を得させるための便法として婚姻の届出をした場合には、婚姻は無効である**としました（最判昭44.10.31）。 P.221

ウ 妥当である 婚姻意思は、婚姻届の作成時だけでなく、婚姻届の提出時（受理時）にも必要であると解されています。ただし、判例は、婚姻届の作成時に婚姻意思があり、事実上の夫婦共同生活関係が存続していたとすれば、当事者の一方が届出書の受理時に昏睡状態に陥り、意識を失ったとしても、**届出書受理以前に翻意するなど婚姻の意思を失う特段の事情のない限り、届出書の受理によって婚姻は有効に成立する**としました（最判昭44.4.3）。 P.221

エ 妥当でない 倫理的な理由から、直系姻族間の婚姻は禁止されています（735条）。また、養子・その配偶者、または養子の直系卑属・その配偶者と、養親・その直系尊属との間での婚姻も禁止されています（736条）。もっとも、これらの**近親婚の禁止に違反した婚姻は、各当事者、その親族または検察官からその取消しを家庭裁判所に請求できる**のであって（744条1項）、当然に無効となるわけではありません。 P.222

オ 妥当である たとえ事実上の夫婦の一方が婚姻届を作成して提出しても、その婚姻届が他方の意思に基づかないものであれば、その婚姻は無効になります。しかし、判例は、①その当事者間に夫婦としての実質的生活関係が存在しており、かつ、②のちに他方の配偶者が届出の事実を知ってこれを追認したときは、無権代理行為の追認に関する116条の類推適用により、その婚姻は追認によりその届出の当初に遡って有効となるとしました（最判昭47.7.25）。

以上より、妥当なものは**ウ・オ**であり、正解は**5**となります。

正解 5

家族法／親族法

嫡出の推定に関する次の記述のうち、民法の規定に照らし、妥当なものの組合せはどれか。

ア　妻が婚姻中に懐胎した子は、その婚姻における夫の子と推定される。女が婚姻前に懐胎した子であって、婚姻が成立した後に生まれたものも、その婚姻における夫の子と推定される。

イ　女が子を懐胎した時から子の出生の時までの間に複数の婚姻をしていたときは、その子は、最初の婚姻における夫の子と推定される。

ウ　再婚後の夫の子と推定される子に関し、前夫は、出生の直近の婚姻における夫の子と推定された子が嫡出であることを否認することができる。

エ　父または母は、子の出生後において、その嫡出であることを承認したときでも、嫡出否認の訴えを提起する権利を失わない。

オ　嫡出の推定が嫡出否認の訴えにより否認されたときは、子は、父であった者が支出した子の監護に要した費用を償還する義務を負う。

1　ア・イ
2　ア・ウ
3　イ・オ
4　ウ・エ
5　エ・オ

【オリジナル問題】

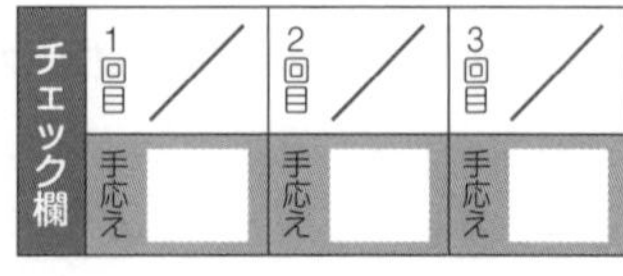

解説

テキスト
第2編

ア　妥当である　①妻が婚姻中に懐胎した子は、当該婚姻における夫の子と推定されます（772条1項前段）。②女が婚姻前に懐胎した子であって、婚姻が成立した後に生まれたものも、当該婚姻における夫の子と推定されます（772条1項後段）。2022年の民法改正により、嫡出推定制度の見直しが行われて、母の再婚後に生まれた子を再婚後の夫の子と推定する規律（772条1項後段）が追加されました。 P.226

イ　妥当でない　女が子を懐胎した時から子の出生の時までの間に2以上の婚姻をしていたときは、その子は、**その出生の直近の婚姻における夫の子と推定されます**（772条3項）。2022年の民法改正により、嫡出推定制度の見直しが行われて、女性が子を懐胎した時から子の出生までの間に複数の婚姻をしていたときは、その子を、その出生の直近の婚姻における夫の子と推定する規律（772条3項）が追加されました。 P.226

ウ　妥当である　再婚後の夫の子と推定される子に関し、前夫は、出生の直近の婚姻における夫の子と推定された子が嫡出であることを否認することができます（774条4項本文）。2022年の民法改正により、嫡出否認制度の見直しが行われて、夫に加えて、子・母・前夫も嫡出否認の訴えを提起できることになりました。また、嫡出否認の訴えの出訴期間が原則として3年間に伸長されました。 P.228

エ　妥当でない　父または母は、子の出生後において、その嫡出であることを承認したときは、それぞれ**その否認権を失います**（776条）。

オ　妥当でない　嫡出の推定が嫡出否認の訴えにより否認された場合であっても、子は、父であった者が支出した子の監護に要した費用を**償還する義務を負いません**（778条の3）。

以上より、妥当なものは**ア・ウ**であり、正解は肢**2**となります。

正解　2

家族法／親族法

問題 108 **特別養子縁組に関する次の記述のうち、妥当なものはどれか。**

1 特別養子縁組は、原則として家庭裁判所の審判によって成立するが、一定の要件を満たせば、父母又は未成年後見人と養親となる者との合意のみによって成立する。

2 特別養子縁組において養親となる者は、配偶者のある者でなければならない。

3 特別養子縁組における養子の年齢は18歳未満とされており、18歳以上の者を養子とするには、家庭裁判所の許可を得なければならない。

4 特別養子縁組により養子と養親及び養親の親族との間に法定血族関係が発生するが、原則として実方との親族関係も引き続き存続する。

5 特別養子縁組については、家庭裁判所がその成立に厳格に関与することから、縁組の無効･取消しは制度上想定されておらず、離縁を認める規定も存在しない。

【公務員試験アレンジ問題】

チェック欄	1回目 ／	2回目 ／	3回目 ／
	手応え	手応え	手応え

解説

テキスト
第2編

1 妥当でない　**養子と実方の血族との間の親族関係が終了する特別養子縁組は契約ではなく、養親となる者の請求により家庭裁判所の審判によって成立**します（817条の2第1項）。子の福祉を優先する縁組を成立させるため、国家の後見的見地からの判断を成立要件としました。 P.228

2 妥当である　特別養子縁組において、**養親となる者は配偶者のある者でなければならず**（817条の3第1項）、かつ、（夫婦の一方の連れ子を養子とする場合を除き）**夫婦が共に養親とならなければなりません**（同条2項）。幼児の教育には夫婦がそろって親となることが望ましいからです。 P.228

3 妥当でない　特別養子制度の利用を促進するため、2019（令和元）年改正により対象年齢が引き上げられました。すなわち、**特別養子となる者の年齢は、①縁組の請求時に15歳未満、②縁組成立時に18歳未満でなければなりません**（817条の5第1項）。ただし、15歳に達する前から引き続き養親となる者に監護されていた場合において、15歳に達するまでに縁組の請求がされなかったことについてやむをえない事由があるときには、①の制限は適用されませんが（同条2項）、養子となる者の同意が必要となります（同条3項）。いずれにしても、**18歳以上の者を特別養子とすることはできません。** P.228

4 妥当でない　普通養子縁組の場合と同様、特別養子縁組により養子と養親およびその血族との間には法定血族関係が発生します（727条）。しかし、**普通養子縁組の場合と異なり、養子と実方の父母およびその血族との親族関係は、連れ子養子**（肢2の解説参照）**の場合を除き、特別養子縁組により終了します**（817条の9）。 P.229

5 妥当でない　普通養子縁組の無効・取消しについては、民法802条～808条に規定されています。しかし、特別養子縁組については、家庭裁判所がその成立に関与するので（肢1の解説参照）、縁組の無効・取消しは制度上想定されていません。もっとも、特別養子縁組の離縁については、特別な場合に限り認められます。すなわち、**家庭裁判所は、①養親による虐待、悪意の遺棄その他養子の利益を著しく害する事由があり、かつ、②実父母が相当の監護をすることができる場合において、養子の利益のため特に必要があると認めるときに限り、養子、実父母または検察官の請求により、特別養子縁組の当事者を離縁させることができます**（817条の10）。

正解　2

家族法／親族法

利益相反行為に関する以下の記述のうち、民法の規定および判例に照らし、妥当なものの組合せはどれか。

ア　親権者が、共同相続人である数人の子を代理して遺産分割協議をすることは、その結果数人の子の間の利害の対立が現実化しない限り、利益相反行為にはあたらない。

イ　親権者である母が、その子の継父が銀行から借り入れを行うにあたり、子の所有の不動産に抵当権を設定する行為は、利益相反行為にあたる。

ウ　親権者が、自己の財産を、子に対して有償で譲渡する行為は当該財産の価額の大小にかかわらず利益相反行為にあたるから、その子の成年に達した後の追認の有無にかかわらず無効である。

エ　親権者が、自らが債務者となって銀行から借り入れを行うにあたって、子の所有名義である土地に抵当権を設定する行為は、当該行為がどのような目的で行なわれたかに関わりなく利益相反行為にあたる。

オ　親権者が、他人の金銭債務について、連帯保証人になるとともに、子を代理して、子を連帯保証人とする契約を締結し、また、親権者と子の共有名義の不動産に抵当権を設定する行為は、利益相反行為にあたる。

1　ア・イ
2　ア・エ
3　イ・ウ
4　ウ・エ
5　エ・オ

【本試験2014年問35】

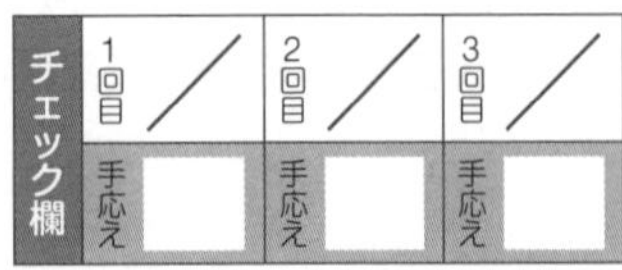

解説

テキスト
第2編

ア　妥当でない　親権者が共同相続人である**数人の子を代理して遺産分割協議をすることは、利益相反行為にあたります**（最判昭48.4.24）。 P.230

イ　妥当でない　親権者である母が子の継父である夫の債務のために子の不動産に抵当権を設定する行為は、**利益相反行為にあたりません**（最判昭35.7.15）。 P.230

ウ　妥当でない　利益相反行為について、親権者が未成年の子を代理してした行為は、無権代理行為となります（大判昭11.8.7）。もっとも、**子が成年に達した後、追認をすれば有効となり、本人に効力が及びます。** P.230

エ　妥当である　利益相反行為にあたるか否かは、行為の動機・意図を問わず、行為の外形によって判断されます。**養育費に充てるためであっても、親権者自身が金員を借り受け、その債務につき子の所有不動産に抵当権を設定する行為は利益相反行為にあたる**とした判例があります（最判昭37.10.2）。 P.230

オ　妥当である　第三者の負担する債務について、親権者が自ら連帯保証をするとともに子の代理人として同一債務について連帯保証をなし、かつ親権者と子が共有する不動産に抵当権を設定する行為は、利益相反行為にあたります（最判昭43.10.8）。

以上より、妥当なものは**エ・オ**であり、正解は**5**となります。

正解　5

利益相反行為の事例は限られていますので、基本テキストで考え方を理解し、本問で具体例を押さえるようにしましょう。

家族法／相続法

問題 110　相続欠格と相続人の廃除に関する次のア～オの記述のうち、妥当なものの組合せはどれか。

ア　相続欠格においては、その対象者となりうるのは全ての推定相続人であるが、相続人の廃除においては、その対象者となるのは遺留分を有する推定相続人に限られる。

イ　相続欠格においては、その効果は一定の欠格事由があれば法律上当然に生ずるが、相続人の廃除においては、その効果は被相続人からの廃除請求による家庭裁判所の審判の確定によって生ずる。

ウ　相続欠格においては、被相続人および同順位相続人は欠格の宥恕をすることができるが、相続人の廃除においては、被相続人は審判確定後は家庭裁判所にその取消しを請求することはできない。

エ　相続欠格においては、被相続人の子が欠格者となった場合には、欠格者の子は代襲相続人となることができないが、相続人の廃除においては、被相続人の子について廃除が確定した場合でも、被廃除者の子は代襲相続人となることができる。

オ　相続欠格においては、その効果としてすべての相続にかかわる相続能力が否定されるが、相続人の廃除においては、その効果として廃除を請求した被相続人に対する相続権のみが否定される。

1　ア・イ
2　ア・ウ
3　イ・エ
4　ウ・オ
5　エ・オ

【本試験2009年問35】

チェック欄	1回目 ／	2回目 ／	3回目 ／
	手応え	手応え	手応え

解説

テキスト
第2編

ア **正** 数人の者が死亡した場合において、そのうちの1人が他の者の死亡後になお生存していたことが明らかでないときは、これらの者は、同時に死亡したものと推定します（32条の2／同時死亡の推定）。被相続人と相続人が同時に死亡した場合には、一方の死亡時に他方は存在していないから、相続はできないことになります。本肢の場合、AとCは同時に死亡したものと推定され、CはAの相続人となることができません。よって、Aの相続人は、配偶者Bと母Dとなります（889条1項1号・890条・900条2号）。

イ **誤** 胎児は、相続については、すでに生まれたものとみなされます（886条1項）。886条1項の規定は、胎児が死体で生まれたときは、適用しません（886条2項）。本肢の場合、Aの死亡時にまだ胎児であったCが生まれれば、Aの相続人は**配偶者Bと胎児C**であり（887条1項・890条）、母DはAの相続人に含まれません（900条1号参照）。 P.11

ウ **正** 養子は、縁組の日から、養親の嫡出子の身分を取得します（809条）。本肢の場合、Aの相続人は、配偶者B、実子Cおよび養子Eであり（887条1項・890条・900条1号）、CとEの相続分は等しくなります（900条4号本文）。 P.228

エ **誤** 被相続人の子が、相続の開始以前に死亡したとき、または相続人の欠格事由に該当し、もしくは廃除によって、その相続権を失ったときは、その者の子がこれを代襲して相続人となります（887条2項本文）。ただし、被相続人の直系卑属でない者は、この限りではありません（887条2項但書）。本肢の場合、**推定相続人の廃除は代襲原因である**から、Cの子Fは、Cを代襲してAの相続人となります。よって、Aの相続人は配偶者BおよびFであり（887条2項本文・890条）、母DはAの相続人に含まれません（900条1号参照）。 P.232

オ **誤** 相続の放棄をした者は、その相続に関しては、初めから相続人とならなかったものとみなされます（939条）。**相続放棄は、代襲原因となりません**（887条2項参照）。本肢の場合、Cの子Fは、Cを代襲してAの相続人となりません。よって、Aの相続人は、配偶者Bと母Dになります（889条1項1号・890条・900条2号）。 P.232

以上より、正しいものは**ア・ウ**であり、正解は**1**となります。

正解 1

家族法／相続法

問題 112　遺贈と死因贈与に関する次の１～４の記述のうち、妥当なものはどれか。ただし、争いのあるものは判例の見解による。

1　死因贈与の方式については、遺贈に関する規定が準用され、死因贈与は、書面によらなければ、その効力が認められない。

2　遺贈に負担を付けることは許されないが、死因贈与では、負担付贈与が認められる。

3　遺贈は、遺贈者本人の意思に基づいてなされなければならないから、代理人によることはできないが、死因贈与は、贈与契約であるため、代理人によってすることができる。

4　遺贈や死因贈与も、相手方のない単独行為である。

【公務員試験アレンジ問題】

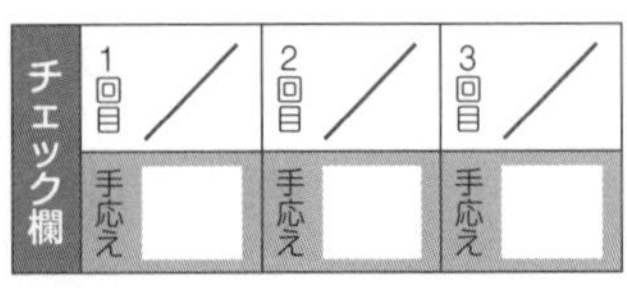

解説

テキスト
第2編

1 **妥当でない**　遺贈については、**遺言が「単独行為」であり、遺言者の死後その効力が問題となること**（985条1項）**から、厳格な方式**が定められています（967条以下）。これに対して、**死因贈与は、贈与者の死後その効力が争われることが多いとはいえ、贈与という「契約」であるから、遺言におけるような厳格な方式を必要としません。**そこで、判例は、死因贈与の方式については遺贈に関する規定の準用はないとしています（最判昭32.5.21）。

2 **妥当でない**　**遺贈の際に受遺者に負担を課す「負担付遺贈」も許されます**（1002条・1003条）。なお、**死因贈与も贈与契約であり、受贈者に負担を課す「負担付贈与」**（551条2項・553条）**は認められます**（負担付死因贈与）。

3 **妥当である**　**遺言（遺贈）は、**人の最終意思を尊重するために認められるものであるから、**遺言者（遺贈者）本人の意思に基づいてなされなければならず、代理人によることはできません。**これに対して、**死因贈与は、贈与契約であるから、代理人によってすることができます。**

4 **妥当でない**　遺贈は、遺言者による「相手方のない単独行為」である遺言によって行われます。死因贈与は、遺贈と同じく死亡は効力発生要件になっていますが、**贈与者・受贈者間の合意による「契約」である点で遺贈と異なります。**

正解 3

野畑のワンポイント

この問題は少し難しかったかもしれません。
死因贈与＝契約（申込みと承諾が必要）
遺贈＝単独行為（遺贈者の意思表示のみで効力発生）
の違いを押さえておきましょう。

家族法／相続法

問題 113 被相続人Aの死後に作成日時の異なる遺言が2通出てきたが、どちらも遺言としての要件を満たしており、前の遺言には「妻Bに甲建物を遺贈する」という内容が含まれているのに対し、後の遺言には「子Cに甲建物を遺贈する」という内容が含まれている。民法の規定によれば、このように前の遺言が後の遺言と抵触するときは、どのように扱われるのか。「前の遺言が後の遺言と抵触するときは、」に続けて、40字程度で記述しなさい。

前の遺言が後の遺言と抵触するときは、

【オリジナル問題】

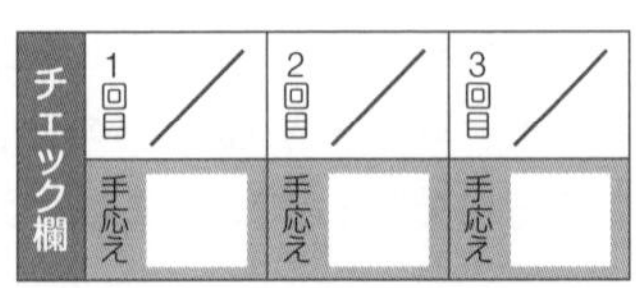

解説

テキスト ▶ 第2編P.241

解答例（37字）

前の遺言が後の遺言と抵触するときは、

そ	の	抵	触	す	る	部	分	に	つ	い	て	は	、	後
の	遺	言	で	前	の	遺	言	を	撤	回	し	た	も	の
と	み	な	さ	れ	る	。								

本問は、遺言に関する知識を問うものです。

前の遺言が後の遺言と抵触するときは、その抵触する部分については、後の遺言で前の遺言を撤回したものとみなされます（1023条1項）。

本問のように、前の遺言には「妻Bに甲建物を遺贈する」という内容が含まれているのに対し、後の遺言には「子Cに甲建物を遺贈する」という内容が含まれているという場合には、後の遺言で前の遺言を撤回したものとみなされて、後の遺言により「子Cに甲建物を遺贈する」ということになります。

家族法／相続法

配偶者居住権に関する次の記述のうち、民法の規定に照らし、妥当なものはどれか。

1 配偶者居住権は、被相続人が相続開始の時に配偶者以外の者と共有していた建物についても成立する。

2 配偶者は、みずから取得した配偶者居住権を第三者に譲渡することができる。

3 配偶者居住権の存続期間は、配偶者の終身の間とすることはできない。

4 配偶者居住権を取得した配偶者は、居住建物の通常の必要費を負担する。

5 配偶者居住権を取得した配偶者は、自己の財産におけるのと同一の注意をもって、居住建物の使用および収益をしなければならない。

【オリジナル問題】

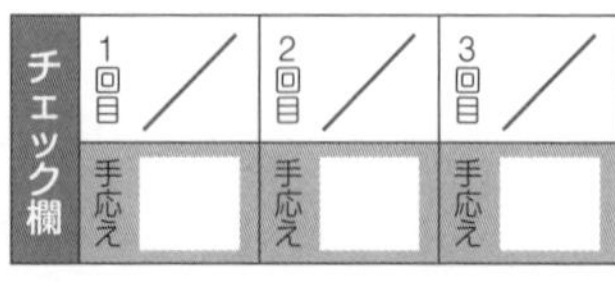

解説

テキスト 第2編

1 **妥当でない**　被相続人の配偶者は、被相続人の財産に属した建物に相続開始の時に居住していた場合において、①**遺産の分割**によって配偶者居住権を取得するものとされたとき、②配偶者居住権が**遺贈**の目的とされたとき、③配偶者居住権が**死因贈与**の目的とされたときは、その居住していた建物の全部について無償で使用および収益をする権利（「**配偶者居住権**」）を取得します（1028条1項本文・554条）。ただし、**被相続人が相続開始の時に居住建物を配偶者以外の者と共有していた場合には、配偶者居住権は成立しません**（1028条1項但書）。

2 **妥当でない**　配偶者居住権は、**譲渡することができません**（1032条2項）。 P.240

3 **妥当でない**　**配偶者居住権の存続期間は、配偶者の終身の間とします**（1030条本文）。ただし、遺産の分割の協議もしくは遺言に別段の定めがあるとき、または家庭裁判所が遺産の分割の審判において別段の定めをしたときは、その定めるところによります（1030条但書）。 P.240

4 **妥当である**　配偶者居住権を取得した配偶者は、**居住建物の通常の必要費を負担します**（1034条1項）。

5 **妥当でない**　配偶者居住権を取得した配偶者は、**従前の用法に従い、善良な管理者の注意をもって、居住建物の使用および収益をしなければなりません**（1032条1項本文）。 P.240

正解 4

MEMO

MEMO

MEMO

MEMO

第3編

行政法

著者の**野畑講師**が解説！

書籍購入者限定
無料解説動画

アクセスは
こちら

重要問題や間違えやすい問題をピックアップして解説しています。

※動画の視聴開始日・終了日は、
専用サイトにてご案内いたします。

※ご視聴の際の通信料はお客様負担と
なります。

URL

https://www.lec-jp.com/gyousei/book/member/torisetsu/2025_mondai.html

行政法総論／行政法の基本原理

問題 115 **次の文章は、法律の留保の原則について述べたものである。空欄A～Cに入るものをア～カから選んだ組合せとして妥当なものはどれか。**

法律の留保の原則は、行政機関が特定の行政活動を行う場合に、事前に法律でその根拠が規定されていなければならないとするものであるが、いかなる行政活動を行う場合に法律の根拠が必要かについては様々な考え方がある。

侵害留保説は、［A］には法律の根拠を必要とするという考え方であり、現在の立法実務はこの説によっていると解されている。侵害留保説によれば、［B］は、法律の根拠を必要とすることになるが、［C］は、法律の根拠を必要としないことになる。

ア 国民の権利義務を一方的決定により変動させる行政活動
イ 国民の自由と財産を侵害する行政活動
ウ 宅地開発業者に対して当該業者の任意性を損なうことがない範囲で寄付金の納付を求める行為
エ 違法建築物の除却、移転、改築等を命ずる行為
オ 住宅に太陽光発電装置を設置した者に対する補助金の交付決定
カ 感染症の患者を強制的に入院させる行為

1. A―ア　B―ウ　C―エ・オ・カ
2. A―ア　B―ウ・オ　C―エ・カ
3. A―ア　B―エ・カ　C―ウ・オ
4. A―イ　B―エ・カ　C―ウ・オ
5. A―イ　B―オ・カ　C―ウ・エ

【公務員試験アレンジ問題】

チェック欄	1回目 ／	2回目 ／	3回目 ／
	手応え	手応え	手応え

解説

テキスト▶第3編P.12

侵害留保説は、国民の自由と財産を侵害する行政活動には法律の根拠を必要とする考え方です。これは、**侵害行政については、自由主義的見地から法律の根拠が必要ですが、給付行政は個人に便益を与えるものであり、また、この種の活動については法律で縛ることなく行政の自由度を高めておくほうが、むしろ国民の利益になるという判断から、給付行政には法律の根拠は不要**と解されています。実務では、単純に補助金の交付のみを目的とする規定は法律で設けないこととし、現在なおこの種の規定がある場合については、廃止の措置を漸次進めるものとすることとする閣議決定（「内閣提出法律案の整理について」昭和38年9月13日）が出されており、実務は侵害留保説に立っているものと解されています。したがって、Aにはイが入ります。

侵害留保説によれば、侵害行政について法律の根拠を要することになるので、Bには侵害行政であるエおよびカが入ります。これに対し、非侵害行政については法律の根拠は不要とされるので、非侵害行政であるウおよびオが入ります。

なお、アの国民の権利義務を一方的決定により変動させる行政活動には法律の根拠が必要とするという考え方は、権力留保説です。権力留保説の特徴は、授益的決定のように相手方の利益となる行政行為であっても、行政庁の一方的決定による権利義務の変動については法律の根拠が必要となる点にあります。権力留保説では、オが行政庁の一方的な補助金の交付決定により国民に権利を与えるものであるから、エ・カのみならず、オについても法律の根拠が必要となるとされています。

以上より、**A－イ、B－エ・カ、C－ウ・オ**であり、正解は**4**となります。

正解 4

行政法総論／行政法の基本原理

問題116 **信頼保護の原則ないし信義誠実の原則に関する次の記述のうち、妥当なものはどれか。**

1 信頼保護の原則については民法においても明文の定めがなく、判例により認められた原則であるが、公法関係においてもその適用の余地があることが、次第に認められつつある。

2 違法な行政処分の取消しについても、相手方の信頼保護の見地から、それが制限されることがあるとするのが通説である。

3 前村長が村の長期施策に基づいて工場建設を積極的に誘致・協力していても、村長の交代により施策が変更されることがあるのは当然であるから、それによって工場建設が不可能となっても、信頼が保護される余地はなく、村の損害賠償責任が生ずることはないとするのが判例である。

4 租税法律主義が貫かれるべき租税法律関係においては、租税法規に適合する課税処分について信頼保護の原則を適用してこれを取り消す余地はないとするのが判例である。

5 許可などに公益上の理由による撤回権の留保が付されている場合には、それにより相手方の信頼保護は排除されるから、処分庁は自由にこれを撤回することができることになる。

【公務員試験アレンジ問題】

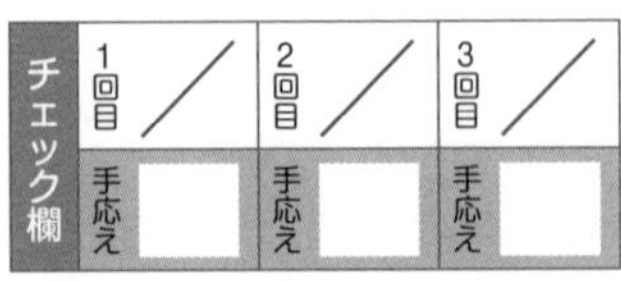

解説

テキスト 第3編

1 **妥当でない** 信頼保護の原則は、**民法においては信義誠実の原則（信義則）として定められ**（民法１条２項）、明文の定めがあるものです。また、**同原則は、公法関係においても適用の余地がある**ものと解されてきました（最判昭56.1.27）。 P.13

2 **妥当である** 法律による行政の原理を徹底すれば、違法な行政行為は取り消されてしかるべきです。しかし、不利益処分であると授益的処分であるとを問わず、直ちに当該処分を取り消す必要があるわけではありません。判例は、**不利益処分であっても、公益の見地から取消しが制限される場合があり、授益的処分であっても取消しの利益と私人の信頼保護の利益とを利益考慮することで、取消しを認めるか否かが決せられる**としています（最判昭33.9.9、最判昭43.11.7）。 P.39

3 **妥当でない** 判例は、地方公共団体の施策の変更自体は違法ではないが、地方公共団体が特定の者に対して具体的勧誘を行い、しかもその者が大規模な投資をしたなど、両者の間に信頼関係が成立していたと認められる場合には、信義衡平の原則に照らし、施策の変更にあたってはこのような信頼に対して法的保護が与えられなければならないとしています。そのうえで、**地方公共団体が当該私人が被る損害を補償するなどの代償的措置を講ずることなく施策を変更することは、やむをえない客観的事情による場合でない限り、当事者間の信頼関係を不当に破壊する違法性を帯びる**ものとして、地方公共団体の損害賠償責任を認める立場をとっています（最判昭56.1.27）。 P.13

4 **妥当でない** 判例は、法律による行政の原理が貫かれるべき租税法律関係においては、信義則の法理の適用は慎重でなければならないとしています。しかし、**租税法規の適用における納税者間の平等、公平という要請を犠牲にしてもなお、当該課税処分にかかる課税を免れしめて納税者の信頼を保護しなければ、正義に反するといえるような特別の事情が存する場合には、租税法規に適合する課税処分を、信義則の適用により違法なものとして取り消す余地を認めています**（最判昭62.10.30）。 P.13

5 **妥当でない** 撤回権の留保とは、特定の場合に行政行為を撤回すべき権利を留保する行政行為の附款をいいます。しかし、たとえ附款として撤回権の留保が付加されていても、自由に撤回が許されるわけではなく、**それを撤回する公益上の必要性がなければなりません。**

正解 2

行政法総論／行政法の基本原理

問題 117 **行政上の法律関係に関する次の記述のうち、最高裁判所の判例に照らし、妥当なものはどれか。**

1 公営住宅の使用関係については、一般法である民法および借家法（当時）が、特別法である公営住宅法およびこれに基づく条例に優先して適用されることから、その契約関係を規律するについては、信頼関係の法理の適用があるものと解すべきである。

2 食品衛生法に基づく食肉販売の営業許可は、当該営業に関する一般的禁止を個別に解除する処分であり、同許可を受けない者は、売買契約の締結も含め、当該営業を行うことが禁止された状態にあるから、その者が行った食肉の買入契約は当然に無効である。

3 租税滞納処分は、国家が公権力を発動して財産所有者の意思いかんにかかわらず一方的に処分の効果を発生させる行為であるという点で、自作農創設特別措置法（当時）所定の農地買収処分に類似するものであるから、物権変動の対抗要件に関する民法の規定の適用はない。

4 建築基準法において、防火地域または準防火地域内にある建築物で外壁が耐火構造のものについては、その外壁を隣地境界線に接して設けることができるとされているところ、この規定が適用される場合、建物を築造するには、境界線から一定以上の距離を保たなければならないとする民法の規定は適用されない。

5 公営住宅を使用する権利は、入居者本人にのみ認められた一身専属の権利であるが、住宅に困窮する低額所得者に対して低廉な家賃で住宅を賃貸することにより、国民生活の安定と社会福祉の増進に寄与するという公営住宅法の目的にかんがみ、入居者が死亡した場合、その同居の相続人がその使用権を当然に承継することが認められる。

【本試験2018年問9】

チェック欄	1回目 ／	2回目 ／	3回目 ／
	手応え	手応え	手応え

解説

テキスト
第3編

1 **妥当でない**　判例は、「公営住宅の使用関係については、**公営住宅法及びこれに基づく条例が特別法として民法及び借家法に優先して適用される**が、法及び条例に特別の定めがない限り、原則として一般法である民法及び借家法の適用があり、その契約関係を規律するについては、信頼関係の法理の適用があるものと解すべきである。」としています（公営住宅増築事件／最判昭59.12.13）。 P.16

2 **妥当でない**　判例は、食品衛生「法は単なる取締法規にすぎないものと解するのが相当であるから、上告人が食肉販売業の許可を受けていないとしても、右法律により本件取引の効力が否定される理由はない。それ故右許可の有無は**本件取引の私法上の効力に消長を及ぼすものではない**」としています（最判昭35.3.18）。

3 **妥当でない**　判例は、「国税滞納処分においては、国は、その有する租税債権につき、自ら執行機関として、強制執行の方法により、その満足を得ようとするものであつて、滞納者の財産を差し押えた国の地位は、あたかも、民事訴訟法上の強制執行における差押債権者の地位に類するものであり、租税債権がたまたま公法上のものであることは、この関係において、国が一般私法上の債権者より不利益の取扱を受ける理由となるものではない。それ故、**滞納処分による差押の関係においても、民法177条の適用があるものと解するのが相当である。**」としています（最判昭31.4.24）。 P.16

4 **妥当である**　判例は、「建築基準法65条は、防火地域又は準防火地域内にある外壁が耐火構造の建築物について、その外壁を隣地境界線に接して設けることができる旨規定しているが、これは、同条所定の建築物に限り、その**建築については民法234条1項の規定の適用が排除される旨を定めたもの**と解するのが相当である。」としています（最判平元.9.19）。 P.16

5 **妥当でない**　判例は、「公営住宅法は、住宅に困窮する低額所得者に対して低廉な家賃で住宅を賃貸することにより、国民生活の安定と社会福祉の増進に寄与することを目的とするものであって……、そのために、公営住宅の入居者を一定の条件を具備するものに限定し……、政令の定める選考基準に従い、条例で定めるところにより、公正な方法で選考して、入居者を決定しなければならないものとした上……、さらに入居者の収入が政令で定める基準を超えることになった場合には、その入居年数に応じて、入居者に P.16

解説

ついては、当該公営住宅を明け渡すように努めなければならない旨……、事業主体の長については、当該公営住宅の明渡しを請求することができる旨……を規定しているのである。」とし、「以上のような公営住宅法の規定の趣旨にかんがみれば、**入居者が死亡した場合には、その相続人が公営住宅を使用する権利を当然に承継すると解する余地はないというべきである。**」としています（公営住宅相続人使用権事件／最判平2.10.18）。

正解 4

行政法の適用範囲については、次の表の〇×を覚えることですぐに解けるようになります。
繰り返し確認するようにしましょう。

【行政法の適用範囲】（民法の適用あり〇　適用なし×）

国税滞納処分の差押え（最判昭31.4.24）	〇	国税滞納処分による差押えには、民法の対抗要件の規定が適用される。
公営住宅の使用関係（最判昭59.12.13）	〇	公営住宅の使用関係については、原則として民法および借地借家法の適用がある。
自治体の契約と双方代理（最判平16.7.13）	〇	普通地方公共団体がその関連団体と契約を結ぶ場合、当該普通地方公共団体の長が代表して行う契約の締結には民法の規定が類推適用される。
農地買収処分と民法177条（最判昭28.2.18）	×	私経済上の取引の安全を保障するために設けられた民法177条の規定は適用されない。
公営住宅法と相続（最判平2.10.18）	×	公営住宅の入居者が死亡した場合には、その相続人が公営住宅を使用する権利を当然に承継すると解する余地はない。
建築基準法65条と民法234条（最判平元.9.19）	×	防火地域または準防火地域内にある外壁が耐火構造の建築物について、建築基準法により外壁を隣地境界線に接して設けることができる。

MEMO

行政法総論／行政組織法

問題 118 **行政機関についての講学上の概念に関する次のア～エの記述のうち、妥当なものの組合せはどれか。**

ア　行政庁とは、行政主体の意思又は判断を決定し外部に表示する権限を有する機関をいい、各省大臣及び都道府県知事は行政庁に該当するが、公正取引委員会や公害等調整委員会等の行政委員会は行政庁に該当しない。

イ　諮問機関とは、行政庁から諮問を受けて意見を具申する機関をいい、諮問機関に対する諮問手続が法律上要求されているのに、行政庁が諮問手続を経ることなく行政処分をした場合であっても、行政庁の決定が違法となることはないとするのが判例である。

ウ　執行機関とは、行政上の義務を国民が履行しない場合に強制執行をしたり、違法な状況を排除する緊急の必要がある場合に即時強制をするなど、行政目的を実現するために必要とされる実力行使を行う機関をいう。

エ　監査機関とは、監査の対象となっている機関の事務や会計処理を検査し、その適否を監査する機関をいい、国の会計検査を行う会計検査院や地方公共団体の財務に関する事務の執行等を監査する監査委員が監査機関に該当する。

1　ア・イ
2　ア・ウ
3　イ・ウ
4　イ・エ
5　ウ・エ

【公務員試験アレンジ問題】

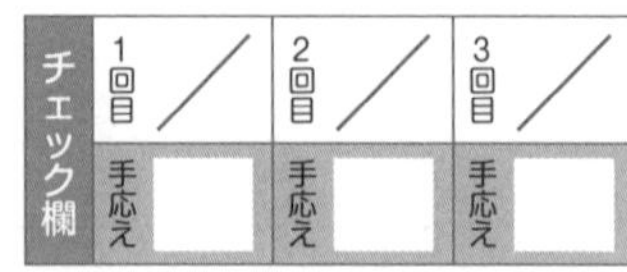

解説

テキスト
第3編

ア **妥当でない** 行政庁の定義は正しいです。責任の所在を明確にする趣旨から、**行政庁の多くは独任制です。**もっとも、政治的中立性を維持する必要がある場合や、意思決定を慎重にさせる趣旨から、**行政委員会のように合議制の行政庁も設置されています。** P.18

イ **妥当でない** 諮問機関の定義は正しいです。しかし、原子炉設置許可処分の違法性が問題となった事案において、判例は、行政庁が行政処分をする際に、**諮問機関への諮問が法律上要求されているにもかかわらず、かかる手続を怠ったときは、当該処分は違法となる**としています（伊方原発訴訟／最判平4.10.29）。なぜなら、そのように解さないと、違法な処分を未然に防ぐため、処分の事前手続を定めた法の趣旨が害されるからです。 P.18

ウ **妥当である** 執行機関の「執行」とは、行政上の強制執行のみならず、**即時強制や行政調査も含まれることに注意が必要**です。 P.18

エ **妥当である** **監査機関の具体例として挙げられている会計検査院と監査委員**は覚えておくべきです。 P.18

以上より、妥当なものは**ウ・エ**であり、正解は**5**となります。

正解 5

最近は出題がありませんので、余裕がなければ直前期にまわしても大丈夫です。

行政法総論／行政組織法

問題119 **行政庁の権限に関する次の記述のうち、正しいものはどれか。**

1 行政庁の権限の委任は、上級行政庁が下級行政庁に対してのみ行うことができる。

2 行政庁の権限の委任がなされた場合においては、委任した行政庁はその権限を失い、委任を受けた機関が自己の名と責任でその権限を行使する。

3 行政庁の権限の委任は、直接私人の利益を害するものではないので、特に法令の根拠がない場合でも認められる。

4 行政庁の権限の委任とは、本来の行政庁が欠けたり、これに事故があって実際に権限を行使できない場合に、法律の定めに従って指定された他の行政機関が本来の行政庁に代わって権限を行使することをいう。

5 権限の委任を受けた行政庁が、その権限に基づく処分を行った場合における処分の取消しの訴えは、その権限を委任した行政庁の所属する国または公共団体を被告として提起しなければならない。

【本試験1996年問33改題】

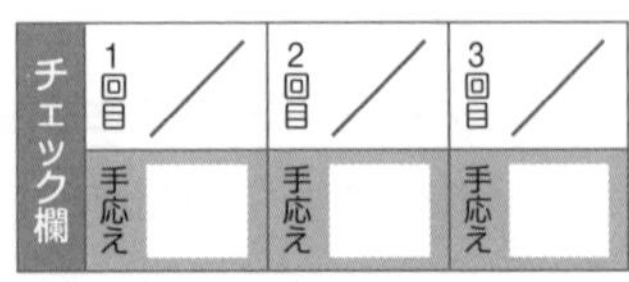

解説

テキスト
第3編

行政庁は、法律によって与えられた権限を自ら行使するのが原則です（権限自己行使の原則)。もっとも、さまざまな理由から、自己の権限の全部または一部を他の行政機関に代わって行使させることもできます。これを権限の代行といい、権限の代理と権限の委任の２種類に区別されます。

権限の代理とは、行政庁の権限の全部または一部を他の行政機関（補助機関である場合が多い。）が代理機関として、代わりに行使することをいいます。代理機関は、もとの行政機関の名で事務を処理し、その効果はもとの行政機関に帰属します。権限の代理には、授権代理と法定代理の２種類があります。

【権限の代理】

授権代理	本来の行政庁の授権に基づき代理権が与えられるもの
法定代理	法律に定められた一定の要件が生じた場合に代理関係が生じるもの

権限の委任とは、権限を有する行政庁が、その権限の一部を他の行政機関に移譲し、これをその行政機関の権限として行使させることをいいます。

1 **誤**　権限の委任とは、行政庁が法律上定められた自己の権限の一部をその下級行政庁その他の行政機関（補助機関など）に委任することをいいます。よって、**行政庁の権限の委任は、下級行政庁に対してのみ行うことができるわけではありません。**

2 **正**　権限の委任があったときは、その権限は、委任の範囲において、受任者の権限に属します。よって、**受任者は、自己の名と責任で権限を行使することになります。** P.20

3 **誤**　権限の委任は、**権限の代理の場合と異なり、法律により定められた権限の所在が移動し、本来の行政庁（委任庁）はその権限を失う一方、受任機関（受任庁）は自己の名と責任においてその権限を行使する**ことになります。そのため、**権限の委任を行うには法律の根拠が必要**です。 P.19

4 **誤**　本肢は、権限の代理のうち、**法定代理**の説明です。 P.19

5 **誤**　権限の委任によって、権限は委任を受けた行政庁（受任庁）に移ることになります。よって、**受任庁がその権限に基づいて処分を行った場合、処分取消しの訴えは、受任庁の所属する国または公共団体を被告として提起しなければなりません**（最判昭54.7.20参照）。

正解　2

行政法総論／行政立法

問題120 **行政法学上の法規命令に関する次の記述のうち、通説に照らし、妥当なものはどれか。**

1 法規命令は、国民の権利義務に関係する一般的な法規範であり、内閣の制定する政令や各省大臣の発する省令はこれに当たるが、各省の外局に置かれる各行政委員会の制定する規則は当たらない。

2 法規命令のうち委任命令の制定についての法律の委任は、法律の法規創造力を失わせるような白紙委任が禁じられるが、一般的で包括的な委任は認められる。

3 法規命令のうち委任命令は、法律の委任に基づいて法律事項を定めた命令であり、法律による個別的で具体的な委任がある場合には、委任命令に罰則を設けることができる。

4 法規命令のうち委任命令は、法律等の上位の法令の実施に必要な具体的で細目的な事項を定める命令であり、国民の権利や義務を創設する命令ではない。

5 法規命令のうち執行命令は、新たに国民の権利や義務を創設する命令であり、法律の個別的で具体的な事項ごとに授権がなければならない。

【公務員試験アレンジ問題】

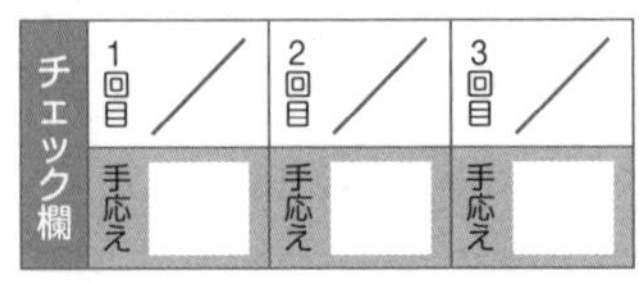

解説

テキスト
第3編

1 **妥当でない**　各省の外局に置かれる各行政委員会の制定する規則も、法規命令にあたります。行政立法は、行政機関によって定立される一般的抽象的法規範であり、法規命令と行政規則に区別されます。両者は、法規（国民の権利義務にかかわる規範）たる性質を有するかどうかにより区別されます。法規としての性質を有するものを法規命令といい、有しないものを行政規則といいます。そして、法規命令には、政令、内閣府令、省令のほか、**各省の外局として置かれる各行政委員会や庁の長官の制定する規則**などがあります。

2 **妥当でない**　法規命令には、委任命令と執行命令があります。委任命令とは、法律の委任を受けて行政機関が制定する命令をいいます。**委任命令は、国会を「唯一の立法機関」**（憲法41条）**としていることから、法律の規定を離れて独自に定立することは許されず、法律の個別具体的な委任に基づくことが必要である**とされています。したがって、白紙委任のみならず、一般的で包括的な委任も認められていません。 P.28

3 **妥当である**　本肢は、委任命令における罰則についての記述として適切であるので、妥当です。**罰則についても、国会中心立法の原則**（憲法41条）、**罪刑法定主義**（憲法31条）**との関係上、法律による個別具体的な委任があれば、委任命令で罰則を定めることもできます**。なお、憲法73条6号但書も委任命令に罰則を設けることを認めています。 P.28

4 **妥当でない**　本肢は、**執行命令**に関する記述です。**法規命令のうち委任命令は**、法律の委任に基づいて、国民の権利義務の内容を定める命令をいいます。**法律の個別具体的な委任に基づくことを要します**（肢2の解説参照）。 P.28

5 **妥当でない**　本肢は、**委任命令**に関する記述です。執行命令とは、権利義務の内容自体でなく、上位規範たる法律の存在を前提として、当該法律を具体的に実施するために必要な付随的細目的事項を定める命令をいいます。**執行命令は、権利義務の内容を新たに定立するものではないので、具体的な法律の根拠を要せず、法律の一般的な授権で足りる**と解されています。 P.28

正解 3

行政法総論／行政立法

問題121 **行政立法についての最高裁判所の判決に関する次の記述のうち、妥当なものはどれか。**

1 国家公務員の退職共済年金受給に伴う退職一時金の利子相当額の返還について定める国家公務員共済組合法の規定において、その利子の利率を政令で定めるよう委任をしていることは、直接に国民の権利義務に変更を生じさせる利子の利率の決定という、本来法律で定めるべき事項を政令に委任するものであり、当該委任は憲法41条に反し許されない。

2 監獄法（当時）の委任を受けて定められた同法施行規則（省令）において、原則として被勾留者と幼年者との接見を許さないと定めていることは、事物を弁別する能力のない幼年者の心情を害することがないようにという配慮の下に設けられたものであるとしても、法律によらないで被勾留者の接見の自由を著しく制限するものであって、法の委任の範囲を超えるものといえ、当該施行規則の規定は無効である。

3 薬事法（当時）の委任を受けて、同法施行規則（省令）において一部の医薬品について郵便等販売をしてはならないと定めることについて、当該施行規則の規定が法律の委任の範囲を逸脱したものではないというためには、もっぱら法律中の根拠規定それ自体から、郵便等販売を規制する内容の省令の制定を委任する授権の趣旨が明確に読み取れることを要するものというべきであり、その判断において立法過程における議論を考慮したり、根拠規定以外の諸規定を参照して判断をすることは許されない。

4 児童扶養手当法の委任を受けて定められた同法施行令（政令）の規定において、支給対象となる婚姻外懐胎児童について「（父から認知された児童を除く。）」という括弧書きが設けられていることについては、憲法に違反するものでもなく、父の不存在を指標として児童扶養手当の支給対象となる児童の範囲を画することはそれなりに合理的なものともいえるから、それを設けたことは、政令制定者の裁量の範囲内に属するものであり、違憲、違法ではない。

5 銃砲刀剣類所持等取締法が、銃砲刀剣類の所持を原則として禁止した上で、美術品として価値のある刀剣類の所持を認めるための登録の方法や鑑定基準等を定めることを銃砲刀剣類登録規則（省令）に委任している場合に、当該登録規則において登録の対象を日本刀に限定したことについては、法律によらないで美術品の所有の自由を著しく制限するものであって、法の委任の範囲を超えるものといえ、当該登録規則の規定は無効である。

【本試験2021年問10】

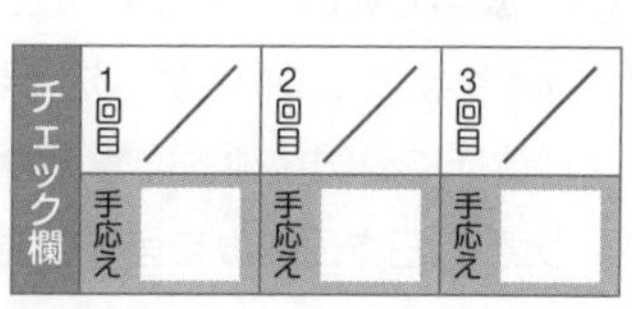

チェック欄	1回目	／	2回目	／	3回目	／
	手応え		手応え		手応え	

解説

テキスト
第3編

1 **妥当でない** 判例は、「国公共済法附則12条の12第４項及び厚年法改正法附則30条１項は、退職一時金に付加して返還すべき利子の利率の定めを白地で包括的に政令に委任するものということはできず、憲法41条及び73条６号に違反するものではないと解するのが相当である。」としています（最判平27.12.14）。

2 **妥当である** 判例は、「規則120条が原則として被勾留者と幼年者との接見を許さないこととする一方で、規則124条がその例外として限られた場合に監獄の長の裁量によりこれを許すこととしていることが明らかである」が、「これらの規定は、たとえ事物を弁別する能力の未発達な幼年者の心情を害することがないようにという配慮の下に設けられたものであるとしても、それ自体、法律によらないで、**被勾留者の接見の自由を著しく制限するものであって、法50条の委任の範囲を超えるものといわなければならない。**」としています（旧監獄法施行規則120条事件／最判平3.7.9）。 P.30

3 **妥当でない** 判例は、「厚生労働大臣が制定した郵便等販売を規制する新施行規則の規定が、これを定める根拠となる新薬事法の趣旨に適合するもの（行政手続法38条１項）であり、その委任の範囲を逸脱したものではないというためには、立法過程における議論をもしんしゃくした上で、新薬事法36条の５及び36条の６を始めとする新薬事法中の諸規定を見て、そこから、**郵便等販売を規制する内容の省令の制定を委任する授権の趣旨が、上記規制の範囲や程度等に応じて明確に読み取れることを要する**ものというべきである。」としています（医薬品ネット販売事件／最判平25.1.11）。 P.30

4 **妥当でない** 判例は、「施行令１条の２第３号が本件括弧書を除いた本文において、法４条１項１号ないし４号に準ずる状態にある婚姻外懐胎児童を支給対象児童としながら、本件括弧書により父から認知された婚姻外懐胎児童を除外することは、**法の趣旨、目的に照らし両者の間の均衡を欠き、法の委任の趣旨に反するものといわざるを得ない。**」としています（児童扶養手当法施行令事件／最判平14.1.31）。 P.30

5 **妥当でない** 判例は、銃砲刀剣類登録「規則においていかなる鑑定基準を定めるかについては、法の委任の趣旨を逸脱しない範囲内において、所管行政庁に専門技術的な観点からの一定の裁量権が認められている」としたうえで、日本刀のみを登録の対象とした同規則も、銃砲刀剣類所持等取締「法 P.30

解説

14条1項の趣旨に沿う合理性を有する鑑定基準を定めたものというべきであるから、これをもって**法の委任の趣旨を逸脱する無効のものということはできない。**」としています（サーベル事件／最判平2.2.1）。

正解 2

行政法総論／行政立法

問題122 **次の文章の空欄［ア］～［エ］に当てはまる語句を、枠内の選択肢（1～20）から選びなさい。**

行政機関は、多くの場合、自らその活動のための基準を設定する。この種の設定行為および設定された基準は、通例、［ア］と呼ばれる。この［ア］には、行政法学上で［イ］と［ウ］と呼ばれる２種類の規範が含まれる。前者が法的拘束力を持つのに対し後者はこれを持たないものとして区別されている。［エ］は、行政機関が意思決定や事実を公に知らせる形式であるが、［ア］の一種として用いられることがある。この場合、それが［イ］に当たるのかそれとも［ウ］に当たるのかがしばしば問題とされてきた。例えば、文部科学大臣の［エ］である学習指導要領を［イ］だと解する見解によれば、学習指導要領には法的拘束力が認められるのに対し、学習指導要領は単なる指導助言文書だと解する見解によれば、そのような法的拘束力は認められないことになる。また、［エ］のうち、政策的な目標や指針と解される定めは、［ウ］と位置付けられることになろう。以上のように、［エ］の法的性質については一律に確定することができず、個別に判断する必要がある。

1 行政指導指針	2 行政処分	3 行政規則	4 施行規則
5 定款	6 行政立法	7 処分基準	8 解釈基準
9 法規命令	10 職務命令	11 政令	12 省令
13 告示	14 訓令	15 通達	16 審査基準
17 委任命令	18 附款	19 裁量基準	20 執行命令

【本試験2017年問42】

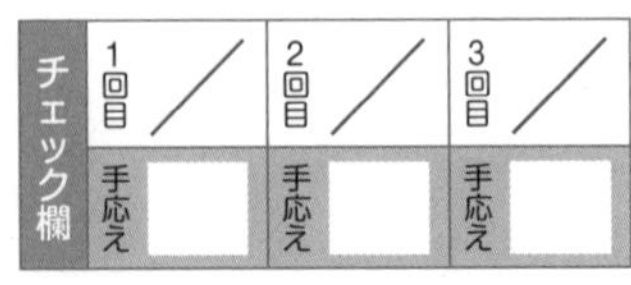

解説

テキスト▶第3編P.28

本問は、法規命令と行政規則に関する知識を問うものです。

「行政機関は、多くの場合、自らその活動のための基準を設定する。この種の設定行為および設定された基準は、通例、(ア) **行政立法**と呼ばれる。この (ア) **行政立法**には、行政法学上で (イ) **法規命令**と (ウ) **行政規則**と呼ばれる2種類の規範が含まれる。前者が法的拘束力を持つのに対し後者はこれを持たないものとして区別されている。(エ) **告示**は、行政機関が意思決定や事実を公に知らせる形式であるが、(ア) **行政立法**の一種として用いられることがある。この場合、それが (イ) **法規命令**に当たるのかそれとも (ウ) **行政規則**に当たるのかがしばしば問題とされてきた。例えば、文部科学大臣の (エ) **告示**である学習指導要領を (イ) **法規命令**だと解する見解によれば、学習指導要領には法的拘束力が認められるのに対し、学習指導要領は単なる指導助言文書だと解する見解によれば、そのような法的拘束力は認められないことになる。また、(エ) **告示**のうち、政策的な目標や指針と解される定めは、(ウ) **行政規則**と位置付けられることになろう。以上のように、(エ) **告示**の法的性質については一律に確定することができず、個別に判断する必要がある。」

以上より、**ア**には**6**＝「行政立法」、**イ**には**9**＝「法規命令」、**ウ**には**3**＝「行政規則」、**エ**には**13**＝「告示」が入ります。

正解　ア：6、イ：9、ウ：3、エ：13

行政法総論／行政行為

問題123 **行政裁量に関する最高裁判所の判例について、次の記述のうち、誤っているものはどれか。なお、制度は、判決当時のものである。**

1 外国人が在留期間中に日本で行った政治活動のなかに、わが国の出入国管理政策に対する非難行動あるいはわが国の基本的な外交政策を非難し日米間の友好関係に影響を及ぼすおそれがないとはいえないものが含まれていたとしても、それらは憲法の保障が及ぶ政治活動であり、このような活動の内容を慎重に吟味することなく、在留期間の更新を適当と認めるに足りる相当の理由があるものとはいえないと判断した法務大臣の判断は、考慮すべき事項を考慮しておらず、その結果、社会観念上著しく妥当を欠く処分をしたものであり、裁量権の範囲を越える違法なものとなる。

2 学生が信仰上の理由によりした剣道実技の履修拒否について、正当な理由のない履修拒否と区別することなく、代替措置が不可能というわけでもないのに、代替措置について何ら検討することもなく原級留置処分をし、さらに、退学処分をした公立高等専門学校の校長の措置は、考慮すべき事項を考慮しておらず、又は考慮された事実に対する評価が明白に合理性を欠き、その結果、社会観念上著しく妥当を欠く処分をしたものであり、原級留置処分と退学処分は裁量権の範囲を越える違法なものとなる。

3 個人タクシー事業の免許に当たり、多数の申請人のうちから少数特定の者を具体的個別的事実関係に基づき選択してその免許申請の許否を決しようとするときには、道路運送法の規定の趣旨に沿う具体的審査基準を設定してこれを公正かつ合理的に適用すべきであり、この基準の内容が高度の認定を要するものである等の場合は、基準の適用上必要とされる事項について聴聞その他適切な方法により申請人に対しその主張と証拠提出の機会を与えるべきであって、これに反する審査手続により免許申請を却下したときは、公正な手続によって免許申請の許否につき判定を受けるべき申請人の法的利益を侵害したものとして、当該却下処分は違法となる。

4 原子炉施設の安全性に関する処分行政庁の判断の適否が争われる原子炉設置許可処分の取消訴訟における裁判所の審理・判断は、原子力委員会若しくは原子炉安全専門審査会の専門技術的な調査審議及び判断を基にしてされた処分行政庁の判断に不合理な点があるか否かという観点から行われるべきであって、現在の科学技術水準に照らし、調査審議において用いられた具体的審査基準に不合理な点があり、あるいは当該原子炉施設がその具体的審査基準に適合するとした原子力委員会若しくは原子炉安全専門審査会の調査審議及び判断の過程に看過し難い過誤・欠落があり、行政庁の判断がこれに依拠してされたと認められる場合には、処分行政庁の判断に不合理な点があるものとして、その判断に基づく原子炉設置許可処分は違法となると解すべきである。

5 裁判所が懲戒権者の裁量権の行使としてされた公務員に対する懲戒処分の適否を審査するに当たっては、懲戒権者と同一の立場に立って懲戒処分をすべきであったかどうか又はいかなる処分を選択すべきであったかについて判断し、その結果と処分とを比較してその軽重を論ずべきものではなく、それが社会観念上著しく妥当を欠き裁量権を濫用したと認められる場合に限り、違法と判断すべきものである。

【本試験2016年問9】

チェック欄	1回目	／	2回目	／	3回目	／
	手応え		手応え		手応え	

解説

テキスト
第3編

1 **誤** 判例は、外国人が在留期間中に日本で行った政治活動のなかに、「わが国の出入国管理政策に対する非難行動、あるいはアメリカ合衆国の極東政策ひいては日本国とアメリカ合衆国との間の相互協力及び安全保障条約に対する抗議行動のようにわが国の基本的な外交政策を非難し日米間の友好関係に影響を及ぼすおそれがないとはいえないもの」が含まれていたときは、「同人を将来日本国の利益を害する行為を行うおそれがある者と認めて、在留期間の更新を適当と認めるに足りる相当の理由があるものとはいえないと判断したとしても、**その事実の評価が明白に合理性を欠き、その判断が社会通念上著しく妥当性を欠くことが明らかであるとはいえ」ない**としています（マクリーン事件／最大判昭53.10.4）。 P.44

2 **正** 判例は、「信仰上の理由による剣道実技の履修拒否を、正当な理由のない履修拒否と区別することなく、代替措置が不可能というわけでもないのに、代替措置について何ら検討することもなく、体育科目を不認定とした担当教員らの評価を受けて、原級留置処分をし、さらに、不認定の主たる理由及び全体成績について勘案することなく、二年続けて原級留置となったため進級等規程及び退学内規に従って学則にいう『学力劣等で成業の見込みがないと認められる者』に当たるとし、退学処分をしたという……措置は、**考慮すべき事項を考慮しておらず、又は考慮された事実に対する評価が明白に合理性を欠き、その結果、社会観念上著しく妥当を欠く処分をしたものと評するほかはなく、本件各処分は、裁量権の範囲を超える違法なものといわざるを得ない**」としています（エホバの証人剣道拒否事件／最判平8.3.8）。 P.44

3 **正** 判例は、道路運送法6条は「抽象的な免許基準を定めているにすぎないのであるから、内部的にせよ、さらに、その趣旨を具体化した審査基準を設定し、これを公正かつ合理的に適用すべく、とくに、右基準の内容が微妙、高度の認定を要するようなものである等の場合には、右基準を適用するうえで必要とされる事項について、申請人に対し、その主張と証拠の提出の機会を与えなければならないというべきである。免許の申請人はこのような公正な手続によつて免許の許否につき判定を受くべき法的利益を有するものと解すべく、これに**反する審査手続によつて免許の申請の却下処分がされたときは、右利益を侵害するものとして、右処分の違法事由となるも** P.45

解説

テキスト
第3編

のというべきである」としています（個人タクシー事件／最判昭46.10.28）。

4 正　判例は、「原子炉施設の安全性に関する判断の適否が争われる原子炉設置許可処分の取消訴訟における裁判所の審理、判断は、原子力委員会若しくは原子炉安全専門審査会の専門技術的な調査審議及び判断を基にしてされた被告行政庁の判断に不合理な点があるか否かという観点から行われるべきであって、**現在の科学技術水準に照らし、右調査審議において用いられた具体的審査基準に不合理な点があり、あるいは当該原子炉施設が右の具体的審査基準に適合するとした原子力委員会若しくは原子炉安全専門審査会の調査審議及び判断の過程に看過し難い過誤、欠落があり、被告行政庁の判断がこれに依拠してされたと認められる場合には、被告行政庁の右判断に不合理な点があるものとして、右判断に基づく原子炉設置許可処分は違法と解すべきである**」としています（伊方原発訴訟／最判平4.10.29）。 P.45

5 正　判例は、裁判所が公務員に対する懲戒処分の「適否を審査するにあたつては、**懲戒権者と同一の立場に立つて懲戒処分をすべきであつたかどうか又はいかなる処分を選択すべきであつたかについて判断し、その結果と懲戒処分とを比較してその軽重を論ずべきものではなく、**懲戒権者の裁量権の行使に基づく処分が**社会観念上著しく妥当を欠き、裁量権を濫用したと認められる場合に限り違法であると判断すべきものである**」としています（神戸税関事件／最判昭52.12.20）。

正解 1

行政法総論／行政行為

問題124 行政法学上の行政行為の分類に関する次の1～4の記述のうち、通説に照らし、妥当なものはどれか。

1 許可とは、国民が元来持っていない特定の権利や包括的な法律関係を設定する行為で、例として道路の占用許可や公有水面埋立ての免許があり、許可を要する法律行為が無許可で行われた場合は当然に無効である。

2 認可とは、第三者の行った法律行為を補充して、その法律上の効果を完成させる行為で、例として農地の権利移転の許可や公共料金の認可があり、認可を要する法律行為に認可がなされない限り当該行為は効力を生じない。

3 特許とは、法令による一般的禁止を特定の場合に解除する行為で、例として自動車運転免許や医師免許があり、行政庁が自由裁量により特許を拒むことは原則として許されない。

4 下命とは、一定の不作為を命じる行為又は作為義務を特定の場合に解除する行為で、例として営業停止や納税免除があり、行政庁が特定の権利、能力を賦与又ははく奪する形成的行為である。

【公務員試験アレンジ問題】

チェック欄	1回目	／	2回目	／	3回目	／
	手応え		手応え		手応え	

解説

テキスト
第3編

1 妥当でない 本肢の定義は特許の定義であり、具体例も特許のものになります。**許可とは、法令によって課せられた一般的な禁止を特定の場合に解除する行政行為**をいいます。また、無許可の法律行為は、それが行政上の処罰や強制執行の対象となることはあるにしても、私法上は原則として有効と解されています（最判昭35.3.18など）。 P.34

2 妥当である **認可とは、契約などの法律行為を補充し、その法的効果を完成させる行政行為**をいいます。例えば、農地の権利移転の許可（農地法3条1項）はその例であり、公益事業の許可が与えられる事業において、料金の決定、変更について認可制が用いられることもあります。そして、認可は、法律上の効果を完成させる形成的行為であるため、無認可の行為は、私法上も無効となります。 P.34

3 妥当でない 本肢の定義は許可の定義であり、具体例も許可のものになります。**特許とは、私人のために、私人が本来は有しない特殊な権利や法的地位を設定・付与する行政行為**をいいます。また、特許を与えるか否かについては、原則として行政庁に自由裁量が認められると解されています（最判昭47.10.12など）。 P.34

4 妥当でない 本肢の定義のうち、前半は禁止、後半は免除の定義であり、具体例のうち、営業停止は禁止、納税免除は免除の具体例になります。しかも、下命は命令的行為に属し、形成的行為ではありません。**下命とは、国民に一定の作為、あるいは給付・受忍の義務を課す行政行為**をいいます。**作為を命ずる場合は狭義の下命といい、不作為を命ずる場合は禁止**といいます。 P.34

正解 2

野畑のワンポイント

肢1と肢3は、「許可」と「特許」について問われています。両者を基本テキストで比較しておきましょう。

行政法総論／行政行為

問題125　行政法学上の行政行為の効力に関する次の記述のうち、妥当なものはどれか。

1　行政行為の自力執行力は、行政行為によって命ぜられた義務を国民が履行しない場合に、行政庁が裁判判決を得て義務者に対し強制執行を行うことができるが、強制執行を行うためには、法律の根拠が必要である。

2　行政庁は、不服申立てや取消訴訟を提起できる争訟提起期間を経過すると、当該行政行為に不可変更力が生じ、職権による行政行為の取消しや撤回をすることができない。

3　行政行為については、違法性がいかに甚だしい場合でも、相手方が適法に取消訴訟を提起し取消判決を得ない限り、行政行為の事実上の通用に対して救済を求めることができない。

4　行政行為の公定力は、違法な行政行為によって損害を被ったことを理由とする損害賠償請求訴訟には及ばないので、裁判所が判決で行政行為を違法として損害賠償を認めても、行政行為の効力は存続する。

5　裁決庁がいったん下した裁決を自ら取消して、新たに裁決をやり直した場合、新たな裁決は、紛争を解決するための裁断作用に認められる不可争力に反して違法である。

【公務員試験アレンジ問題】

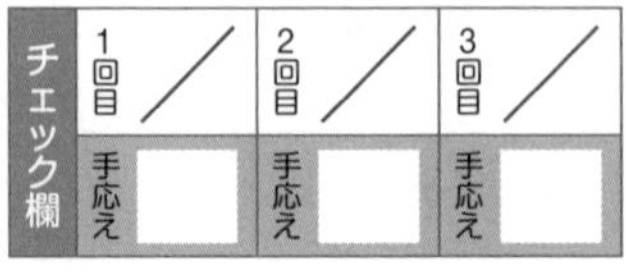

解説

テキスト 第3編

1 **妥当でない** 行政行為の自力執行力とは、**行政権が、裁判所の強制執行手続によらずに、相手方の意思に反して行政行為の内容を自力で実現しうる効力のこと**をいいます。もっとも、法律の留保の原則により、強制執行を行うためには、私人に義務を課する規定のほかに、別途強制執行に関する授権を行政庁に対して行う法律が必要とされるので、この点は妥当です。 P.35

2 **妥当でない** 不可変更力とは、**一度行った行政行為について、処分庁は自ら変更できない効力**をいい、職権取消しを制限するものです。**この効力は、すべての行政行為に認められるものではなく、不服申立てに対する裁決等、事実関係や法律関係についての争いを公権的に裁断することを目的とする行政行為にのみ認められています。**この効力は、不服申立てや取消訴訟を提起できる争訟提起期間を経過しなくても、処分庁がいったん上記の行政行為をすれば生じることになります。 P.35

3 **妥当でない** 公定力とは、**違法な行政行為であっても、取消権限を有する国家機関によって取り消されるまでは、一応有効の推定を受け、行政行為の相手方はもちろん、第三者も他の国家機関も当該行為の効力を否定できない効力**をいいます。原則として取消訴訟でしか処分の有効性を争えないことから、**取消訴訟の排他的管轄**とも表現されます。もっとも、**行政行為に重大かつ明白な瑕疵がある場合には、当該行政行為は無効とされ、公定力が働かず、取消判決を得なくても無効等確認訴訟**（行政事件訴訟法３条４項）**で救済を求めることができます。** P.35

4 **妥当である** 国家賠償請求訴訟に公定力が及ぶかが問題となりますが、通説は、公定力は及ばないとしています。なぜなら、公定力は行政行為の「法効果」にかかわるものであるところ、国家賠償請求訴訟では行政行為の違法性が審理・判断され、行政行為の効果それ自体とは関係がないからです。判例も、**行政処分が違法であることを理由として国家賠償の請求をするにあたってはあらかじめ行政処分につき取消しの判決を得なければならないものではない**として、公定力は国家賠償請求訴訟に及ばないとしています（最判昭36.4.21）。

5 **妥当でない** 不可争力とは、**一定の期間を経過すると、私人の側から行政行為の効力を争うことができなくなる効力**をいいます。この効力は取消訴訟の出訴期間（行政事件訴訟法14条）の限定による結果として認められ P.35

解説

るもので、行政上の法律関係を早期に安定させる趣旨に基づきます。本肢は出訴期間ではなく、新たに裁決をやり直す場合の問題であるから、不可変更力の問題となります。

正解　4

肢4については、「行政行為が国家賠償請求訴訟で違法と判断されても、『取り消された』わけではないので行政行為の効力は残る。」という考え方です。

MEMO

行政法総論／行政行為

問題 126 **行政行為の効力に関する次の記述のうち、妥当なものはどれか。**

1 行政庁が行う行為はすべて行政行為となるのであるから、行政目的を実現するための法律によって認められた権能に基づいて、特定の国民の権利義務を決定するという法的効果を伴わない通達や行政指導であっても、行政行為となる。

2 行政行為は、行政庁及び行政行為の相手方を拘束するという公定力を有するため、その行為の瑕疵が重大かつ明白であっても、取消権限のある行政庁によって取り消されるまでは効力を否定されないとするのが判例である。

3 行政行為のある種のものについては、処分をした行政庁によっても変更することができない不可変更力が認められるが、審査請求に対する裁決のように争訟裁断的な役割を期待された行政行為については、不可変更力は認められないとするのが判例である。

4 行政行為には、行政目的を早期に実現させる目的から、自力執行力が認められているため、行政庁は、行政行為の根拠規範とは別に自力執行力について特段の規定がない場合であっても、相手方の意思に反して行政行為の内容を実現することができる。

5 行政処分が違法であることを理由として国家賠償の請求をするについては、あらかじめ当該行政処分につき取消し又は無効確認の判決を得なければならないものではないとするのが判例である。

【公務員試験アレンジ問題】

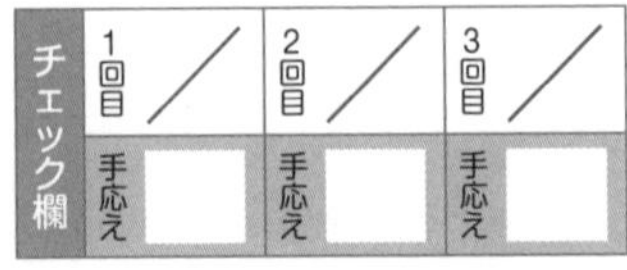

解説

テキスト 第3編

1 **妥当でない** 行政行為とは、行政庁が、行政目的を実現するために、法律によって認められた権能に基づいて、一方的に、特定の国民の権利義務その他の法的地位を、個別具体的に決定する行為をいいます。**通達は、行政組織の内部行為であって国民に対する効力を有しないので、行政行為ではありません。**また、**行政指導は、国民に対する任意的な協力要請にすぎず、国民の権利義務を決定するものではないため、行政行為ではありません。** P.32

2 **妥当でない** 行政行為が重大かつ明白な瑕疵を有するときには、当該行政行為は無効であるとするのが判例です（最大判昭31.7.18）。**無効な行政行為には公定力は及ばないから、取消しを待つまでもなく効力は否定**されます。 P.37

3 **妥当でない** 不可変更力とは、**いったんなされた行政行為について、これが違法である場合であっても、処分庁が自らこれを変更・取消し・撤回することはできないという効力のこと**です。不可変更力は、裁決や決定など、裁判判決に類似するような争訟裁断的な行政行為についてのみ認められるとされています。 P.35

4 **妥当でない** 自力執行力とは、**行政行為によって課された義務を私人が履行しない場合に、裁判所を経由することなく、行政権が当該行政行為の内容を自ら強制的に実現する作用**をいいます。もっとも、強制執行は私人の権利制限を伴うから、行政行為の根拠規範とは別に、自力執行自体についての根拠法がなければすることができないと解されています。 P.35

5 **妥当である** 判例は、**行政行為の違法を理由とする国家賠償請求をするについては、あらかじめ当該行政行為についての取消しまたは無効確認の判決を得ておく必要はない**としています（最判昭36.4.21）。

正解 5

本問は前問（問125）とほぼ同じ知識で解答できる問題です。「問われ方」が異なっても正解できるようにしておきましょう。

行政法総論／行政行為

問題127　行政行為の取消しに関する次の記述のうち、妥当なものはどれか。

1　行政行為の取消しは、瑕疵ある行政行為に対して法律による行政の原理の回復を図る行為であり、法律による特別の根拠が必要であると解されている。

2　行政行為を行った行政庁は、当該行政行為に瑕疵があるとき、違法の場合には職権で取り消すことができるが、不当なものにとどまる場合については、職権では取り消すことはできないと解されている。

3　行政行為の取消しは、いったん成立した行政行為について、その後の事情の変化により当該行政行為の効力を消滅させるものであるため、原則として、取消しの効果は、将来に向かってのみ生じると解されている。

4　侵害的行政行為の取消しは、原則として、当該行政行為の相手方に対する行政手続法上の聴聞手続を経なければならないと解されている。

5　授益的行政行為の取消しには、法治主義の要請と行政行為の相手方の信頼保護という2つの利益を比較考量することが必要な場合があるため、一定の制限が課されると解されている。

【公務員試験アレンジ問題】

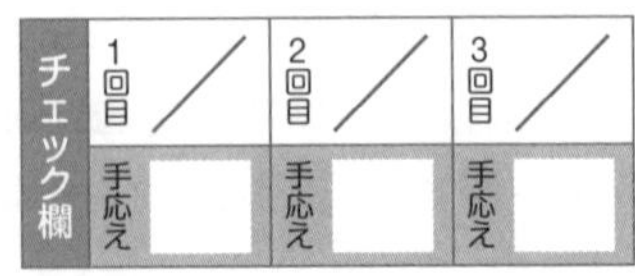

解説

テキスト
第3編

1 **妥当でない** 行政行為の取消しによって適法性の回復あるいは合目的性の回復が図られることになりますから、**学説は、行政行為の取消しには法律による特別の根拠は必要でない**とする点で一致しています。 P.40

2 **妥当でない** 違法または不当な行政行為をあわせて「瑕疵ある行政行為」といいますが、**行政行為が違法ではなく不当なものにとどまる場合は、裁判で救済することはできません**。しかし、**行政行為を行った行政庁が自ら取り消すこと（職権取消し）は、不当な行政行為についても認められています。** P.40

3 **妥当でない** 本肢は、行政行為の**撤回**に関する記述です。行政行為の取消しは、**行政行為に当初から瑕疵があったことを前提とするので、取消しの効果は遡及する**というのが一般的です。 P.40

4 **妥当でない** 行政手続法の聴聞手続が保障される理由は、不利益処分を行う際に相手方に弁明の機会を与えて十分その主張と立証を尽くさせ、行政庁が相手方の自由と財産を違法に侵害することがないようにするためです。一方、相手方の権利・利益を侵害する侵害的行政行為の取消しには、**相手方に不利益が生じる危険性はない**ことから、原則として「不利益処分」（行政手続法２条４号）にあたらず、**聴聞手続を経る必要はない**とされています。

5 **妥当である** 行政行為の取消しは、法律による行政の原理の回復であるので、行政庁としては当然取消しをすべきとも思えます。しかし、授益的行政行為がなされた場合、行政庁が後になって当該行政行為を取り消すと、相手方である私人の行政に対する信頼を裏切ることになります。現代社会における私人の行政への依存性を考慮すると、行政行為の相手方である私人の信頼を保護すべき場合があることは、認められなければなりません。したがって、**授益的行政行為の取消しにあたっては、法治主義の要請と行政行為の相手方の信頼保護という２つの利益を比較衡量することが必要な場合があるため、取消しには一定の制限が課される**と解されています。 P.39

正解 5

行政法総論／行政行為

問題 128 **行政行為の撤回に関する次のア～オの記述のうち、妥当なものの組合せはどれか。**

ア 撤回は、それ自体が新たな侵害的行政行為となる可能性もあるため、法律の根拠がなければ、撤回をすることはできない。

イ 撤回は、既存の法律関係の消滅が前提となるから、公務員の免職処分など法律関係を形成させない行政行為については、これを撤回する余地はない。

ウ 撤回は、後発的事情を理由に行われるものであるが、職権による取消しと同様に、行政行為の効力をその成立時に遡って失わせる遡及効が認められる。

エ 撤回は、行政行為を行った行政庁のみが権限を持つものであり、当該行政庁の上級行政庁は、撤回の権限を有しない。

オ 行政財産である土地の使用許可が公益上の必要に基づき撤回された場合、当該使用許可に基づく使用権は借地権に類似するものであるから、それが期間の定めのないものであっても、原則として損失補償を要する。

1 ア・ウ
2 ア・エ
3 イ・エ
4 イ・オ
5 ウ・オ

【公務員試験アレンジ問題】

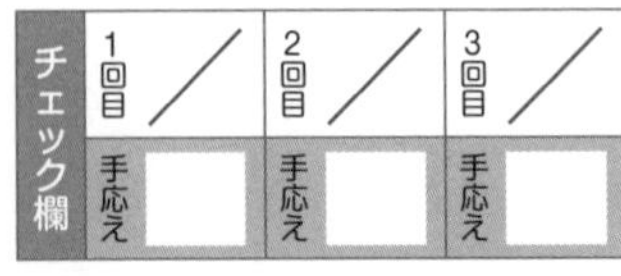

解説

テキスト
第3編

ア　妥当でない　行政行為の撤回は、後発的事情により行政行為の効力を存続させることが適切でなくなった場合に、行政行為の公益適合性を回復（社会的に有害な行為を排除）するために行われます。また、行政行為の撤回権は、それ自体行政庁の処分権限に含まれています。したがって、**行政行為の撤回は法律の根拠なくして行うことができる**と解されています。 P.40

イ　妥当である　撤回は、既存の法律関係の消滅が前提とされることから、行政行為のうち、法律関係を形成させないものについては撤回の問題は生ずる余地がありません。本肢のような公務員の免職処分については、すでに勤務関係が消滅していることから、それを撤回する余地はないので、本肢は妥当となります。

ウ　妥当でない　撤回とは、**瑕疵なく成立した行政行為について、後発的事情により公益上その効力を存続させることが適切ではなくなった場合に、将来に向かってその効力を失わせる行為**をいいます。すなわち、行政行為の成立に瑕疵がない以上、遡及効を認める理論的根拠がありません。 P.40

エ　妥当である　撤回は、公益実現のための新たな行政行為であり、当該行政行為を行った行政庁のみが行うことができ、**処分庁の上級庁は法律に特別の規定がない限りこれを行うことはできません**。したがって、本肢は妥当となります。 P.40

オ　妥当でない　判例は、都有行政財産たる土地につき使用許可によって与えられた使用権は、それが期間の定めのない場合であれば、当該行政財産本来の用途または目的上の必要を生じたときはその時点において原則として消滅すべきものであり、また、権利自体に上記のような制約が内在しているものとして付与されているものとみるのが相当であるから、**特別の事情のない限り、使用権についての補償は不要である**としています（最判昭49.2.5）。 P.40

以上より、妥当なものは**イ・エ**であり、正解は**3**となります。

正解　3

行政法総論／行政行為

問題 129　砂利採取法26条1号から4号までによる「認可の取消し」に関する次の記述のうち、正しいものはどれか。

1　1号による「認可の取消し」および2号による「認可の取消し」は、いずれも行政法学上の取消しである。

2　1号による「認可の取消し」および3号による「認可の取消し」は、いずれも行政法学上の取消しである。

3　2号による「認可の取消し」および3号による「認可の取消し」は、いずれも行政法学上の撤回である。

4　2号による「認可の取消し」および4号による「認可の取消し」は、いずれも行政法学上の撤回である。

5　3号による「認可の取消し」および4号による「認可の取消し」は、いずれも行政法学上の撤回である。

（参照条文）

砂利採取法

（採取計画の認可）

第16条　砂利採取業者は、砂利の採取を行おうとするときは、当該採取に係る砂利採取場ごとに採取計画を定め、（当該砂利採取場の所在地を管轄する都道府県知事等）の認可を受けなければならない。

（遵守義務）

第21条　第16条の認可を受けた砂利採取業者は、当該認可に係る採取計画……に従つて砂利の採取を行なわなければならない。

（緊急措置命令等）

第23条第1項　都道府県知事又は河川管理者は、砂利の採取に伴う災害の防止のため緊急の必要があると認めるときは、採取計画についてその認可を受けた砂利採取業者に対し、砂利の採取に伴う災害の防止のための必要な措置をとるべきこと又は砂利の採取を停止すべきことを命ずることができる。（第2項以

下略）

（認可の取消し等）

第26条　都道府県知事又は河川管理者は、第16条の認可を受けた砂利採取業者が次の各号の一に該当するときは、その認可を取り消し、又は6月以内の期間を定めてその認可に係る砂利採取場における砂利の採取の停止を命ずることができる。

1　第21条の規定に違反したとき。

2　……第23条第1項の規定による命令に違反したとき。

3　第31条第1項の条件に違反したとき。

4　不正の手段により第16条の認可を受けたとき。

（認可の条件）

第31条第1項　第16条の認可……には、条件を附することができる。（第2項以下略）

【本試験2017年問8】

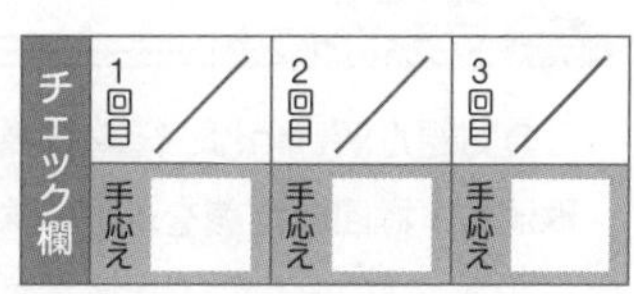

解説

テキスト
第3編

行政法学上の取消しは、行政行為に当初から瑕疵があった場合に、当該行政行為を取り消して遡及的に無効とすることです。これに対し、行政法学上の撤回とは、行政行為が適法に成立した後、公益上の理由が生ずるなどの後発的な事情の変化により当該行為を維持することが必ずしも適当でなくなった場合に、これを将来的に無効とすることです。

1号・2号・3号による「認可の取消し」は、いずれも、適法に成立した後の事情変化に基づくものですから、行政法学上の撤回です。これに対し、**4号による「認可の取消し」は、不正の手段により認可を受けたことを理由とするものであり、当初からの瑕疵に基づくものですから、行政法学上の取消し**です。

1 **誤** 1号・2号による「認可の取消し」は、いずれも行政法学上の撤回です。 P.40

2 **誤** 1号・3号による「認可の取消し」は、いずれも行政法学上の撤回です。 P.40

3 **正** 2号・3号による「認可の取消し」は、いずれも行政法学上の撤回です。 P.40

4 **誤** 2号による「認可の取消し」は、行政法学上の撤回です。これに対し、4号による「認可の取消し」は、行政法学上の取消しです。 P.40

5 **誤** 3号による「認可の取消し」は、行政法学上の撤回です。これに対し、4号による「認可の取消し」は、行政法学上の取消しです。 P.40

正解 3

この問題が解ければ、行政行為の取消し・撤回はマスターできたと考えてよいでしょう。取消し・撤回の定義を参照条文に当てはめる練習をしてください。

MEMO

行政法総論／行政行為

問題 130 **行政裁量に関するア～エの記述のうち、判例に照らし、妥当なものの組合せはどれか。**

ア 裁判所が都市施設に関する都市計画の決定又は変更の内容の適否を審査するに当たっては、当該決定又は変更が裁量権の行使としてされたことを前提として、その基礎とされた重要な事実に誤認があること等により重要な事実の基礎を欠くこととなる場合、又は事実に対する評価が明らかに合理性を欠くこと、判断の過程において考慮すべき事情を考慮しないこと等によりその内容が社会通念に照らし著しく妥当性を欠くものと認められる場合に限り、裁量権の範囲を逸脱し又はこれを濫用したものとして違法となる。

イ 裁判所が懲戒権者の裁量権の行使としてされた公務員に対する懲戒処分の適否を審査するに当たっては、懲戒権者と同一の立場に立って懲戒処分をすべきであったかどうか又はいかなる処分を選択すべきであったかについて判断し、その結果と当該処分とを比較してその軽重を論ずべきものではなく、懲戒権者の裁量権の行使に基づく処分が社会観念上著しく妥当を欠き、裁量権を濫用したと認められる場合に限り違法と判断すべきである。

ウ 公立高等専門学校の校長が学生に対し、原級留置処分又は退学処分を行うかどうかの判断は、校長の合理的な教育的裁量に委ねられるべきものであるが、このうち原級留置処分については、必ずしも退学処分と同様の慎重な配慮が要求されるものではなく、校長がその裁量権を行使するに当たり、原級留置処分に至るまでに何らかの代替措置を採ることの是非、その方法、態様等について考慮する必要はない。

エ 農地に関する賃借権の設定移転は、本来個人の自由契約に任せられていた事項であって、旧農地調整法が小作権保護の必要上これに制限を加え、その効力を市町村農地委員会による承認にかからせているのは、個人の自由の制限である面があるものの、同法はその承認について客観的な基準を定めていないから、その承認をするか否かは市町村農地委員会の自由な裁量に委ねられる。

1 ア・イ
2 ア・エ
3 イ・ウ
4 ア・イ・エ
5 イ・ウ・エ

【公務員試験アレンジ問題】

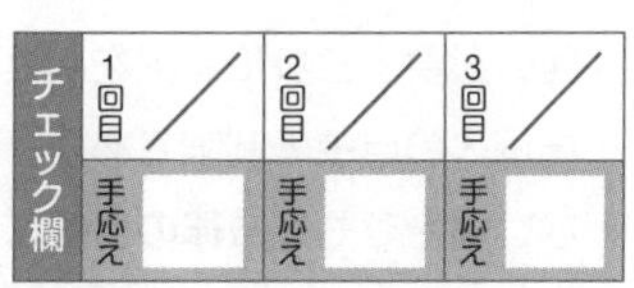

解説

テキスト
第3編

ア　妥当である　判例は、「裁判所が都市施設に関する都市計画の決定又は変更の内容の適否を審査するに当たっては、当該決定又は変更が裁量権の行使としてされたことを前提として、その基礎とされた重要な事実に誤認があること等により重要な事実の基礎を欠くこととなる場合、又は、事実に対する評価が明らかに合理性を欠くこと、判断の過程において考慮すべき事情を考慮しないこと等によりその内容が社会通念に照らし著しく妥当性を欠くものと認められる場合に限り、裁量権の範囲を逸脱し又はこれを濫用したものとして違法となるとすべきものと解するのが相当である。」としています（小田急高架訴訟(本案)／最判平18.11.2)。

イ　妥当である　判例は、裁判所が懲戒権者の裁量権の行使としてされた公務員に対する懲戒処分の「適否を審査するにあたつては、懲戒権者と同一の立場に立つて懲戒処分をすべきであつたかどうか又はいかなる処分を選択すべきであつたかについて判断し、その結果と懲戒処分とを比較してその軽重を論ずべきものではなく、懲戒権者の裁量権の行使に基づく処分が社会観念上著しく妥当を欠き、裁量権を濫用したと認められる場合に限り違法であると判断すべきものである」としています（神戸税関事件／最判昭52.12.20)。

ウ　妥当でない　判例は、「原級留置処分又は退学処分を行うかどうかの判断は、校長の合理的な教育的裁量にゆだねられるべきものであ」るとしたうえで、①「退学処分は学生の身分をはく奪する重大な措置であり、……その要件の認定につき他の処分の選択に比較して特に慎重な配慮を要する」とするとともに、②「学生に与える不利益の大きさに照らして、**原級留置処分の決定に当たっても、同様に慎重な配慮が要求される**」として、原級留置「処分に至るまでに何らかの代替措置を採ることの是非、その方法、態様等について**十分に考慮するべきであった**」としています（エホバの証人剣道実技拒否事件／最判平8.3.8)。　P.44

エ　妥当でない　判例は、「農地に関する賃借権の設定移転は本来個人の自由契約に委せられていた事項であって、法律（旧農地調整法）が小作農保護の必要上これに制限を加え、その効力を承認にかからせているのは、結局個人の自由の制限であり、法律が承認について客観的な基準を定めていない場合でも、**法律の目的に必要な限度においてのみ**行政庁も承認を拒む

解説

ことができるのであって、……承認するかしないかは**農地委員会の自由な裁量に委せられているのではない。**」としています（最判昭31.4.13）。

以上より、妥当なものは**ア・イ**であり、正解は肢1となります。

正解　1

行政法総論／行政行為

問題 131 **行政裁量に関する次のア～オの記述のうち、最高裁判所の判例に照らし、妥当なものの組合せはどれか。**

ア　教科書検定の審査、判断は、申請図書について、内容が学問的に正確であるか、中立・公正であるか、教科の目標等を達成する上で適切であるか、児童、生徒の心身の発達段階に適応しているか、などの観点から行われる学術的、教育的な専門技術的判断であるから、事柄の性質上、文部大臣（当時）の合理的な裁量に委ねられる。

イ　国家公務員に対する懲戒処分において、処分要件にかかる処分対象者の行為に関する事実は、平素から庁内の事情に通暁し、配下職員の指揮監督の衝にあたる者が最もよく把握しうるところであるから、懲戒処分の司法審査にあたり、裁判所は懲戒権者が当該処分に当たって行った事実認定に拘束される。

ウ　公害健康被害の補償等に関する法律に基づく水俣病の認定は、水俣病の罹患の有無という現在または過去の確定した客観的事実を確認する行為であって、この点に関する処分行政庁の判断はその裁量に委ねられるべき性質のものではない。

エ　生活保護法に基づく保護基準が前提とする「最低限度の生活」は、専門的、技術的な見地から客観的に定まるものであるから、保護基準中の老齢加算に係る部分を改定するに際し、最低限度の生活を維持する上で老齢であることに起因する特別な需要が存在するといえるか否かを判断するに当たって、厚生労働大臣に政策的な見地からの裁量権は認められない。

オ　学校施設の目的外使用を許可するか否かについては、原則として、管理者の裁量に委ねられており、学校教育上支障があれば使用を許可することができないことは明らかであるが、集会の開催を目的とする使用申請で、そのような支障がないものについては、集会の自由の保障の趣旨に鑑み、これを許可しなければならない。

1 ア・ウ
2 ア・オ
3 イ・ウ
4 イ・エ
5 エ・オ

【本試験2021年問9】

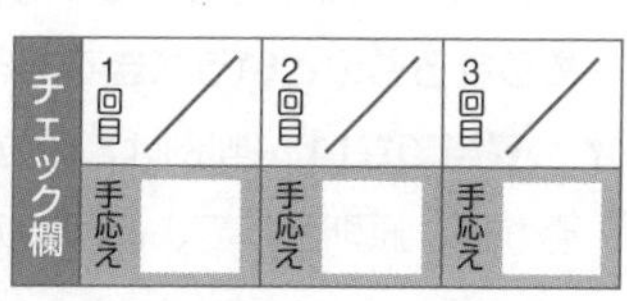

解説

テキスト
第3編

ア　妥当である　判例は、教科書「検定の審査、判断は、申請図書について、内容が学問的に正確であるか、中立・公正であるか、教科の目標等を達成する上で適切であるか、児童、生徒の心身の発達段階に適応しているか、などの様々な観点から多角的に行われるもので、学術的、教育的な専門技術的判断であるから、**事柄の性質上、文部大臣の合理的な裁量に委ねられるものというべき**である。」としています（最判平5.3.16）。

イ　妥当でない　判例は、公務員の懲戒処分について、「裁判所が右の処分の適否を審査するにあたつては、**懲戒権者と同一の立場に立つて懲戒処分をすべきであつたかどうか又はいかなる処分を選択すべきであつたかについて判断し、その結果と懲戒処分とを比較してその軽重を論ずべきものではなく**、懲戒権者の裁量権の行使に基づく処分が社会観念上著しく妥当を欠き、裁量権を濫用したと認められる場合に限り違法であると判断すべきものである」としています（神戸税関事件／最判昭52.12.20）。

ウ　妥当である　判例は、公害健康被害の補償等に関する法律に基づく水俣病の「認定自体は、……客観的事象としての水俣病のり患の有無という現在又は過去の確定した客観的事実を確認する行為であって、この点に関する処分行政庁の判断はその裁量に委ねられるべき性質のものではない」としています（最判平25.4.16）。

エ　妥当でない　判例は、「最低限度の生活は、抽象的かつ相対的な概念であって、その具体的な内容は、その時々における経済的・社会的条件、一般的な国民生活の状況等との相関関係において判断決定されるべきものであり、これを保護基準において具体化するに当たっては、高度の専門技術的な考察とそれに基づいた政策的判断を必要とするものである……。したがって、保護基準中の老齢加算に係る部分を改定するに際し、最低限度の生活を維持する上で老齢であることに起因する特別な需要が存在するといえるか否か及び高齢者に係る改定後の**生活扶助基準の内容が健康で文化的な生活水準を維持することができるものであるか否かを判断するに当たっては、厚生労働大臣に上記のような専門技術的かつ政策的な見地からの裁量権が認められるものというべき**である。」としています（最判平24.2.28）。

オ　妥当でない　判例は、公立学校の「学校施設の目的外使用を許可するか否かは、原則として、管理者の裁量にゆだねられているものと解するのが相 P.45

解説

テキスト
第3編

当である。すなわち、学校教育上支障があれば使用を許可することができないことは明らかであるが、そのような支障がないからといって当然に許可しなくてはならないものではなく、**行政財産である学校施設の目的及び用途と目的外使用の目的、態様等との関係に配慮した合理的な裁量判断により使用許可をしないこともできる**ものである。」としています（呉市学校施設使用不許可事件／最判平18.2.7）。

以上より、妥当なものは**ア・ウ**であり、正解は1となります。

正解 1

行政法総論／行政行為

問題 132 **次の文章は、ある最高裁判所判決の一節である。空欄 ア ～ エ に当てはまる語句を、枠内の選択肢（1～20）から選びなさい。**

「本件条例〔東京都建築安全条例〕4条1項は、大規模な建築物の敷地が道路に接する部分の長さを一定以上確保することにより、避難又は通行の安全を確保することを ア とするものであり、これに適合しない建築物の計画について建築主は建築確認を受けることができない。同条3項に基づく安全認定は、同条1項所定の接道要件を満たしていない建築物の計画について、同項を適用しないこととし、建築主に対し、建築確認申請手続において同項所定の接道義務の違反がないものとして扱われるという地位を与えるものである。

平成11年東京都条例第41号による改正前の本件条例4条3項の下では、同条1項所定の接道要件を満たしていなくても安全上支障がないかどうかの判断は、建築確認をする際に建築主事が行うものとされていたが、この改正により、建築確認とは別に知事が安全認定を行うこととされた。……判断機関が分離されたのは、接道要件充足の有無は客観的に判断することが可能な事柄であり、建築主事又は指定確認検査機関が判断するのに適しているが、安全上の支障の有無は、専門的な知見に基づく裁量により判断すべき事柄であり、知事が一元的に判断するのが適切であるとの見地によるものと解される。

以上のとおり、建築確認における接道要件充足の有無の判断と、安全認定における安全上の支障の有無の判断は、異なる機関がそれぞれの権限に基づき行うこととされているが、もともとは イ に行われていたものであり、避難又は通行の安全の確保という同一の ア を達成するために行われるものである。そして、前記のとおり、安全認定は、建築主に対し建築確認申請手続における一定の地位を与えるものであり、建築確認と結合して初めてその効果を発揮するのである。

他方、安全認定があっても、これを申請者以外の者に通知することは予定されておらず、建築確認があるまでは工事が行われることもないから、周辺住民等これを争おうとする者がその存在を速やかに知ることができるとは限らない（これに対し、建築確認については、工事の施工者は、法〔建築基準法〕89条1項に従い建築確認があった旨の表示を工事現場にしなければならない。)。そうすると、安全認定について、その適否を争うための ウ 保障がこれを争おうとする者に十分に与えられているというのは困難である。仮に周辺住民等が安全認定の存在を知ったとしても、その者において、安全認定によって直ちに不利益を受けることはなく、建築確認があった段階で初めて不利益が現実化すると考えて、その段階までは争訟の提起という手段は執らないという判断をすることがあながち エ であるともいえない。

以上の事情を考慮すると、安全認定が行われた上で建築確認がされている場合、安全認定が取り消されていなくても、建築確認の取消訴訟において、安全認定が違法であるために……接道義務の違反があると主張することは許されると解するのが相当である。」

(最一小判平成21年12月17日民集63巻10号2631頁以下)

1 機能的	2 実体的	3 独断的	4 個別的
5 条件	6 基準	7 目的	8 不公平
9 不合理	10 期限	11 合理的	12 手続的
13 中立的	14 一体的	15 不誠実	16 対立的
17 方法	18 背信的	19 演繹的	20 人権

【オリジナル問題】

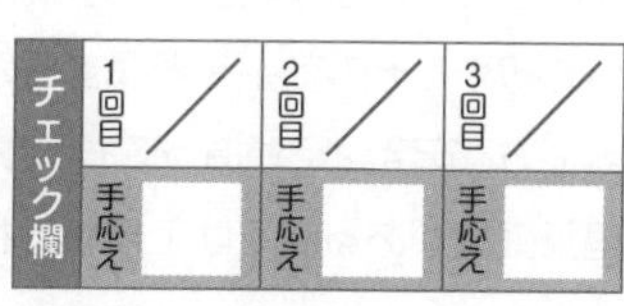

解説

テキスト ▶ 第3編P.41

本問は、違法性の承継に関する最高裁判決（東京都建築安全条例事件／最判平21.12.17）を素材としたものです。

違法性の承継とは、先行する行政行為の違法性が、それを前提とする後続の行政行為の違法事由となることをいいます。行政上の法律関係の早期安定のため、行政行為の瑕疵は、それぞれ独立して判断されるべきであり、原則として違法性の承継は認められません。しかし、例外的に、**先行処分と後行処分が連続した一連の手続を構成し、同一の法律効果の発生を目指す場合には、違法性の承継が認められる**ことがあります。

「本件条例〔東京都建築安全条例〕4条1項は、大規模な建築物の敷地が道路に接する部分の長さを一定以上確保することにより、避難又は通行の安全を確保することを (ア) **目的**とするものであり、これに適合しない建築物の計画について建築主は建築確認を受けることができない。同条3項に基づく安全認定は、同条1項所定の接道要件を満たしていない建築物の計画について、同項を適用しないこととし、建築主に対し、建築確認申請手続において同項所定の接道義務の違反がないものとして扱われるという地位を与えるものである。

平成11年東京都条例第41号による改正前の本件条例4条3項の下では、同条1項所定の接道要件を満たしていなくても安全上支障がないかどうかの判断は、建築確認をする際に建築主事が行うものとされていたが、この改正により、建築確認とは別に知事が安全認定を行うこととされた。……判断機関が分離されたのは、接道要件充足の有無は客観的に判断することが可能な事柄であり、建築主事又は指定確認検査機関が判断するのに適しているが、安全上の支障の有無は、専門的な知見に基づく裁量により判断すべき事柄であり、知事が一元的に判断するのが適切であるとの見地によるものと解される。

以上のとおり、建築確認における接道要件充足の有無の判断と、安全認定における安全上の支障の有無の判断は、異なる機関がそれぞれの権限に基づき行うこととされているが、もともとは (イ) **一体的**に行われていたものであり、避難又は通行の安全の確保という同一の (ア) **目的**を達成するために行われるものである。そして、前記のとおり、安全認定は、建築主に対し建築確認申請手続における一定の地位を与えるものであり、建築確認と結合して初めてその効果を発揮するのである。

他方、安全認定があっても、これを申請者以外の者に通知することは予定されておらず、建築確認があるまでは工事が行われることもないから、周辺住民等これを争おうとする者

解説

がその存在を速やかに知ることができるとは限らない（これに対し、建築確認については、工事の施工者は、法〔建築基準法〕89条1項に従い建築確認があった旨の表示を工事現場にしなければならない。）。そうすると、安全認定について、その適否を争うための(ウ) **手続的**保障がこれを争おうとする者に十分に与えられているというのは困難である。仮に周辺住民等が安全認定の存在を知ったとしても、その者において、安全認定によって直ちに不利益を受けることはなく、建築確認があった段階で初めて不利益が現実化すると考えて、その段階までは争訟の提起という手段は執らないという判断をすることがあながち (エ) **不合理**であるともいえない。

以上の事情を考慮すると、安全認定が行われた上で建築確認がされている場合、安全認定が取り消されていなくても、建築確認の取消訴訟において、安全認定が違法であるために……接道義務の違反があると主張することは許されると解するのが相当である。」

以上より、**ア**には**7**＝「目的」、**イ**には**14**＝「一体的」、**ウ**には**12**＝「手続的」、**エ**には**9**＝「不合理」が入ります。

正解　ア：7、イ：14、ウ：12、エ：9

違法性の承継については、択一式・多肢選択式ともに出題可能性があります。
下記図解で復習しておきましょう。

安全認定　→　建築確認　→　マンション建設開始

一定期間が経過していて訴訟提起✕

建築確認取消訴訟なら提起できる状況
↓
建築確認取消訴訟の中では、
原則：建築確認の違法性主張のみ○
違法性 → **例外：安全認定の違法性主張も○**
（違法性の承継）

行政法総論／行政上の強制手段

問題133 **行政代執行法に規定する代執行に関する次の記述のうち、妥当なものはどれか。**

1 法律により直接に命ぜられ、又は法律に基づき行政庁により命ぜられた代替的作為義務又は不作為義務を義務者が履行しない場合、行政庁は、自ら義務者のなすべき行為をなし、又は第三者にこれをなさしめることができる。

2 行政庁は、法律により直接に命ぜられた行為を義務者が履行しない場合、不履行を放置することが著しく公益に反すると認められるときであっても、他の手段によってその履行を確保することが困難でなければ、代執行はできない。

3 行政代執行法は行政上の強制執行に関する一般法であり、行政庁が自ら義務者のなすべき行為を行う場合には、個別法に特別な代執行の定めがなければならない。

4 代執行を実施する場合、緊急の必要があるときは、義務者に対する戒告を省略することができるが、義務者に対する代執行令書による通知は、代執行の時期や執行責任者の氏名が記載されるので省略することができない。

5 行政庁は、代執行を行った場合、実際に要した費用の額及びその納期日を定め、義務者に対し、文書をもってその納付を命じるが、その費用を強制徴収することはできない。

【公務員試験アレンジ問題】

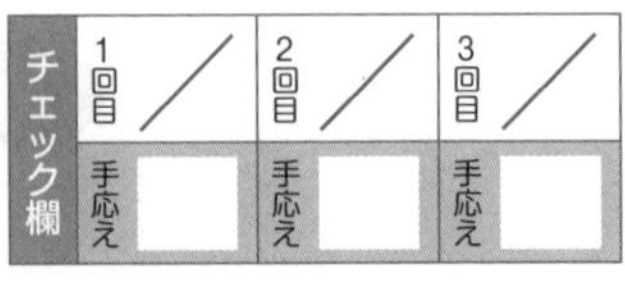

解説

テキスト
第3編

1 **妥当でない**　代執行とは代替的作為義務が履行されない場合、行政庁が自ら義務者のすべき行為を行い、または第三者に行わせ、費用を義務者から徴収することをいい、代執行の要件としては**代替的作為義務であることが挙げられます**（行政代執行法２条かっこ書）。したがって、不作為義務を義務者が履行しない場合は代執行の対象となりません。 P.50

2 **妥当である**　行政代執行法２条は「法律……により直接に命ぜられ、又は法律に基き行政庁により命ぜられた行為……について義務者がこれを履行しない場合、**他の手段によつてその履行を確保することが困難であり、且つその不履行を放置することが著しく公益に反すると認められるとき**は」、代執行できるとしています。 P.52

3 **妥当でない**　代執行については行政代執行法という一般法が存在するので、**個別法に特別な代執行の定めがなくても、代替的作為義務について行政庁は代執行を行うことができます。** P.51

4 **妥当でない**　行政代執行法３条３項は「非常の場合又は危険切迫の場合において、当該行為の急速な実施について緊急の必要があり、前２項に規定する手続をとる暇がないときは、その手続を経ないで代執行をすることができる」とし、**緊急の必要があるときは代執行令書による通知を省略することができます。** P.53

5 **妥当でない**　行政代執行法５条は「代執行に要した費用の徴収については、実際に要した費用の額及びその納期日を定め、義務者に対し、文書をもつてその納付を命じなければならない」としています。そして、**代執行の費用は国税滞納処分の例により義務者から強制徴収することができます**（行政代執行法６条１項）。 P.54

正解　2

野畑のワンポイント

行政代執行法は、条文が６条しかありません。流れを押さえたら、本試験までに何度も読み込んでおくようにしましょう。

【代執行のイメージ】

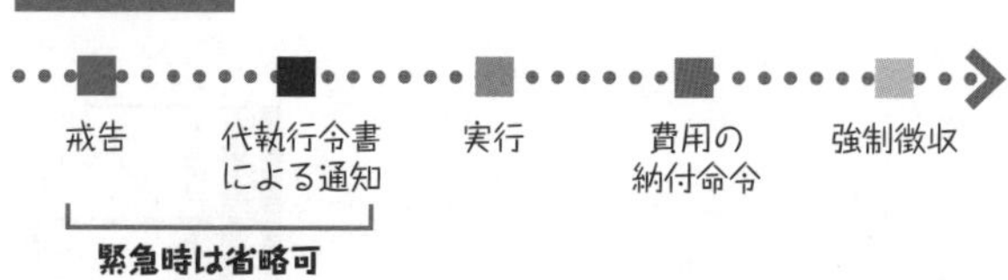

行政法総論／行政上の強制手段

問題 134 **A市は、風俗営業のための建築物について、条例で独自の規制基準を設けることとし、当該基準に違反する建築物の建築工事については市長が中止命令を発しうることとした。この命令の実効性を担保するための手段を条例で定める場合、法令に照らし、疑義の余地なく設けることのできるものは、次の記述のうちどれか。**

1 当該建築物の除却について、法律よりも簡易な手続で代執行を実施する旨の定め。

2 中止命令の対象となった建築物が条例違反の建築物であることを公表する旨の定め。

3 中止命令を受けたにもかかわらず建築工事を続行する事業者に対して、工事を中止するまでの間、1日について5万円の過料を科す旨の定め。

4 市の職員が当該建築物の敷地を封鎖して、建築資材の搬入を中止させる旨の定め。

5 当該建築物により営業を行う事業者に対して1千万円以下の罰金を科す旨の定め。

【本試験2010年問8】

チェック欄	1回目 ／	2回目 ／	3回目 ／
	手応え	手応え	手応え

解説

テキスト
第3編

行政上の義務の履行確保に関しては､別に「法律」で定めるものを除いては、行政代執行法の定めるところによります（行政代執行法１条)。このことから、①行政代執行法が行政上の義務履行確保手段（強制執行手段に限る。）の一般法であること、②行政上の義務履行確保手段を設けるには「法律」の根拠を要することが導かれます。

1 **設けることができない** 法律よりも**簡易な手続で代執行を実施する旨の定めは、「法律」で定めなければなりません**（行政代執行法１条参照)。 P.49

2 **設けることができる** **違反行為に対する制裁として公表を行う旨の定めは、条例で設けることもできます。**「公表」は、情報提供を主たる目的とするものですし、これにより義務履行確保が可能であるとしても、行政代執行法制定時には想定されていなかったものであって、強制執行を念頭に置く行政代執行法の規定の及ぶところではないからです（行政代執行法１条参照)。

3 **設けることができない** 中止命令を受けたにもかかわらず建築工事を続行する事業者に対して、工事を中止するまでの間、１日について５万円の過料を科すことは、講学上の「執行罰」にあたります。**執行罰は、行政上の義務履行確保手段の１つです。このような定めは、「法律」で定めなければなりません**（行政代執行法１条参照)。 P.49

4 **設けることができない** 市の職員が当該建築物の敷地を封鎖して、建築資材の搬入を中止させることは、講学上の「直接強制」にあたります。**直接強制は、行政上の義務履行確保手段の１つです。このような定めは、「法律」で定めなければなりません**（行政代執行法１条参照)。 P.49

5 **設けることができない** **普通地方公共団体は、法令に特別の定めがあるものを除くほか、その条例中に、条例に違反した者に対し、２年以下の懲役もしくは禁錮、100万円以下の罰金、拘留、科料もしくは没収の刑または５万円以下の過料を科する旨の規定を設けることができます**（地方自治法14条３項)。よって、条例中に、「１千万円以下の罰金」を科す旨の規定を設けることはできません。 P.206

正解 2

行政法総論／行政上の強制手段

問題 135 **次の【設問】を読み、【答え】の中の〔　　　　〕に適切な文章を40字程度で記述して、設問に関する解答を完成させなさい。**

【設問】

行政庁Xは、違法に建築されたY所有の木造住宅について、建築基準法上の権限に基づき除却命令を発しましたが、Yはこれを拒否しました。行政庁Xは、みずからY所有の木造住宅を取り壊し、その費用をYから徴収することができるでしょうか。

【答え】

行政代執行法の規定によれば、法律（法律の委任に基づく命令、規則および条例を含む。以下同じ。）により直接に命ぜられ、または法律に基づき行政庁により命ぜられた行為（他人が代わってなすことのできる行為に限る。）について義務者がこれを履行しない場合、他の手段によってその履行を確保することが困難であり、かつその不履行を放置することが著しく公益に反すると認められるときに、当該行政庁が、みずから〔　　　　　〕ことができます。この規定に基づいて、行政庁Xは、Y所有の木造住宅の取壊しを実現して、その費用をYから徴収することが考えられます。

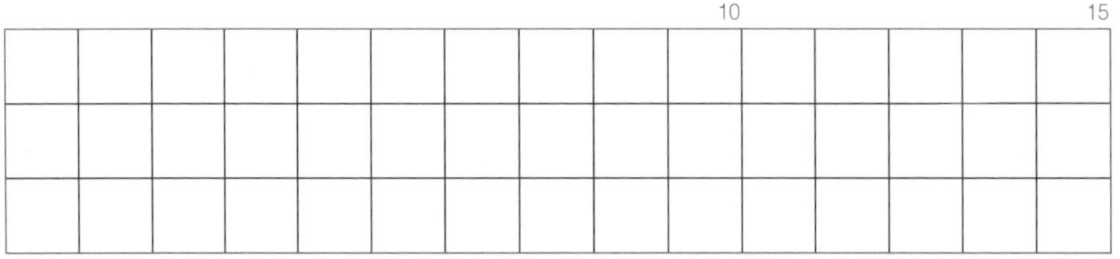

【オリジナル問題】

チェック欄	1回目 ／	2回目 ／	3回目 ／
	手応え	手応え	手応え

解説　テキスト▶第3編P.50

解答例（45字）

義	務	者	の	な	す	べ	き	行	為	を	な	し	、	ま
た	は	第	三	者	を	し	て	こ	れ	を	な	さ	し	め
、	そ	の	費	用	を	義	務	者	か	ら	徴	収	す	る

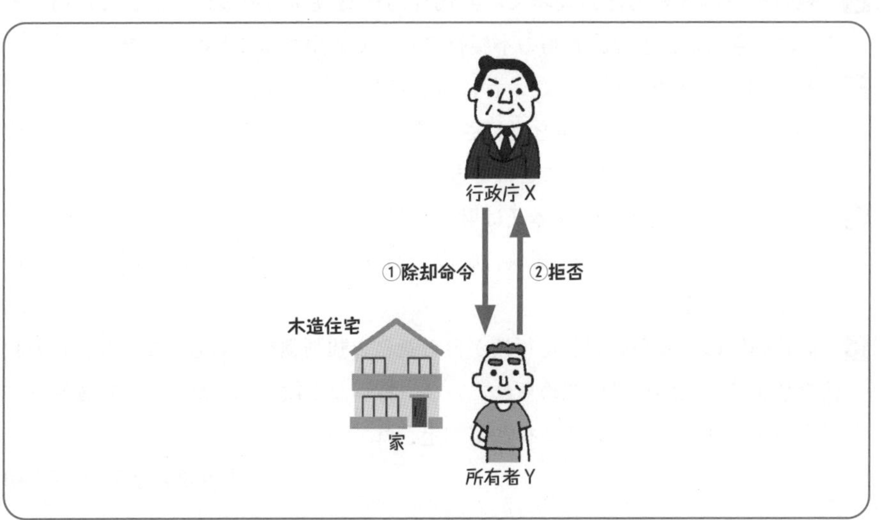

本問は、行政代執行法に基づく代執行に関する知識を問うものです。

法律（法律の委任に基づく命令、規則および条例を含む。以下同じ。）により直接に命ぜられ、または法律に基づき行政庁により命ぜられた行為（他人が代わってなすことのできる行為に限る。）について、義務者がこれを履行しない場合、他の手段によってその履行を確保することが困難であり、かつ、その不履行を放置することが著しく公益に反すると認められるときは、**当該行政庁は、みずから義務者のなすべき行為をなし、または第三者をしてこれをなさしめ、その費用を義務者から徴収することができます**（行政代執行法２条）。

行政法総論／行政上の強制手段

問題 136 **行政法学上の執行罰または直接強制に関する次の記述のうち、妥当なものはどれか。**

1　執行罰は、地方公共団体においては、条例を根拠規範とすることができるが、直接強制は、条例を根拠規範とすることができない。

2　執行罰は、代替的作為義務又は非代替的作為義務の不履行に対して適用することはできるが、不作為義務の不履行に対して適用することはできない。

3　執行罰は、義務を履行しない者に対し過料を科す旨を通告することで義務者に心理的圧迫を与え、義務を履行させる強制執行制度であるが、当該義務が履行されるまで反復して科すことはできない。

4　直接強制は、義務者の身体又は財産に対し、直接に実力を加え、義務が履行された状態を実現させる強制執行制度であり、個別法で特に定められた場合にのみ認められる。

5　直接強制は、義務を課した行政が自ら義務を強制執行するものであり、自力救済を禁止された国民には認められていない特別な手段であるため、直接強制を許容する一般法として行政代執行法が制定されている。

【公務員試験アレンジ問題】

チェック欄	1回目	／	2回目	／	3回目	／
	手応え		手応え		手応え	

解説

テキスト
第3編

1 **妥当でない** 行政上の義務の履行確保を定めた行政代執行法1条の「法律」に条例が含まれるかにつき、通説は、同法2条第1かっこ書において法律に条例が含まれると言及されていることとの対比において、行政代執行法1条の法律に条例は含まれないとしています。そして、直接強制も執行罰も義務履行確保の手段の1つです。そのため、**執行罰についても、直接強制と同様に、条例を根拠規範とすることはできません。** P.49

2 **妥当でない** 執行罰は、本来、非代替的作為義務だけでなく、代替的作為義務や**不作為義務の不履行に対しても認められています。**なお、代替的作為義務に対しては代執行が可能であり、執行罰よりも実効性があります。 P.49

3 **妥当でない** **執行罰は、行政罰と異なり**、過去の違反に対する制裁ではないから、**繰り返して科しても憲法39条の禁止する二重処罰にはあたらず**、履行があるまで反復して科すことができます。 P.49

4 **妥当である** 直接強制の説明として適切です。戦前は、行政上の強制執行に関する一般法として行政執行法が存在していましたが、戦後に廃止されました。そして、直接強制は人権侵害の危険が高く、戦前、行政によって濫用されたという苦い経験を踏まえ、新たな一般法を作りませんでした。そのため、**直接強制は個別法に定めがなければすることができません。** P.49

5 **妥当でない** 直接強制は、義務を課した行政自ら義務を強制執行するものであり、私人間で禁止されている自力救済を認めるものになります。そのため、本肢前半は妥当です。もっとも、肢4の解説のとおり、直接強制をするには個別法の根拠が必要となります。行政代執行法は、**代執行についての一般法**であり、直接強制の一般法ではありません。 P.49

正解 4

行政法総論／行政上の強制手段

即時強制に関する次の記述のうち、妥当なものはどれか。

1 即時強制は、義務の履行を強制するために、直接に人の身体または財産に実力を加えるものであり、行政上の強制執行の一種である。

2 即時強制は、実力行使を伴い人権を侵害するおそれが大きいため、現在行われている例はわずかである。

3 即時強制は、行政機関が実力を行使し、私人にその受忍を強制するものであるから、当然法律の根拠を必要とする。

4 即時強制は、行政上の強制執行と同様に、条例のみを根拠規定として行うことはできない。

5 即時強制は、目前急迫の障害を除く必要上行われるものであるから、実力行使が継続的な場合でも、抗告訴訟の対象とはならない。

【公務員試験アレンジ問題】

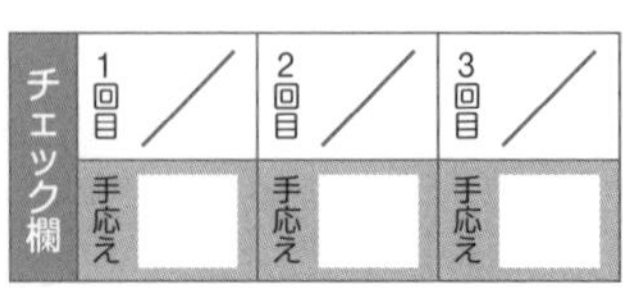

解説

テキスト
第3編

1 **妥当でない**　本肢は、**直接強制**の説明です。即時強制は、**行政上の義務を相手方に課することなく、一定の行政目的達成のために相手方の身体または財産に対して実力を加える行政手段**となります。例として、感染症にかかる強制入院、食品衛生法に基づく食品等の廃棄、外国人の収容・強制退去、道路上の工作物等の除去等があります。これらはいずれも義務賦課、義務違反を前提としません。 P.55

2 **妥当でない**　学校施設の確保に関する政令21条、成田国際空港の安全確保に関する緊急措置法3条があるにすぎない直接強制と異なり、**即時強制の例は多々あります。**

3 **妥当である**　**即時強制は**、相手方に対して実力を行使して行政目的を達成する作用です。国民に義務を課すことを前提とはしていませんが、自由や権利を事実行為として制限するものであるから、**法律の留保原則から法律の根拠を必要とします。** P.55

4 **妥当でない**　行政上の義務履行確保としての行政上の強制執行については、法律によらなければなりません（行政代執行法1条・2条参照）。これに対し、**即時強制については行政上の強制執行ではないため、条例によってこれを定めることも可能となります。** P.55

5 **妥当でない**　抗告訴訟とは、行政庁の公権力の行使に関する不服の訴訟です（行政事件訴訟法3条1項）。即時強制も人の自由を強制的に制限するものであるので、公権力の行使に該当します。ただし、即時強制が即時に完了してしまうものである場合（例えば、破壊消防）、その取消訴訟は訴えの利益がないため却下されます（国家賠償の問題として解決するしかなくなる）。しかし、**即時強制が継続的事実行為としての性質を有する場合（例えば、身柄の拘束）、侵害が継続していれば訴えの利益は失われないので、その取消訴訟は認められます。**

正解　3

行政法総論／行政上の強制手段

問題 138　**行政法学上の行政罰に関する次の記述のうち、妥当なものはどれか。**

1　行政罰は行政刑罰と行政上の秩序罰との２種類に分けられ、行政刑罰として禁錮、罰金、拘留、科料、没収を科すことはできるが、懲役を科すことはできない。

2　行政刑罰は、反社会的・反道義的性質の行為に対して、行為者の道義責任の追及のため又は社会的悪性の矯正のために科されるものである。

3　行政刑罰は、刑事罰とは異なり、違反行為者だけでなく、その使用者や事業主にも科刑されることがある。

4　行政上の秩序罰には刑法総則が適用され、裁判所が刑事訴訟法の手続に従って科刑する。

5　行政上の秩序罰は、行政上の義務が履行されない場合に、一定の期限を示して過料を科すことを予告することで義務者に心理的圧迫を加え、その履行を将来に対して間接的に強制するものである。

【公務員試験アレンジ問題】

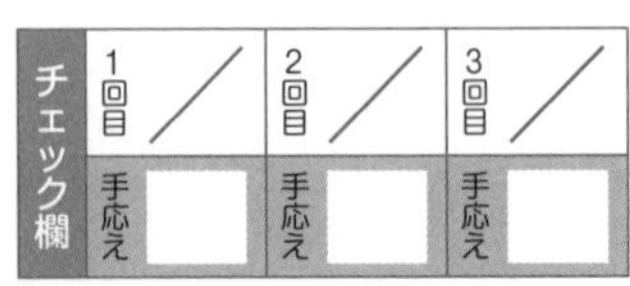

解説

テキスト 第3編

1 **妥当でない**　行政刑罰とは、行政上の義務違反に対する制裁として科される刑法上の刑罰をいいます。**行政刑罰は、刑法以外の法律に規定された犯罪に、刑法９条に刑名のある刑を科す制裁であるから、懲役も科すことができます。**例えば、道路交通法は、酒酔い運転に対して５年以下の懲役または100万円以下の罰金に処すると定めています（同法117条の2）。 P.56

2 **妥当でない**　行政刑罰は、行政上の義務違反に対して、主として取締りの見地から、**法令の遵守を強要するため**のいわば見せしめとして科されるものになります。通常の刑罰のように、行為者の道義責任追及のためまたは社会的悪性の矯正のために科されるものではありません。例えば無免許での酒類販売に対する刑罰（酒税法56条）は、酒類販売という行為が反社会的であるから科されるのではなく、無免許という形式的な行政法の不遵守に対する制裁として科されています。

3 **妥当である**　**行政刑罰は、違反行為者だけでなくその使用者や事業者にも科刑されることがあります（両罰規定）。**これは、通常の刑事罰とは異なる行政刑罰の特色です。 P.56

4 **妥当でない**　行政上の秩序罰とは、行政上の秩序維持のために違反者に制裁として金銭的負担（過料）を科すものです。**法令に基づく過料は、非訟事件手続法の定めに従って裁判所がこれを科します。秩序罰は刑法上の罰ではないので、刑法総則の適用はなく、刑事訴訟法の手続に従う必要もありません。** P.57

5 **妥当でない**　本肢は、執行罰についての記述です。執行罰とは、行政上の義務の不履行がある場合に、一定期限を定めて一定額の過料を科すことを予告し、また実際にこれを科して、その心理的圧迫により行政上の義務履行を確保する制度のことです。**執行罰は、過去の義務違反に対する制裁ではなく、将来の義務の履行を促す点で、行政上の秩序罰と異なります。**執行罰はその効果について賛否両論があり、現在は積極的に適用されていません。現在個別法で執行罰を認めているのは砂防法36条だけです。 P.56

正解　3

肢5のように、行政罰（行政刑罰・秩序罰）と執行罰は、よく引っかけ問題として出題されます。
「行政目的達成のための執行罰」と「義務違反に対する制裁としての行政罰」という違いを頭に入れておきましょう。

行政法総論／行政上の強制手段

問題 139 **行政上の義務の履行確保手段に関する次の文章の空欄 ア ～ エ に当てはまる言葉を、枠内の選択肢（1～20）から選びなさい。**

行政代執行法によれば、代執行が行われるのは、 ア の場合に限られるので、その他の義務の履行確保については、別に法律で定めることを必要とする。例えば、代執行以外の義務の履行確保手段の一つとして イ が挙げられるが、これは、義務者の身体又は財産に直接実力を行使して、義務の履行があった状態を実現するものである。

イ に類似したものとして、 ウ がある。 ウ も、直接私人の身体又は財産に実力を加える作用であるが、義務の履行強制を目的とするものでないところにその特徴がある。 ウ の例としては、警察官職務執行法に基づく保護や避難等の措置などが挙げられる。

さらに行政上の義務の履行確保手段には、間接的強制手段として、行政罰がある。その中で エ は、届出、通知、登記等の義務を懈怠した場合などに科される罰である。

1	反則金	2	課徴金	3	直接強制	4	法定受託事務	5	執行罰
6	自治事務	7	秩序罰	8	即時強制	9	金銭給付義務	10	行政刑罰
11	機関委任事務	12	直接執行	13	自力執行	14	非代替的作為義務		
15	間接強制	16	滞納処分	17	代替的作為義務	18	職務命令違反		
19	不作為義務	20	延滞金						

【本試験2006年問43】

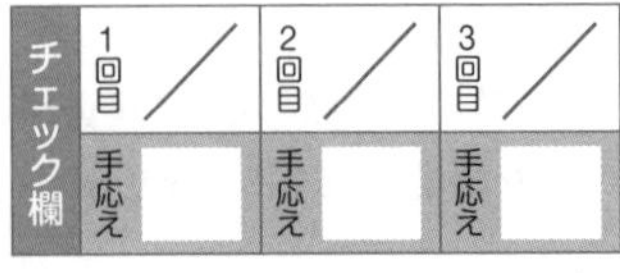

解説

テキスト▶第3編P.48

本問は、行政強制・行政罰に関する知識を問うものです。

行政代執行法によれば、代執行が行われるのは、(ア) **代替的作為義務**の場合に限られる（2条）。

行政代執行法によれば、代執行以外の行政上の義務履行確保については、別に法律で定めることを要する（1条）。代執行以外の行政上の義務履行確保のうち、義務者の身体または財産に直接実力を行使して、義務の履行があった状態を実現するものは、(イ) **直接強制**である。

直接強制に類似したものとして、(ウ) **即時強制**がある。即時強制は、直接私人の身体または財産に実力を加える作用であるが、義務の存在を前提としないところにその特徴がある。

行政罰には、行政刑罰と秩序罰がある。そのうち、(エ) **秩序罰**は、届出、通知、登記等の義務を懈怠した場合などに科される罰である。

以上より、**ア**には**17**＝「代替的作為義務」、**イ**には**3**＝「直接強制」、**ウ**には**8**＝「即時強制」、**エ**には**7**＝「秩序罰」が入ります。

正解　ア：17、イ：3、ウ：8、エ：7

行政上の強制手段に関する論点は、本試験でも繰り返し出題されています。入念に対策しておきましょう。

【行政上の強制手段の全体像】

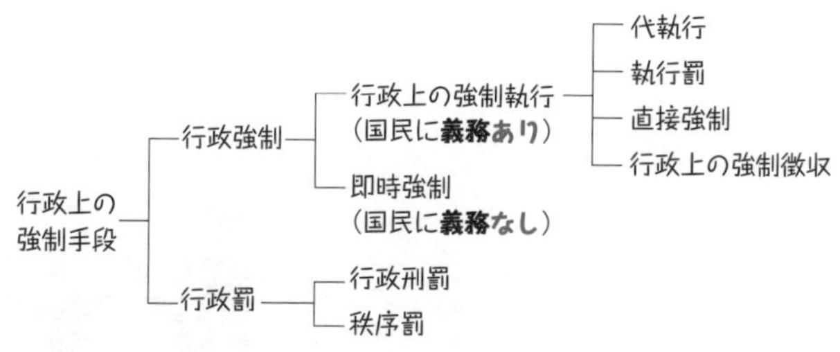

行政法総論／行政調査

問題140 **行政調査に関する次のア～エの記述のうち、正しいものの組合せはどれか。争いがある場合には最高裁判所の判例の立場による。**

ア 行政手続法には、行政調査の手続に関する通則的な規定は置かれておらず、また、同法は、情報収集を直接の目的とする処分・行政指導には適用されない。

イ 警察官職務執行法上の職務質問に付随して行う所持品検査は、検査の必要性、緊急性の認められる場合には、相手方への強制にわたるものであっても適法である。

ウ 法律の規定を設ければ、行政調査に応じなかったことを理由として、刑罰を科すなど、相手方に不利益を課すことも許される。

エ 税務調査（質問検査権）に関しては、国税通則法により、急速を要する場合を除き、事前に裁判官の許可を得ることが必要とされている。

1 ア・イ
2 ア・ウ
3 イ・ウ
4 イ・エ
5 ウ・エ

【本試験2014年問10】

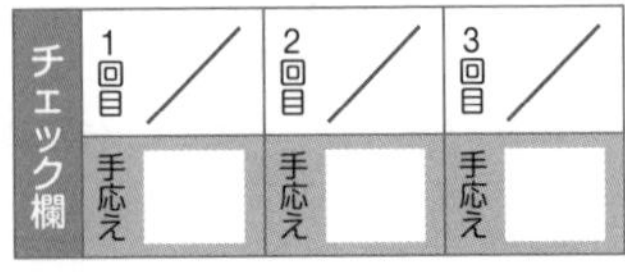

解説

テキスト 第3編

ア 正 **行政手続法には、行政調査の手続に関する通則的な規定は置かれていません。**また、行政手続法は、情報収集を直接の目的とする処分・行政指導には適用されません（行政手続法３条１項14号）。 P.69

イ 誤 判例は、警察官職務執行法上の職務質問に付随して行う所持品検査は、「**捜索に至らない程度の行為は、強制にわたらない限り、たとえ所持人の承諾がなくても、所持品検査の必要性、緊急性、これによつて侵害される個人の法益と保護されるべき公共の利益との権衡などを考慮し、具体的状況のもとで相当と認められる限度において許容される場合がある**と解すべきである」としています（最判昭53.9.7）。 P.59

ウ 正 本肢のように罰則によって調査に応じる義務の履行が担保される行政調査は、「間接強制調査」と呼ばれるものです。

エ 誤 税務調査に関しては、**事前に裁判所の許可が必要とされているわけではありません**（国税通則法74条の２第１項参照）。 P.59

以上より、正しいものは**ア・ウ**であり、正解は**2**となります。

正解 2

行政調査の種類について確認しておきましょう。

強制調査	調査を拒否する者に対し、**その意思に反して物理的強制力を行使する**調査。 例：脱税事件調査のための臨検・捜索	法律の根拠 →**必要**
間接強制を伴う調査	物理的強制を直接行使することはできないが、**調査を拒否した場合には罰則を科す**調査。 例：税務調査としての質問・検査	法律の根拠 →**必要**
任意調査	相手方の**任意の協力に基づいて行われる**調査。 例：警察官による職務質問	法律の根拠 →**不要**

行政法総論／行政契約

行政上の契約に関する次の記述のうち、妥当なものはどれか。

1 行政行為を行うには法律の根拠が必要であるから、行政庁が契約という手法を行政手段として用いることができるのは、法律に明文の規定がある場合に限定される。

2 給付行政上の契約については民法の契約に関する定めが適用されるから、契約上の給付内容を画一的にする必要はなく、契約の相手方は各人の希望に応じて給付内容を自由に変容しうる。

3 契約という行政手段が用いられるのは給付行政のような非権力的行政の領域に限られ、取締行政のような権力的行政の分野には用いられることはない。

4 行政上の契約の目的が国民の日常の生活に必要不可欠な物資やサービスの給付である場合、その行政上の契約は、受給者側に不正があるときやその他の正当事由がある場合以外は、解除されえない。

5 行政上の契約は行政行為の一形態であるため、その契約の違反に対しては行政上の強制執行の手段を用いることによって契約上の義務の履行を強制しうる。

【公務員試験アレンジ問題】

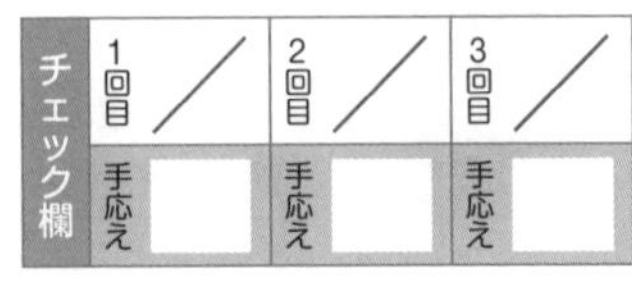

解説

テキスト
第3編

1 **妥当でない** 行政行為を行うには、法律の根拠が必要となります。しかし、行政契約は行政行為ではありません。侵害留保説（通説）は、**一般に行政契約の締結について法律の根拠は不要**と解しています。なぜなら、行政契約は相手方と対等な関係で締結する非権力的な行為形式であり、契約の相手方も自発的に一定の義務を負う以上、その者の権利・自由が侵害されるものではないからです。 P.60

2 **妥当でない** 行政契約は、一方で行政主体が私人と同等の立場に立って締結するものですが、他方で公益を代表する行政主体が当事者であることから、制定法上さまざまな形で私法に対する例外が定められています。例えば給付行政上の行政契約は、平等原則に基づく公正な取扱いが要請されることから、行政上の給付の条件は、法律などの一般的な規範の形式で定められています。それゆえ、**各人の希望に応じて給付の内容が個別的に変容される余地はほとんどありません。** P.61

3 **妥当でない** 取締行政（規制行政）は、性質上、国民の権利自由を制約する作用であるから、行政行為が主な活動形式です。しかし、取締行政の分野だからといって、行政契約がまったく利用されていないわけではありません。実際に多用されてきたのが、**公害防止協定**です。公害防止協定とは、地方公共団体が公害発生源となるおそれのある事業者と個別的に協議し、事業者に各種の公害防止措置を約束させる旨の文書による合意をいいます。協定方式にはいくつかのメリット（不十分な立法の補完、地域特性などを加味した個別的な規制、技術進歩への迅速な対応など）があるので、公害防止法制が一応整備された今日でも、公害防止協定は採用されています。 P.61

4 **妥当である** 行政契約は、行政主体が行政目的を達成するために締結する契約だから、その性質からくる特別な規律に服することになります。特に、**国民の生活に必需的なサービスについては、行政側は正当の理由なく契約の締結を拒むことはできず**（水道法15条参照）、**また、契約を解除するについても特別の正当化事由を必要とする（解除の制限）と一般に解されています。**

5 **妥当でない** 行政契約は行政行為ではなく、あくまでも契約ですから、**相手方の契約上の義務の履行を確保するためには民事訴訟あるいは公法上の当事者訴訟によらなければならず、行政上の強制手段を利用することはできません。** P.60

正解 4

行政法総論／行政契約

行政契約に関する次の記述のうち、正しいものはどれか。見解が分かれる場合は、最高裁判所の判例による。

1 行政契約でも、その内容が国民に義務を課したり、その権利を制限するものについては、法律の留保の原則に関する侵害留保理論に立った場合、法律の根拠が必要であると解される。

2 地方公共団体が、地方自治法上、随意契約によることができない場合であるにもかかわらず、随意契約を行ったとしても、かかる違法な契約は、私法上、当然に無効となるものではない。

3 地方公共団体がごみ焼却場を建設するために、建設会社と建築請負契約を結んだ場合、ごみ焼却場の操業によって重大な損害が生ずるおそれのある周辺住民は、当該契約の締結行為について、当該地方公共団体を被告として、抗告訴訟としての差止めの訴えを提起することができる。

4 地方公共団体の長が、指名競争入札の際に行う入札参加者の指名に当たって、法令の趣旨に反して域内の業者のみを指名する運用方針の下に、当該運用方針に該当しないことのみを理由に、継続して入札に参加してきた業者を指名競争入札に参加させない判断をしたとしても、その判断は、裁量権の逸脱、濫用には当たらず、違法ではない。

5 地方公共団体が、産業廃棄物処理施設を操業する企業との間で、一定の期日をもって当該施設の操業を停止する旨の公害防止協定を結んだものの、所定の期日を過ぎても当該企業が操業を停止しない場合において、当該地方公共団体が当該企業を被告として操業差止めを求める訴訟は、法律上の争訟に該当せず、不適法である。

【本試験2012年問9】

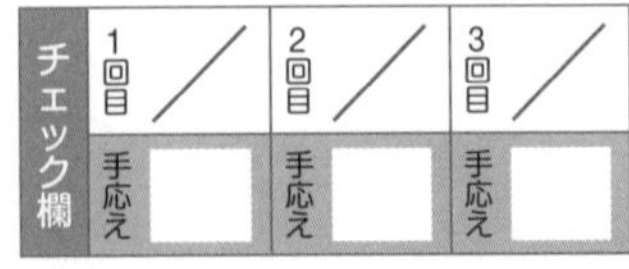

解説

テキスト
第3編

1 **誤** 行政契約は、その内容が国民に義務を課したり、その権利を制限するものであっても、当事者の合意によって成立するものであり、**法律の留保の原則に関する「侵害留保理論」に立った場合であっても、行政契約を締結するのに、法律の根拠は不要**であると解されます。 P.60

2 **正** 判例は、「**随意契約の制限に関する法令に違反して締結された契約の私法上の効力については**……**かかる違法な契約であつても私法上当然に無効になるものではなく**……」としたうえで、「当該契約の効力を無効としなければ随意契約の締結に制限を加える前記法及び令の規定の趣旨を没却する結果となる**特段の事情が認められる場合に限り、私法上無効になる**」としています（最判昭62.5.19）。

3 **誤** 判例は、地方公共団体が私人から買収した土地の上に、ごみ焼却場が「私人との間に対等の立場に立つて締結した私法上の契約により設置された」場合において、当該設置行為は、地方公共団体が公権力の行使により直接私人の権利義務を形成し、またはその範囲を確定することを法律上認められている場合に該当するものということができず、抗告訴訟の対象となる『行政庁の処分』にあたらないとしています（最判昭39.10.29）。この判例を前提にすると、**ゴミ処理場の周辺住民は、当該地方公共団体を被告として抗告訴訟としての差止めの訴えを提起することはできません。** P.129

4 **誤** 判例は、「法令の趣旨に反する運用基準の下で、主たる営業所が村内にないなどの事情から形式的に村外業者に当たると判断し、そのことのみを理由として、他の条件いかんにかかわらず、およそ一切の工事につき……指名競争入札に参加させない措置を採ったとすれば、それは、考慮すべき事項を十分考慮することなく、1つの考慮要素にとどまる村外業者であることのみを重視している点において、**極めて不合理であり、社会通念上著しく妥当性を欠く**ものといわざるをえず、そのような措置に**裁量権の逸脱又は濫用があったとまではいえないと判断することはできない**」としています（最判平18.10.26）。 P.62

5 **誤** 判例は、市町村と産業廃棄物処理業者の間で締結した公害防止協定のうち、最終処分場の使用期限を定めた条項について、廃棄物処理施設に係る許可制度を定める廃棄物処理法の趣旨に反せず、契約としての法的拘束力を否定することはできないとしており（最判平21.7.10）、当該操業差止めを求める訴訟が『**法律上の争訟**』であることを前提としています。 P.62

正解 2

行政法総論／行政計画

問題 143 **行政法学上の行政計画に関する次の記述のうち、妥当なものはどれか。**

1 行政計画とは、行政機関が定立する計画であって、一定の行政目標を設定しその実現のための手段・方策の総合的調整を図るものであり、法的拘束力の有無により拘束的計画と非拘束的計画とに分類でき、非拘束的計画の例としては、都市計画や土地区画整理事業計画がある。

2 行政計画の策定には、意見書の提出、公聴会や審議会の開催などの手続が要請されるが、これらの計画策定の一般的な手続は、行政手続法に定められている。

3 行政計画は、行政機関、他の行政主体、国民に対し、誘導・説得という作用力を持ち、行政の計画的遂行を保障するものであるため、その策定にはすべて法律の根拠が必要である。

4 最高裁判所の判例では、地方公共団体による工場誘致政策の変更は適法であるが、それが誘致企業の信頼を不当に破壊する場合には、当該措置は企業との関係では相対的に違法となるとし、地方公共団体は不法行為責任を免れないものとした。

5 最高裁判所の判例では、都市再開発法に基づく第二種市街地再開発事業の事業計画の決定は、施行地区内の土地の所有者の法的地位に直接的な影響を及ぼすものであっても、抗告訴訟の対象となる行政処分には当たらないとした。

【公務員試験アレンジ問題】

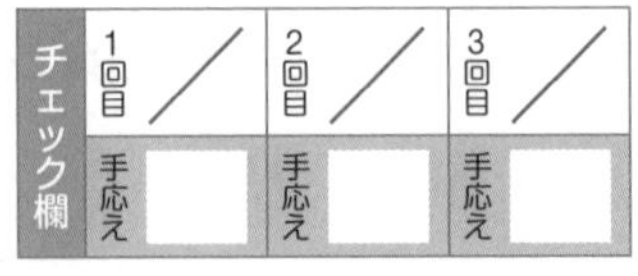

解説

テキスト
第3編

1 **妥当でない**　都市計画は、私人の土地利用について規制効果を持つため、**拘束的計画**の代表例となります。また、土地区画整理事業計画も、一定の範囲内で建築物の新築などに関する規制効果がある（最判平20.9.10）とされていますから、**拘束的計画**であると考えられます。

2 **妥当でない**　行政計画を策定する際に、その計画案を一定期間公告し、関係者の縦覧（行政上の書類を私人が自由に見ること）に供することにより、行政計画の内容を私人に明らかにする計画の公告・縦覧が手続として定められている場合、計画に対し不服のある者による意見書の提出を同時に認めるのが通例です。ただし、**行政手続法には、計画策定手続の規定は設けられていません**（同法1条1項参照）。 P.69

3 **妥当でない**　**私人に対する法的拘束力のある拘束的計画には法律の根拠が必要である**のに対し、**私人に対する法的拘束力のない非拘束的計画には法律の根拠は不要です。** P.65

4 **妥当である**　本肢の事例につき判例は、地方公共団体が工場誘致政策を決定した場合でも、政策が社会情勢の変動等に伴って変更されることがあることは当然ですが、**施策の変更により当事者が社会観念上看過することのできない積極的損害を被る場合に、地方公共団体において損害を補償するなどの代償的措置を講じないことは、それがやむをえない客観的事情によるのでない限り、当事者間に形成された信頼関係を不当に破壊するものとして違法性を帯び、地方公共団体の不法行為責任を生じさせる**としました（最判昭56.1.27）。 P.66

5 **妥当でない**　本肢の事例につき判例は、**第二種市街地再開発事業計画の決定・公告は**、公告の日から土地収用における事業認定と同様の効果を有し、計画が公示されると、施行区域内の土地の所有者などは、対償の支払いを受けるか建築施設の部分の譲受け希望の申請をするかの選択をしなければならないとされ、所有者などの法的地位に直接的な影響が及ぶので、公告された当該計画には、**処分性が認められる**としました（阿倍野市街地再開発事件／最判平4.11.26）。 P.130

正解 4

肢5のように、行政計画については行政事件訴訟法の「処分性」という論点から出題されることもあります。
まだそこまで学習していなければ、あとまわしにしても構いません。

行政手続法／総説

問題 144 **次の文章は、行政手続法１条１項の条文である。空欄 ア ～ オ に当てはまる語句の組合せとして、正しいものはどれか。**

第１条　この法律は、［ア］、行政指導及び［イ］に関する手続並びに［ウ］等を定める手続に関し、共通する事項を定めることによって、行政運営における［エ］の確保と透明性（略）の向上を図り、もって［オ］に資することを目的とする。

	ア	イ	ウ	エ	オ
1	行政行為	届出	行政計画	迅速性	国民の権利利益の保護
2	処分	公証	行政契約	効率性	行政の適正な運営
3	行政行為	公証	命令	公正	国民の権利利益の保護
4	行政行為	通知	行政計画	効率性	行政の適正な運営
5	処分	届出	命令	公正	国民の権利利益の保護

【本試験2017年問11】

チェック欄	1回目 ／	2回目 ／	3回目 ／
	手応え	手応え	手応え

解説

テキスト ▶ 第3編P.70

本問は、行政手続法1条1項を素材としたものである。

「この法律は、(ア) **処分**、行政指導及び (イ) **届出**に関する手続並びに (ウ) **命令**等を定める手続に関し、共通する事項を定めることによって、行政運営における (エ) **公正**の確保と透明性（行政上の意思決定について、その内容及び過程が国民にとって明らかであることをいう。第46条において同じ。）の向上を図り、もって (オ) **国民の権利利益の保護**に資することを目的とする。」

以上より、**ア**には「処分」、**イ**には「届出」、**ウ**には「命令」、**エ**には「公正」、**オ**には「国民の権利利益の保護」が入り、正解は5となります。

正解 5

行政手続法の目的条文は重要です。
どのような行政活動が行政手続法の対象か、しっかり押さえておきましょう。

- 処分
  - 申請に対する処分（5～11条）
  - 不利益処分（12～31条）
- 行政指導（32～36条の2）
- 処分等の求め（36条の3）
- 届出（37条）
- 命令等を定める手続（38～45条）

※行政契約や行政計画についての手続規定は置かれていないことに注意。

行政手続法／総説

問題145 **都市計画や土地区画整理事業計画といった行政計画の策定については、公聴会の開催や意見書の提出などの手続が要請されるが、行政手続に関する一般法である行政手続法の適用対象とはされていない。では、行政手続法は、どのような手続を対象として、どのようなことを目的としているか。【答え】の中の〔　　〕に適切な文章をそれぞれ10～25字程度で記述して、答えを完成させなさい。**

【答え】

行政手続法1条1項によれば、同法は、〔　　〕に関し、共通する事項を定めることによって、行政運営における公正の確保と透明性の向上を図り、もって〔　　〕ことを目的としている。

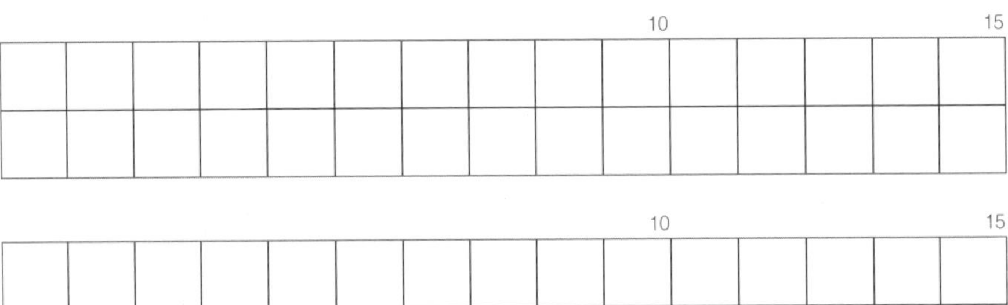

【オリジナル問題】

チェック欄	1回目 ／	2回目 ／	3回目 ／
	手応え	手応え	手応え

解説

テキスト▶第3編P.70

解答例

行政手続法は、

処	分	、	行	政	指	導	及	び	届	出	に	関	す	る
手	続	並	び	に	命	令	等	を	定	め	る	手	続	(29字)

に関し、共通する事項を定めることによって、行政運営における公正の確保と透明性の向上を図り、もって

国	民	の	権	利	利	益	の	保	護	に	資	す	る	(14字)

ことを目的とする。

本問は、行政手続法の目的等に関する知識を問うものです。

行政手続法1条1項は、「**この法律は、処分、行政指導及び届出に関する手続並びに命令等を定める手続に関し、共通する事項を定めることによって、行政運営における公正の確保と透明性（行政上の意思決定について、その内容及び過程が国民にとって明らかであることをいう。第46条において同じ。）の向上を図り、もって国民の権利利益の保護に資することを目的とする**」としています。

野畑のワンポイント

行政手続法1条は、択一式でも頻出事項です。記述式で問われた際にも確実に答えられるようにしておきましょう。

行政手続法／処分

問題 146 **行政手続法の定める申請の取扱いに関する次のア～オの記述のうち、正しいものの組合せはどれか。**

ア 申請がそれをすることができる期間内にされたものではない場合、当該申請は当然に不適法なものであるから、行政庁は、これに対して諾否の応答を行わず、その理由を示し、速やかに当該申請にかかる書類を申請者に返戻しなければならない。

イ 許認可等を求める申請に必要な書類が添付されていない場合、行政庁は、速やかに、相当の期間を定めて当該申請の補正を求めるか、あるいは当該申請により求められた許認可等を拒否しなければならない。

ウ 行政庁は、申請により求められた許認可等のうち行政手続法に列挙されたものについて、これを拒否する処分を行おうとするときは、予めその旨を申請者に対し通知し、当該申請者に弁明書の提出による意見陳述の機会を与えなければならない。

エ 行政庁が申請の取下げまたは内容の変更を求める行政指導を行うことは、申請者がそれに従う意思がない旨を表明したにもかかわらずこれを継続すること等により当該申請者の権利の行使を妨げるものでない限り、直ちに違法とされるものではない。

オ 行政庁が、申請の処理につき標準処理期間を設定し、これを公表した場合において、当該標準処理期間を経過してもなお申請に対し何らの処分がなされないときは、当該申請に対して拒否処分がなされたものとみなされる。

1. ア・イ
2. ア・オ
3. イ・エ
4. ウ・エ
5. ウ・オ

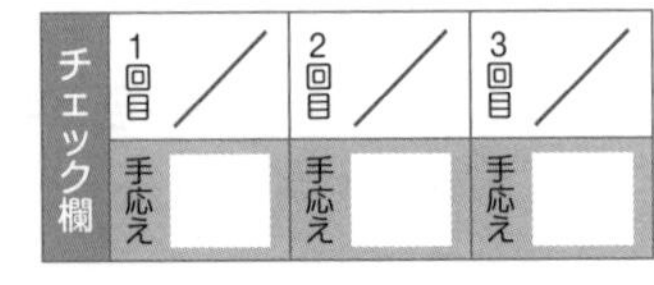

【本試験2020年問13】

解説

テキスト
第3編

ア **誤** 行政庁は、**申請がその事務所に到達したときは遅滞なく当該申請の審査を開始しなければならず**、かつ、申請書の記載事項に不備がないこと、申請書に必要な書類が添付されていること、申請をすることができる期間内にされたものであることその他の法令に定められた申請の形式上の要件に適合しない申請については、速やかに、申請をした者（「申請者」）に対し相当の期間を定めて当該申請の補正を求め、または当該申請により求められた許認可等を拒否しなければなりません（7条）。 P.73

イ **正** 行政庁は、申請がその事務所に到達したときは遅滞なく当該申請の審査を開始しなければならず、かつ、申請書の記載事項に不備がないこと、申請書に必要な書類が添付されていること、申請をすることができる期間内にされたものであることその他の法令に定められた申請の形式上の要件に適合しない申請については、速やかに、申請をした者（「申請者」）に対し**相当の期間を定めて当該申請の補正を求め、または当該申請により求められた許認可等を拒否しなければなりません**（7条）。 P.73

ウ **誤** 申請により求められた許認可等を拒否する処分は、「不利益処分」から除かれています（2条4号ロ）。よって、**申請により求められた許認可等を拒否する処分を行おうとする場合に、意見陳述の機会を与える必要はありません。** P.76

エ **正** 申請の取下げまたは内容の変更を求める行政指導にあっては、行政指導に携わる者は、申請者が当該**行政指導に従う意思がない旨を表明したにもかかわらず当該行政指導を継続する**こと等により当該申請者の権利の行使を妨げるようなことをしてはなりません（33条）。 P.84

オ **誤** 行政庁は、申請がその事務所に到達してから当該申請に対する処分をするまでに**通常要すべき標準的な期間を定めるよう努める**とともに、これを定めたときは、これらの当該申請の提出先とされている機関の事務所における備付けその他の適当な方法により**公にしておかなければなりません**（標準処理期間／6条）。標準処理期間は、あくまでも申請の処理にかかる期間の「目安」を定めたものであって、その期間を経過してもなお申請に対し何らの処分がなされないときでも拒否処分がなされたものとみなされるわけではありません。 P.72

以上より、正しいものは**イ・エ**であり、正解は3となります。

正解 3

行政手続法／処分

問題147 **X省では、ホームページに、「行政手続法、よくある質問と回答」の内容を掲載しようと検討している。以下はその原稿案である。これらのうち、誤りを含むものはどれか。**

1 **Q**「ある営業の許可のための申請をしようと思っています。役所でどのような点を審査することになるのか、事前に知ることはできますか？」

→A「役所は、申請を認めるべきかどうか役所側が判断するときの基準をできる限り具体的に定め、誰でも見ることができるようにしておかなければなりません。この基準は、原則として公にされています。」

2 **Q**「私がしようとしている許可申請については、A県知事が許可・不許可処分をすることになっています。処分の根拠は法律に定められているようです。行政手続法が適用されるのでしょうか？」

→A「地方公共団体の役所がするそのような処分については、行政手続法の規定は適用されません。当該地方公共団体が行政手続条例を定めていれば、行政手続条例が適用されることになります。」

3 **Q**「許可の申請をした結果はいつ頃わかるのか、目安を知りたいのですが？」

→A「役所は、申請が届いてから結論を出すまでに通常の場合必要とする標準的な期間をあらかじめ定めるように努め、定めたときは公にしておかなければならないことになっています。ここで定められた期間が、申請の処理にかかる時間の目安となります。」

4 **Q**「許可申請をしたのに、いつまでたっても返答がないのですが？」

→A「申請書が役所に届いたら、役所は直ちに審査を開始することになっています。役所が申請を受け取らなかったり、審査をせずに放置しておくなどの取扱いは行政手続法上許されていません。申請先の役所に状況を問い合わせてみましょう。」

5 **Q**「申請が不許可になった場合、その理由は教えてもらえるのでしょうか？」

→A「役所は、申請を許可できない、不許可にする、という場合には、処分と同時に（書面でするときは書面で）その理由を示すことになっています。」

【本試験2015年問13】

チェック欄	1回目 ／	2回目 ／	3回目 ／
	手応え	手応え	手応え

解説

テキスト
第3編

1 **誤りを含まない** 行政庁は、**審査基準をできる限り具体的に定め**、行政上特別の支障がある場合を除き、**公にしておかなければなりません**（5条2項・3項）。 P.72

2 **誤りを含む** 地方公共団体の機関がする処分（その根拠となる規定が条例または規則に置かれているものに限る。）については、行政手続法の規定は適用されません（3条3項）。したがって、**地方公共団体の機関がする処分で、その根拠が法律に定められているものについては、行政手続法の規定が適用されます。** P.93

3 **誤りを含まない** 行政庁は、**標準処理期間を定めるよう努めるとともに、これを定めたときは公にしておかなければなりません**（6条）。 P.72

4 **誤りを含まない** 行政庁は、申請がその事務所に到達したときは遅滞なく当該申請の審査を開始しなければなりません（7条）。**申請の不受理や審査をせずに放置することは許されません。** P.73

5 **誤りを含まない** 行政庁は、申請により求められた許認可等を**拒否する処分をする場合は、申請者に対し、同時に、当該処分の理由を示さなければなりません**（8条1項本文）。そして、その**処分を書面でするときは、理由も書面で示さなければなりません**（8条2項）。 P.73

正解 2

総務省のホームページには、本問のようなQ＆Aのページがあります。
時間があるときに確認してみると新たな発見があるかもしれませんね。

行政手続法／処分

問題148 **不利益処分をしようとする場合の行政手続法上の手続に関する次のア～エの記述のうち、妥当なものの組合せはどれか。**

ア　弁明手続は、聴聞手続と比べてより略式の手続であるので、参加人及び補佐人の観念がなく、文書閲覧権も認められていない。

イ　聴聞手続は、不利益処分の名あて人の防御権を保障する手続として法定されたものであるので、公益上緊急に不利益処分をする必要があるために聴聞手続をすることができない場合については、より簡略な弁明手続をしなければならない。

ウ　聴聞手続における当事者は、聴聞の通知があった時から聴聞が終結するまでの間、行政庁に対して文書等の閲覧を求めることができ、この期間内であれば、差し当たり必要な文書等の閲覧請求をし、後で追加的に閲覧請求をすることができる。

エ　不利益処分の名あて人以外の者であっても、その不利益処分によって自己の権利を害されることとなる者は、その不利益処分に関する聴聞手続に参加することが望ましいと考えられるので、その者から求めがあった場合に、聴聞主宰者は、聴聞手続への参加を許可しなければならない。

1　ア・イ
2　ア・ウ
3　イ・ウ
4　イ・エ
5　ウ・エ

【公務員試験アレンジ問題】

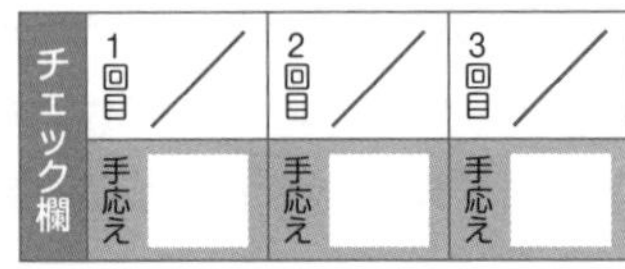

解説

テキスト 第3編

ア **妥当である** 弁明の機会の付与の手続においては、聴聞の手続で規定されている参加人、補佐人の観念はなく、文書等閲覧請求権も認められていません（31条参照）。 P.82

イ **妥当でない** 聴聞手続は、**不利益処分のうちの、許認可等の取消し、名あて人の資格または地位の剥奪など不利益の程度が強い処分においてとられています**（13条1項1号）。ただし、この場合でも、**公益上緊急に当該処分をする必要があり、聴聞手続をとることができないときは、聴聞手続、弁明の機会の付与手続いずれをもとる必要がなくなります**（13条2項1号）。 P.78

ウ **妥当である** 当事者および不利益処分がなされた場合に**自己の利益を害されることとなる参加人は、聴聞の通知があった時から聴聞が終結する時までの間、文書等閲覧請求権を有します**（18条1項）。そして、この期間内であれば、当事者等は、聴聞期日の審理の進行に応じて必要となった資料の閲覧をさらに求めることができます（18条2項）。

エ **妥当でない** 聴聞手続において、主宰者は、必要と認めるとき、**参加人を手続に参加させることが「できる」とされています**（17条1項）。参加を許可「しなければならない」ものではありません。 P.80

以上より、妥当なものは**ア・ウ**であり、正解は**2**となります。

正解 2

野畑のワンポイント

聴聞手続と弁明の機会の付与の手続の違いについて、確認しておきましょう。

- 聴聞手続…**口頭**で意見を述べる機会を与える（慎重な手続）。
  →❶営業許可の**取消**処分、❷資格または地位を直接に剥奪する処分、❸名あて人が法人である場合における役員の解任処分など、重い処分の場合。
- 弁明の機会の付与…**書面**で意見を述べる機会を与える（簡易迅速な手続）。
  →上記❶～❸以外の処分（営業**停止**処分など、比較的軽い処分）の場合。

行政手続法／処分

問題149 **行政手続法に関する次の記述のうち、妥当なものはどれか。**

1 行政庁は、許認可等を取り消す不利益処分をしようとする場合、当事者以外の者であって当該不利益処分の根拠となる法令に照らし当該不利益処分につき利害関係を有するものと認められる者がいるときは、公聴会の開催により、その者の意見を聴く機会を設けるよう努めなければならない。

2 行政庁は、不利益処分をする場合には、その名宛人に対し、同時に、当該不利益処分の理由を示さなければならない。ただし、当該理由を示さないで処分をすべき差し迫った必要がある場合は、この限りでない。

3 不利益処分の名宛人となるべき者には、聴聞の通知があった時から聴聞が終結する時までの間、行政庁に対する当該不利益処分の原因となる事実を証する資料の閲覧及び複写の請求が認められている。当該請求がされた場合、行政庁は、正当な理由があるときでなければ、当該請求を拒むことはできない。

4 弁明の機会の付与は、聴聞と比較してより略式の手続であり、弁明の機会の付与を行う場合、行政庁は、不利益処分の名宛人となるべき者に対して、当該不利益処分の原因となる事実まで通知する必要はない。また、弁明は、原則として書面で行われる。

5 申請により求められた許認可等を拒否する処分は、申請に対する処分に当たると同時に不利益処分にも当たるため、当該拒否処分には、申請に対する処分に関する規定が適用されるほか、不利益処分に関する規定が準用される。

【公務員試験アレンジ問題】

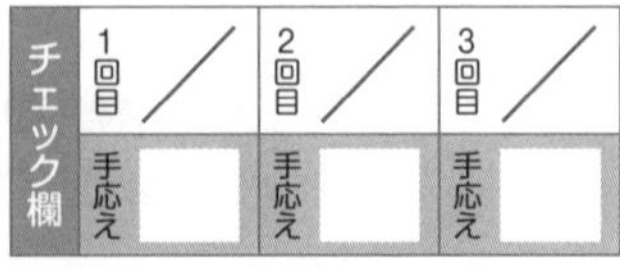

解説

テキスト
第3編

1 **妥当でない** **行政庁が不利益処分をする場合**、聴聞、弁明の機会の付与といった意見陳述のための手続を経る必要があります(13条1項各号)。もっとも、これらの手続には**公聴会に関する規定は存在せず、行政庁に公聴会を開催する努力義務はありません。**なお、申請に対する処分手続に、公聴会開催の制度があります（10条)。 P.78

2 **妥当である** 行政庁が**不利益処分をする場合、処分の名あて人に対し、同時に不利益処分の理由を示さなければなりません**（14条1項本文)。ただし、**当該理由を示さないで処分をすべき差し迫った必要がある場合には、処分と同時でなくてもよい**ことになります（14条1項但書・2項)。 P.77

3 **妥当でない** 当事者等は、聴聞の通知があった時から聴聞が集結するまでの間、文書等閲覧請求権を有することになります（18条1項前段)。もっとも、18条1項前段に複写の請求は規定されておらず、**当事者等に文書等の複写請求権は認められません。**

4 **妥当でない** 弁明の機会の付与の際、名あて人に対し**当該不利益処分の原因となる事実**も通知しなければなりません（30条2号)。なお、弁明は、口頭ですることを認めた場合以外は弁明書（書面）を提出して行うことになります（29条1項)。 P.81

5 **妥当でない** **申請により求められた許認可等を拒否する処分（申請拒否処分）は不利益処分にあたらず**、当該拒否処分に**不利益処分の規定は準用されません**（2条4号ロ)。 P.71

正解 2

本問のように、「申請に対する処分」と「不利益処分」がセットで出題されることもあります。頭の中で混乱しないように、整理しながら学習しましょう。

行政手続法／処分

問題 150 **次の【設問】を読み、【答え】の中の〔　　　　〕に適切な文章を40字程度で記述して補い、設問に対する答えを完成させなさい。**

【設問】

A社は、Y県において、産業廃棄物処理施設の設置を計画し、Y県知事に対して設置許可の申請をして許可を得て、その稼働を始めました。しかし、周辺住民Xらは、産業廃棄物処理施設の設置により土壌が汚染されて健康被害が生じていると主張して、Y県知事に対して設置許可を取り消すように求めています。

そこで、Y県知事は、産業廃棄物処理施設の設置許可の取消しを検討して、A社について聴聞手続をとることとして、Y県の職員Bを主宰者に指名しました。

最初の聴聞の期日の冒頭において、Bは、どのような手続をとることとされているでしょうか。

【答え】

行政手続法20条1項の規定により、主宰者は、最初の聴聞の期日の冒頭において、行政庁の職員に、〔　　　　　　〕を聴聞の期日に出頭した者に対し説明させなければなりません。Bは、最初の聴聞の期日の冒頭において、Y県の職員に、これらの事項を当該期日に出頭した者に対し説明させることになります。

									10					15

【オリジナル問題】

チェック欄	1回目 ／	2回目 ／	3回目 ／
	手応え	手応え	手応え

解説

テキスト▶第3編P.80

解答例（37字）

予	定	さ	れ	る	不	利	益	処	分	の	内	容	及	び
根	拠	と	な	る	法	令	の	条	項	並	び	に	そ	の
原	因	と	な	る	事	実								

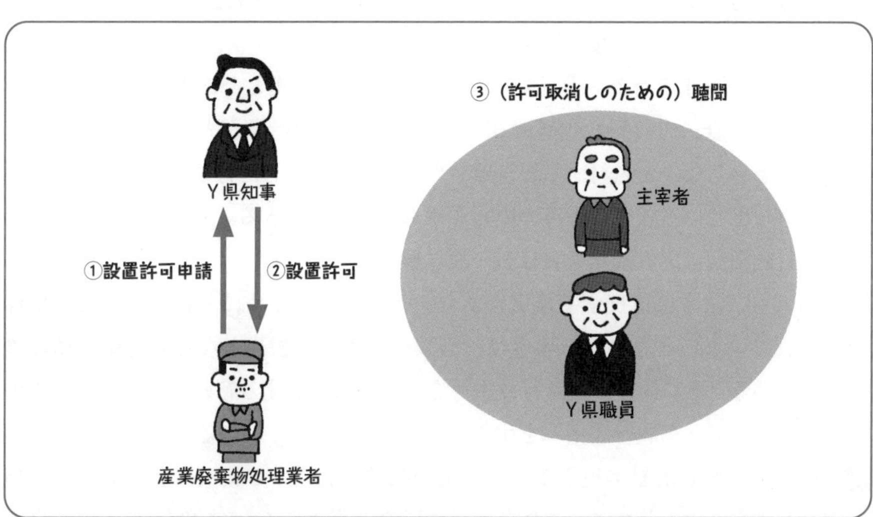

本問は、行政手続法による聴聞の期日における審理の方式に関する知識を問うものです。

（聴聞の）主宰者は、**最初の聴聞の期日の冒頭において、行政庁の職員に、「予定される不利益処分の内容及び根拠となる法令の条項並びにその原因となる事実」を聴聞の期日に出頭した者に対し説明させなければなりません**（行政手続法20条1項）。

行政手続法／行政指導

問題 151 **行政手続法が定める行政指導に関する次の記述のうち、妥当なものはどれか。**

1 行政指導に携わる者は、当該行政指導をする際に、行政機関が許認可等をする権限又は許認可等に基づく処分をする権限を行使し得る旨を示すときは、その相手方に対して、当該権限を行使し得る根拠となる法令の条項を示せばよく、当該条項に規定する要件まで示す必要はない。

2 法令に違反する行為の是正を求める行政指導の根拠となる規定が法律に置かれている場合、当該行政指導の相手方は、当該行政指導が当該法律に規定する要件に適合しないと思料するときは、当該行政指導をした行政機関に対し、その旨を申し出て、当該行政指導の中止を求めることができる。また、当該申出を受けた行政機関は応答義務を負うと一般に解されている。

3 何人も、法令に違反する事実があり、その是正のためにされるべき行政指導がされていないと思料する場合は、当該行政指導の根拠となる規定が法律に置かれているときに限り、当該行政指導をする権限を有する行政機関に対し、その旨を申し出て、当該行政指導をすることを求めることができる。

4 同一の行政目的を実現するため一定の条件に該当する複数の者に対し行政指導をしようとするときに、これらの行政指導に共通してその内容となるべき事項を定めた行政指導指針は、原則として意見公募手続の対象とはならない。

5 行政指導は相手方の任意の協力によってのみ実現されるものであるから、行政指導に携わる者は、相手方に行政指導に応じるよう説得を重ねることは一切許されず、また、その相手方が行政指導に従わなかったことを理由として、不利益な取扱いをしてはならない。

【公務員試験アレンジ問題】

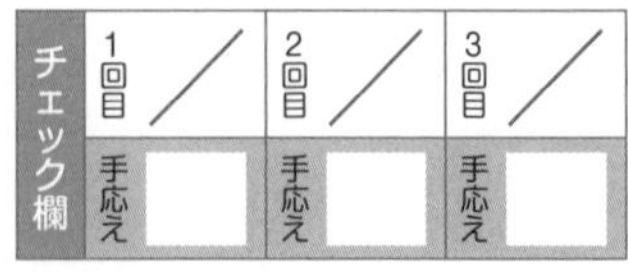

解説

テキスト
第3編

1 **妥当でない** 行政指導に携わる者は、当該行政指導をする際、行政機関が許認可等またはそれに基づく処分をする権限を行使しうる旨を示す場合、その相手方に対して、35条2項各号所定の事項を示さなければなりません（35条2項本文）。同項各号を見ると、当該権限を行使しうる根拠となる法令の条項（1号）だけでなく、**当該条項に規定する要件**（2号）や当該権限行使が当該要件に適合する理由（3号）も示す必要があります。

2 **妥当でない** 本肢前半で示された要件を満たす場合に、**行政指導の相手方による行政指導の中止等の求め**（36条の2第1項本文）**に対して行政機関に応答義務があるかが問題**となりますが、あくまでも、同項本文の文言上「申し出」と規定し、申請権を創設するものではなく、**当該申出を受けた行政機関に応答義務はない**と解されています。 P.85

3 **妥当である** 処分等の求めの制度（36条の3第1項）は、肢1の権限濫用型行政指導にかかる明示原則（35条2項）、肢2の行政指導の中止等の求め（36条の2）とともに、行政不服審査法の全面改正にあわせて、行政手続法に新設された制度です。なお、**行政指導の中止等の求めと処分等の求めにつき、いずれも行政指導の根拠が法律に置かれている場合に限られることに注意**しなければなりません。 P.86

4 **妥当でない** **意見公募手続の対象である「命令等」には、行政指導指針が含まれます**（2条8号本文・同号二）。したがって、行政指導指針は意見公募手続の対象となります。 P.88

5 **妥当でない** 行政指導に携わる者は、行政指導の内容があくまでも相手方の任意の協力によってのみ実現されるべきであることに留意しなければなりません（32条1項）。しかし、当該規定は行政機関による説得を明文上禁止しておらず、また、説得を重ねたからといって、常に相手方の任意性が失われ、行政機関がその優越的地位を利用しているとまではいえません。それゆえ、行政機関が、相手方に行政指導に応じるよう説得を重ねることが**一切許されないわけではありません。**なお、本肢後半は同条2項のとおりですから、妥当です。 P.84

正解 3

行政手続法／行政指導

行政指導についての行政手続法の規定に関する次の記述のうち、正しいものはどれか。

1 法令に違反する行為の是正を求める行政指導で、その根拠となる規定が法律に置かれているものが当該法律に規定する要件に適合しないと思料するときは、何人も、当該行政指導をした行政機関に対し、その旨を申し出て、当該行政指導の中止その他必要な措置をとることを求めることができる。

2 行政指導は、行政機関がその任務または所掌事務の範囲内において一定の行政目的を実現するため一定の作為または不作為を求める指導、勧告、助言その他の行為であって処分に該当しないものをいい、その相手方が特定か不特定かは問わない。

3 地方公共団体の機関がする行政指導のうち、その根拠が条例または規則に置かれているものについては、行政手続法の行政指導に関する定めの適用はないが、その根拠が国の法律に置かれているものについては、その適用がある。

4 行政指導が口頭でされた場合において、その相手方から当該行政指導の趣旨および内容ならびに責任者を記載した書面の交付を求められたときは、当該行政指導に携わる者は、行政上特別の支障がない限り、これを交付しなければならない。

5 行政指導指針を定めるに当たって、行政手続法による意見公募手続をとらなければならないとされているのは、当該行政指導の根拠が法律、条例または規則に基づくものに限られ、それらの根拠なく行われるものについては、意見公募手続に関する定めの適用はない。

【本試験2019年問11】

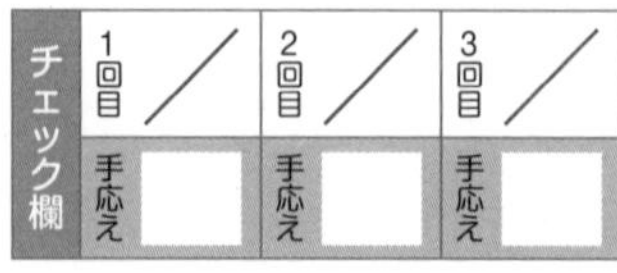

解説

テキスト 第3編

1 誤　法令に違反する行為の是正を求める**行政指導**（その根拠となる規定が法律に置かれているものに限る。）**の相手方は**、当該行政指導が当該法律に規定する要件に適合しないと思料するときは、当該行政指導をした行政機関に対し、**その旨を申し出て、当該行政指導の中止その他必要な措置をとることを求めることができます**（36条の2第1項本文）。 P.85

2 誤　行政手続法において「行政指導」とは、行政機関がその任務または所掌事務の範囲内において一定の行政目的を実現するため**特定の者に一定の作為または不作為を求める指導、勧告、助言その他の行為であって処分に該当しないもの**をいいます（2条6号）。 P.83

3 誤　**地方公共団体の機関がする行政指導については、行政手続法の行政指導に関する定めの適用はありません**（3条3項参照）。よって、その根拠が国の法律に置かれているものであっても、行政指導に関する定めの適用はありません。 P.93

4 正　行政指導に携わる者は、その相手方に対して、当該行政指導の趣旨および内容ならびに責任者を明確に示さなければなりません（35条1項）。行政指導が口頭でされた場合において、その相手方から上記の事項を記載した**書面の交付を求められたときは、当該行政指導に携わる者は、行政上特別の支障がない限り、これを交付しなければなりません**（35条3項）。 P.84

5 誤　行政指導指針は「命令等」に含まれるので、基本的には行政指導の根拠にかかわりなく、それを定めるに当たり意見公募手続をとらなければなりません。なお、**地方公共団体の機関が命令等を定める行為については、行政手続法の意見公募手続に関する定めの適用はない**（3条3項参照）ことから、地方公共団体の機関が条例に基づいて行政指導指針を定める行為については、意見公募手続に関する定めの適用はありません。 P.88

正解 4

行政手続法／行政指導の中止等の求め・処分等の求め

問題153 **次の文章の空欄［ア］～［エ］に当てはまる語句を、枠内の選択肢（1～20）から選びなさい。**

［ア］は、［イ］ではないから、抗告訴訟はもちろん、行政不服審査法による審査請求の対象ともならないとされてきた。しかし、［ア］についても、これに従わない場合について、［ウ］が定められている例があるなど、相手方の権利利益に大きな影響を及ぼすものが少なくない。そこで、行政手続法が改正され、［エ］に根拠を有する［ア］のうち、違法行為の是正を求めるものについては、それが［エ］に定める要件に適合しないと思料する相手方は、行政機関にその中止等を求めることができるとされた。この申出があったときは、行政機関は、必要な調査を行い、それが要件に適合しないと認められるときは、その［ア］の中止その他必要な措置をとるべきこととされた。もし、［ウ］がなされていれば、必要な措置として、それも中止しなければならないこととなる。また、これと並んで、違法行為の是正のための［イ］や［ア］がなされていないと思料する者は、これらをすることを求めることができる旨の規定も置かれている。

1	即時強制	2	命令	3	刑事処罰	4	過料の徴収	5	代執行
6	行政調査	7	法律	8	法規命令	9	行政指導	10	強制執行
11	契約	12	強制	13	処分	14	不作為	15	処分基準
16	条例	17	公表	18	要綱	19	規則	20	実力行使

【本試験2015年問42】

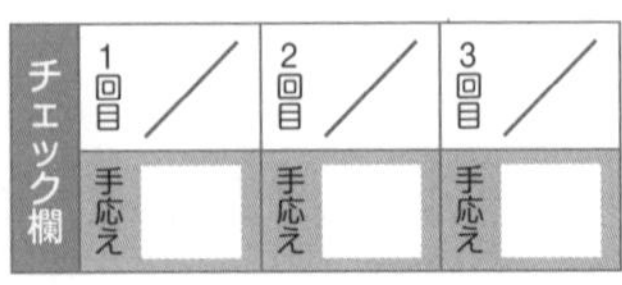

解説

テキスト▶第3編P.85

本問は、平成26（2014）年行政手続法改正により新設された「行政指導の中止等の求め」（同法36条の2）および「処分等の求め」（同法36条の3）に関する知識を問うものです。

(ア) **行政指導**は、(イ) **処分**ではないから（2条6号参照）、抗告訴訟はもちろん、行政不服審査法による審査請求の対象ともならないとされてきた。しかし、(ア) **行政指導**についても、これに従わない場合について、(ウ) **公表**が定められている例があるなど、相手方の権利利益に大きな影響を及ぼすものが少なくない。そこで、平成26（2014）年に行政手続法が改正され、(エ) **法律**に根拠を有する (ア) **行政指導**のうち、違法行為の是正を求めるものについては、それが (エ) **法律**に定める要件に適合しないと思料する相手方は、行政機関にその中止等を求めることができるとされた（36条の2第1項本文）。この申出があったときは、行政機関は、必要な調査を行い、それが要件に適合しないと認められるときは、その (ア) **行政指導**の中止その他必要な措置をとるべきこととされた（36条の2第3項）。もし、(ウ) **公表**がなされていれば、必要な措置として、それも中止しなければならないこととなる。また、これと並んで、違法行為の是正のための (イ) **処分**や (ア) **行政指導**がなされていないと思料する者は、これらをすることを求めることができる旨の規定（36条の3）も置かれている。

以上より、**ア**には**9**＝「行政指導」、**イ**には**13**＝「処分」、**ウ**には**17**＝「公表」、**エ**には**7**＝「法律」が入ります。

正解　ア：9、イ：13、ウ：17、エ：7

行政手続法／命令等制定手続

問題154 **行政手続法に定める意見公募手続に関する次の記述のうち、誤っているものはどれか。**

1 命令等を定めようとする場合において、やむを得ない理由があるときは、その理由を公示した上で、30日を下回る意見提出期間を定めることができる。

2 他の行政機関が意見公募手続を実施して定めた命令等と実質的に同一の命令等を定めようとする場合に、意見公募手続を省略することができる。

3 意見公募手続を実施したが、当該命令等に対して提出された意見（提出意見）が全く存在しなかった場合に、結果を公示するのみで再度の意見公募手続を実施することなく命令等を公布することができる。

4 意見公募手続を実施したにもかかわらず命令等を定めないことにした場合に、結果等を公示せずに手続を終了させることができる。

5 委員会等の議を経て命令を定めようとする場合に、当該委員会等が意見公募手続に準じた手続を実施していることのみを理由として、自ら意見公募手続を実施せずに命令等を公布することができる。

【本試験2006年問13】

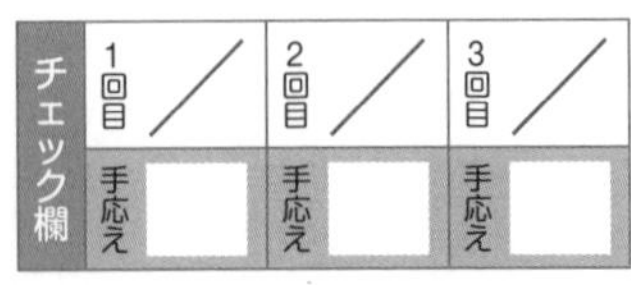

解説

テキスト
第3編

命令等制定機関は、命令等を定めようとする場合には、当該命令等の案およびこれに関連する資料をあらかじめ公示し、意見（情報を含む。）の提出先および意見提出期間を定めて広く一般の意見を求めなければなりません（39条1項）。意見提出期間は、公示の日から起算して30日以上でなければならないのが原則です（39条3項）。

1 **正** 命令等制定機関は、命令等を定めようとする場合において、**30日以上の意見提出期間を定めることができないやむを得ない理由があるときは、30日を下回る意見提出期間を定めることができます**（40条1項前段）。この場合においては、当該命令等の案の公示の際その理由を明らかにしなければなりません（40条1項後段）。 P.89

2 **正** 他の行政機関が意見公募手続を実施して定めた命令等と実質的に同一の命令等を定めようとするときは、意見公募手続を省略することができます（39条4項5号）。この場合、重複して意見公募手続を実施する意義が乏しいからです。

3 **正** 意見公募手続を実施したが、**提出意見がなかった場合、その旨を公示しなければなりません**（43条1項3号かっこ書）。この場合、再度の意見公募手続を実施することなく命令等を公布することができます。 P.90

4 **誤** 命令等制定機関は、**意見公募手続を実施したにもかかわらず命令等を定めないこととした場合には、その旨ならびに命令等の題名および命令等の案の公示の日を速やかに公示しなければなりません**（43条4項）。 P.90

5 **正** 命令等制定機関は、委員会等の議を経て命令等を定めようとする場合において、その委員会等が意見公募手続に準じた手続を実施したときは、自ら意見公募手続を実施することを要しません（40条2項）。命令等を制定する手続において、委員会等に諮問がなされる場合、委員会等が意見公募手続に準じたパブリックコメント手続をとることが少なくなく、あらためて意見公募手続を実施する意義が乏しいからです。

正解 4

行政手続法／適用除外

問題155 **行政手続法に関する次の記述のうち、正しいものはどれか。**

1 行政手続法の行政指導に関する規定は、地方公共団体の機関がする行政指導については、それが国の法令の執行に関わるものであっても適用されず、国の機関がする行政指導のみに適用される。

2 地方公共団体の機関が命令等を定める行為について、行政手続法の意見公募手続に関する規定は適用されないが、地方公共団体の機関がする処分については、その根拠となる規定が条例に定められているものであっても、同法の処分手続に関する規定が適用される。

3 申請に対する処分であっても、処分をするか否かに行政庁の裁量が認められないと考えられる処分については、行政庁が審査をする余地がないため、届出の手続に関する規定が適用される。

4 行政庁が不利益処分をしようとする場合、処分の名あて人となるべき者でなくても、当該処分について法律上の利益を有する者に対しては、弁明の機会の付与の手続に関する規定が適用される。

5 行政手続法の規定が適用除外される事項は、同法に定められているので、個別の法律により適用除外とされるものはなく、個別の法律に同法と異なる定めがあっても同法の規定が優先して適用される。

【本試験2014年問13】

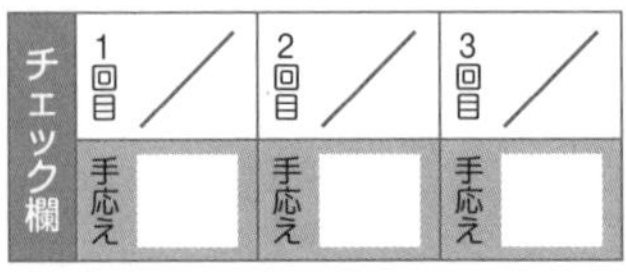

解説

テキスト
第3編

1 **正** **地方公共団体の機関がする行政指導**については、それが国の法令に基づくものであっても、**行政手続法の行政指導に関する規定は適用されません**（3条3項参照）。 P.93

2 **誤** **地方公共団体の機関が命令等を定める行為**について、**行政手続法の意見公募手続に関する規定は適用されません**（3条3項参照）。これに対し、**地方公共団体の機関がする処分**については、**それが条例または規則に基づくものであれば、行政手続法の処分手続に関する規定は適用されません**（3条3項参照）。 P.93

3 **誤** 行政手続法における「申請」とは、法令に基づき、行政庁の許可、認可、免許その他の自己に対し何らかの利益を付与する処分を求める行為であって、当該行為に対して行政庁が諾否の応答をすべきこととされているものをいいます（2条3号）。他方、「届出」とは、行政庁に対し一定の事項の通知をする行為（申請に該当するものを除く。）であって、法令により直接に当該通知が義務付けられているもの（自己の期待する一定の法律上の効果を発生させるためには当該通知をすべきこととされているものを含む。）をいいます（2条7号）。**「申請」と「届出」の区別に、行政庁の裁量の有無は無関係です。**

4 **誤** 行政庁は、**不利益処分をしようとする場合**には、当該不利益処分の名あて人となるべき者について、**意見陳述のための手続（聴聞、弁明の機会の付与）をとらなければなりません**（13条1項柱書）。 P.78

5 **誤** 行政手続法は、処分、行政指導および届出に関する手続ならびに命令等を定める手続についての一般法であり、個別の法律に同法と異なる定めがあれば、当該特別法の規定が優先して適用されます（1条2項）。 P.70

正解 1

解説

テキスト
第3編

行政手続法における地方公共団体の機関に関する適用除外については苦手とする受験生が多いですが、下記表を押さえておくことで対応できるようになります。

	何を根拠に行うか	
	法律・命令	条例・規則
処分	適用あり	適用なし
行政指導	適用なし	適用なし
届出	適用あり	適用なし
命令等	適用なし	適用なし

MEMO

行政不服審査法／審査請求

問題156 **処分についての審査請求に関する次の記述のうち、正しいものはどれか。**

1　審査請求の審理は、書面によるのが原則であるが、申立人の申立てがあった場合には、審理員は、申立人に口頭で意見を述べる機会を与えなければならない。

2　審査請求は、行政の適正な運営を確保することを目的とするため、一般概括主義がとられており、国会および裁判所が行う処分以外には、適用除外とされている処分はない。

3　審査請求は、行政の適正な運営を確保することを目的とするため、対象となる処分に利害関係を有さない者であっても、不服申立てができる期間であれば、これを行うことができる。

4　審査請求は、簡易迅速に国民の権利利益の救済を図るための制度であるから、審査請求が行われた場合には、処分の効力は、裁決が行われるまで停止する。

5　審査請求は、簡易迅速に国民の権利利益の救済を図るための制度であるから、審査請求に対する審査庁の判断が一定期間内に示されない場合、審査請求が審査庁によって認容されたとみなされる。

【本試験2015年問15改題】

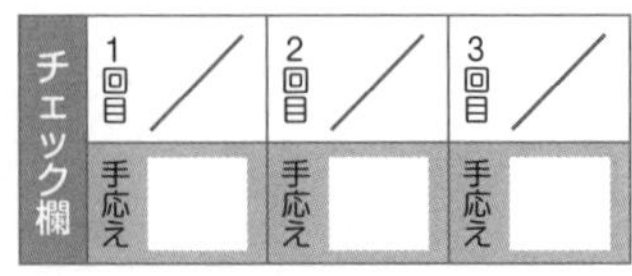

解説

テキスト
第3編

1 **正** 審査請求の審理は、審査請求書、弁明書、反論書など、基本的には書面のやり取りに基づいて行われます（書面審理中心主義（書面審理主義））。審査請求人または参加人の**申立てがあった場合には、審理員は、原則として、その申立人に口頭で審査請求に係る事件に関する意見を述べる機会を与えなければなりません**（31条1項本文）。 P.103

2 **誤** 行政庁の処分およびその不作為については、特に除外されない限り、審査請求することができますが（一般概括主義）、行政手続法と同様に、かなり広範囲にわたり、適用除外となる処分・不作為があります（7条1項）。7条1項は、**国会および裁判所が行う処分以外（例えば、外国人の出入国または帰化に関する処分）も適用除外**としています（7条1項4号～12号参照）。 P.119

3 **誤** 処分についての不服申立てをだれができるかについて、行政不服審査法は明確に定めていませんが、判例は、処分について不服申立てができるのは、「**法律上の利益を有する者**」であると解しています（主婦連ジュース訴訟／最判昭53.3.14）。

4 **誤** 審査請求は、**処分の効力、処分の執行または手続の続行を妨げないとしています**（執行不停止の原則／25条1項）。 P.110

5 **誤** 行政不服審査法には、**このような規定はありません。**

正解 1

行政不服審査法／審査請求

問題 157 **行政不服審査法の定める審査請求人に関する次の記述のうち、正しいものはどれか。**

1 法人でない社団であっても、代表者の定めがあるものは、当該社団の名で審査請求をすることができる。

2 審査請求人は、国の機関が行う処分について処分庁に上級行政庁が存在しない場合、特別の定めがない限り、行政不服審査会に審査請求をすることができる。

3 審査請求人は、処分庁が提出した反論書に記載された事項について、弁明書を提出することができる。

4 審査請求人の代理人は、特別の委任がなくても、審査請求人に代わって審査請求の取下げをすることができる。

5 共同審査請求人の総代は、他の共同審査請求人のために、審査請求の取下げを含め、当該審査請求に関する一切の行為をすることができる。

【本試験2017年問15】

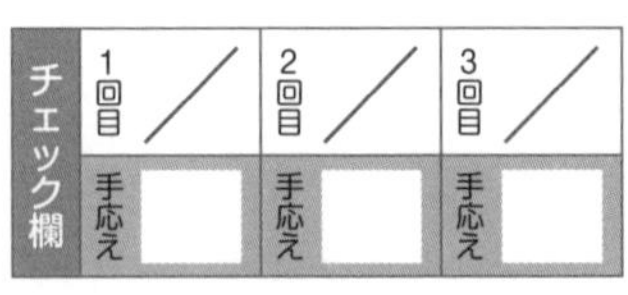

解説

テキスト
第3編

1 **正** 法人でない社団または財団で代表者または管理人の定めがあるものは、**その名（法人でない社団または財団の名）で審査請求をすることができます**（10条）。 P.100

2 **誤** 審査請求人は、国の機関が行う処分について**処分庁に上級行政庁がない場合、特別の定めがない限り、当該処分庁に審査請求をすることができます**（4条1号）。 P.99

3 **誤** **審査請求人は**、処分庁等が提出した弁明書に記載された事項に対する**反論を記載した書面（反論書）を提出することができます**（30条1項前段）。 P.103

4 **誤** **審査請求の代理人は**、各自、審査請求人のために、当該審査請求に関する**一切の行為をすることができます**（12条2項本文）。ただし、**審査請求の取下げは、特別の委任を受けた場合に限り、することができます**（12条2項但書）。 P.100

5 **誤** **総代は**、各自、他の共同審査請求人のために、**審査請求の取下げを除き、当該審査請求に関する一切の行為をすることができます**（11条3項）。 P.100

正解 1

総代と代理人が混乱しやすいので、比較しておくようにしましょう。

【総代・代理人】

総代 （11条）	多数人が共同して審査請求をしようとするときは、**3人を超えない総代を互選することができる。** ※審査請求の**取下げ以外の**一切の行為ができる。
代理人 （12条）	審査請求は、代理人によってすることができる。 **※特別の委任があれば取下げも含め、**一切の行為ができる。
利害関係人 （13条）	・利害関係人は、**審理員**の許可を得て、当該審査請求に参加することができる。 ・**審理員**は、必要があると認める場合には、利害関係人に対し、当該審査請求に参加することを求めることができる。

行政不服審査法／審査請求

行政不服審査法における審理員について、妥当な記述はどれか。

1 審理員による審理手続は、処分についての審査請求においてのみなされ、不作為についての審査請求においてはなされない。

2 審理員は、審査庁に所属する職員のうちから指名され、審査庁となるべき行政庁は、審理員となるべき者の名簿を作成するよう努めなければならない。

3 審理員は、処分についての審査請求において、必要があると認める場合には、処分庁に対して、処分の執行停止をすべき旨を命ずることができる。

4 審理員は、審理手続を終結したときは、審理手続の結果に関する調書を作成し、審査庁に提出するが、その中では、審査庁のなすべき裁決に関する意見の記載はなされない。

5 審理員は、行政不服審査法が定める例外に該当する場合を除いて、審理手続を終結するに先立ち、行政不服審査会等に諮問しなければならない。

【本試験2016年問15】

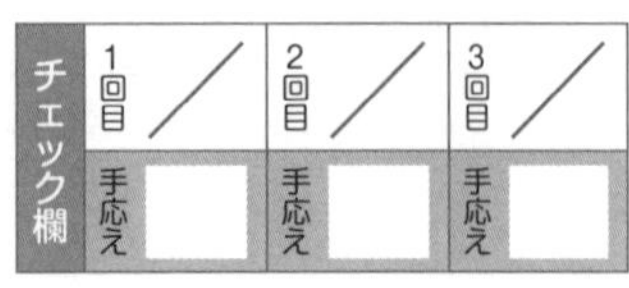

解説

テキスト
第3編

1 **妥当でない** 審査請求は、行政庁の処分・不作為について、審査庁に対してする不服申立てになります(2条、3条参照)。**審理員による審理手続は、処分についての審査請求だけでなく、不作為についての審査請求においてもなされます**(9条1項、4条参照)。 P.99

2 **妥当である** 審査請求がされた行政庁(「審査庁」)は、原則として、審査庁に所属する職員のうちから審理手続を行う者を指名するとともに、その旨を審査請求人および処分庁等(審査庁以外の処分庁等に限る。)に通知しなければなりません(9条1項本文)。**審査庁となるべき行政庁は、審理員となるべき者の名簿を作成するよう努めるとともに、これを作成したときは**、当該審査庁となるべき行政庁および関係処分庁の事務所における備付けその他の適当な方法により**公にしておかなければなりません**(17条)。 P.102

3 **妥当でない** 行政不服審査法には、**このような規定はありません**(25条2項～4項参照)。なお、審理員は、必要があると認める場合には、審査庁に対し、執行停止をすべき旨の意見書を提出することができます(40条)。 P.101

4 **妥当でない** 審理員は、審理手続を終結したときは、遅滞なく、審査庁がすべき裁決に関する意見書(以下「審理員意見書」という。)を作成しなければなりません(42条1項)。**審理員は、審理員意見書を作成したときは、速やかに、これを事件記録とともに、審査庁に提出しなければなりません**(42条2項)。 P.104

5 **妥当でない** 審査庁は、審理員意見書の提出を受けたときは、43条1項1号～8号のいずれかに該当する場合を除き、行政不服審査会等に諮問しなければなりません(43条1項)。すなわち、**行政不服審査会等への諮問は、審理員が審理手続を終結した後に、審査庁がするもの**です。 P.104

正解 2

肢5を間違えてしまった方は、審査請求の流れが曖昧になっている可能性がありますので、基本テキストでしっかり確認するようにしましょう。

行政不服審査法／審査請求

問題 159　行政不服審査法の定める審査請求に対する裁決に関する次の記述のうち、正しいものはどれか。

1　処分についての審査請求が不適法である場合や、審査請求が理由がない場合には、審査庁は、裁決で当該審査請求を却下するが、このような裁決には理由を記載しなければならない。

2　処分についての審査請求に対する認容裁決で、当該処分を変更することができるのは、審査庁が処分庁の上級行政庁または処分庁の場合に限られるが、審査庁が処分庁の場合は、審査請求人の不利益に当該処分を変更することもできる。

3　不作為についての審査請求が当該不作為に係る処分についての申請から相当の期間が経過しないでされたものである場合その他不適法である場合には、審査庁は、裁決で、当該審請求を却下する。

4　法令に基づく申請を却下し、または棄却する処分の全部または一部を取り消す場合において、審査庁が処分庁の上級行政庁である場合、当該審査庁は、当該申請に対して一定の処分をすべきものと認めるときは、自らその処分を行うことができる。

5　不作為についての審査請求が理由がある場合において、審査庁が不作為庁の上級行政庁である場合、審査庁は、裁決で当該不作為が違法または不当である旨を宣言するが、当該不作為庁に対し、一定の処分をすべき旨を命ずることはできない。

【本試験2016年問16】

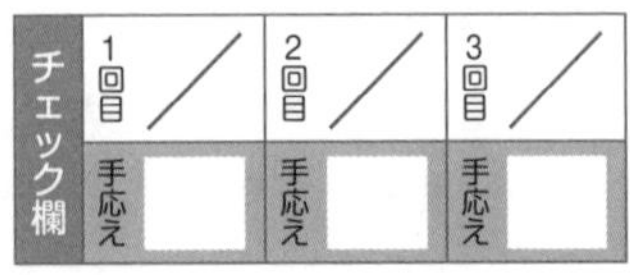

解説

テキスト
第3編

1 **誤** 処分についての審査請求が法定の期間経過後にされたものである場合その他不適法である場合には、審査庁は、裁決で、当該審査請求を却下することになります（45条1項）。これに対し、処分についての審査請求が理由がない場合には、審査庁は、裁決で、当該審査請求を棄却します（45条2項）。裁決は、①主文、②事案の概要、③審理関係人の主張の要旨、④理由を記載し、審査庁が記名押印した裁決書によりしなければなりません（50条1項）。

2 **誤** 処分（事実上の行為を除く。）についての審査請求が理由がある場合には、審査庁は、裁決で、当該処分の全部もしくは一部を取り消し、またはこれを変更することになります（46条1項本文）。ただし、審査庁が処分庁の上級行政庁または処分庁のいずれでもない場合には、当該処分を変更することはできません（46条1項但書）。**処分庁の上級行政庁または処分庁である審査庁が裁決で当該処分を変更する場合において、審査庁は、審査請求人の不利益に当該処分を変更することはできません**（不利益変更の禁止／48条）。 P.107

3 **正** 不作為についての審査請求が当該不作為に係る処分についての**申請から相当の期間が経過しないでされたものである場合その他不適法である場合には、審査庁は、裁決で、当該審査請求を却下する**ことになります（49条1項）。

4 **誤** 法令に基づく申請を却下し、または棄却する処分の全部または一部を取り消す場合において、**当該申請に対して一定の処分をすべきものと認めるときは、①処分庁の上級行政庁である審査庁は、当該処分庁に対し、当該処分をすべき旨を命じ、②処分庁である審査庁は、当該処分をすることになります**（義務付け裁決／46条2項）。 P.108

5 **誤** 不作為についての審査請求が理由がある場合には、審査庁は、裁決で、当該不作為が違法または不当である旨を宣言します（49条3項前段）。この場合において、**当該申請に対して一定の処分をすべきものと認めるときは、①不作為庁の上級行政庁である審査庁は、当該不作為庁に対し、当該処分をすべき旨を命じ、②不作為庁である審査庁は、当該処分をすることになります**（義務付け裁決／49条3項後段）。

正解 3

行政不服審査法／審査請求

問題 160 行政不服審査法の規定によれば、申請を却下する処分についての審査請求において、処分庁Aの上級行政庁である審査庁Bが、審査請求に理由があり、申請を許可する処分をすべきものと認めるときは、どのような内容の裁決をするものとされているか。「Bは、裁決で、」に続けて、40字程度で記述しなさい。

Bは、裁決で、

【オリジナル問題】

チェック欄	1回目 ／	2回目 ／	3回目 ／
	手応え	手応え	手応え

解説

テキスト▶第3編P.108

解答例（43字）

Bは、裁決で、

申	請	を	却	下	す	る	処	分	を	取	り	消	す	と
と	も	に	、	A	に	対	し	、	申	請	を	許	可	す
る	処	分	を	す	べ	き	旨	を	命	ず	る	。		

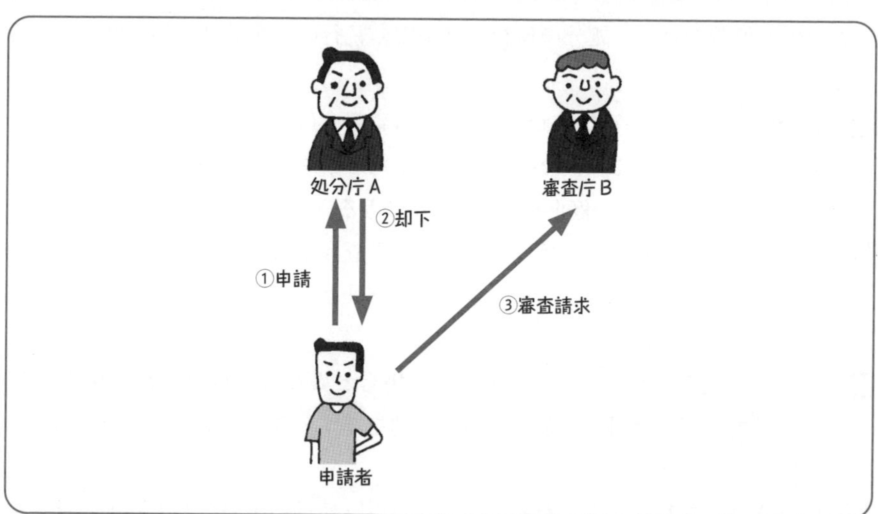

本問は、行政不服審査法における審査請求に対する裁決に関する知識を問うものです。

処分（事実上の行為を除く。）についての審査請求が理由がある場合には、審査庁は、裁決で、当該処分の全部もしくは一部を取り消し、またはこれを変更します（46条1項本文）。ただし、審査庁が処分庁の上級行政庁または処分庁のいずれでもない場合には、当該処分を変更することはできません（46条1項但書）。

46条1項の規定により法令に基づく申請を却下し、または棄却する処分の全部または一部を取り消す場合において、当該申請に対して一定の処分をすべきものと認めるときは、①処分庁の上級行政庁である審査庁は、当該処分庁に対し、当該処分をすべき旨を命じ（46条2項1号）、②処分庁である審査庁は、当該処分をすることになります（46条2項2号）。

よって、**申請を却下する処分についての審査請求において、処分庁Aの上級行政庁である審査庁Bが、審査請求に理由があり、申請を許可する処分をすべきものと認めるときは、審査庁Bは、裁決で、申請を却下する処分を取り消すとともに、処分庁Aに対し、申請を許可する処分をすべき旨を命ずることになります。**

行政不服審査法／審査請求

問題 161 **行政不服審査法上の執行停止に関する次の記述のうち、妥当なものはどれか。**

1 処分庁の上級行政庁または処分庁のいずれでもない審査庁は、必要があると認めるときは、審査請求人の申立てがあった場合に限り、処分庁の意見を聴取した上で、処分の効力、処分の執行又は手続の続行の全部又は一部の停止をすることができる。

2 処分庁の上級行政庁または処分庁である審査庁は、処分、処分の執行又は手続の続行により生ずる重大な損害を避けるため緊急の必要があると認める場合に限り、職権により執行停止をすることができる。

3 処分庁の上級行政庁または処分庁である審査庁が行う執行停止の方法は、処分の効力、処分の執行又は手続の続行の全部又は一部の停止に限られ、その他の措置をすることができない。

4 不服申立制度においては、取消訴訟の場合と異なり、処分の効力の停止は、処分の効力の停止以外の措置によって目的を達することができる場合であっても、行うことができる。

5 審査庁は、執行停止をした後において、当該執行停止が公共の福祉に重大な影響を及ぼすことが明らかとなったときに限り、その執行停止を取り消すことができる。

【公務員試験アレンジ問題】

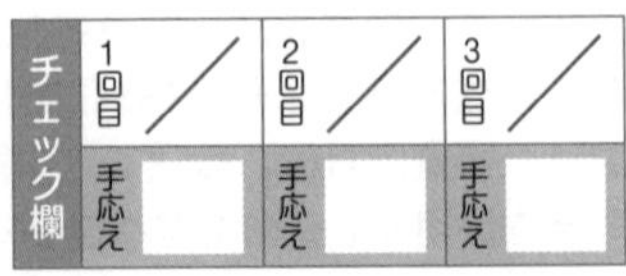

解説

テキスト 第3編

1 **妥当である** 処分庁の上級行政庁または処分庁の**いずれでもない審査庁は、必要があると認める場合には、審査請求人の申立てにより、処分庁の意見を聴取したうえ、執行停止をすることができます**（25条3項）。 P.111

2 **妥当でない** 25条4項は、審査請求人の申立てがあった場合において、処分、処分の執行または手続の続行により生ずる重大な損害を避けるため緊急の必要があると認められるときは、審査庁は、執行停止をしなければならないと規定しています（必要的執行停止）。しかし、そのような**緊急の必要がない場合でも、必要があると認める場合には、処分庁の上級行政庁または処分庁である審査庁は、職権により執行停止をすることができます**（25条2項）。 P.112

3 **妥当でない** **処分庁の上級行政庁または処分庁である審査庁が行う執行停止**の方法は、処分の効力、処分の執行または手続の続行の全部または一部の停止にとどまらず、**その他の措置（原処分に代わる別の処分）をとることもできます**（25条2項）。 P.111

4 **妥当でない** 不服申立ての場合であっても、取消訴訟の場合（行政事件訴訟法25条2項但書）と同様、**処分の効力の停止は、処分の効力の停止以外の措置によって目的を達することができない場合にのみ行うことができます**（25条6項）。処分の効力の停止が強力な措置であるため、過剰な停止を回避する必要があるからです。 P.111

5 **妥当でない** 26条は、審査庁は、**執行停止をした後に、①当該執行停止が公共の福祉に重大な影響を及ぼすことが明らかとなったとき、②その他事情が変更したときは、その執行停止を取り消すことができる**としています。すなわち、事情が変更した場合にも執行停止の取消しをすることができます。 P.112

正解 1

処分庁の上級行政庁が審査庁の場合と、それ以外の場合では、執行停止のルールが変わります。混乱しないように注意しましょう。

行政不服審査法／再調査の請求

問題162 **行政不服審査法における再調査の請求について、妥当な記述はどれか。**

1　行政庁の処分につき、処分庁以外の行政庁に対して審査請求をすることができる場合、処分庁に再調査の請求をすることは認められない。

2　行政庁の処分に不服のある場合のほか、法令に基づく処分についての申請について不作為がある場合にも、再調査の請求が認められる。

3　再調査の請求においても、原則として、その審理は審理員によってなされなければならないが、行政不服審査会等への諮問は要しない。

4　再調査の請求において、請求人または参加人の申立てがあった場合には、それが困難であると認められないかぎり、口頭で意見を述べる機会を与えなければならない。

5　再調査の請求がなされた場合、処分庁は、職権で、処分の効力、執行または手続の続行を停止することができるが、これらを請求人が申し立てることはできない。

【本試験2016年問14】

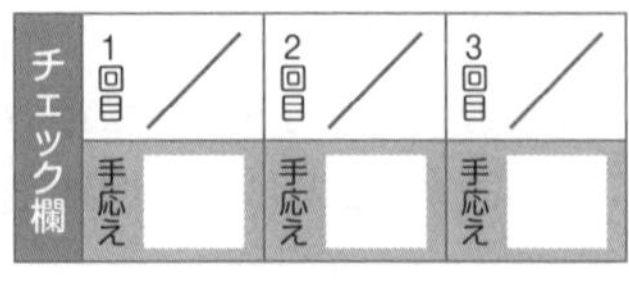

解説

テキスト 第3編

1 **妥当でない** 行政庁の処分につき処分庁以外の行政庁に対して審査請求をすることができる場合において、**法律に再調査の請求をすることができる旨の定めがあるときは、当該処分に不服がある者は、処分庁に対して再調査の請求をすることができます**（5条1項本文）。ただし、当該処分について審査請求をしたときは、この限りではありません（5条1項但書）。 P.113

2 **妥当でない** 法令に基づく処分についての**申請について不作為がある場合については、再調査の請求は認められていません**（5条参照）。なお、法令に基づく処分についての申請について不作為がある場合については、審査請求をすることができます（3条参照）。 P.113

3 **妥当でない** 再調査の請求については、**審理員の指名に関する規定**（9条1項）**が準用されていません**（61条参照）。また、再調査の請求については、**行政不服審査会等への諮問に関する規定**（43条）**も準用されていません**（61条参照）。 P.113

4 **妥当である** 再調査の請求において、再調査の請求人または参加人の申立てがあった場合には、処分庁は、当該申立てをした者（以下「申立人」という。）に口頭で意見を述べる機会を与えなければなりません（61条・31条1項本文）。ただし、当該申立人の所在その他の事情により当該意見を述べる機会を与えることが困難であると認められる場合には、この限りではありません（61条・31条1項但書）。

5 **妥当でない** 再調査の請求がなされた場合において、処分庁は、必要があると認めるときは、**再調査の請求人の申立てにより**または職権で、処分の効力、処分の執行または手続の続行の全部または一部の停止その他の措置をとることができます（61条・25条2項）。

正解 4

本問は少し難しかったかもしれませんが、肢1・2・3は答えが出せるように準備しておきましょう。

行政不服審査法／教示

問題 163 **行政不服審査法に定める教示制度に関する次の記述のうち、妥当なものはどれか。**

1 教示制度は、行政不服審査法に基づく不服申立てに適用される制度であり、他の法令に基づく不服申立てに適用されることはない。

2 教示には、必要的教示及び請求による教示があるが、このうち、請求による教示は、処分の相手方に限って求めることができ、利害関係人から請求することはできない。

3 教示は、必ず教示すべき事項を記載した書面により行わなければならず、口頭で行うことは認められていない。

4 行政庁が教示をしなかったときは、不服申立人は当該処分庁に不服申立書を提出することができるが、当該処分が処分庁以外の行政庁に対し審査請求できる処分であるときは、処分庁は、速やかに当該不服申立書を当該行政庁に送付しなければならない。

5 再調査の請求ができない処分につき、処分庁が誤って再調査の請求ができる旨の教示をした場合において、当該処分庁に再調査の請求がされたときは、当該処分庁は再調査の請求における審理手続を開始しなければならない。

【公務員試験アレンジ問題】

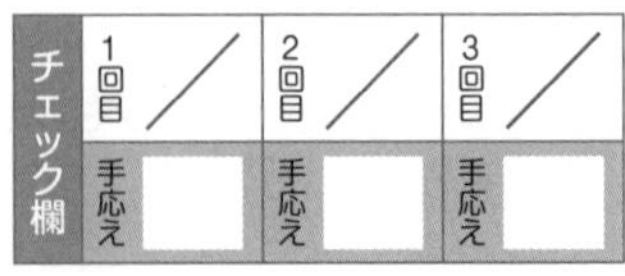

解説

テキスト
第3編

1 **妥当でない** 教示制度は、行政不服審査法に基づくものでありますが、**他の法令に基づく不服申立てについても適用されます**(82条1項)。これは、行政事件訴訟に比べて、不服申立てという制度が一般的にあまり認知されていないため、国民が広く不服申立てを利用できるようにすることを目的としています。

2 **妥当でない** **請求による教示は、処分の相手方以外の利害関係人からも請求することができます**(82条2項)。これは、処分の名あて人以外の者にも広く不服申立てを利用できるようにすることを目的としています。 P.115

3 **妥当でない** 行政庁は、不服申立てをすることができる処分をする場合、および利害関係人から、処分について不服申立てができるか否か、**不服申立てをすべき行政庁および申立期間について「書面による」教示を求められた場合には、書面で教示しなければなりません**が(82条1項・2項・3項)、利害関係人が教示を求めたにすぎない場合は、行政庁は書面で教示をする必要はなく、口頭で教示することができます(82条2項)。 P.115

4 **妥当である** 行政庁が教示義務に反して教示しない場合には、不服申立人は不服申立書を当該処分庁に提出することができますが(83条1項)、処分庁に管轄が生じるわけではなく、**当該処分が処分庁以外の行政庁に対し審査請求できる処分であるときは、処分庁は、速やかに当該不服申立書を当該行政庁に送付することとなります**(83条3項前段)。 P.116

5 **妥当でない** 再調査の請求ができない処分につき、処分庁が誤って再調査の請求ができる旨の教示をした場合において、当該処分庁に再調査の請求がされたときでも、処分庁に再調査の権限が生じることはありません。この場合、**処分庁は、速やかに、再調査の請求書または再調査の請求録取書を審査庁となるべき行政庁に送付し、その旨を再調査の請求人に通知しなければなりません**(22条3項)。 P.117

正解 4

行政事件訴訟法／総説

問題 164 **次の文章の空欄［ア］～［エ］に当てはまる語句を、枠内の選択肢（1～20）から選びなさい。**

行政事件訴訟法は、行政事件訴訟の類型を、抗告訴訟、［ア］訴訟、民衆訴訟、機関訴訟の4つとしている。

抗告訴訟は、公権力の行使に関する不服の訴訟をいうものとされる。処分や裁決の取消しを求める取消訴訟がその典型である。

［ア］訴訟には、［ア］間の法律関係を確認しまたは形成する処分・裁決に関する訴訟で法令の規定によりこの訴訟類型とされる形式的［ア］訴訟と、公法上の法律関係に関する訴えを包括する実質的［ア］訴訟の2種類がある。後者の例を請求上の内容の性質に照らして見ると、国籍確認を求める訴えのような確認訴訟のほか、公法上の法律関係に基づく金銭の支払を求める訴えのような［イ］訴訟もある。

［ア］訴訟は、公法上の法律関係に関する訴えであるが、私法上の法律関係に関する訴えで処分・裁決の効力の有無が［ウ］となっているものは、［ウ］訴訟と呼ばれる。基礎となっている法律関係の性質から、［ウ］訴訟は行政事件訴訟ではないと位置付けられる。例えば、土地収用法に基づく収用裁決が無効であることを前提として、起業者に対し土地の明け渡しという［イ］を求める訴えは、［ウ］訴訟である。

民衆訴訟は、国または公共団体の機関の法規に適合しない行為の是正を求める訴訟で、選挙人たる資格その他自己の法律上の利益にかかわらない資格で提起するものをいう。例えば、普通地方公共団体の公金の支出が違法だとして［エ］監査請求をしたにもかかわらず監査委員が是正の措置をとらない場合に、当該普通地方公共団体の［エ］としての資格で提起する［エ］訴訟は民衆訴訟の一種である。

機関訴訟は、国または公共団体の機関相互間における権限の存否またはその行使に関する紛争についての訴訟をいう。法定受託事務の管理や執行について国の大臣が提起する地方自治法所定の代執行訴訟がその例である。

1	規範統制	2	財務	3	義務付け	4	給付	5	代表
6	前提問題	7	客観	8	差止め	9	未確定	10	職員
11	審査対象	12	争点	13	要件事実	14	当事者	15	主観
16	国家賠償	17	保留	18	住民	19	民事	20	基準

【本試験2019年問43】

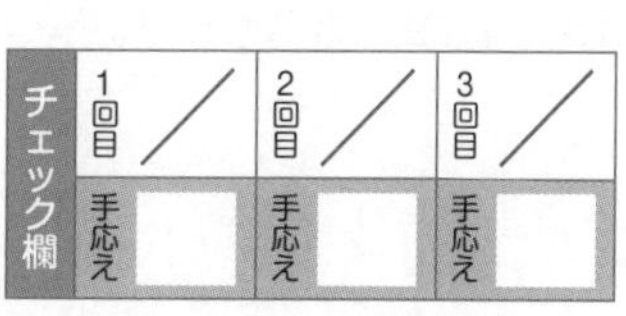

解説 テキスト▶第3編P.123

本問は、行政事件訴訟の類型に関する知識を問うものです。

行政事件訴訟法は、行政事件訴訟の類型を、抗告訴訟、(ア) **当事者**訴訟、民衆訴訟、機関訴訟の4つとしている（2条）。

抗告訴訟は、行政庁の公権力の行使に関する不服の訴訟をいうものとされる（3条1項）。処分や裁決の取消しを求める取消訴訟がその典型である。

(ア) **当事者**訴訟には、(ア) **当事者**間の法律関係を確認しまたは形成する処分・裁決に関する訴訟で法令の規定によりこの訴訟類型とされる形式的 (ア) **当事者**訴訟（4条前段）と、公法上の法律関係に関する訴えを包括する実質的 (ア) **当事者**訴訟（4条後段）の2種類がある。後者の例を請求上の内容の性質に照らして見ると、国籍確認を求める訴えのような確認訴訟のほか、公法上の法律関係に基づく金銭の支払を求める訴えのような (イ) **給付**訴訟もある。

(ア) **当事者**訴訟は、公法上の法律関係に関する訴えであるが、私法上の法律関係に関する訴えで処分・裁決の効力の有無が (ウ) **争点**となっているもの（45条）は、(ウ) **争点**訴訟と呼ばれる。基礎となっている法律関係の性質から、(ウ) **争点**訴訟は行政事件訴訟ではないと位置付けられる。例えば、土地収用法に基づく収用裁決が無効であることを前提として、起業者に対し土地の明け渡しという (イ) **給付**を求める訴えは、(ウ) **争点**訴訟である。

民衆訴訟は、国または公共団体の機関の法規に適合しない行為の是正を求める訴訟で、選挙人たる資格その他自己の法律上の利益にかかわらない資格で提起するものをいう（5条）。例えば、普通地方公共団体の公金の支出が違法だとして (エ) **住民**監査請求（地方自治法242条）をしたにもかかわらず監査委員が是正の措置をとらない場合に、当該普通地方公共団体の (エ) **住民**としての資格で提起する (エ) **住民**訴訟（地方自治法242条の2）は民衆訴訟の一種である。

機関訴訟は、国または公共団体の機関相互間における権限の存否またはその行使に関する紛争についての訴訟をいう（6条）。法定受託事務の管理や執行について国の大臣が提起する地方自治法所定の代執行訴訟がその例である。

以上より、**ア**には**14**＝「当事者」、**イ**には**4**＝「給付」、**ウ**には**12**＝「争点」、**エ**には**18**＝「住民」が入ります。

正解　ア：14、イ：4、ウ：12、エ：18

MEMO

行政事件訴訟法／総説

問題 165　行政事件訴訟法に規定する行政事件訴訟に関する次の記述のうち、妥当なものはどれか。

1　抗告訴訟は、行政庁の公権力の行使に関する不服の訴訟であり、行政事件訴訟法は、抗告訴訟を処分の取消しの訴え、裁決の取消しの訴え、無効等確認の訴え及び不作為の違法確認の訴えの４つの類型に限定している。

2　当事者訴訟の２つの類型のうち、当事者間の法律関係を確認し又は形成する処分又は裁決に関する訴訟で法令の規定によりその法律関係の当事者の一方を被告とするものは、実質的当事者訴訟と呼ばれる。

3　民衆訴訟は、国又は公共団体の機関の法規に適合しない行為の是正を求める訴訟で、選挙人たる資格その他自己の法律上の利益にかかわらない資格で提起するものであり、法律に定める場合において、法律に定める者に限り、提起することができる。

4　不作為の違法確認の訴えは、行政庁が申請に対する処分又は裁決をしないことについての違法の確認を求める訴訟であり、処分又は裁決の申請をした者に限らず、この処分又は裁決につき法律上の利益を有する者であれば、提起することができる。

5　差止めの訴えは、行政庁に対し一定の処分又は裁決をしてはならない旨を命ずることを求める訴訟であり、一定の処分又は裁決がされることにより重大な損害を生ずるおそれがある場合には、その損害を避けるため他に適当な方法があるときでも提起することができる。

【公務員試験アレンジ問題】

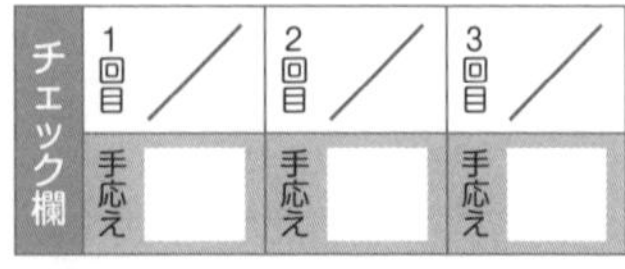

解説

テキスト 第3編

1 **妥当でない**　抗告訴訟とは、行政庁の公権力の行使に関する不服の訴訟です。抗告訴訟の具体的形態として、改正前の行政事件訴訟法は処分の取消訴訟、裁決の取消訴訟、処分の無効等確認訴訟、不作為の違法確認訴訟の4種類を法定していましたが、2004年の改正で、**義務付け訴訟**と**差止め訴訟**が追加されました。現在、法定抗告訴訟はこの**6種類**です。 P.123

2 **妥当でない**　本肢の記述は、**形式的当事者訴訟**の説明になります。**実質的当事者訴訟とは、公法上の法律関係に関する確認の訴えその他の公法上の法律関係に関する訴訟**をいいます（4条後段）。具体例としては、日本国籍を有することの確認の訴えなどがあります。なお、形式的当事者訴訟（4条前段）の例としては、土地収用法133条2項・3項に定める損失補償請求額に関する訴えなどがあります。 P.161

3 **妥当である**　**民衆訴訟とは、国または公共団体の機関の法規に適合しない行為の是正を求める訴訟で、選挙人たる資格その他自己の法律上の利益にかかわらない資格で提起するものをいいます**（5条）。そして、**民衆訴訟は、法律に定める場合において、法律に定める者に限り、提起することができます**（42条）。民衆訴訟は、国民の権利救済ではなく公益を指向した特異な訴訟であり、当然に裁判所の権限に属するものではありません。司法的解決が政策的にみて望ましいと考えられる紛争についてだけ、特に法律によって例外的に出訴が認められるにすぎません。 P.164

4 **妥当でない**　不作為の違法確認訴訟は、**処分または裁決についての申請をした者に限り**、提起することができます（37条）。 P.151

5 **妥当でない**　差止め訴訟は、一定の処分または裁決がされることにより重大な損害を生ずるおそれがある場合に限り、提起することができます（37条の4第1項本文）。ただし、**その損害を避けるため他に適当な方法があるときは、提起できません**（補充性の要件／37条の4第1項但書）。 P.159

正解　3

各訴訟の定義と、具体例をセットで押さえておくと、記述式問題にも対応できるようになります。

行政事件訴訟法／取消訴訟

問題166 **行政事件訴訟法3条2項の「行政庁の処分その他公権力の行使に当たる行為」（以下「行政処分」という。）に関する次の記述のうち、最高裁判所の判例に照らし、妥当なものはどれか。**

1 医療法の規定に基づき都道府県知事が行う病院開設中止の勧告は、行政処分に該当しない。

2 地方公共団体が営む簡易水道事業につき、水道料金の改定を内容とする条例の制定行為は、行政処分に該当する。

3 都市計画法の規定に基づき都道府県知事が行う用途地域の指定は、行政処分に該当する。

4 (旧) 関税定率法の規定に基づき税関長が行う「輸入禁制品に該当する貨物と認めるのに相当の理由がある」旨の通知は、行政処分に該当しない。

5 地方公共団体の設置する保育所について、その廃止を定める条例の制定行為は、行政処分に該当する。

【本試験2012年問18】

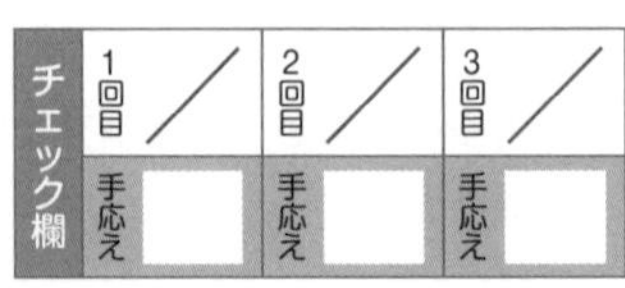

解説

テキスト
第3編

1 **妥当でない** 判例は、「**医療法30条の7の規定に基づく病院開設中止の勧告は**、医療法上は当該勧告を受けた者が任意にこれに従うことを期待してされる**行政指導として定められているけれども**、当該勧告を受けた者に対し、これに従わない場合には、相当程度の確実さをもって、病院を開設しても保険医療機関の指定を受けることができなくなるという結果をもたらすものということができる」とし、「保険医療機関の指定を受けることができない場合には、実際上病院の開設自体を断念せざるを得ないことになる」としたうえで、このような病院開設中止の「勧告は、**行政事件訴訟法3条2項にいう『行政庁の処分その他公権力の行使に当たる行為』に当たる**と解するのが相当である」としています（病院開設中止勧告事件／最判平17.7.15)。 P.130

2 **妥当でない** 判例は、**地方公共団体が営む簡易水道事業の水道料金の改定を内容とする条例は**「簡易水道事業の水道料金を一般的に改定するものであって、そもそも限られた特定の者に対してのみ適用されるものではなく、本件改正条例の制定行為をもって行政庁が法の執行として行う処分と実質的に同視することはできないから、本件改正条例の制定行為は、**抗告訴訟の対象となる行政処分には当たらない**」としています（旧高根町給水条例無効等確認請求事件／最判平18.7.14)。 P.130

3 **妥当でない** 判例は、**用途地域の指定は**、「一定の法状態の変動を生ぜしめるものであることは否定できないが、かかる効果は、あたかも……法令が制定された場合と同様の**当該地域内の不特定多数の者に対する一般的抽象的なそれにすぎず**、このような効果を生ずるということだけから直ちに右地域内の個人に対する具体的な権利侵害を伴う処分があったものとして、**これに対する抗告訴訟を肯定することはできない**」としています（盛岡用途地域指定事件／最判昭57.4.22)。 P.130

4 **妥当でない** 判例は、**関税定率法21条3項の規定に基づく税関長の通知は**、観念の通知ではありますが、「もともと法律の規定に準拠してされたものであり、かつ、これにより……**申告にかかる本件貨物を適法に輸入することができなくなるという法律上の効果を及ぼすものというべきであるから**、行政事件訴訟法3条2項にいう『**行政庁の処分その他公権力の行使に当たる行為』に該当する**」としています（横浜税関検査事件／最判昭54.12.25)。 P.130

5 **妥当である** 判例は、**特定の市立保育所を廃止する条例の制定行為は、入所中の児童・保護者という限られた特定の者らに対して、直接、当該保育所において保育を受けることを期待し得る法的地位を奪うものであるから、抗告訴訟の対象となる行政処分にあたる**としています（横浜市保育所廃止条例事件／最判平21.11.26)。 P.130

正解 5

行政事件訴訟法／取消訴訟

問題 167 **行政事件訴訟法9条2項は、平成16年改正において、取消訴訟の原告適格に関して新設された次のような規定である。次の文章の空欄［ア］～［エ］に入る語句の組合せとして正しいものはどれか。**

「裁判所は、処分又は裁決の［ア］について前項*に規定する法律上の利益の有無を判断するに当たつては、当該処分又は裁決の根拠となる法令の規定の文言のみによることなく、当該法令の［イ］並びに当該処分において考慮されるべき［ウ］を考慮するものとする。この場合において、当該法令の［イ］を考慮するに当たつては、当該法令と［エ］を共通にする関係法令があるときはその［イ］をも参酌するものとし、当該［ウ］を考慮するに当たつては、当該処分又は裁決がその根拠となる法令に違反してされた場合に害されることとなる［ウ］並びにこれが害される態様及び程度をも勘案するものとする。」

	ア	イ	ウ	エ
1	相手方	趣旨及び目的	公共の福祉	目的
2	相手方以外の者	目的とする公益	利益の内容及び性質	趣旨
3	相手方	目的とする公益	相手方の利益	目的
4	相手方以外の者	趣旨及び目的	利益の内容及び性質	目的
5	相手方以外の者	目的とする公益	相手方の利益	趣旨

（注）　*　行政事件訴訟法9条1項

【本試験2012年問17】

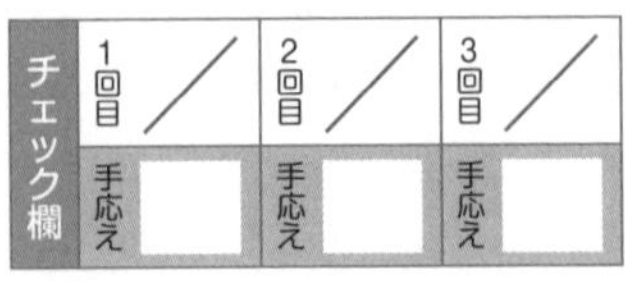

解説

テキスト▶第3編P.131

本問は、2004（平成16）年の行政事件訴訟法改正において新設された９条２項の規定に関する知識を問うものです。

９条１項は、取消訴訟の原告適格について、「処分の取消しの訴え及び裁決の取消しの訴え（以下「取消訴訟」という。）は、当該処分又は裁決の取消しを求めるにつき法律上の利益を有する者（処分又は裁決の効果が期間の経過その他の理由によりなくなつた後においてもなお処分又は裁決の取消しによつて回復すべき法律上の利益を有する者を含む。）に限り、提起することができる」としています。

さらに、９条２項は、「裁判所は、処分又は裁決の(ア) **相手方以外の者**について前項に規定する法律上の利益の有無を判断するに当たつては、当該処分又は裁決の根拠となる法令の規定の文言のみによることなく、当該法令の(イ) **趣旨及び目的**並びに当該処分において考慮されるべき(ウ) **利益の内容及び性質**を考慮するものとする。この場合において、当該法令の(イ) **趣旨及び目的**を考慮するに当たつては、当該法令と(エ) **目的**を共通にする関係法令があるときはその(イ) **趣旨及び目的**をも参酌するものとし、当該(ウ) **利益の内容及び性質**を考慮するに当たつては、当該処分又は裁決がその根拠となる法令に違反してされた場合に害されることとなる(ウ) **利益の内容及び性質**並びにこれが害される態様及び程度をも勘案するものとする」としています。

以上より、**ア**には「相手方以外の者」、**イ**には「趣旨及び目的」、**ウ**には「利益の内容及び性質」、**エ**には「目的」が入り、正解は**4**となります。

正解 4

９条２項は、「処分・裁決の相手方以外の者の原告適格を判断する際に何を基準にすべきか」を定めた条文です。本問が解答できるようになるまで、何度も条文を確認しておきましょう。

行政事件訴訟法／取消訴訟

問題168 **行政事件訴訟の訴訟要件に関する次の記述のうち、判例に照らし、妥当なものはどれか。**

1 公衆浴場法に基づく営業許可の無効確認を求めた既存の公衆浴場営業者には、適正な許可制度の運用によって保護されるべき業者の営業上の利益があるところ、当該利益は、公益として保護されるものではあるが、単なる事実上の反射的利益にすぎないため、同法によって保護される法的利益とはいえず、原告適格が認められない。

2 自動車等運転免許証の有効期間の更新に当たり、一般運転者として扱われ、優良運転者である旨の記載のない免許証を交付されて更新処分を受けた者は、そのような記載のある免許証を交付して行う更新処分を受けることは、単なる事実上の利益にすぎないことから、これを回復するため、当該更新処分の取消しを求める訴えの利益を有しない。

3 場外車券発売施設の設置許可申請者に対し、自転車競技法施行規則は、その敷地の周辺から1,000メートル以内の地域にある医療施設等の位置及び名称を記載した場外車券発売施設付近の見取図を添付することを求めていることから、当該場外車券発売施設の敷地の周辺から1,000メートル以内の地域において居住し又は事業を営む者は全て、当該許可の取消訴訟の原告適格を有する。

4 文化財保護法に基づき制定された県文化財保護条例による史跡指定解除について、その取消しを求めた遺跡研究者は、文化財の学術研究者の学問研究上の利益の保護について特段の配慮をしている規定が同法及び同条例に存するため、本件訴訟における原告適格が認められる。

5 建築確認の取消しを求める訴えにつき、建築確認は、それを受けなければ建築工事をすることができないという法的効果を付与されているにすぎないものというべきであるから、当該工事が完了した場合においては、建築確認の取消しを求める訴えの利益は失われる。

【公務員試験アレンジ問題】

チェック欄	1回目 ／	2回目 ／	3回目 ／
	手応え	手応え	手応え

解説

テキスト
第3編

1 **妥当でない** 判例は、公衆浴場法は、被許可者を濫立による経営の不合理化から守ろうとする意図をも有するとして、既存の公衆浴場営業者には適正な許可制度の運用によって保護されるべき営業上の利益があると認めたうえで、当該**営業上の利益は、単なる事実上の反射的利益にとどまらず公衆浴場法によって保護される法的利益であるとして、原告適格を肯定しました**（最判昭37.1.19）。 P.132

2 **妥当でない** 判例は、道路交通法は、優良運転者の要件該当者に対して、優良運転者の記載のある免許証を交付して行う更新処分を受けることを、単なる事実上の利益にとどまらず、法律上の地位として保障しているとし、**一般運転者として扱われ上記記載のない免許証を交付されて免許証の更新処分を受けた者は、上記の法律上の地位を否定されたことを理由として、これを回復するため、同更新処分の取消しを求める訴えの利益を有する**と判示しました（最判平21.2.27）。 P.135

3 **妥当でない** 自転車競技法施行規則14条2項1号は、場外車券発売施設の設置許可申請書に、敷地の周辺から1,000メートル以内の地域にある医療施設などの位置・名称を記載した場外車券発売施設付近の見取図を添付することを求めていますが、判例は、**場外車券発売施設の周辺において居住しまたは事業（医療施設などに係る事業を除く）を営むにすぎない者について、**自転車競技法・同施行規則には、これらの者の生活環境に関する利益を個々人の個別的利益として保護する規定がないとして、**場外車券発売施設の設置許可の取消しを求める原告適格を否定しました**（最判平21.10.15）。 P.133

4 **妥当でない** 判例は、文化財保護法および県文化財保護条例には、学問研究上の利益の保護について特段の配慮をしていると解しうる規定を見い出すことはできないとして、**遺跡研究者に原告適格を認めませんでした**（最判平元.6.20）。 P.132

5 **妥当である** 判例は、建築確認は、それを受けなければ工事をすることができないという法的効果を付与されているにすぎず、当該**工事が完了した場合においては、建築確認の取消しを求める訴えの利益は失われる**と判示しました（最判昭59.10.26）。 P.134

正解 5

野畑のワンポイント

原告適格や狭義の訴えの利益については、判例が多いところですが、結論を押さえれば正解しやすいので頑張りどころです。

行政事件訴訟法／取消訴訟

問題 169 **抗告訴訟の訴えの利益に関する次の記述のうち、判例に照らし、妥当なものはどれか。**

1 運転免許停止処分の記載のある免許証を所持することにより、名誉などを損なう可能性がある場合には、処分の本体たる効果が消滅したあとも、当該処分の取消しを求める訴えの利益は存在する。

2 建築基準法における建築確認は、建築関係規定に違反する建築物の出現を未然に防止することを目的としたものであるとしても、当該工事の完了後も引き続き当該建築確認の取消しを求める訴えの利益は存在する。

3 保安林指定解除処分により洪水などの防止上の利益を侵害される者には、当該処分の取消訴訟の原告適格が認められるが、代替施設の設置により洪水などの危険が解消された場合には、当該処分の取消しを求める訴えの利益は失われる。

4 税務署長の更正処分に対して取消訴訟を提起している間に、税務署長が増額再更正処分を行った場合であっても、当初の更正処分の取消しを求める訴えの利益は存在する。

5 懲戒免職処分を受けた公務員が当該処分の取消訴訟の係属中に死亡した場合は、懲戒免職処分は一身専属的なものであり、取消判決によって回復される利益は存在しないから、遺族が当該訴訟を承継することは認められない。

【公務員試験アレンジ問題】

チェック欄	1回目 ／	2回目 ／	3回目 ／
	手応え	手応え	手応え

解説

テキスト
第3編

1 **妥当でない**　判例は、**自動車運転免許停止処分の効果は、処分後無違反無処分で1年間経過した場合には一切消滅している**としたうえで、免許停止処分の記載のある免許証を所持することにより名誉、感情および信頼などを損なう可能性が常時継続して認められたとしても、それは免許停止処分がもたらす事実上の効果にすぎず、これをもって**処分の効果消滅後の訴えの利益を認めることはできない**としています（最判昭55.11.25）。 P.134

2 **妥当でない**　判例は、**建築基準法における建築確認**は、建築関係規定に違反する建築物の出現を未然に防止することを目的としたものということができますが、建築確認は、それを受けなければ建築基準法上の建築物の建築などの工事をすることができないという法的効果を付与されているにすぎないものであり、当該**工事が完了した場合には、もはや建築確認の取消しを求める訴えの利益は失われる**としています（最判昭59.10.26）。 P.134

3 **妥当である**　判例は、保安林の指定解除に関し、保安林の伐採による利水機能の低下により、洪水緩和などの点で直接に影響を被る一定の範囲の地域に居住する住民については、保安林指定解除処分の取消訴訟を提起する原告適格を認めていますが、**代替施設の設置などによって洪水や渇水の危険が解消され、保安林の存続の必要性がなくなったと認められるに至ったときは、指定解除処分の取消しを求める訴えの利益は失われる**としています（長沼ナイキ事件／最判昭57.9.9）。 P.134

4 **妥当でない**　判例は、**租税更正処分の取消訴訟の係属中に増額再更正処分が行われた場合には**、更正処分は再更正処分に吸収され消滅するから、**当初の更正処分の取消しを求める訴えの利益は失われる**としています（最判昭55.11.20）。

5 **妥当でない**　判例は、懲戒免職処分を受けた公務員が当該免職処分の取消訴訟の係属中に死亡した場合に、**遺族が当該訴訟を承継することを認めています**（最判昭49.12.10）。取消判決によって公務員の給料請求権などが回復され、それが相続の対象となるからです。

正解　3

行政事件訴訟法／取消訴訟

問題 170 **行政事件訴訟法における取消訴訟に関する次のア〜オの記述のうち、妥当なものの組合せはどれか。**

ア 処分の取消しの訴えは、処分の取消しを求めるについて法律上の利益を有する者に限り提起することができ、当該法律上の利益を有する者には、処分の効果が期間の経過その他の理由によりなくなった後においてもなお処分の取消しによって回復すべき法律上の利益を有する者が含まれる。

イ 国又は公共団体に所属する行政庁が行った処分又は裁決に対して取消訴訟を提起する場合、処分の取消しの訴えについては当該処分をした行政庁を、裁決の取消しの訴えについては当該裁決をした行政庁を被告として提起しなければならない。

ウ 裁判所は、訴訟の結果により権利を害される第三者があるときは、当事者若しくはその第三者の申立て又は職権により、決定をもって、その第三者を訴訟に参加させることができる。

エ 処分の取消しの訴え及び裁決の取消しの訴えにおいては、自己の法律上の利益に関係のない違法を理由として取消しを求めることができず、処分の取消しの訴えとその処分についての審査請求を棄却した裁決の取消しの訴えとを提起することができる場合の裁決の取消しの訴えにおいては、処分の違法を理由として取消しを求めることができない。

オ 裁判所は、当事者の主張する事実について職権で証拠調べを行う必要があると認める場合には、これを行わなければならず、さらに、裁判所は、当事者の意見をきいた上で、当事者が主張しない事実をも探索して、判断の資料とすることもできる。

1 ア・イ・ウ
2 ア・ウ・エ
3 イ・ウ・オ
4 イ・エ・オ
5 ウ・エ・オ

【公務員試験アレンジ問題】

チェック欄	1回目 ／	2回目 ／	3回目 ／
	手応え	手応え	手応え

解説

テキスト
第3編

ア 妥当である　処分の取消訴訟を開始するには、裁判を行うに値する客観的な事情・実益（狭義の訴えの利益）が必要となります。**処分・裁決の効果が期間の経過などの理由により消滅した後でも、なお、その取消しにより回復すべき法律上の利益を有する場合においては、訴えの利益は存続し**（9条1項かっこ書）、**そのような者は、訴訟を維持することができます。** P.134

イ 妥当でない　国または公共団体に所属する行政庁が行った処分または裁決に対し取消訴訟を提起する場合、その取消訴訟は、**処分または裁決をした行政庁ではなく、その行政庁の所属する国または公共団体を被告として、提起**しなければなりません（11条1項柱書）。 P.136

ウ 妥当である　裁判所は、訴訟の結果により**権利を侵害される第三者がいるときは、当事者もしくはその第三者の申立てにより、または職権で、その第三者を訴訟に参加させることができます**（第三者の訴訟参加／22条1項）。取消判決の効力は、当事者以外の第三者にも及び（第三者効／32条1項）、訴訟の結果が第三者の権利利益に重大な影響を及ぼすことから、このような第三者に主張・立証の機会を与えるために設けられた手続となります。 P.141

エ 妥当である　取消訴訟で原告は、**自己の法律上の利益に関係のない違法を主張することはできません**（10条1項）。原告の権利・利益の救済が取消訴訟の第一次的目的だからです。また、裁決取消訴訟において原告は、**裁決にかかわる原処分の違法を主張することはできません**（10条2項）。原処分の違法性は原処分の取消訴訟によってのみ争われなければならないからです（原処分主義）。 P.139

オ 妥当でない　行政事件訴訟では、訴訟の結果が紛争当事者以外の多数の者の権利利益にも影響を及ぼすことから、裁判所に審理の進行の主導権を認める職権主義が加味されています。ただし、当事者が主張する事実の存否について当事者の提出した証拠のみでは十分な心証が得られない場合に**裁判所が職権証拠調べをすることを認めるにとどまり**（24条）、**当事者の主張しない事実についても裁判所が調査することができる職権探知主義までは認められていません。** P.139

以上より、妥当なものは**ア・ウ・エ**であり、正解は2となります。

正解　2

行政事件訴訟法／取消訴訟

問題 171 **行政事件訴訟法10条は、二つの「取消しの理由の制限」を定めている。次の文章の空欄［ア］～［エ］に当てはまる語句を、枠内の選択肢（1～20）から選びなさい。**

第一に、「取消訴訟においては、［ア］に関係のない違法を理由として取消しを求めることができない」（10条1項）。これは、訴えが仮に適法なものであったとしても、［ア］に関係のない違法を理由に取消しを求めることはできない（そのような違法事由しか主張していない訴えについては［イ］が下されることになる）ことを規定するものと解されている。取消訴訟が（国民の権利利益の救済を目的とする）主観訴訟であることにかんがみ、主観訴訟における当然の制限を規定したものにすぎないとの評価がある反面、違法事由のなかにはそれが［ア］に関係するものかどうかが不明確な場合もあり、「［ア］に関係のない違法」を広く解すると、国民の権利利益の救済の障害となる場合もあるのではないかとの指摘もある。

第二に、「処分の取消しの訴えとその処分についての［ウ］の取消しの訴えとを提起することができる場合には」、［ウ］の取消しの訴えにおいては「［エ］を理由として取消しを求めることができない」（10条2項）。これは、［エ］は、処分取消訴訟において主張しなければならないという原則（原処分主義）を規定するものと解されている。

1	審査請求を棄却した裁決	2	処分を差止める判決		
3	訴えを却下する判決	4	処分の無効	5	処分取消裁決
6	処分の違法	7	法律上保護された利益		
8	裁決の違法	9	不作為の違法	10	裁決の無効
11	自己の法律上の利益	12	審査請求を認容した裁決		
13	処分により保護される利益	14	請求を認容する判決		
15	処分を義務付ける判決	16	請求を棄却する判決		
17	処分取消判決	18	法律上保護に値する利益		
19	事情判決	20	裁判上保護されるべき利益		

【本試験2018年問42】

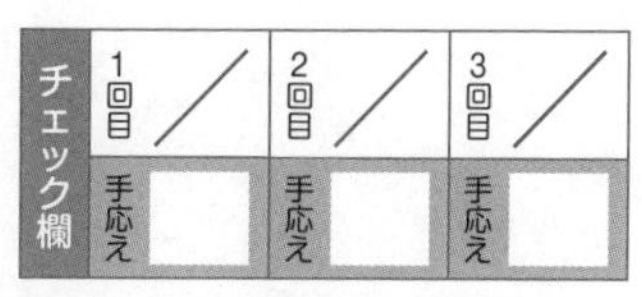

解説 テキスト▶**第3編P.139**

本問では、取消しの理由の制限について定めた10条についての理解が問われています。

取消訴訟においては、(ア) **自己の法律上の利益**に関係のない違法を理由として取消しを求めることができない（10条1項）。

10条1項は、原告適格があることを前提として、本案審理における違法事由を制限するものである。よって、自己の法律上の利益に関係のない違法事由しか主張していない訴えについては、(イ) **請求を棄却する判決**が下される。

処分の取消しの訴えとその処分についての (ウ) **審査請求を棄却した裁決**の取消しの訴えとを提起することができる場合には、裁決の取消しの訴えにおいては、(エ) **処分の違法**を理由として取消しを求めることができない（10条2項）。10条2項は、原処分主義を規定するものと解されている。

以上より、**ア**には**11**＝「自己の法律上の利益」、**イ**には**16**＝「請求を棄却する判決」、**ウ**には**1**＝「審査請求を棄却した裁決」、**エ**には**6**＝「処分の違法」が入ります。

正解　ア：11、イ：16、ウ：1、エ：6

MEMO

行政事件訴訟法／取消訴訟

問題 172 国土交通大臣Aは、B航空会社に対し、C空港発着路線の定期航空運送事業免許処分を行った。これに対し、C空港周辺に居住する住民Dは、この免許に係る路線を航行する航空機の騒音により障害を受けるとして、その取消しを求めて、C地方裁判所に出訴した。住民Dは、免許の取消しを求める原告適格を有すると考えられるが、当該取消訴訟の本案審理では、路線の利用客の大部分が遊興目的の団体客であることおよび輸送力が著しく供給過剰になることが、航空法に基づく免許基準に適合しないものであり、当該免許には違法があるとのみ主張した。この場合、C地方裁判所は、どのようなことを理由として、どのような判決をすることとなるか。「C地方裁判所は、判決で、」に続けて、40字程度で記述しなさい。

C地方裁判所は、判決で、

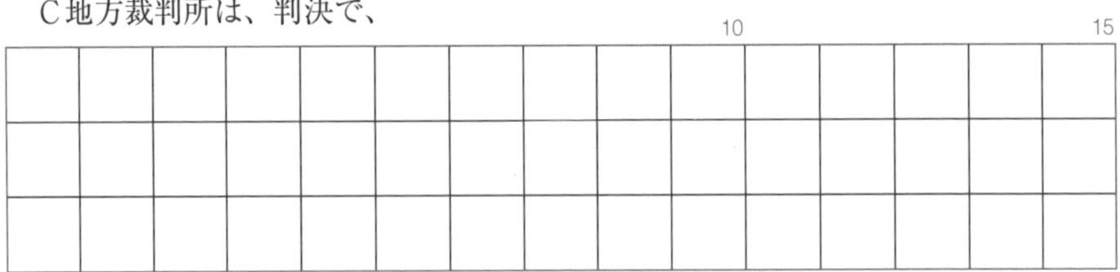

【オリジナル問題】

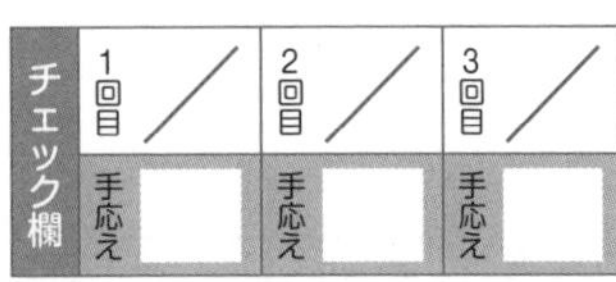

解説

テキスト▶第3編P.139

解答例（43字）

C地方裁判所は、判決で、

D	が	自	己	の	法	律	上	の	利	益	に	関	係	の
な	い	違	法	の	み	を	主	張	し	た	こ	と	を	理
由	と	し	て	、	請	求	を	棄	却	す	る	。		

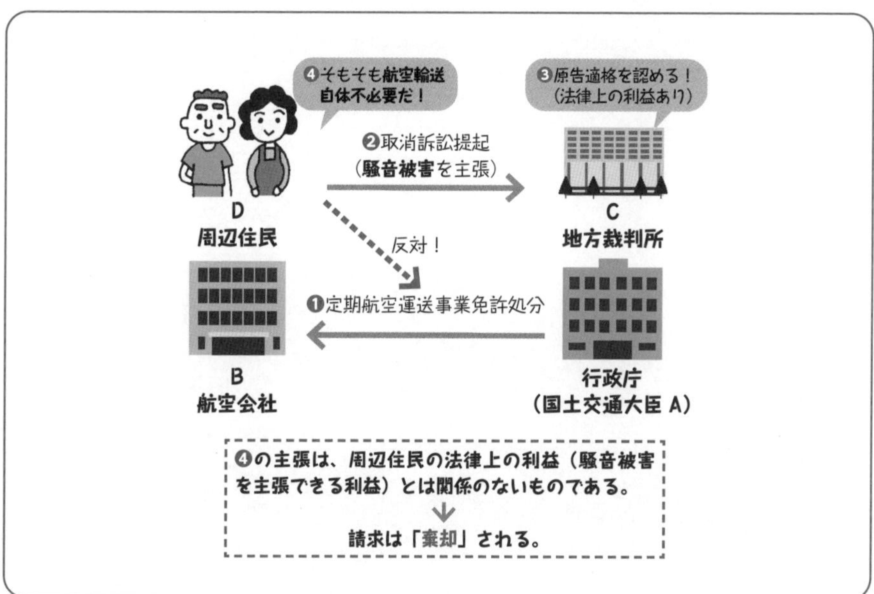

本問は、行政事件訴訟法による取消訴訟の「取消しの理由の制限」に関する知識を問うものです。

取消訴訟においては、**自己の法律上の利益に関係のない違法を理由として取消しを求めることはできません**（10条1項）。これは、要件審理において「法律上の利益を有する者」として原告適格が認められた者が、本案審理において「自己の法律上の利益に関係のない違法」を主張することはできないとするものです。

判例は、飛行場の周辺に居住する住民が航空法に基づく定期航空運送事業免許の取消

解説

しを求めた事案において、住民が、路線の利用客の大部分が遊興目的の団体客であることおよび輸送力が著しく供給過剰になることが、航空法に基づく免許基準に適合しないものであり、当該免許には違法があるとのみ主張したことは、「いずれも自己の法律上の利益に関係のない違法をいうものであることは明らかである。そうすると、**本件請求は、**……**行政事件訴訟法10条1項によりその主張自体失当として棄却を免れないことになる**」としています（新潟空港事件／最判平元.2.17）。

取消事由の制限は、過去に択一式や多肢選択式でも出題されています。記述式でも対応できるように準備しておきましょう。

MEMO

行政事件訴訟法／取消訴訟

問題173 **行政事件訴訟法の定める執行停止に関する次の記述のうち、妥当な記述はどれか。**

1 処分の執行停止の申立ては、当該処分に対して取消訴訟を提起した者だけではなく、それに対して差止訴訟を提起した者もなすことができる。

2 処分の執行停止の申立ては、本案訴訟の提起と同時になさなければならず、それ以前あるいはそれ以後になすことは認められない。

3 本案訴訟を審理する裁判所は、原告が申し立てた場合のほか、必要があると認めた場合には、職権で処分の執行停止をすることができる。

4 処分の執行の停止は、処分の効力の停止や手続の続行の停止によって目的を達することができる場合には、することができない。

5 処分の執行停止に関する決定をなすにあたり、裁判所は、あらかじめ、当事者の意見をきかなければならないが、口頭弁論を経る必要はない。

【本試験2015年問17】

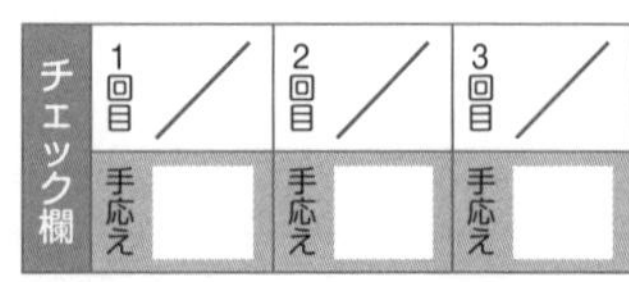

解説

テキスト
第3編

1 **妥当でない** 処分の執行停止の申立ては、**当該処分に対して取消訴訟を提起した者**ができます（25条2項参照）。 P.145

2 **妥当でない** 処分の執行停止の申立ては、「処分の取消しの訴えの提起があつた場合」（25条2項）にすることができますが、**本案訴訟（処分取消訴訟）の提起と同時になさなければならないわけではありません。** P.145

3 **妥当でない** 行政事件訴訟法では、**職権による執行停止は認められていません**（25条2項本文参照）。 P.146

4 **妥当でない** **処分の効力の停止**は、**処分の執行または手続の続行の停止**によって目的を達することができる場合には、することができません（25条2項但書）。 P.145

5 **妥当である** 執行停止に関する決定は、**口頭弁論を経ないですることができます**（25条6項本文）。ただし、**あらかじめ、当事者の意見をきかなければなりません**（25条6項但書）。

正解 5

野畑のワンポイント

肢4は少し細かいので、あまり気にしなくても大丈夫です。それ以外の肢について正解できるように復習をしておきましょう。

【執行停止制度の比較】

	行政事件訴訟法	行政不服審査法（上級行政庁または処分庁に審査請求をした場合）
原則	執行不停止（25条1項）	執行不停止（25条1項）
必要的執行停止	規定なし	規定あり（25条4項）
裁量的執行停止	申立て（25条2項）	職権または申立て（25条2項）
執行停止の取消し	申立て（26条）	職権（26条）
内閣総理大臣の異議	規定あり（27条）	規定なし

行政事件訴訟法／取消訴訟

問題174 **許認可等の申請に対する処分について、それに対する取消訴訟の判決の効力に関する次の記述のうち、誤っているものはどれか。**

1 申請を認める処分を取り消す判決は、原告および被告以外の第三者に対しても効力を有する。

2 申請を認める処分についての取消請求を棄却する判決は、処分をした行政庁その他の関係行政庁への拘束力を有さない。

3 申請を拒否する処分が判決により取り消された場合、その処分をした行政庁は、当然に申請を認める処分をしなければならない。

4 申請を認める処分が判決により手続に違法があることを理由として取り消された場合、その処分をした行政庁は、判決の趣旨に従い改めて申請に対する処分をしなければならない。

5 申請を拒否する処分に対する審査請求の棄却裁決を取り消す判決は、裁決をした行政庁その他の関係行政庁を拘束する。

【本試験2018年問17】

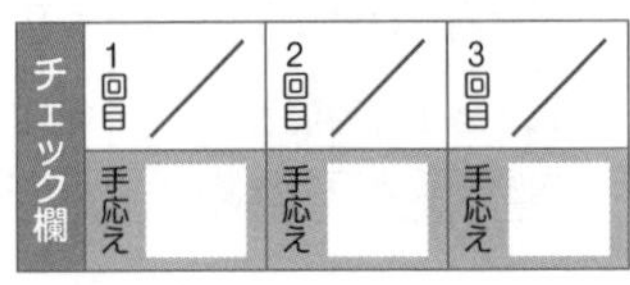

解説

テキスト
第3編

1 **正**　処分または裁決を**取り消す判決は、第三者に対しても効力を有します**（32条1項）。　P.144

2 **正**　処分または裁決を**取り消す判決は、その事件について、処分または裁決をした行政庁その他の関係行政庁を拘束する**ことになります（33条1項）。これに対し、申請を認める処分についての**取消請求を棄却する判決は、処分をした行政庁その他の関係行政庁を拘束しません**（33条1項反対解釈）。　P.144

3 **誤**　申請を却下しもしくは棄却した処分または審査請求を却下しもしくは棄却した裁決が判決により取り消されたときは、その処分または裁決をした行政庁は、判決の趣旨に従い、改めて申請に対する処分または審査請求に対する裁決をしなければなりません（33条2項）。すなわち、**申請拒否処分の取消判決がなされると、判決の形成力によってその処分は当初からなかったことになり、申請がされたが応答のない状態であることを前提に、行政庁としては改めて処分をやり直さなければなりませんが、当然に申請を認める処分をしなければならないわけではありません。**　P.144

4 **正**　申請を却下しもしくは棄却した処分または審査請求を却下しもしくは棄却した裁決が判決により取り消されたときは、その処分または裁決をした行政庁は、判決の趣旨に従い、改めて申請に対する処分または審査請求に対する裁決をしなければなりません（33条2項）。この規定は、申請に基づいてした処分または審査請求を認容した裁決が判決により手続に違法があることを理由として取り消された場合に準用されます（33条3項）。　P.144

5 **正**　処分または裁決を**取り消す判決は、その事件について、処分または裁決をした行政庁その他の関係行政庁を拘束する**ことになります（33条1項）。　P.144

正解　3

野畑のワンポイント

判決の効力のうち、第三者効と拘束力は頻出です。
本問を何度も繰り返して対応できるようにしておきましょう。

行政事件訴訟法／取消訴訟

問題175 **処分取消訴訟に関する次の文章の空欄 ア ～ エ に当てはまる語句を、枠内の選択肢（1～20）から選びなさい。**

処分取消訴訟を提起しても、そもそも、訴えそれ自体が訴訟要件を満たす適法なものでなければならないことはいうまでもない。しかし、訴えが仮に適法なものであったとしても、自己の法律上の利益に関係のない違法を理由に取消しを求めることはできないから、そのような違法事由しか主張していない訴えについては、 ア が下されることになり、結局、原告敗訴ということになる。さらに、処分が違法であっても、これを取り消すことにより公の利益に著しい障害を生ずる場合においては、一定の条件の下、 ア がなされることがある。このような判決のことを、 イ というが、この場合、当該判決の主文において、当該処分が違法であることを宣言しなければならない。このような違法の宣言は、判決主文において行われることから、その判断には ウ が生ずる。

取消判決がなされると、当該処分の効果は、当然否定されることになるが、その他にも取消判決の効力はいくつか挙げられる。例えば、申請の拒否処分が取り消された場合、当該拒否処分を行った行政庁は、判決の趣旨に従い、改めて申請に対する処分をしなければならない。このような効力を エ という。

1	棄却判決	2	公定力	3	拘束力	4	却下判決	5	義務付け判決
6	自力執行力	7	事情判決	8	差止判決	9	遡及効	10	無効確認判決
11	既判力	12	確認判決	13	中間判決	14	不可変更力		
15	規律力	16	違法確認判決			17	認容判決	18	不可争力
19	対世効	20	将来効						

【本試験2007年問43】

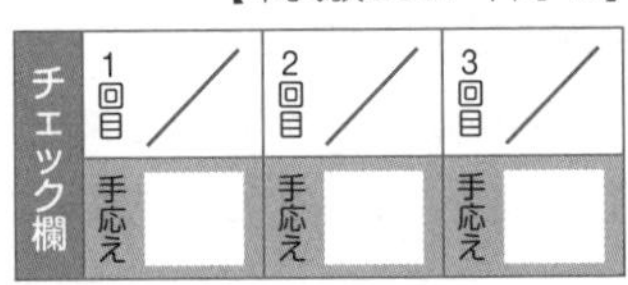

解説

テキスト▶第3編P.144

本問は、取消訴訟の判決の種類・効力に関する知識を問うものです。

処分取消訴訟が適法なものであったとしても、当該訴訟において、自己の法律上の利益に関係のない違法を理由として取消しを求めることができません（10条1項）。そのような違法事由しか主張していない訴えについては、訴えが適法であったとしても、請求に理由がないとして、（請求）**棄却判決**が下されます。よって、アには「1＝棄却判決」が入ります。

処分が違法であるが、これを取り消すことにより、公の利益に著しい障害が生ずる場合は、原告の受ける損害の程度、その損害賠償または防止の程度および方法その他の一切に事情を考慮した上で、処分を取り消すことが公共の福祉に適合しないと認めるときは、棄却判決がなされることがあります（31条1項前段）。このような判決を、**事情判決**といいます。この場合、判決主文において、処分が違法であることを宣言しなければなりません（31条1項後段）。よって、イには「7＝事情判決」が入ります。

取消訴訟の判決に関しては、民事訴訟法の規定に従い、判決主文において示された判断に**既判力**が生じます（7条・民事訴訟法114条1項）。**既判力**とは、確定判決の判断内容の後訴に対する通用力ないし拘束力をいい、既判力が生じている事項については同一当事者間で後日別訴を提起して争うことができなくなります。よって、ウには「11＝既判力」が入ります。

申請の拒否処分が取り消された場合、当該拒否処分を行った行政庁は、判決の趣旨に従い、改めて申請に対する処分をしなければなりません（33条2項）。このような効力を「**拘束力**」といいます。よって、エには「3＝拘束力」が入ります。

以上より、**ア**には**1**＝「棄却判決」、**イ**には**7**＝「事情判決」、**ウ**には**11**＝「既判力」、**エ**には**3**＝「拘束力」が入ります。

正解　ア：1、イ：7、ウ：11、エ：3

行政事件訴訟法／取消訴訟

問題 176 トラック運転手Xは、深夜の勤務中に、泥酔して路上で寝ていたYを轢き、死亡させてしまったことから、道路交通法上の安全運転義務違反があったとして、A県公安委員会により運転免許の取消処分（以下、「本件処分」という。）を受けた。これに対し、Xは、夜間の運転中にYに気づくことは不可能であり、安全運転義務違反があったとされるのはおかしいとして、本件処分を不服としている。また、運転免許を失うと、トラック運転手として働くことができなくなるだけでなく、再就職も難しい状況であり、本件処分により直ちに生活に困窮することは明らかである。この場合、Xは、だれを被告として、どのような訴訟を提起するとともに、どのような手段をとるべきか。「Xは、」に続けて、40字程度で記述しなさい。

Xは、

									10					15

【オリジナル問題】

チェック欄	1回目 ／	2回目 ／	3回目 ／
	手応え	手応え	手応え

解説

テキスト ▶ 第3編P.145

解答例（45字）

Xは、

A	県	を	被	告	と	し	て	本	件	処	分	の	取	消
し	の	訴	え	を	提	起	す	る	と	と	も	に	、	執
行	停	止	の	申	立	て	を	す	べ	き	で	あ	る	。

本問は、取消訴訟に関する知識を問うものです。

A県公安委員会が、Xに対し、運転免許の取消処分（「本件処分」）をしたという事案においては、**処分がすでになされていることから、これを不服とするXとしては、A県公安委員会の所属する公共団体であるA県を被告として、処分の取消しの訴えを提起すべき**です（行政事件訴訟法3条2項、11条1項1号）。

本件**処分の取消しの訴えを提起しただけでは、処分の効力、処分の執行または手続の続行を止めることはできません**（執行不停止の原則／25条1項）。

もっとも、処分の取消しの訴えの提起があった場合において、処分、処分の執行または手続の続行により生ずる重大な損害を避けるため緊急の必要があるときは、裁判所は、申立てにより、決定をもって、処分の効力、処分の執行または手続の続行の全部または一部の停止（執行停止）をすることができます（25条2項）。したがって、**Xは、本件処分の取消しの訴えを提起するとともに、執行停止の申立てをすべき**です。

①だれを被告として、②どのような訴訟を提起するかを問う記述式問題は、過去にも出題されています。各訴訟ごとの典型事例をしっかり押さえておきましょう。

行政事件訴訟法／無効等確認訴訟

処分取消訴訟と処分無効確認訴訟に関する次の記述のうち、正しいものの組合せはどれか。

ア　取消訴訟、無効確認訴訟ともに、行政上の法関係の早期安定を図るという観点から、出訴期間の定めが置かれているが、その期間は異なる。

イ　取消判決は第三者に対しても効力を有すると規定されているが、この規定は、無効確認訴訟には準用されていない。

ウ　執行停止について、取消訴訟においては執行不停止原則がとられているが、無効確認訴訟においては執行停止原則がとられている。

エ　取消訴訟においては、自己の法律上の利益に関係のない違法を理由として取消しを求めることができないが、この制限規定は、無効確認訴訟には準用されていない。

オ　無効確認訴訟は、取消訴訟の出訴期間経過後において、処分により重大な損害を生じた場合に限り提起することができる。

1　ア・エ
2　ア・オ
3　イ・ウ
4　イ・エ
5　ウ・オ

【本試験2012年問16改題】

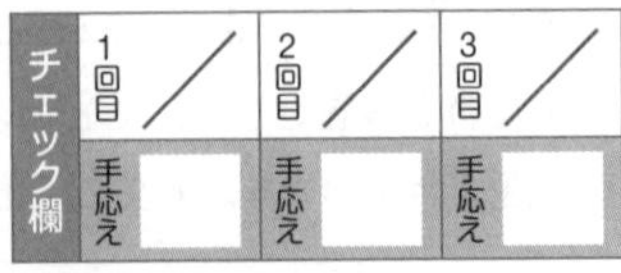

解説

テキスト 第3編

ア 誤 取消訴訟には、出訴期間の定め（14条）が置かれています。これに対し、**無効確認訴訟には、出訴期間の定めは置かれていません**（38条参照）。 P.150

イ 正 処分または裁決を取り消す判決は、第三者に対しても効力を有します（32条1項／取消判決の第三者効）。**無効確認訴訟には、取消判決の第三者効を定めた32条1項は準用されていません**（38条参照）。 P.150

ウ 誤 処分の取消しの訴えの提起は、処分の効力、処分の執行または手続の続行を妨げません（25条1項／執行不停止の原則）。**無効確認訴訟においても、「執行不停止の原則」がとられています**（38条3項・25条1項）。 P.150

エ 正 取消訴訟においては、自己の法律上の利益に関係のない違法を理由として取消しを求めることができません（10条1項）。**無効確認訴訟には、10条1項は準用されていません**（38条参照）。

オ 誤 無効等確認の訴えは、①「当該処分又は裁決に続く処分により損害を受けるおそれのある者」（予防的無効等確認訴訟）、②「その他当該処分又は裁決の無効等の確認を求めるにつき法律上の利益を有する者で、当該処分若しくは裁決の存否又はその効力の有無を前提とする現在の法律関係に関する訴えによつて目的を達することができないもの」（補充的無効等確認訴訟）に限り、提起することができます（36条）。**無効確認訴訟は、取消訴訟の出訴期間経過後において、処分により重大な損害が生じた場合に限り提起することができるわけではありません。** P.149

以上から、正しいものは**イ・エ**であり、正解は**4**となります。

正解 4

無効等確認訴訟については、取消訴訟の準用の有無が大切です。

取消訴訟の規定	準用されるか
被告適格	○
管轄裁判所	○
出訴期間	×
事情判決	×
執行停止	○
判決の拘束力	○
判決の第三者効	×

行政事件訴訟法／不作為の違法確認訴訟

問題 178 **行政事件訴訟法の規定する「不作為の違法確認の訴え」に関する次のア～エの記述のうち、妥当なものの組合せはどれか。**

ア 不作為の違法確認の訴えにおいては、取消訴訟におけるような出訴期間の制限はなく、原告適格を有する者は、処分又は裁決の不作為が継続していれば訴えを提起することができる。

イ 不作為の違法確認の訴えにおいて、行政庁が申請に対して相当の期間内に処分を行わない場合、その不作為は違法と判断されるが、行政手続法第6条により、その申請に対する処分に関する標準処理期間が設定されているときは、その標準処理期間が相当の期間とされ、標準処理期間の徒過により直ちにその不作為は違法と判断される。

ウ 不作為の違法確認の訴えにおいて、原告が勝訴して行政庁が処分又は裁決をしないことについての違法が確認された場合、その判決の拘束力は申請に対する応答内容にも及ぶので、その行政庁は、その申請により求められた処分又は裁決をすることが義務付けられ、拒否処分をすることは許されなくなる。

エ 不作為の違法確認の訴えは、訴訟の係属中に、申請を拒否する処分又は不服申立てを拒否する裁決がなされた場合でも、訴えの利益が消滅し、却下される。

1 ア・イ
2 ア・エ
3 イ・ウ
4 イ・エ
5 ウ・エ

【公務員試験アレンジ問題】

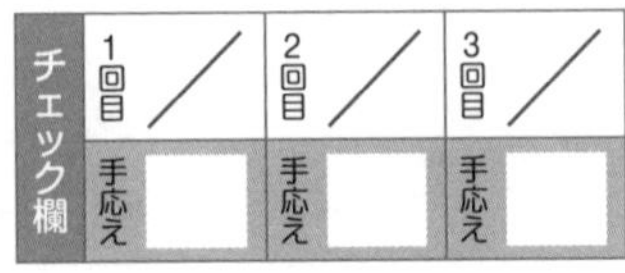

解説

テキスト
第3編

ア　妥当である　不作為の違法確認訴訟とは、行政庁に対して法令に基づく申請をしたにもかかわらず、行政庁が処分・裁決をしないことの違法確認を求める訴訟となります。そうすると、**処分・裁決の不作為が継続している限り、不作為の違法確認訴訟を提起しうる**のが当然の事理といえます。ちなみに、不作為の違法確認訴訟には、取消訴訟の出訴期間に関する規定（14条）も準用されていません（38条1項）。　P.152

イ　妥当でない　不作為が違法と判断されるのは、「相当の期間」（3条5項）を経過した場合ですが、**行政手続法6条が定める標準処理期間と「相当の期間」は当然には一致しないので、標準処理期間の徒過により直ちに違法と判断されるわけではありません。**

ウ　妥当でない　不作為の違法確認判決は、不作為が違法であることを確認するものであり、判決の拘束力（38条1項・33条）により、行政庁は判決の趣旨に従った処分をすることが義務付けられますが、**判決の拘束力は申請に対する応答内容には及ばず、申請を認容することまでもが義務付けられるわけではありません。**　P.151

エ　妥当である　不作為の違法確認訴訟の係属中に**行政庁がその処分・裁決をした場合、不作為状態が解消されるので、訴えの利益が消滅し、訴えは却下されます。**　P.151

以上より、妥当なものは**ア・エ**であり、正解は**2**となります。

正解　2

行政事件訴訟法／義務付け訴訟

問題 179 **いわゆる申請型と非申請型（直接型）の義務付け訴訟について、行政事件訴訟法の規定に照らし、妥当な記述はどれか。**

1 申請型と非申請型の義務付け訴訟いずれにおいても、一定の処分がされないことにより「重大な損害を生ずるおそれ」がある場合に限り提起できることとされている。

2 申請型と非申請型の義務付け訴訟いずれにおいても、一定の処分をすべき旨を行政庁に命ずることを求めるにつき「法律上の利益を有する者」であれば、当該処分の相手方以外でも提起することができることとされている。

3 申請型と非申請型の義務付け訴訟いずれにおいても、一定の処分がされないことによる損害を避けるため「他に適当な方法がないとき」に限り提起できることとされている。

4 申請型と非申請型の義務付け訴訟いずれにおいても、「償うことのできない損害を避けるため緊急の必要がある」ことなどの要件を満たせば、裁判所は、申立てにより、仮の義務付けを命ずることができることとされている。

5 申請型と非申請型の義務付け訴訟いずれにおいても、それと併合して提起すべきこととされている処分取消訴訟などに係る請求に「理由がある」と認められたときにのみ、義務付けの請求も認容されることとされている。

【本試験2013年問16】

チェック欄	1回目 ／	2回目 ／	3回目 ／
	手応え	手応え	手応え

解説

テキスト
第3編

1 **妥当でない** **非申請型の義務付け訴訟は**、一定の処分がされないことにより**「重大な損害を生ずるおそれ」があり、かつ、その損害を避けるため他に適当な方法がないときに限り提起することができます**（37条の2第1項）。申請型の義務付け訴訟においては、一定の処分がされないことにより「重大な損害を生ずるおそれ」があることが要件とされていません（37条の3第1項参照）。 P.155

2 **妥当でない** **非申請型の義務付け訴訟は**、行政庁が一定の処分をすべき旨を命ずることを求めるにつき**法律上の利益を有する者に限り、提起することができます**（37条の2第3項）。**申請型の義務付け訴訟は、「法令に基づく申請又は審査請求をした者」に限り、提起することができます**（37条の3第2項）。 P.155

3 **妥当でない** **非申請型の義務付け訴訟は、一定の処分がされないことにより「重大な損害を生ずるおそれ」があり、かつ、その損害を避けるため「他に適当な方法がないとき」に限り提起することができます**（37条の2第1項）。申請型の義務付け訴訟においては、一定の処分がされないことによる損害を避けるため「他に適当な方法がない」ことが要件とされていません（37条の3第1項参照）。 P.155

4 **妥当である** **申請型と非申請型の義務付け訴訟いずれにおいても**、「その義務付けの訴えに係る処分又は裁決がされないことにより生ずる**償うことのできない損害を避けるため緊急の必要がある」ことなどの要件を満たせば、裁判所は、申立てにより、仮の義務付けを命ずることができます**（37条の5第1項）。 P.157

5 **妥当でない** 申請型の義務付け訴訟においては、それと併合して提起すべきこととされている処分取消訴訟などに係る請求に「理由がある」と認められたときにのみ、義務付けの請求も認容されることとされます（37条の3第3項・5項）。**非申請型の義務付け訴訟においては、処分取消訴訟などを併合提起すべきこととはされていません**（37条の2参照）。 P.154

正解 4

申請型と非申請型の違いを押さえておかないと、答えが出せない問題です。
非申請型の義務付け訴訟のほうが要件が厳しくなっていることに着目しておきましょう。

行政事件訴訟法／義務付け訴訟

問題 180 行政事件訴訟法が定める義務付け訴訟に関する次の記述のうち、正しいものはどれか。

1 申請拒否処分がなされた場合における申請型義務付け訴訟は、拒否処分の取消訴訟と併合提起しなければならないが、その無効確認訴訟と併合提起することはできない。

2 行政庁が義務付け判決に従った処分をしない場合には、裁判所は、行政庁に代わって当該処分を行うことができる。

3 義務付け判決には、取消判決の拘束力の規定は準用されているが、第三者効の規定は準用されていない。

4 処分がされないことにより生ずる償うことのできない損害を避けるため緊急の必要がある場合には、当該処分につき義務付け訴訟を提起しなくとも、仮の義務付けのみを単独で申し立てることができる。

5 義務付け訴訟は、行政庁の判断を待たず裁判所が一定の処分を義務付けるものであるから、申請型、非申請型のいずれの訴訟も、「重大な損害を生じるおそれ」がある場合のみ提起できる。

【本試験2020年問19】

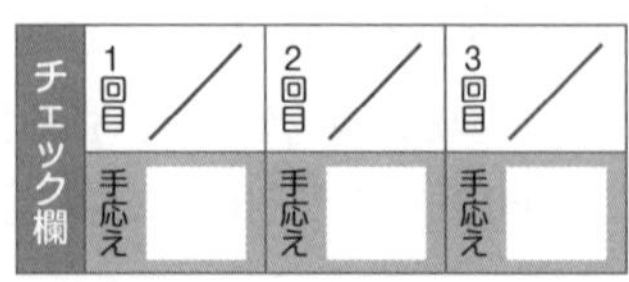

解説

テキスト
第3編

1 **誤** 申請拒否処分がなされた場合における申請型義務付け訴訟には、**拒否処分の取消訴訟またはその無効確認訴訟を併合提起**しなければなりません（37条の3第3項2号）。なお、申請（または審査請求）に対し相当の期間内に何らの処分（または裁決）がされない場合における**申請型義務付け訴訟には、不作為の違法確認の訴えを併合提起しなければなりません**（37条の3第3項1号）。 P.154

2 **誤** 行政事件訴訟法では、このようなことは定められていません（3条6項柱書、37条の2第5項、37条の3第5項参照）。

3 **正** 義務付け判決には、取消判決の拘束力の規定（33条）は準用されています（38条1項）が、**第三者効の規定（32条1項）は準用されていません**（38条参照）。 P.156

4 **誤** 義務付けの訴えの提起があった場合において、その義務付けの訴えに係る処分または裁決があったことにより生ずる**償うことのできない損害を避けるため緊急の必要**があり、かつ、**本案について理由があるとみえるとき**は、裁判所は、**申立てにより**、決定をもって、仮に行政庁がその処分または裁決をすべき旨を命ずること（「仮の義務付け」）ができます（37条の5第1項）。 P.157

5 **誤** 申請型義務付け訴訟では、「重大な損害を生じるおそれ」は訴訟要件とされていません（37条の3参照）。これに対し、**非申請型義務付け訴訟では、「一定の処分がされないことにより重大な損害が生ずるおそれがあり、かつ、その損害を避けるため他に適当な方法がないとき」が訴訟要件**とされています（37条の2第1項）。 P.155

正解 3

行政事件訴訟法／差止め訴訟

問題181 次の【設問】を読み、【答え】の中の〔　　　〕に適切な文章を40字程度で記述して、設問に関する解答を完成させなさい。

【設問】

X市では、近日中に財政難を理由として市立保育園を民営化のために廃止することを内容とする条例が制定される予定です。これに対し、園児の父母らは、民営化によって保育環境が著しく悪化すると予想されることから、市立保育園が廃止されることをどうしても阻止したいと思っています。行政事件訴訟法の規定によれば、父母らは、どのような手段をとることが考えられるでしょうか。

【答え】

本件のような条例制定行為を「処分」と考える判例があることを前提とすると、父母らは、条例制定行為の差止めの訴えを提起することが考えられます。

さらに、行政事件訴訟法の規定によれば、差止めの訴えの提起があった場合において、その差止めの訴えに係る処分または裁決がされることにより生ずる〔　　　〕ときは、裁判所は、申立てにより、決定をもって、仮に行政庁がその処分または裁決をしてはならない旨を命ずること（仮の差止め）ができます。そこで、父母らは、上記のような差止めの訴えを提起するとともに、仮の差止めの申立てをすることが考えられます。

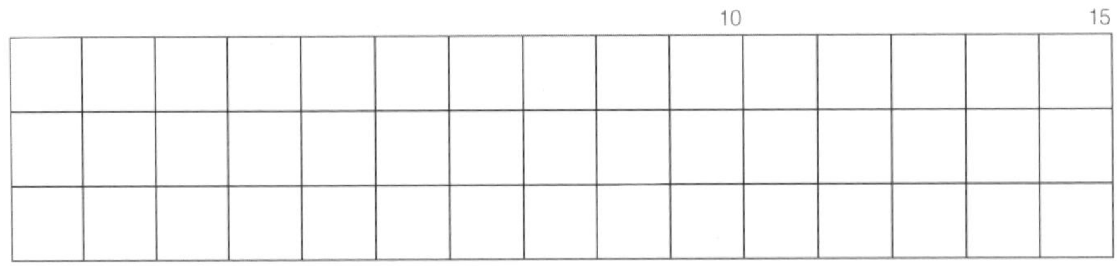

【オリジナル問題】

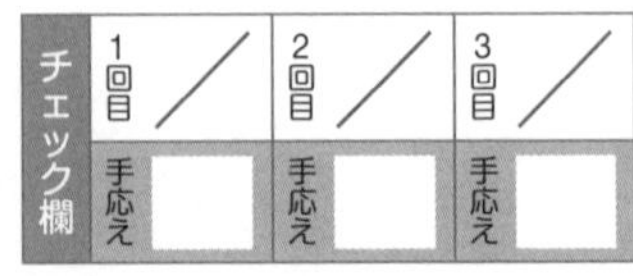

解説

テキスト▶第3編P.160

解答例（44字）

償	う	こ	と	の	で	き	な	い	損	害	を	避	け	る
た	め	緊	急	の	必	要	が	あ	り	、	か	つ	、	本
案	に	つ	い	て	理	由	が	あ	る	と	み	え	る	

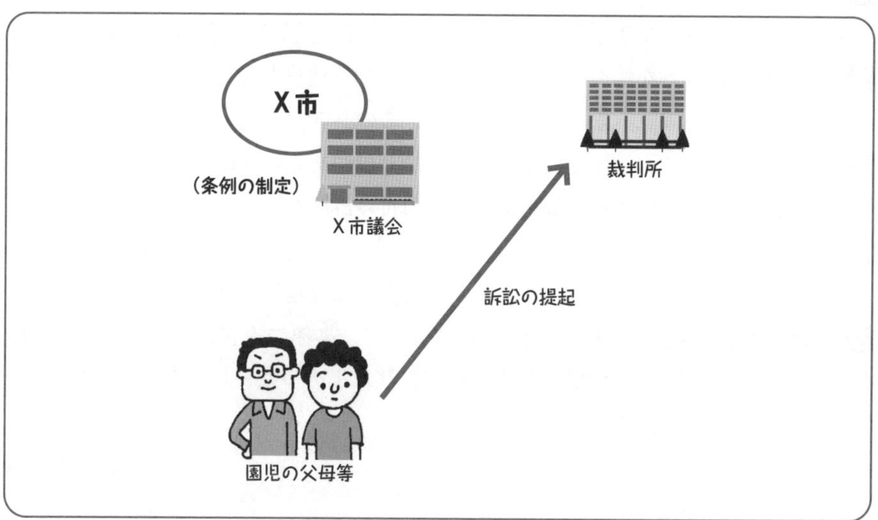

本問は、行政事件訴訟法における差止めの訴えに関する知識を問うものです。

差止めの訴えとは、行政庁が一定の処分または裁決をすべきでないにもかかわらずこれがされようとしている場合において、行政庁がその処分または裁決をしてはならない旨を命ずることを求める訴訟をいいます（3条7項）。

差止めの訴えの提起があった場合において、**その差止めの訴えに係る処分または裁決がされることにより生ずる償うことのできない損害を避けるため緊急の必要があり、かつ、本案について理由があるとみえるときは、裁判所は、申立てにより、決定をもって、仮に行政庁がその処分または裁決をしてはならない旨を命ずること（仮の差止め）ができます**（37条の5第2項）。

行政事件訴訟法／当事者訴訟

問題 182 **A県収用委員会は、起業者であるB市の申請に基づき、同市の市道の用地として、2,000万円の損失補償によってX所有の土地を収用する旨の収用裁決（権利取得裁決）をなした。この場合についての次の記述のうち、妥当なものはどれか。**

1 Xが土地の収用そのものを違法として争う場合には、収用裁決の取消しを求めることとなるが、この訴訟は、B市を被告とする形式的当事者訴訟となる。

2 収用裁決が無効な場合には、Xは、その無効を前提として、B市を被告として土地の所有権の確認訴訟を提起できるが、この訴訟は、抗告訴訟である。

3 Xが収用裁決に示された損失補償の額に不服がある場合には、A県を被告として、損失補償を増額する裁決を求める義務付け訴訟を提起すべきこととなる。

4 Xが収用裁決に示された損失補償の増額を求める訴訟を提起する場合については、裁決書が送達された日から法定の期間内に提起しなければならない。

5 収用裁決に示された損失補償の額について、高額に過ぎるとしてB市が不服であるとしても、行政機関相互の争いで、法律上の争訟には当たらないから、B市が出訴することは許されない。

【本試験2011年問16】

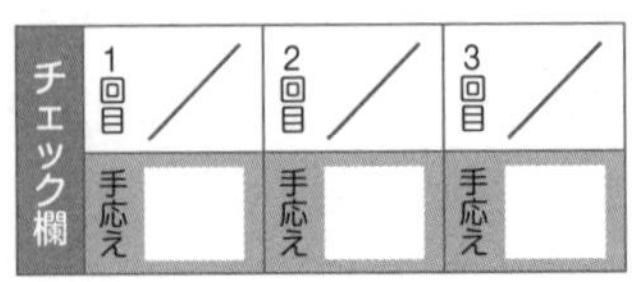

解説

テキスト
第3編

1 **妥当でない** Xが土地の**収用そのものを違法として争う場合には、収用裁決の取消しを求めることとなり、この訴訟は、抗告訴訟における取消訴訟となります**（土地収用法133条1項、行政事件訴訟法3条1項）。したがって、当該訴訟は、形式的当事者訴訟ではありません。 P.162

2 **妥当でない** **収用裁決が無効な場合には、Xは、その無効を前提として、B市を被告として土地の所有権の確認訴訟を提起できますが、この訴訟は、争点訴訟となります**（行政事件訴訟法45条）。したがって、当該訴訟は抗告訴訟ではありません。なお、争点訴訟とは、私法上の法律関係に関する訴訟において、その前提として、行政庁の処分等の存否又はその効力の有無が争われる「民事訴訟」をいい、単純に民事事件として処理するわけにもいかないので行政事件訴訟法の規定の一部を準用すべきことが規定されています。 P.149

3 **妥当でない** Xが収用裁決に示された**損失補償の額に不服がある場合には、B市を被告として形式的当事者訴訟を提起すべきこととなります**（土地収用法133条2項・3項、行政事件訴訟法4条）。 P.162

4 **妥当である** 収用委員会の裁決のうち損失の補償に関する形式的当事者訴訟は、裁決書の正本の送達を受けた日から6カ月以内に提起しなければなりません（土地収用法133条2項）。

5 **妥当でない** 収用裁決に示された**損失補償の額について、高額に過ぎるとしてB市が不服である場合は、土地所有者であるXを被告として形式的当事者訴訟を提起することができます**（土地収用法133条2項・3項）。 P.162

正解 4

本問は当事者訴訟に関する択一式問題ですが、翌年（2012年）には同じ事例で記述式問題が出題されています。このように、択一問題式が記述式問題に形を変えて出題されることがあります。

行政事件訴訟法／当事者訴訟

問題183 Xは、A県B市内に土地を所有していたが、B市による市道の拡張工事のために、当該土地の買収の打診を受けた。Xは、土地を手放すこと自体には異議がなかったものの、B市から提示された買収価格に不満があったため、買収に応じなかった。ところが、B市の申請を受けたA県収用委員会は、当該土地について土地収用法48条に基づく収用裁決（権利取得裁決）をした。しかし、Xは、この裁決において決定された損失補償の額についても、低額にすぎるとして、不服である。より高額な補償を求めるためには、Xは、だれを被告として、どのような訴訟を提起すべきか。また、このような訴訟を行政法学において何と呼ぶか。40字程度で記述しなさい。

【本試験2012年問44】

チェック欄	1回目	／	2回目	／	3回目	／
	手応え		手応え		手応え	

解説

テキスト▶第3編P.162

解答例（42字）

B	市	を	被	告	と	し	て	、	補	償	の	増	額	を
求	め	る	訴	訟	を	提	起	す	べ	き	で	あ	り	、
形	式	的	当	事	者	訴	訟	と	呼	ぶ	。			

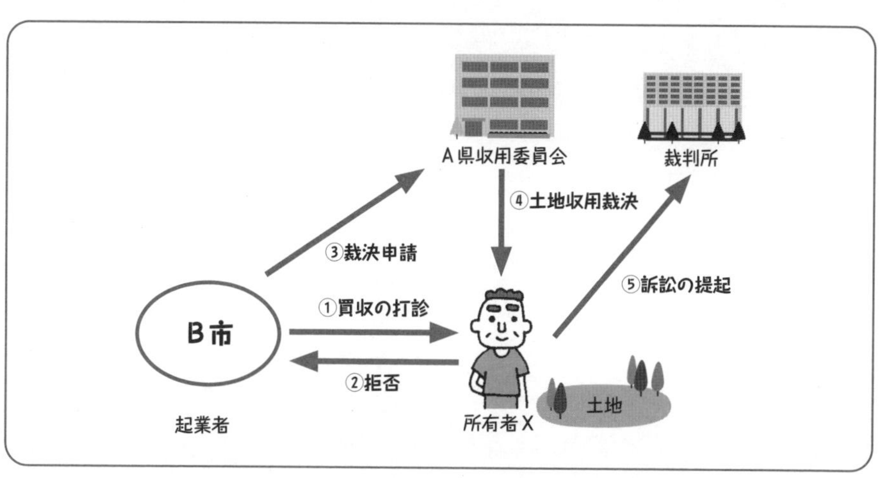

本問は、行政事件訴訟法上の「当事者訴訟」に関する理解を問うものです。

「当事者訴訟」とは、「当事者間の法律関係を確認し又は形成する処分又は裁決に関する訴訟で法令の規定によりその法律関係の当事者の一方を被告とするもの」（形式的当事者訴訟）および「公法上の法律関係に関する確認の訴えその他の公法上の法律関係に関する訴訟」（実質的当事者訴訟）をいいます（4条）。このうち「形式的当事者訴訟」の典型例として、土地収用法上の収用委員会の裁決のうち「損失の補償に関する訴え」（土地収用法133条2項・3項）があります。収用委員会の行う権利取得裁決（土地収用法48条）は行政行為であり、これについては取消訴訟の排他的管轄が及ぶのが原則であって、収用委員会の帰属する都道府県を被告として権利取得裁決の取消しを求めることになるはずです。しかし、**損失補償の部分については当事者間での解決に委ねて差し支えないと考えられます。**そこで、**損失補償額について不服を有する起業者（公共公益事業を行う主体）は、土地所有者または関係人を被告として減額請求訴訟を提起し、同様に、損失補償額につ**

いて不服を有する土地所有者または関係人は、起業者を被告として増額請求訴訟を提起することとしています（土地収用法133条2項・3項）。実質的に処分または裁決に関する不服の訴訟であるから抗告訴訟としての性質を有しますが、形式的には当事者間の権利義務に関する訴訟として争わせることとしているため、「形式的当事者訴訟」と呼ばれます。

本問では、起業者は「B市」です。したがって、より高額な補償を求めるXは、「B市」を被告として、補償の増額を求める訴訟を提起すべきです。

MEMO

国家賠償法

問題184 **国家賠償法第１条第１項の「公権力の行使」に関する次の記述のうち、妥当なものはどれか。**

1　本条における「公権力の行使」とは、国又は公共団体の公務員によるものであるため、公務員法上の公務員でない者がした行為について、本条の適用はない。

2　本条が適用された場合、加害行為をした公務員には求償権が行使されるため、損害賠償責任を成立させるためには、原告は加害公務員を個別に特定しなければならない。

3　県知事が児童福祉法に基づき社会福祉法人が設置する児童養護施設に入所させた児童について、社会福祉法人の職員が行った養護看護行為に問題があった場合は、当該法人は本条における公共団体にあたり、損害賠償責任を負う。

4　本条が適用された場合は、加害行為をした公務員は被害者に対して、行政機関としての地位においても、公務員個人としても、損害賠償責任を負わない。

5　外国人が被害者となった場合の国家賠償法の適用において、相互の保証を要するのは、本法第２条の場合に限られ、本法第１条の場合においては要しない。

【公務員試験アレンジ問題】

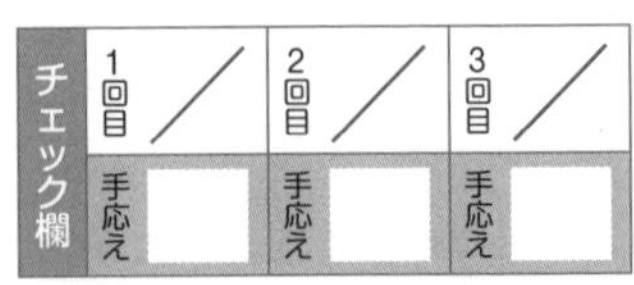

解説

テキスト
第3編

1 **妥当でない** 1条1項の「公権力の行使」について、判例・通説は、**国または公共団体の作用のうち、純粋な私経済作用と2条にいう営造物の管理作用を除くすべての作用をいう**としています（最判昭62.2.6）。公権力の行使であることが肯定されれば、そのような行為をする者は、公務員法上の公務員でなくても国家賠償法上の「公務員」となるので、その者がした行為には、それが公権力の行使にあたるのであれば、1条1項が適用されます。 P.171

2 **妥当でない** 判例は、公務員による一連の職務上の行為の過程において他人に被害を生ぜしめた場合において、それが**具体的にどの公務員のどのような違法行為によるものであるかを特定することができなくても、**その一連の行為のいずれかに行為者の故意または過失による違法行為があったのでなければ被害が生ずることはなかったであろうと認められ、それがどの行為であるにせよこれによる被害につき行為者の属する国または公共団体が法律上賠償の責任を負うべき関係が存在するときは、**国または公共団体は、加害行為不特定を理由に国家賠償責任を免れることはできない**としています（最判昭57.4.1）。 P.171

3 **妥当でない** 判例は、都道府県による児童福祉法上の措置に基づき社会福祉法人の設置運営する児童養護施設に入所した児童に対する当該施設の職員等による養育監護行為は、**都道府県の公権力の行使にあたるので、都道府県が当該行為による損害について賠償責任を負う**としました（最判平19.1.25）。つまり、判例は、当該養育監護行為は、**社会福祉法人が1条1項の公共団体にあたるので、当該社会福祉法人は当該養護監護行為による損害についての賠償責任を負うとしたわけではありません。** P.171

4 **妥当である** 判例は、公権力の行使にあたる公務員の職務行為に基づく損害については、国または公共団体が賠償の責めに任ずるのであって、**当該公務員は、行政機関としての地位においても、個人としても、被害者に対しその責任を負うものではない**としています（最判昭30.4.19）。 P.169

5 **妥当でない** 6条は、「この法律は、外国人が被害者である場合には、相互の保証があるときに限り、これを適用する」と定めており、同条の適用範囲を**2条の場合に限定していません。** P.177

正解 4

国家賠償法

問題185 **国家賠償法１条に関する次の記述のうち、最高裁判所の判例に照らし、妥当なものはどれか。**

1 通達は、本来、法規としての性質を有しない行政組織内部の命令にすぎず、その違法性を裁判所が独自に判断できるから、国の担当者が、法律の解釈を誤って通達を定め、この通達に従った取扱いを継続したことは、国家賠償法１条１項の適用上も当然に違法なものと評価される。

2 検察官は合理的な嫌疑があれば公訴を提起することが許されるのであるから、検察官が起訴した裁判において最終的に無罪判決が確定したからといって、当該起訴が国家賠償法１条１項の適用上も当然に違法となるわけではない。

3 裁判官のなす裁判も国家賠償法１条の定める「公権力の行使」に該当するが、裁判官が行う裁判においては自由心証主義が認められるから、裁判官の行う裁判が国家賠償法１条１項の適用上違法と判断されることはない。

4 国会議員の立法行為（立法不作為を含む。）は、国家賠償法１条の定める「公権力の行使」に該当するものではなく、立法の内容が憲法の規定に違反する場合であっても、国会議員の当該立法の立法行為は、国家賠償法１条１項の適用上違法の評価を受けることはない。

5 政府が、ある政策目標を実現するためにとるべき具体的な措置についての判断を誤り、ないしはその措置に適切を欠いたため当該目標を達成できなかった場合には、国家賠償法１条１項の適用上当然に違法の評価を受ける。

【本試験2017年問20】

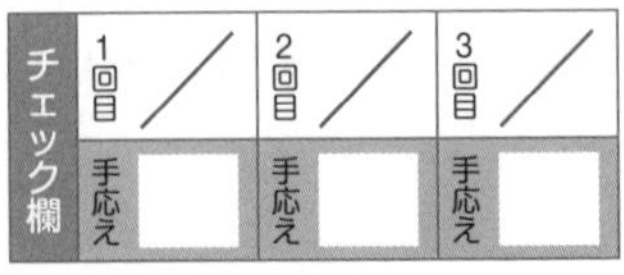

解説

テキスト
第3編

1 **妥当でない**　原爆医療法に基づき被爆者健康手帳を交付された被爆者が国外に居住を移した場合に健康管理手当等の受給権が失権の取扱いになると定めた通達は、被爆者の居住地が日本国内にあることを要求しない原爆二法およびその後に制定された被爆者援護法に反することは明らかですが、そのことから直ちに同通達を発出し、これに従った取扱いを継続した行為に違法があったことにはならず、**国の担当者が職務上通常尽くすべき注意義務を尽くすことなく漫然と当該行為をしたと認められるような事情がある場合に限り**、1条1項の適用上違法と評価されるとした判例があります（在外被爆者健康管理手当事件／最判平19.11.1）。

2 **妥当である**　判例は、「刑事事件において**無罪の判決が確定したというだけで直ちに起訴前の逮捕・勾留、公訴の提起・追行、起訴後の勾留が違法となるということはない。**」としています（最判昭53.10.20）。 P.173

3 **妥当でない**　判例は、「**裁判官がした争訟の裁判に上訴等の訴訟法上の救済方法によつて是正されるべき瑕疵が存在したとしても、これによつて当然に1条1項の規定にいう違法な行為があつたものとして国の損害賠償責任の問題が生ずるわけのものではなく、右責任が肯定されるためには、**当該裁判官が違法又は不当な目的をもつて裁判をしたなど、裁判官がその付与された権限の趣旨に明らかに背いてこれを行使したものと認めうるような**特別の事情があることを必要とすると解する**のが相当である。」としています（最判昭57.3.12）。

4 **妥当でない**　判例は、「**国会議員は、立法に関しては**、原則として、国民全体に対する関係で政治的責任を負うにとどまり、個別の国民の権利に対応した関係での法的義務を負うものではないというべきであつて、国会議員の立法行為は、立法の内容が憲法の一義的な文言に違反しているにもかかわらず国会があえて当該立法を行うというごとき、容易に想定し難いような**例外的な場合でない限り、1条1項の規定の適用上、違法の評価を受けない**ものといわなければならない。」としています（最判昭60.11.21）。 P.173

5 **妥当でない**　判例は、政府において「裁量的な政策判断を誤り、ないしはその措置に適切を欠いたため右目標を達成することができず、又はこれに反する結果を招いたとしても、これについて政府の政治的責任が問われることがあるのは格別、法律上の義務違反ないし違法行為として国家賠償法

解説

上の損害賠償責任の問題を生ずるものとすることはできない。」としています（最判昭57.7.15）。

正解　2

肢1や肢5は見たことがなかったかもしれませんが、国家賠償は「違法となりにくい」基準が採用されているので、「当然に違法」という表現が誤りと判断することもできます。

MEMO

国家賠償法

問題 186　国家賠償法に規定する公の営造物の設置又は管理の瑕疵に基づく損害賠償責任に関する次のア～エの記述のうち、最高裁判所の判例に照らして、妥当なものの組合せはどれか。

ア　道路の安全性を著しく欠如する状態で、道路上に故障車が約87時間放置されていたのに、道路管理者がこれを知らず、道路の安全保持のために必要な措置を全く講じていなかったというような状況のもとにおいても、道路交通法上、道路における危険を防止するために、違法駐車に対して規制を行うのは警察官であるから、当該道路管理者は損害賠償責任を負わない。

イ　国家賠償法にいう公の営造物の管理者は、必ずしも当該営造物について法律上の管理権ないしは所有権、賃借権等の権原を有している者に限られるものではなく、事実上の管理をしているにすぎない国又は公共団体も同法にいう公の営造物の管理者に含まれる。

ウ　未改修である河川の管理についての瑕疵の有無は、河川管理における財政的、技術的及び社会的諸制約の下でも、過渡的な安全性をもって足りるものではなく、通常予測される災害に対応する安全性を備えていると認められるかどうかを基準として判断すべきである。

エ　幼児が、公立中学校の校庭内のテニスコートの審判台に昇り、その後部から降りようとしたために転倒した審判台の下敷きになって死亡した場合において、当該審判台には、本来の用法に従って使用する限り、転倒の危険がなく、当該幼児の行動が当該審判台の設置管理者の通常予測し得ない異常なものであったという事実関係の下では、設置管理者は損害賠償責任を負わない。

1　ア・イ
2　ア・ウ
3　ア・エ
4　イ・ウ
5　イ・エ

【公務員試験アレンジ問題】

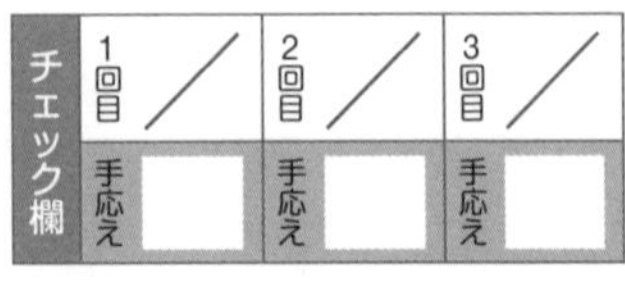

解説

テキスト 第3編

ア **妥当でない** 判例は、道路管理者は、道路を常時良好な状態に保つよう維持し、修繕し、もって一般交通に支障を及ぼさないように努める義務を負う（道路法42条1項）ので、**道路管理者が、道路上に故障車が約87時間放置されていることを知らず、道路の安全性を保持するのに必要な措置をまったく講じていなかったという場合、道路管理者の道路管理には瑕疵があったというほかない**として、道路管理者である県の責任を認めました（故障車放置事件／最判昭50.7.25）。 P.175

イ **妥当である** 判例は、普通河川で起きた転落事故に関する事例で、2条にいう公の営造物の管理者につき、必ずしも法律上の管理者ないしは所有権等の権原を有している者に限られるものではなく、**事実上の管理をしているにすぎない国または公共団体も、2条の管理者に含まれる**としました（最判昭59.11.29）。 P.175

ウ **妥当でない** **未改修の河川管理の瑕疵につき**、判例は、財政的・技術的・社会的制約のもとで一般に施行されてきた治水事業による改修・整備の過程に対応する**いわば過渡的な安全性をもって足りる**とし、当該河川の管理瑕疵の有無は、そうした諸制約のもとでの同種・同規模の河川の管理の一般水準および社会通念に照らして是認しうる安全性を備えていると認められるかどうかを基準として判断すべきであるとしました（大東水害訴訟／最判昭59.1.26）。 P.175

エ **妥当である** 判例は、テニスの審判台の通常有すべき安全性の有無は、本来の用途に従った使用を前提としたうえで、何らかの危険発生の可能性があるか否かによって決せられるべきであるとして、**幼児が当該審判台を設置管理者の通常予測しえない異常な方法で使用して生じた事故については、設置管理者に2条1項の損害賠償責任は生じない**としました（テニス審判台転倒事件／最判平5.3.30）。

以上より、妥当なものは**イ・エ**であり、正解は5となります。

正解 5

国家賠償法

問題 187 **国家賠償法に関する次の記述のうち、最高裁判所の判例に照らし、妥当なものはどれか。**

1　宅地建物取引業法は、宅地建物取引業者の不正な行為によって個々の取引関係者が被る具体的な損害の防止、救済を制度の直接の目的とするものであるから、不正な行為をした業者に対する行政庁の監督権限の不行使は、被害者との関係においても、直ちに国家賠償法１条１項の適用上違法の評価を受ける。

2　建築基準法に基づく指定を受けた民間の指定確認検査機関による建築確認は、それに関する事務が行政庁の監督下において行われているものではないため、国家賠償法１条１項の「公権力の行使」に当たらない。

3　公害に係る健康被害の救済に関する特別措置法、または同法を引き継いだ公害健康被害補償法*に基づいて水俣病患者の認定申請をした者が水俣病の認定処分を受けた場合でも、申請処理の遅延により相当の期間内に応答がなかったという事情があれば、当該遅延は、直ちに国家賠償法１条１項の適用上違法の評価を受ける。

4　裁判官がおこなう争訟の裁判については、その裁判の内容に上訴等の訴訟法上の救済方法で是正されるべき瑕疵が存在し、当該裁判官が付与された権限の趣旨に明らかに背いてこれを行使したと認め得るような事情がみられたとしても、国家賠償法１条１項の適用上違法の評価を受けることはない。

5　検察官が公訴を提起した裁判において、無罪の判決が確定したとしても、そのことから直ちに、起訴前の逮捕や勾留とその後の公訴の提起などが国家賠償法１条１項の適用上違法の評価を受けるということにはならない。

（注）＊　公害健康被害の補償等に関する法律

【本試験2020年問21】

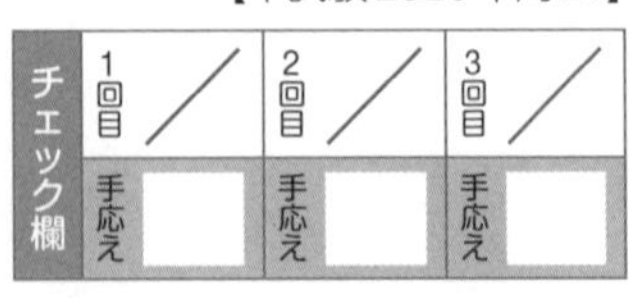

解説

テキスト
第3編

1 **妥当でない**　判例は、「当該業者の不正な行為により個々の取引関係者が損害を被った場合であっても、具体的事情の下において、知事等に監督処分権限が付与された趣旨・目的に照らし、その**不行使が著しく不合理と認められるときでない限り**、右権限の不行使は、当該取引関係者に対する関係で**国家賠償法1条1項の適用上違法の評価を受けるものではない**といわなければならない」としています（宅建業者事件／最判平元.11.24）。

2 **妥当でない**　判例は、「建築基準法の定めからすると、同法は、建築物の計画が建築基準関係規定に適合するものであることについての確認に関する事務を地方公共団体の事務とする前提に立った上で、指定確認検査機関をして、上記の確認に関する事務を特定行政庁の監督下において行わせることとしたということができる。」として、「指定確認検査機関の確認に係る建築物について確認をする権限を有する建築主事が置かれた地方公共団体は、指定確認検査機関の当該確認につき行政事件訴訟法21条1項所定の『当該処分又は裁決に係る事務の帰属する国又は公共団体』に当たるというべきであ」るとしたうえで、当該確認の取消請求を当該地方公共団体に対する損害賠償請求に変更することが相当であるとしています（東京建築検査確認機構事件／最決平17.6.24）。すなわち、**指定確認検査機関による建築確認は、国家賠償法1条1項の「公権力の行使」に当たります。**

3 **妥当でない**　判例は、「救済法及び補償法の中に、認定申請者の……私的利益に直接向けられた作為義務の根拠を見いだし難いとしても、一般に、処分庁が認定申請を相当期間内に処分すべきは当然であり、これにつき不当に長期間にわたって処分がされない場合には、早期の処分を期待していた申請者が不安感、焦燥感を抱かされ内心の静穏な感情を害されるに至るであろうことは容易に予測できることであるから、処分庁には、こうした結果を回避すべき条理上の作為義務があるということができる。」としたうえで、「処分庁が右の意味における作為義務に違反したといえるためには、**客観的に処分庁がその処分のために手続上必要と考えられる期間内に処分できなかったことだけでは足りず、その期間に比してさらに長期間にわたり遅延が続き、かつ、その間、処分庁として通常期待される努力によって遅延を解消できたのに、これを回避するための努力を尽くさなかったことが必要であると**解すべきである。」としています（水俣病認定遅延訴訟慰謝料請求事件／最判平3.4.26)。

4 **妥当でない** 判例は、「裁判官がした争訟の裁判に上訴等の訴訟法上の救済方法によって是正されるべき瑕疵が存在したとしても、これによって当然に国家賠償法1条1項の規定にいう違法な行為があったものとして国の損害賠償責任の問題が生ずるわけのものではなく、右責任が肯定されるためには、当該裁判官が違法又は不当な目的をもって裁判をしたなど、裁判官がその付与された権限の趣旨に明らかに背いてこれを行使したものと認めうるような特別の事情があることを必要とすると解するのが相当である。」としています（最判昭57.3.12）。

5 **妥当である** 判例は、「刑事事件において無罪の判決が確定したというだけで直ちに起訴前の逮捕・勾留、公訴の提起・追行、起訴後の勾留が違法となるということはない。」としています（最判昭53.10.20）。 P.173

正解 5

MEMO

損失補償

問題188 **土地収用に伴う土地所有者に対する損失補償について、妥当な記述はどれか。**

1　土地収用に伴う損失補償は、「相当な補償」で足るものとされており、その額については、収用委員会の広範な裁量に委ねられている。

2　土地収用に伴う損失補償を受けるのは、土地所有者等、収用の対象となる土地について権利を有する者に限られ、隣地の所有者等の第三者が補償を受けることはない。

3　収用委員会の収用裁決によって決定された補償額に起業者が不服のある場合には、土地所有者を被告として、その減額を求める訴訟を提起すべきこととされている。

4　土地収用に伴う土地所有者に対する補償は、その土地の市場価格に相当する額に限られ、移転に伴う営業利益の損失などは、補償の対象とされることはない。

5　土地収用に関しては、土地所有者の保護の見地から、金銭による補償が義務付けられており、代替地の提供によって金銭による補償を免れるといった方法は認められない。

【本試験2014年問20】

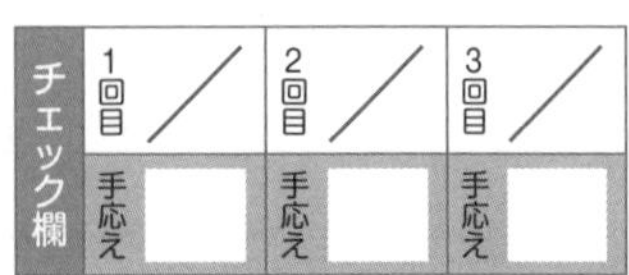

解説

テキスト 第3編

1 **妥当でない** 判例は、「**土地収用法**における損失の補償は、特定の公益上必要な事業のために土地が収用される場合、その収用によつて当該土地の所有者等が被る特別な犠牲の回復をはかることを目的とするものであるから、**完全な補償、すなわち、収用の前後を通じて被収用者の財産価値を等しくならしめるような補償をなすべき**」としています（倉吉都市計画街路事業用地収用事件／最判昭48.10.18）。

2 **妥当でない** 土地収用法によると、収用し、または使用する土地以外の土地に関する損失の補償も認められます（同法93条）。すなわち、**収用の対象となる土地の隣地の所有者等の第三者が補償を受けることもあります。**

3 **妥当である** 収用委員会の裁決のうち損失の補償の訴えは、裁決書の正本の送達を受けた日から6カ月以内に提起しなければなりません（土地収用法133条2項）。この訴えは、**これを提起した者が起業者であるときは土地所有者または関係人を、土地所有者または関係人であるときは起業者を、それぞれ被告としなければなりません**（同法133条3項）。 P.162

4 **妥当でない** **土地収用における損失補償の対象は**、被収用地にかかる財産権の対価にとどまらず、付随的な損失にも及びます。例えば、みぞかき補償（土地収用法75条）や**移転料補償**（同法77条）があります。 P.180

5 **妥当でない** 土地収用に関しては、**代替地の提供によって金銭による補償を免れるといった方法も認められます**（土地収用法82条1項・2項）。 P.180

正解 3

野畑のワンポイント

損失補償の方法や対象について、確認しておきましょう。

土地収用による移転に伴う営業利益の損失	対象となる
土地収用における損失補償について、金銭ではなく代替地の提供による補償	認められる
土地収用における損失補償について、長年住み慣れた土地を失うことによる精神的損失	対象とならない
経済的価値でない、歴史的・社会的価値	対象とならない
社会公共の秩序を維持し、国民の安全を守り、危険を防止する目的で行われる規制（消極規制・警察規制）で発生した損失	対象とならない

地方自治法／地方公共団体の種類

問題 189 **地方自治法の定める地方公共団体に関する次の記述のうち、誤っているものはどれか。**

1 地方公共団体の組合としては、全部事務組合と役場事務組合が廃止されたため、現在では一部事務組合と広域連合の二つがある。

2 国と地方公共団体間の紛争等を処理する機関としては、自治紛争処理委員が廃止され、代わりに国地方係争処理委員会が設けられている。

3 大都市等に関する特例としては、指定都市、中核市の二つに関するものが設けられている。

4 条例による事務処理の特例としては、都道府県知事の権限に属する事務の一部を条例に基づき市町村に委ねることが許されている。

5 特別地方公共団体である特別区としては、都に置かれる区のみがあり、固有の法人格を有する。

【本試験2013年問23改題】

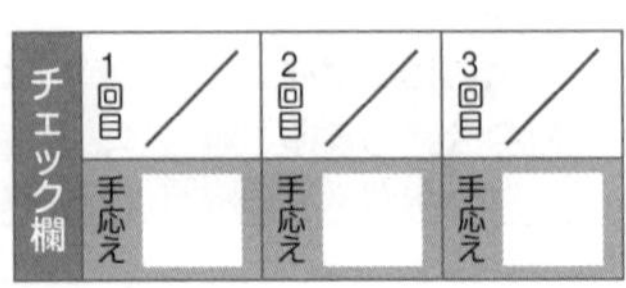

解説

テキスト
第3編

1 **正** 地方公共団体の組合としては、一部事務組合と広域連合があります(284条1項)。**全部事務組合と役場事務組合は、2011(平成23)年改正で廃止**されました。 P.186

2 **誤** **国の関与に関する国と地方公共団体との係争を処理する機関については、「国地方係争処理委員会」**が設けられています(250条の7以下)。**都道府県と市町村との係争を処理する機関については、「自治紛争処理委員」**が設けられています(251条以下)。 P.213

3 **正** 大都市等に関する特例としては、**指定都市、中核市の2つに関するものが設けられています**(252条の19、252条の22)。 P.185

4 **正** 都道府県は、都道府県知事の権限に属する事務の一部を、条例の定めるところにより、市町村が処理することとすることができます(252条の17の2第1項)。

5 **正** **特別区は、都の区です**(281条1項)。特別区は、特別地方公共団体の1つです(1条の3第3項)。地方公共団体は、法人です(2条1項)。 P.186

正解 2

地方公共団体の種類や大都市制度については比較的よく出題されています。
基本テキストをよく確認しておきましょう。

地方自治法／地方公共団体の種類

問題190　地方自治法の定める指定都市が区に代えて総合区を設ける場合に関する次のア～オの記述のうち、正しいものの組合せはどれか。

ア　総合区は、指定都市の区と同様に、指定都市が条例で設置する行政区画であり、法人格をもつ地方公共団体ではない。

イ　総合区の事務所またはその出張所の位置、名称および所管区域ならびに総合区の事務所が分掌する事務は、条例でこれを定めなければならない。

ウ　指定都市の市長は、総合区長を選任するに当たって議会の同意を得る必要はなく、また、総合区長の任期中においてもこれを解職することができる。

エ　指定都市の市長は、総合区の事務所またはその出張所の職員を任免する。

オ　総合区長は、歳入歳出予算のうち総合区長が執行する事務に係る部分に関して、指定都市の市長に対して意見を述べることができない。

1　ア・イ
2　ア・ウ
3　イ・オ
4　ウ・エ
5　エ・オ

【オリジナル問題】

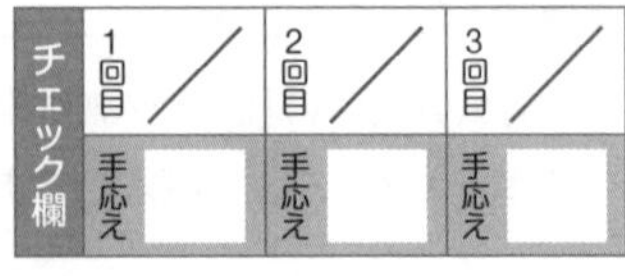

解説

テキスト 第3編

ア 正　指定都市は、その行政の円滑な運営を確保するため必要があると認めるときは、市長の権限に属する事務のうち特定の区の区域内に関するものを「総合区長」に執行させるため、条例で、当該区に代えて「総合区」を設け、総合区の事務所または必要があると認めるときはその出張所を置くことができます（252条の20の2第1項）。**「総合区」は、指定都市の区（行政区）と同様に、指定都市が条例で設置する行政区画であり、法人格をもつ地方公共団体ではありません。** P.185

イ 正　総合区の事務所またはその出張所の位置、名称および所管区域ならびに総合区の事務所が分掌する事務は、条例でこれを定めなければなりません（252条の20の2第2項）。

ウ 誤　総合区にその事務所の長として総合区長を置きます（252条の20の2第3項）。**総合区長は、市長が議会の同意を得てこれを選任します**（252条の20の2第4項）。**総合区長の任期は、4年**とします（252条の20の2第5項本文）。ただし、**市長は、任期中においてもこれを解職することができます**（252条の20の2第5項但書）。 P.185

エ 誤　**総合区長は**、総合区の事務所またはその出張所の職員（政令で定めるものを除く）を任免します（252条の20の2第9項本文）。ただし、指定都市の規則で定める主要な職員を任免する場合においては、あらかじめ、市長の同意を得なければなりません（252条の20の2第9項但書）。

オ 誤　総合区長は、歳入歳出予算のうち総合区長が執行する事務に係る部分に関し必要があると認めるときは、**市長に対し意見を述べることができます**（252条の20の2第10項）。

以上より、正しいものは**ア・イ**であり、正解は**1**となります。

正解 1

本問は難しかったかもしれませんが、肢アと肢ウがわかれば答えを出すことができます。
本試験でもこのような問題は出題されますので、難しくても諦めずに答えを出す努力をしましょう。

地方自治法／地方公共団体の組織

問題191 地方公共団体の長と議会との関係に関する次の記述のうち、正しいものはどれか。

1 長は必要があると思われるときには、議会に出席して自ら議案の説明をすることができるし、またそうしなければならない。

2 議会における条例の制定または改廃に関する議決に異議があるときは、長はその送付を受けた日から10日以内に理由を示してこれを再議に付することができる。

3 議会における予算に関する議決に異議があるときは、長はこれを再議に付することができるが、再議の結果、議会の議決が総議員の３分の２以上の多数で、再議に付された議決と同じ議決であるときは、その議決は確定する。

4 議会が、普通地方公共団体の義務に属する経費を削除する議決をしたときは、長は理由を示してこれを再議に付することができる。

5 議会が長の不信任議決を行うためには、過半数の議員が出席した上で、その３分の２以上の多数の者の賛成が必要である。

【公務員試験アレンジ問題】

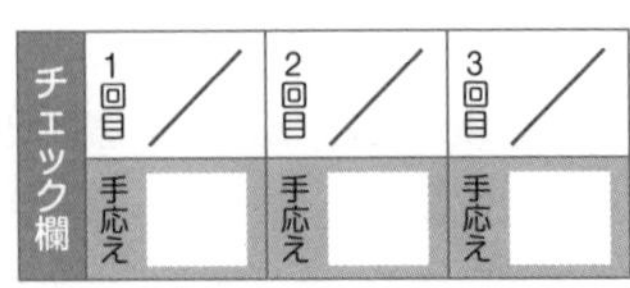

解説

テキスト 第3編

1 **誤**　普通地方公共団体の長は、議会の審議に必要な説明のため**議長から出席を求められたとき**は、原則として、議場に出席しなければなりません（121条本文）。内閣総理大臣の議院への出席（憲法63条）とは異なり、普通地方公共団体の長の議会への出席は「**議長から出席を求められたとき**」に限られます。

2 **正**　条例の制定もしくは改廃または予算に関する議決について異議があるときは、長は送付を受けた日から10日以内に理由を示して再議に付することができます（176条1項）。 P.195

3 **誤**　条例の制定もしくは改廃または予算に関する再議決は、**出席議員**の3分の2以上の者の同意が必要です（176条3項）。 P.195

4 **誤**　議会において普通地方公共団体の義務に属する経費を削除しまたは減額する議決をしたときは、その経費およびこれに伴う収入について、長は、理由を示して再議に**付さなければならない**とされています（177条1項1号）。 P.196

5 **誤**　**議会において長に対する不信任議決をするためには、議員数の3分の2以上の者が出席し、その4分の3以上の者の同意がなければならない**とされています（178条3項、同条1項）。 P.197

正解　2

長と議会の関係については、特に特別再議が重要です。
特別再議となるのはどのような場合か、確認しておきましょう。

【特別再議】※再議に付すのは義務

どのような状況か	再度同じ議決になった場合にどうなるか
①議会の議決が、その権限を越えている場合など（176条4項）	21日以内に、 ①都道府県の場合は知事から総務大臣に、 ②市町村の場合は都道府県知事に審査の申立てをし、その判断に不服があれば60日以内に裁判所へ出訴できる。
②義務費の削除・減額の議決がされた場合（177条1項1号）	義務費を予算に計上して支出できる。
③非常災害対策または感染症予防費の削除・減額の議決がされた場合（177条1項2号）	議会の議決を自らの不信任議決とみなすことができる。

地方自治法／住民の権利

住民の直接請求に関する次の記述のうち、正しいものはどれか。

1 住民の直接請求の制度は、条例の制定改廃請求・事務の監査請求・解職請求・住民訴訟の４つに限られている。

2 解職請求は選挙で選ばれた公務員についてのみこれを行うことができ、副市町村長および副知事については請求できない。

3 地方税の賦課徴収や手数料の徴収に関する条例の制定改廃については、住民の直接請求は認められない。

4 長の解職請求は、就職の日もしくは解職の投票の日から１年以内であってもこれをすることができる。

5 条例の制定改廃を請求するためには、選挙権を有する者の30分の１以上の者の連署が必要である。

【公務員試験アレンジ問題】

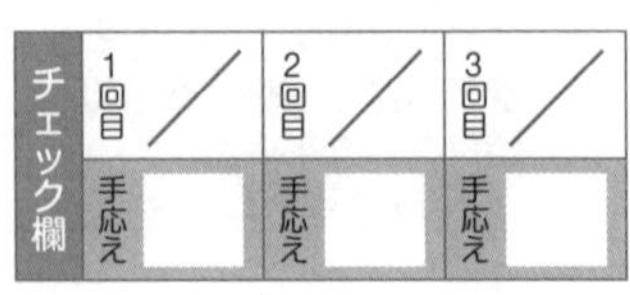

解説

テキスト
第3編

1 誤 地方自治においては、代表民主制を原則としていますが、住民が直接に地方行政に参加できる手段を加え、住民自治の充実を図っています。この直接民主主義の方式には、直接請求、住民監査請求、住民訴訟の3種類があります。そのうち、**直接請求制度には、①条例の制定・改廃請求**（12条1項）、②**事務監査請求**（12条2項）、③**議会の解散請求**（13条1項）、④**議会議員、長、および主要役職員の解職請求**（13条2項）の**4種類**があります。 P.201

2 誤 **日本国民たる普通地方公共団体の住民は**、その属する地方公共団体の**議会の議員、長、副知事もしくは副市町村長、指定都市の総合区長、選挙管理委員もしくは監査委員または公安委員会の委員の解職を請求する権利**を有します（13条2項）。 P.201

3 正 **日本国民たる普通地方公共団体の住民は**、その属する**地方公共団体の条例の制定または改廃を請求する権利を有します**（12条1項）。ただし、選挙人が地方税の廃止軽減の請求を濫用する傾向があることから、**地方税の賦課徴収ならびに分担金、使用料および手数料の徴収に関する条例は除かれています**（12条1項かっこ書）。 P.201

4 誤 住民は長の解職を請求する権利を有しますが、長の解職請求は、原則として**その就職の日および解職の投票の日から1年間はすることができない**とされています（84条本文）。公選で選ばれた長をすぐに解職させるのは責任ある参政権の行使とはいえないこと、および解職請求権行使の濫用を防止することがその理由となります。なお、同じ理由から、議会の議員の解職請求も、就職の日および解職の投票の日から1年間はすることができないとされており（84条本文）、また、主要役職員の解職請求についても、それぞれ制限期間が設けられています（88条）。

5 誤 条例の制定・改廃請求は、普通地方公共団体の議会の議員および長の選挙権を有する者の総数の**50分の1以上**の者の連署をもって、その代表者から、普通地方公共団体の長に対してなされます（74条1項）。 P.201

正解 3

地方自治法／住民の権利

問題 193 **地方自治法の規定による住民監査請求と事務監査請求の相違について、妥当な記述はどれか。**

1 住民監査請求をすることができる者は、当該地方公共団体の住民のみに限られているが、事務監査請求については、当該事務の執行に特別の利害関係を有する者であれば、当該地方公共団体の住民以外でもすることができることとされている。

2 住民監査請求については、対象となる行為があった日または終わった日から一定期間を経過したときは、正当な理由がある場合を除き、これをすることができないこととされているが、事務監査請求については、このような請求期間の制限はない。

3 住民監査請求の対象となるのは、いわゆる財務会計上の行為または怠る事実であるとされているが、こうした行為または怠る事実は、事務監査請求の対象となる当該地方公共団体の事務から除外されている。

4 住民監査請求においては、その請求方式は、当該行為の一部または全部の差止の請求などの４種類に限定されており、それ以外の請求方式は認められていないが、事務監査請求については、このような請求方式の制限はない。

5 住民監査請求においては、監査の結果に不服のある請求者は、住民訴訟を提起することができることとされているが、事務監査請求においては、監査の結果に不服のある請求者は、監査結果の取消しの訴えを提起できることとされている。

【本試験2013年問21】

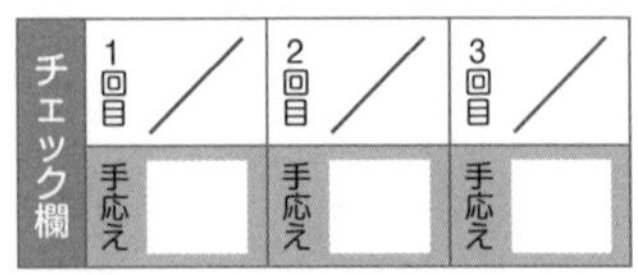

解説

テキスト 第3編

1 **妥当でない** **住民監査請求をすることができる者は、「普通地方公共団体の住民」**です（242条1項）。また、**事務監査請求をすることができる者は、「日本国民たる普通地方公共団体の住民」**となります（12条2項）。 P.202

2 **妥当である** 住民監査請求は、対象となる行為があった日または終わった日から1年を経過したときは、正当な理由がある場合を除き、これをすることができません（242条2項）。事務監査請求については、このような請求期間の制限はありません。 P.202

3 **妥当でない** **住民監査請求の対象となるのは、いわゆる財務会計上の行為または怠る事実です**（242条1項）。こうした行為・怠る事実は、**事務監査請求の対象となる当該地方公共団体の事務から除外されていません**（75条1項参照）。 P.203

4 **妥当でない** 住民監査請求においては、その請求方式は、当該行為の一部または全部の差止めの請求などの4種類に限定されていません（242条1項参照）。**事務監査請求については、このような請求の方式の制限はありません。**なお、このように請求方式が4種類に限定されているのは、住民訴訟です（242条の2第1項1号～4号）。 P.202

5 **妥当でない** **住民監査請求においては、監査の結果に不服のある請求者は、住民訴訟を提起することができます**（242条の2第1項）。**事務監査請求においては、監査の結果に不服のある請求者は、監査の結果の取消しの訴えを提起できるとはされていません。** P.203

正解 2

住民監査請求と事務監査請求の比較については本試験でも頻出です。必ず比較しておくようにしましょう。

【住民監査請求と事務監査請求】

	住民監査請求	事務監査請求
請求権者	住民であればよい	選挙権を有する住民 ※50分の1以上の連署
請求対象	財務会計上の行為または怠る事実	地方公共団体の事務全般
監査結果に対する訴訟	住民訴訟ができる	住民訴訟ができない

地方自治法／住民の権利

問題194 **住民について定める地方自治法の規定に関する次のア〜オの記述のうち、正しいものの組合せはどれか。**

ア　市町村の区域内に住所を有する者は、当該市町村およびこれを包括する都道府県の住民とする。

イ　住民は、日本国籍の有無にかかわらず、その属する普通地方公共団体の選挙に参与する権利を有する。

ウ　住民は、法律の定めるところにより、その属する普通地方公共団体の役務の提供をひとしく受ける権利を有し、その負担を分任する義務を負う。

エ　日本国民たる普通地方公共団体の住民は、その属する普通地方公共団体のすべての条例について、その内容にかかわらず、制定または改廃を請求する権利を有する。

オ　都道府県は、別に法律の定めるところにより、その住民につき、住民たる地位に関する正確な記録を常に整備しておかなければならない。

1　ア・ウ
2　ア・オ
3　イ・ウ
4　イ・エ
5　エ・オ

【本試験2020年問22】

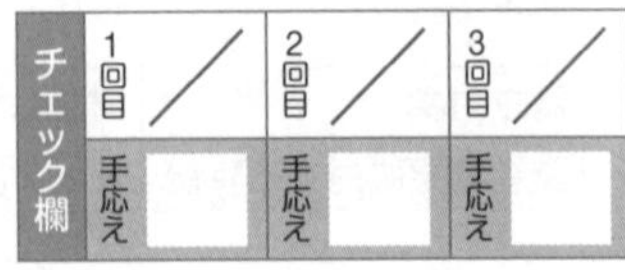

解説

テキスト
第3編

ア **正**　市町村の区域内に住所を有する者は、当該市町村およびこれを包括する都道府県の住民とします（10条1項）。

イ **誤**　**日本国民たる普通地方公共団体の住民**は、地方自治法の定めるところにより、その属する**普通地方公共団体の選挙に参与する権利**を有します（11条）。そして、**日本国民たる年齢満18年以上の者で引き続き3カ月以上市町村の区域内に住所を有するもの**は、別に法律の定めるところにより、その属する**普通地方公共団体（都道府県・市町村）の議会の議員および長（都道府県知事・市町村長）の選挙権**を有します（18条）。 P.200

ウ **正**　住民は、法律の定めるところにより、その属する普通地方公共団体の役務の提供をひとしく受ける権利を有し、その負担を分任する義務を負います（10条2項）。

エ **誤**　**日本国民たる普通地方公共団体の住民**は、地方自治法の定めるところにより、その属する普通地方公共団体の条例（**地方税の賦課徴収ならびに分担金、使用料および手数料の徴収に関するものを除く。**）の制定または改廃を請求する権利を有します（12条1項）。 P.201

オ **誤**　**市町村**は、別に法律の定めるところにより、その住民につき、住民たる地位に関する正確な記録を常に整備しておかなければなりません（13条の2）。

以上より、正しいものは**ア**・**ウ**であり、正解は**1**となります。

正解　1

地方自治法／住民の権利

問題 195 X市の住民Yは、X市が住民Zに対して違法な公金の支出をしたと主張して、その公金を返還させるために、監査委員に対する住民監査請求を経た上で、地方自治法242条の2第1項4号の規定に基づく住民訴訟を提起しようと考えている。この住民訴訟において、Yは、どのようなことをすることをだれに対して求める請求をすべきであるか。「Yは、」に続けて、40字程度で記述しなさい。

Yは、

									10					15

【オリジナル問題】

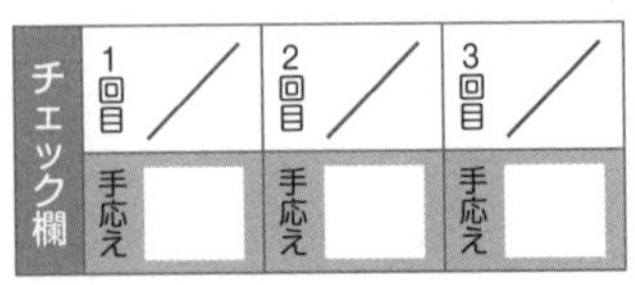

解説

テキスト▶第3編P.205

解答例（37字）

Yは、

Ｚ	に	不	当	利	得	返	還	の	請	求	を	す	る	こ
と	を	Ｘ	市	長	に	対	し	て	求	め	る	請	求	を
す	べ	き	で	あ	る	。								

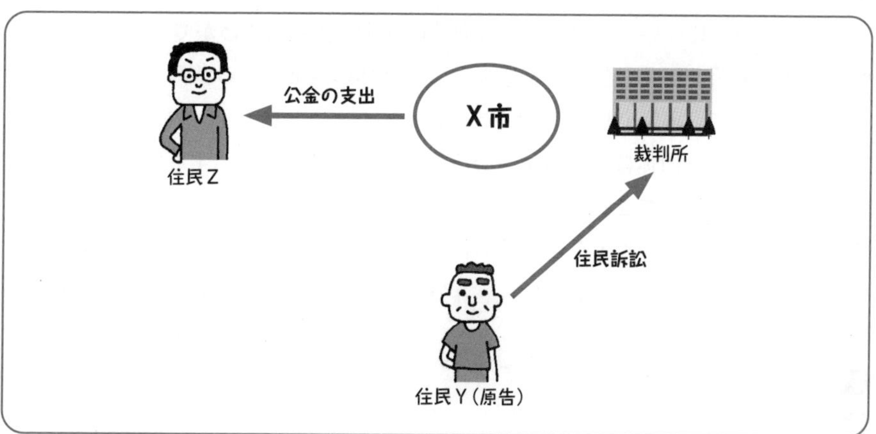

本問は、地方自治法における住民訴訟に関する知識を問うものです。

242条の2第1項4号の規定に基づく住民訴訟（4号請求訴訟）は、住民監査請求をした場合において、「**当該職員又は当該行為若しくは怠る事実に係る相手方に損害賠償又は不当利得返還の請求をすることを当該普通地方公共団体の執行機関又は職員に対して求める請求**」となります（242条の2第1項4号）。

X県の住民Yは、X市が住民Zに対して違法な公金の支出をしたと主張して、その公金を返還させるために、監査委員に対する住民監査請求を経たうえで、住民Zに不当利得返還の請求をすることをX市の執行機関としてのX市長に対して（X市長を被告として）求める請求をすべきです。

地方自治法／条例・規則

問題 196 **地方公共団体の定める条例と規則に関する次のア～オの記述のうち、正しいものの組合せはどれか。**

ア 普通地方公共団体は、その事務に関し、条例を制定し、それに違反した者について、懲役などの刑罰の規定を設けることができる。

イ 普通地方公共団体の長は、その権限に属する事務に関し、規則を制定し、それに違反した者について、罰金などの刑罰の規定を設けることができる。

ウ 普通地方公共団体の長は、普通地方公共団体の議会による条例の制定に関する議決について、再議に付すことができる。

エ 普通地方公共団体は、公の施設の設置およびその管理に関する事項につき、その長の定める規則でこれを定めなければならない。

オ 日本国民たる普通地方公共団体の住民は、当該普通地方公共団体の条例の定めるところにより、その属する普通地方公共団体の選挙に参与する権利を有する。

1 ア・イ
2 ア・ウ
3 イ・オ
4 ウ・エ
5 エ・オ

【本試験2018年問23】

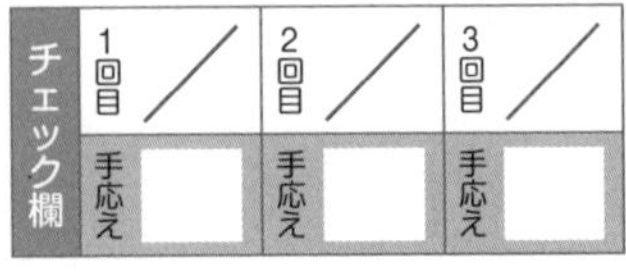

解説

テキスト 第3編

ア **正**　普通地方公共団体は、**法令に違反しない限りにおいて2条2項の事務に関し、条例を制定することができます**（14条1項）。普通地方公共団体は、法令に特別の定めがあるものを除くほか、その**条例中に、条例に違反した者に対し、2年以下の懲役もしくは禁錮、100万円以下の罰金、拘留、科料もしくは没収の刑または5万円以下の過料を科する旨の規定を設けることができます**（14条3項）。 P.206

イ **誤**　普通地方公共団体の長は、**法令に違反しない限りにおいて、その権限に属する事務に関し、規則を制定することができます**（15条1項）。普通地方公共団体の長は、法令に特別の定めがあるものを除くほか、普通地方公共団体の規則中に、規則に違反した者に対し、5万円以下の過料を科する旨の規定を設けることができます（15条2項）。すなわち、**普通地方公共団体の長は、規則に違反した者について、罰金などの刑罰の規定を設けることができません。** P.207

ウ **正**　普通地方公共団体の議会の議決について異議があるときは、当該普通地方公共団体の長は、地方自治法に特別の定めがあるものを除くほか、その議決の日（条例の制定もしくは改廃または予算に関する議決については、その送付を受けた日）から10日以内に理由を示してこれを再議に付することができます（176条1項）。 P.195

エ **誤**　普通地方公共団体は、法律またはこれに基づく政令に特別の定めがあるものを除くほか、**公の施設の設置およびその管理に関する事項は、条例でこれを定めなければなりません**（244条の2第1項）。 P.208

オ **誤**　日本国民たる普通地方公共団体の住民は、**地方自治法**の定めるところにより、その属する普通地方公共団体の選挙に参与する権利を有します（11条）。

以上より、正しいものは**ア・ウ**であり、正解は**2**となります。

正解 2

条例と規則は、刑罰の規定を設けることができるかという点で大きな違いがあります。肢アと肢イがわかれば正解できる問題なので、取りこぼさないようにしましょう。

地方自治法／公の施設

問題 197 **地方自治法が定める公の施設に関する次の記述のうち、誤っているものはどれか。**

1 普通地方公共団体は、法律またはこれに基づく政令に特別の定めがあるものを除くほか、公の施設の設置に関する事項を、条例で定めなければならない。

2 普通地方公共団体は、住民が公の施設を利用することについて、不当な差別的取扱いをしてはならないが、正当な理由があれば、利用を拒むことができる。

3 普通地方公共団体は、公の施設を管理する指定管理者の指定をしようとするときは、あらかじめ議会の議決を経なければならない。

4 公の施設は、住民の利用に供するために設けられるものであり、普通地方公共団体は、その区域外において、公の施設を設けることはできない。

5 普通地方公共団体が、公の施設の管理を指定管理者に行わせる場合には、指定管理者の指定の手続等の必要な事項を条例で定めなければならない。

【本試験2017年問22】

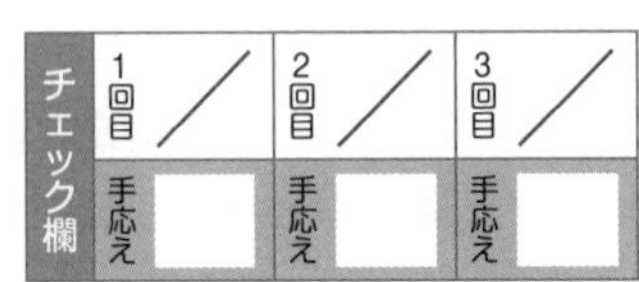

解説

テキスト 第3編

1 **正**　普通地方公共団体は、法律またはこれに基づく政令に特別の定めがあるものを除くほか、**公の施設の設置およびその管理に関する事項は、条例でこれを定めなければなりません**（244条の2第1項）。 P.208

2 **正**　普通地方公共団体は、**住民が公の施設を利用することについて、不当な差別的取扱いをしてはなりません**（244条3項）。普通地方公共団体は、正当な理由がない限り、住民が公の施設を利用することを拒んではなりません（244条2項）。 P.208

3 **正**　普通地方公共団体は、**指定管理者の指定をしようとするときは、あらかじめ、当該普通地方公共団体の議会の議決を経なければなりません**（244条の2第6項）。 P.210

4 **誤**　普通地方公共団体は、**その区域外においても、また、関係普通地方公共団体との協議により、公の施設を設けることができます**（244条の3第1項）。 P.208

5 **正**　普通地方公共団体は、公の施設の設置の目的を効果的に達成するため必要があると認めるときは、**条例の定めるところにより、指定管理者に、当該公の施設の管理を行わせることができます**（244条の2第3項）。この条例には、指定管理者の指定の手続、指定管理者が行う管理の基準および業務の範囲その他必要な事項を定めるものとされています（244条の2第4項）。 P.210

正解　4

公の施設については過去にもよく出題されています。条文に即した基本的な論点しか問われないので、得点源にしましょう。

地方自治法／国の関与

問題198 **地方自治法が定める地方公共団体の事務に関する次のア～オの記述のうち、誤っているものの組合せはどれか。**

ア 自治事務とは、自らの条例またはこれに基づく規則により都道府県、市町村または特別区が処理することとした事務であり、都道府県、市町村および特別区は、当該条例または規則に違反してその事務を処理してはならない。

イ 第一号法定受託事務とは、法律またはこれに基づく政令により都道府県、市町村または特別区が処理することとされる事務のうち、国が本来果たすべき役割に係るものであって、国においてその適正な処理を特に確保する必要があるものとして法律またはこれに基づく政令に特に定めるものである。

ウ 各大臣は、その担任する事務に関し、都道府県の自治事務の処理が法令の規定に違反していると認めるとき、または著しく適正を欠き、かつ、明らかに公益を害していると認めるときは、当該都道府県に対し、当該自治事務の処理について違反の是正または改善のため必要な措置を講ずべきことを求めることができる。

エ 各大臣は、その所管する法律またはこれに基づく政令に係る都道府県の法定受託事務の処理が法令の規定に違反していると認めるとき、または著しく適正を欠き、かつ、明らかに公益を害していると認めるときは、当該都道府県に対し、当該法定受託事務の処理について違反の是正または改善のため講ずべき措置に関し、必要な指示をすることができる。

オ 各大臣は、その所管する法律に係る都道府県知事の法定受託事務の執行が法令の規定に違反する場合、当該都道府県知事に対して、期限を定めて、当該違反を是正すべきことを勧告し、さらに、指示することができるが、当該都道府県知事が期限までに当該事項を行わないときは、地方裁判所に対し、訴えをもって、当該事項を行うべきことを命ずる旨の裁判を請求することができる。

1 ア・イ
2 ア・オ
3 イ・エ
4 ウ・エ
5 ウ・オ

【本試験2016年問23】

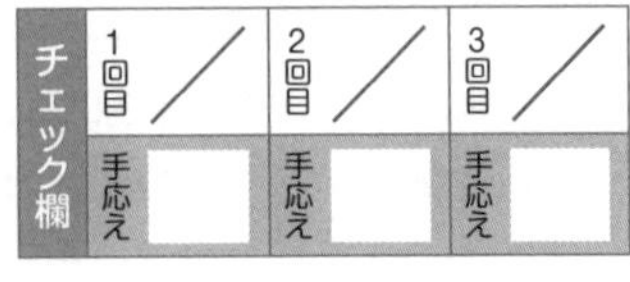

解説

テキスト
第3編

ア **誤** **「自治事務」とは、地方公共団体が処理する事務のうち、法定受託事務以外のもの**をいいます（2条8項）。また、地方公共団体は、法令に違反してその事務を処理してはなりません（2条16項前段）。市町村および特別区は、当該都道府県の条例に違反してその事務を処理してはなりません（2条16項後段）。 P.188

イ **正** **第一号法定受託事務とは、**法律またはこれに基づく政令により**都道府県、市町村または特別区が処理することとされる事務のうち、国が本来果たすべき役割に係るものであって、国においてその適正な処理を特に確保する必要があるものとして法律またはこれに基づく政令に特に定めるもの**をいいます（2条9項1号）。 P.188

ウ **正** 各大臣は、その担任する事務に関し、**都道府県の自治事務の処理が法令の規定に違反していると認めるとき、または著しく適正を欠き、かつ、明らかに公益を害していると認めるときは、**当該都道府県に対し、**当該自治事務の処理について違反の是正または改善のため必要な措置を講ずべきことを求めることができます**（245条の5第1項）。 P.211

エ **正** 各大臣は、その所管する法律またはこれに基づく政令に係る**都道府県の法定受託事務の処理が法令の規定に違反していると認めるとき、または著しく適正を欠き、かつ、明らかに公益を害していると認めるときは、**当該都道府県に対し、**当該法定受託事務の処理について違反の是正または改善のため講ずべき措置に関し、必要な指示をすることができます**（245条の7第1項）。 P.211

オ **誤** 各大臣は、その所管する法律に係る**都道府県知事の法定受託事務の執行が法令の規定に違反するものがある場合において、当該都道府県知事に対して、期限を定めて、当該違反を是正すべきことを勧告し**（245条の8第1項）、**都道府県知事がその期限までに勧告に係る事項を行わないときは、文書により、当該都道府県知事に対し、期限を定めて当該事項を行うべきことを指示することができます**（245条の8第2項）。それでもなお都道府県知事がその期限までに当該事項を行わないときは、各大臣は、**高等裁判所に対し、訴えをもって、**当該事項を行うべきことを命ずる旨の裁判を請求することができます（245条の8第3項）。 P.212

以上より、誤っているものは**ア・オ**であり、正解は**2**となります。

正解 2

地方自治法／国の関与

問題 199 **次の文章の空欄 ア ～ エ に当てはまる語句を、枠内の選択肢（1～20）から選びなさい。**

都道府県の自治事務の処理が法令の規定に違反していると認めるときに、国の関与によって事務処理の適法性を確保する手段として、国による ア の制度が設けられている。 ア を受けた都道府県は、それに応じた措置を講ずる義務を負うことになる。これを不服とする当該都道府県知事は、 イ への審査の申出等を経て、 ウ 裁判所に対し国の関与に関する訴えを提起することによって、 ア の適法性を争うことができる。なお、国の関与に関する訴えは、行政事件訴訟法上の エ に属することを前提として、同法の規定の一部が準用されないこととされている。

しかし、国の側から審査の申出および国の関与に関する訴えの提起をすることができないから、都道府県の側に不服があり、 ア に応じた措置を講じない場合であっても、審査の申出および国の関与に関する訴えの提起を行わない場合は、問題が解決されない状態が継続することになる。こうした問題を解決するため、2012（平成24）年の地方自治法改正により、地方公共団体の不作為に関する国の訴えの制度が創設された。

1 当事者訴訟	2 内閣総理大臣	3 家庭	4 自治紛争処理委員
5 機関訴訟	6 義務付け訴訟	7 最高	8 国地方係争処理委員会
9 是正の要求	10 是正の勧告	11 地方	12 資料の提出の要求
13 総務大臣	14 差止訴訟	15 高等	16 行政不服審査会
17 民衆訴訟	18 是正の指示	19 簡易	20 技術的な助言

【オリジナル問題】

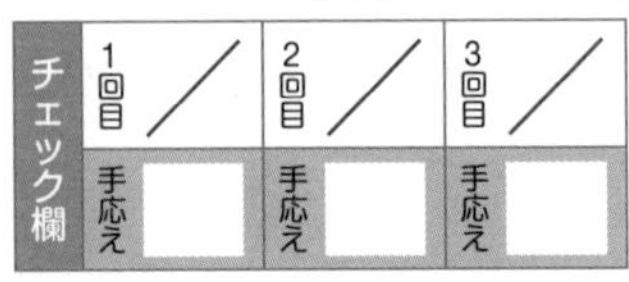

解説

テキスト▶第3編P.211

本問は、地方自治法における国の関与に関する知識を問うものです。

都道府県の自治事務の処理が法令の規定に違反していると認めるときに、国の関与によって事務処理の適法性を確保する手段として、国による(ア) **是正の要求**の制度が設けられている（245条の5第1項）。(ア) **是正の要求**を受けた都道府県は、それに応じた措置を講ずる義務を負うことになる(245条の5第5項)。これを不服とする当該都道府県知事は、(イ) **国地方係争処理委員会**への審査の申出等を経て（250条の13、250条の14）、(ウ) **高等**裁判所に対し国の関与に関する訴えを提起することによって、(ア) **是正の要求**の適法性を争うことができる（251条の5）。なお、国の関与に関する訴えは、行政事件訴訟法上の(エ) **機関訴訟**に属することを前提として、同法の規定の一部が準用されないこととされている（251条の5第8項・9項）。

しかし、国の側から審査の申出および国の関与に関する訴えの提起をすることができないから、都道府県の側に不服があり、(ア) **是正の要求**に応じた措置を講じない場合であっても、審査の申出および国の関与に関する訴えの提起を行わない場合は、問題が解決されない状態が継続することになる。こうした問題を解決するため、2012（平成24）年の地方自治法改正により、地方公共団体の不作為に関する国の訴えの制度が創設された（251条の7）。

以上より、**ア**には**9**＝「是正の要求」、**イ**には**8**＝「国地方係争処理委員会」、**ウ**には**15**＝「高等」、**エ**には**5**＝「機関訴訟」が入ります。

正解　ア：9、イ：8、ウ：15、エ：5

MEMO

MEMO

第4編

商法

著者の**野畑講師**が解説！

書籍購入者限定
無料解説動画

アクセスは
こちら

重要問題や間違えやすい問題をピックアップして解説しています。

※動画の視聴開始日・終了日は、
専用サイトにてご案内いたします。

※ご視聴の際の通信料はお客様負担となります。

URL

https://www.lec-jp.com/gyousei/book/member/torisetsu/2025_mondai.html

商法総則

問題 200　商人および商行為に関する次の記述のうち、商法の規定に照らし、正しいものはどれか。

1　商人とは、自己の計算において商行為をすることを業とする者をいう。

2　店舗によって物品を販売することを業とする者は、商行為を行うことを業としない者であっても、商人とみなされる。

3　商人の行為は、その営業のためにするものとみなされ、全て商行為となる。

4　商法は一定の行為を掲げて商行為を明らかにしているが、これらの行為は全て営業としてするときに限り商行為となる。

5　商行為とは、商人が営業としてする行為または営業のためにする行為のいずれかに当たり、商人でない者の行為は、商行為となることはない。

【本試験2017年問36】

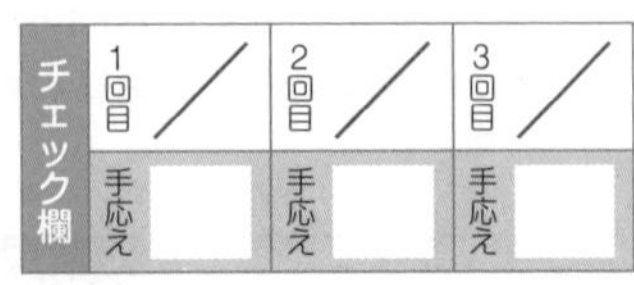

解説

テキスト
第4編

1 **誤** 商人とは、**自己の名をもって商行為をすることを業とする者**をいいます（4条1項）。

2 **正** **店舗その他これに類似する設備によって物品を販売することを業とする者**または鉱業を営む者は、**商行為を行うことを業としない者であっても、商人とみなされます**（4条2項）。 P.7

3 **誤** 商人の行為は、その営業のためにするものと**推定**されます（503条2項）。

4 **誤** 商法501条各号の行為（①投機購買およびその実行行為、②投機売却およびその実行行為、③取引所においてする取引、④手形その他商業証券に関する行為）は、**営業としてしなくても、商行為となります**（絶対的商行為）。 P.8

5 **誤** 商法501条各号の行為（①投機購買およびその実行行為、②投機売却およびその実行行為、③取引所においてする取引、④手形その他商業証券に関する行為）は、**商人でない者が行っても、商行為となります**（絶対的商行為）。 P.8

正解 2

「商法がだれに適用されるのか」について、復習しておきましょう。
絶対的商行為と、営業的商行為の違いについても重要です。

【商法の適用】

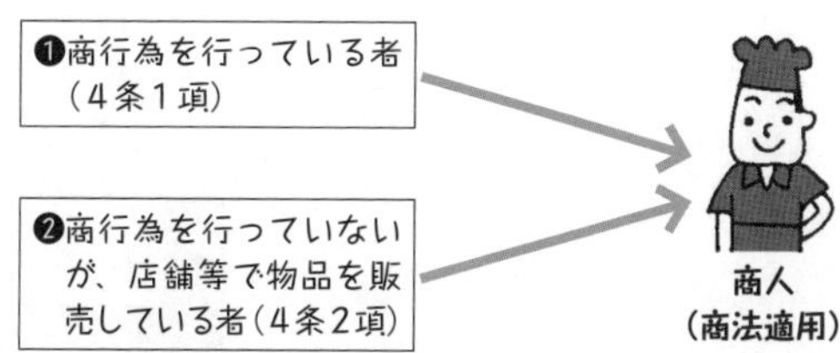

商法総則

個人商人（小商人に当たる者を除く。）の商号に関する次の記述のうち、商法の規定に照らし、正しいものはどれか。

1 自己の商号を使用して営業を行うことを他人に許諾した商人は、当該商人がその営業を行うものと誤認して当該他人と取引をした者に対し、その取引によって生じた債務を当該他人の財産をもって完済することができない場合に限り、連帯してその債務を弁済する責任を負う。

2 商人は、営業とともにする場合でなければ、商号を譲渡することができない。

3 登記した商号の譲渡は、その登記をしなければ、第三者に対抗することができない。

4 商人の商号は、その商人の氏または名を含まなければならない。

5 商人は、自己と誤認されるおそれのある名称を不正の目的をもって使用する者がある場合において、その名称の使用によって営業上の利益が侵害されたときであっても、商号の登記をしていない限り、その侵害の停止を請求することができない。

【オリジナル問題】

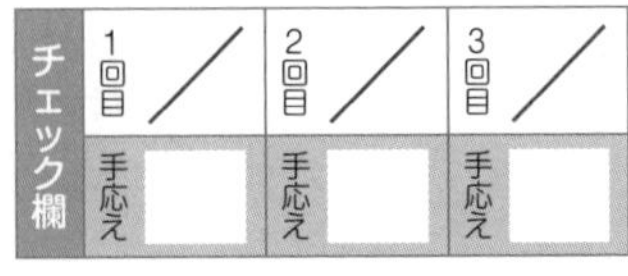

解説

テキスト
第4編

1 **誤** 自己の商号を使用して営業または事業を行うことを他人に許諾した商人は、**当該商人が当該営業を行うものと誤認して当該他人と取引をした者に対し、当該他人と連帯して、当該取引によって生じた債務を弁済する責任を負います**（14条）。すなわち、自己の商号を使用して営業を行うことを他人に許諾した商人は、当該他人の財産をもって完済することができない場合でなくても、当該取引によって生じた債務を当該他人と連帯して弁済する責任を負うことになります。 P.10

2 **誤** 商人の商号は、**営業とともにする場合または営業を廃止する場合に限り、譲渡することができます**（15条1項）。これは、商号の財産的価値と商号の背後の商人についての一般公衆の誤認を避けることを考慮したものです。

3 **正** 商号の譲渡は、登記をしなければ、第三者に対抗することができません（15条2項）。

4 **誤** 商人は、その氏、氏名その他の名称をもってその商号とすることができます（11条1項）。このように、**商人は自己の営業の実体にかかわらず、自由に商号を選定することができます**。これを**商号選定自由の原則**といいます。それゆえ、商人の商号は、その商人の氏または名を含まなくてもよいことになります。 P.9

5 **誤** **何人も、不正の目的をもって、他の商人であると誤認されるおそれのある名称または商号を使用してはならず**（12条1項）、これに違反する名称または商号の使用によって**営業上の利益を侵害され、または侵害されるおそれがある商人は**、その営業上の利益を侵害する者または侵害するおそれがある者に対し、**その侵害の停止または予防を請求することができます**（12条2項）。この権利は、**商人がその商号について登記しているかどうかにかかわらず、認められます**。 P.9

正解 3

商法総則

商業使用人に関する次のア～オの記述のうち、正しいものの組合せはどれか。

ア　支配人は、商人に代わってその営業に関する一切の裁判上または裁判外の行為をなす権限を有し、支配人の代理権に加えた制限は、それを登記した場合に、これをもって善意の第三者に対抗することができる。

イ　支配人は、商人の許可がなければ自ら営業を行うことができないが、商人の許可がなくとも自己または第三者のためにその商人の営業の部類に属する取引を行うことができる。

ウ　商人の営業所の営業の主任者であることを示す名称を付した使用人は、相手方が悪意であった場合を除いて、当該営業所の営業に関する一切の裁判外の行為をなす権限を有するものとみなされる。

エ　商人の営業に関するある種類または特定の事項の委任を受けた使用人は、その事項に関して一切の裁判外の行為をなす権限を有し、当該使用人の代理権に加えた制限は、これをもって善意の第三者に対抗することができない。

オ　物品の販売を目的とする店舗の使用人は、相手方が悪意であった場合も、その店舗にある物品の販売に関する権限を有するものとみなされる。

1　ア・イ
2　ア・オ
3　イ・ウ
4　ウ・エ
5　エ・オ

【本試験2006年問36改題】

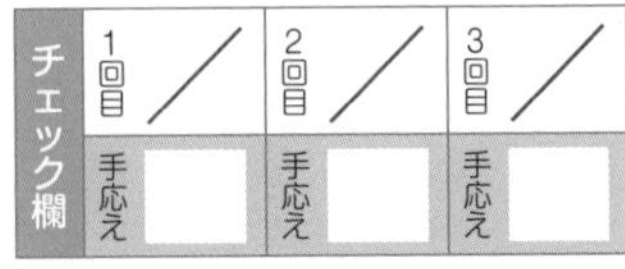

解説

テキスト 第4編

ア 誤 支配人は、商人に代わってその**営業に関する一切の裁判上または裁判外の行為をする権限を有します**（21条1項）。具体的には、支配人は、①裁判上では営業に関する訴訟において商人の訴訟代理人となり、②裁判外では商人の代理人として営業に関する契約を締結します。**支配人の代理権に加えた制限は、善意の第三者に対抗することができません**（21条3項）。取引の相手方を保護するためです。 P.11

イ 誤 支配人は、商人の許可を受けなければ、①自ら営業を行うこと、②自己または第三者のためにその商人の営業の部類に属する取引をすること、③他の商人または会社もしくは外国会社の使用人となること、④会社の取締役、執行役または業務を執行する社員となることができません（23条1項）。**支配人が商人の許可を受けずに、商人の営業の部類に属する取引を自己または第三者のために行ったとき**（②）**は、その行為によって支配人または第三者が得た利益の額は、商人に生じた損害の額と推定されます**（23条2項）。 P.11

ウ 正 商人の営業所の営業の主任者であることを示す名称を付した使用人は、当該営業所の営業に関し、**一切の裁判外の行為をする権限を有するものとみなされます**（表見支配人／24条本文）。ただし、**相手方が悪意であった場合は、この限りではありません**（24条但書）。 P.12

エ 正 商人の営業に関するある種類または特定の事項の委任を受けた使用人は、当該事項に関する一切の裁判外の行為をする権限を有します（25条1項）。この使用人の代理権に加えた制限は、善意の第三者に対抗することができません（25条2項）。「商人の営業に関するある種類または特定の事項の委任を受けた使用人」とは、一般に、部長や課長、係長などといった名称をもった使用人になります。

オ 誤 物品の販売等を目的とする店舗の使用人は、その店舗にある物品の販売等をする権限を有するものとみなされます（26条本文）。取引安全を図るためです。ただし、**相手方が悪意であったときは、この限りではありません**（26条但書）。

以上より、正しいものは**ウ・エ**であり、正解は**4**となります。

正解 4

商行為法

問題 203　商人または商行為に関する次のア～オの記述のうち、商法の規定に照らし、誤っているものの組合せはどれか。

ア　商行為の委任による代理権は、本人の死亡によって消滅する。

イ　商人がその営業の範囲内において他人のために行為をしたときは、相当な報酬を請求することができる。

ウ　数人の者がその一人または全員のために商行為となる行為によって債務を負担したときは、その債務は、各自が連帯して負担する。

エ　保証人がある場合において、債務が主たる債務者の商行為によって生じたものであるときは、その債務は当該債務者および保証人が連帯して負担する。

オ　自己の営業の範囲内で、無報酬で寄託を受けた商人は、自己の財産に対するのと同一の注意をもって、寄託物を保管する義務を負う。

1　ア・ウ
2　ア・オ
3　イ・ウ
4　イ・エ
5　エ・オ

【本試験2018年問36】

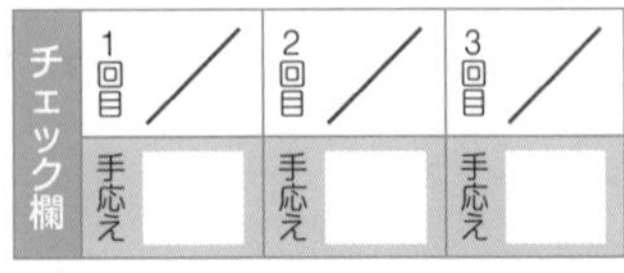

解説

テキスト
第4編

ア **誤**　商行為の委任による代理権は、**本人の死亡によっては、消滅しません**（506条）。 P.14

イ **正**　商人がその営業の範囲内において他人のために行為をしたときは、**相当な報酬を請求することができます**（512条）。 P.14

ウ **正**　数人の者がその一人または全員のために商行為となる行為によって債務を負担したときは、その**債務は、各自が連帯して負担することになります**（511条1項）。 P.14

エ **正**　保証人がある場合において、債務が主たる債務者の商行為によって生じたものであるとき、または保証が商行為であるときは、**主たる債務者および保証人が各別の行為によって債務を負担したときであっても、その債務は、各自が連帯して負担することになります**（511条2項）。 P.14

オ **誤**　商人がその営業の範囲内において寄託を受けた場合には、**報酬を受けないときであっても、善良な管理者の注意をもって、寄託物を保管しなければなりません**（595条）。

以上より、誤っているものは**ア**・**オ**であり、正解は**2**となります。

正解　2

商法は民法と比べて、①営利性が強い、②迅速性が要求されるという点が重要です。

商行為法

問題 204 **運送営業および場屋営業に関する次の記述のうち、商法の規定に照らし、誤っているものはどれか。**

1 運送人は、その運送品の受取、運送、保管および引渡しについて注意を怠らなかったことを証明するのでなければ、運送品の滅失、損傷または延着について、損害賠償の責任を免れない。

2 貨幣、有価証券その他の高価品については、荷送人が運送を委託するにあたりその種類および価額を通知した場合を除き、運送人は、その滅失、損傷または延着について損害賠償の責任を負わないが、物品運送契約の締結の当時、運送品が高価品であることを運送人が知っていたときは、運送人は免責されない。

3 場屋営業者は、客から寄託を受けた物品について、物品の保管に関して注意を怠らなかったことを証明すれば、その物品に生じた損害を賠償する責任を負わない。

4 客が寄託していない物品であっても、客が場屋の中に携帯した物品が場屋営業者の不注意によって損害を受けたときは、場屋営業者はその物品に生じた損害を賠償する責任を負う。

5 場屋営業者が寄託を受けた物品が高価品であるときは、客がその種類および価額を通知してこれを場屋営業者に寄託したのでなければ、場屋営業者はその物品に生じた損害を賠償する責任を負わない。

【本試験2015年問36改題】

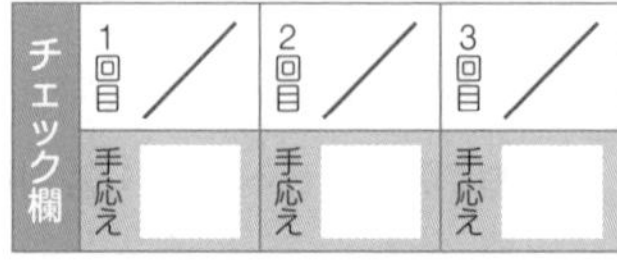

解説

テキスト
第4編

1 **正**　運送人は、運送品の受取から引渡しまでの間にその運送品が滅失しもしくは損傷し、もしくはその滅失もしくは損傷の原因が生じ、または運送品が延着したときは、これによって生じた損害を賠償する責任を負うことになります（575条本文）。ただし、**運送人がその運送品の受取、運送、保管および引渡しについて注意を怠らなかったことを証明したときは、この限りでありません**（575条但書）。 P.19

2 **正**　貨幣、有価証券その他の高価品については、荷送人が運送を委託するにあたりその種類および価額を通知した場合を除き、運送人は、その滅失、損傷または延着について損害賠償の責任を負いません（577条1項）。ただし、**①物品運送契約の締結の当時、運送品が高価品であることを運送人が知っていたとき、②運送人の故意または重大な過失によって高価品の滅失、損傷または延着が生じたときは、577条1項は適用されません**（577条2項）。 P.19

3 **誤**　場屋営業者は、客から寄託を受けた物品の滅失または損傷については、**不可抗力によるものであったことを証明しなければ、損害賠償の責任を免れることができません**（596条1項）。 P.20

4 **正**　**客が寄託していない物品であっても**、場屋の中に携帯した物品が、**場屋営業者が注意を怠ったことによって滅失し、または損傷したときは、場屋営業者は、損害賠償の責任を負う**ことになります（596条2項）。 P.20

5 **正**　貨幣、有価証券その他の高価品については、**客がその種類および価額を通知してこれを場屋営業者に寄託した場合を除き、場屋営業者は、その滅失または損傷によって生じた損害を賠償する責任を負いません**（597条）。 P.20

正解 3

運送営業は2018年に改正された論点なので、しばらくは注意が必要です。

会社法／株式会社の設立

問題205 **株式会社の設立に関する次のア～オの記述のうち、会社法の規定に照らし、妥当なものの組合せはどれか。**

ア 発起人は、設立時発行株式を引き受ける者の募集をする旨を定めようとするときは、その全員の同意を得なければならない。

イ 複数の発起人がいる場合において、発起設立の各発起人は、設立時発行株式を１株以上引き受けなければならないが、募集設立の発起人は、そのうち少なくとも１名が設立時発行株式を１株以上引き受ければよい。

ウ 発起設立または募集設立のいずれの方法による場合であっても、発行可能株式総数を定款で定めていないときには、株式会社の成立の時までに、定款を変更して発行可能株式総数の定めを設けなければならない。

エ 設立時取締役その他の設立時役員等が選任されたときは、当該設立時役員等が会社設立の業務を執行し、またはその監査を行う。

オ 発起設立または募集設立のいずれの方法による場合であっても、発起人でない者が、会社設立の広告等において、自己の名または名称および会社設立を賛助する旨の記載を承諾したときには、当該発起人でない者は発起人とみなされ、発起人と同一の責任を負う。

1 ア・ウ
2 ア・エ
3 イ・エ
4 イ・オ
5 ウ・オ

【本試験2015年問37】

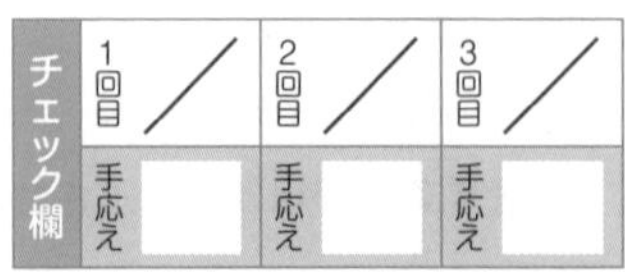

解説

テキスト 第4編

ア　妥当である　発起人は、**設立時発行株式を引き受ける者の募集をする旨を定めようとするときは、その全員の同意**を得なければなりません（57条2項）。 P.26

イ　妥当でない　発起設立または**募集設立**のいずれの方法による場合であっても、**各発起人は設立時発行株式を1株以上引き受けなければなりません**（25条2項）。 P.26

ウ　妥当である　発起設立または募集設立のいずれの方法による場合であっても、発行可能株式総数を定款で定めていないときには、**株式会社の成立の時までに、定款を変更して発行可能株式総数の定めを設けなければなりません**（37条1項、98条）。 P.25

エ　妥当でない　会社設立の業務を執行するのは発起人です（26条1項参照）。**設立時取締役等は設立事項の調査等を行います**（46条1項、93条1項）。 P.25

オ　妥当でない　募集設立の方法による場合、発起人でない者が、設立時株式の引受の募集の広告等において、自己の名または名称および会社設立を賛助する旨の記載等をしたときには、当該発起人でない者は発起人とみなされ、発起人と同一の責任を負うことになります（擬似発起人の責任／103条4項、57条1項）。**発起設立の場合には、擬似発起人の責任に関する規定の適用がありません。**

以上より、妥当なものは**ア・ウ**であり、正解は**1**となります。

正解 1

野畑のワンポイント

設立は、毎年のように出題される重要論点です。
発起設立と募集設立の違いについて、しっかり確認しておきましょう。

会社法／株式会社の設立

問題 206 **株式会社の設立に関する次のアからオまでの記述のうち、誤っているものの組合せはどれか。なお、問題を解くにあたっては、各肢に明記されている場合を除き、定款に法令の規定と異なる別段の定めがないものとする。**

ア 株式会社を設立する場合において、成立後の株式会社が定款の認証の手数料を負担するには、その額を定款に記載し、又は記録しておかなければならない。

イ 定款に成立後の株式会社の資本金及び資本準備金の額に関する事項についての定めがない場合において、株式会社の設立に際して当該事項を定めようとするときは、発起人は、その全員の同意を得なければならない。

ウ 裁判所は、金銭以外の財産の出資に関する事項について裁判所が選任した検査役の報告を受けた場合において、当該検査役の調査を経た当該財産を出資する者に対して割り当てる設立時発行株式の数を不当と認めたときは、これを変更する決定をしなければならない。

エ 募集設立の場合において、発起人以外の者は、金銭以外の財産の出資をすることができない。

オ 発起設立の場合において、発起人が株式会社の成立の時までに公証人の認証を受けた定款を変更して発行可能株式総数の定めを設けるには、発起人の過半数の同意を得れば足りる。

1 ア・ウ
2 ア・オ
3 イ・ウ
4 イ・エ
5 エ・オ

【司法書士試験アレンジ問題】

チェック欄	1回目	／	2回目	／	3回目	／
	手応え		手応え		手応え	

解説

テキスト
第4編

ア 誤　株式会社を設立する場合には、**株式会社の負担する設立に関する費用**（※定款の認証の手数料その他株式会社に損害を与えるおそれがないものとして法務省令で定めるものを除く。）**は、定款に記載し、または記録しなければ、その効力を生じません**（28条4号）。よって、成立後の株式会社が定款の認証の手数料を負担するには、その額を定款に記載し、または記録しておかなければならないとする点で、本肢は誤っています。 P.25

イ 正　発起人は、株式会社の設立に際して、**成立後の株式会社の資本金および資本準備金の額に関する事項**（※定款に定めがある場合を除く。）**を定めようとするときは、その全員の同意を得なければなりません**（32条1項3号）。 P.25

ウ 正　設立しようとする株式会社の**定款に金銭以外の財産の出資に関する事項についての記載または記録がある場合において、検査役が選任されたときは、当該検査役は、必要な調査を行い、当該調査の結果を記載し、または記録した書面または電磁的記録**（※法務省令で定めるものに限る。）**を裁判所に提供して報告をしなければなりません**（33条4項、28条1号）。そして、**裁判所は、その報告を受けた場合において、当該事項**（※33条2項の検査役の調査を経ていないものを除く。）**を不当と認めたときは、これを変更する決定**をしなければなりません（33条7項）。

エ 正　設立段階において、**発起人以外の者は、現物出資をすることができません**。設立時募集株式の引受人については、金銭の払込みを行うことしか規定されておらず（63条1項）、金銭以外の財産の給付は予定されていません（34条1項参照）。 P.26

オ 誤　発起人は、**発行可能株式総数を定款で定めていない場合には、株式会社の成立の時までに、その全員の同意によって、定款を変更して発行可能株式総数の定めを設けなければなりません**（37条1項）。したがって、発起人の過半数の同意を得れば足りるとする点で、本肢は誤っています。 P.25

以上より、誤っているものは**ア**・**オ**であり、正解は**2**となります。

正解 2

会社法／株式会社の設立

問題207 **株式会社の設立における発起人等の責任等に関する次のア～オの記述のうち、会社法の規定に照らし、誤っているものの組合せはどれか。**

ア 株式会社の成立の時における現物出資財産等の価額が当該現物出資財産等について定款に記載または記録された価額に著しく不足するときは、発起人および設立時取締役は、当該株式会社に対し、連帯して、当該不足額を支払う義務を負い、この義務は、総株主の同意によっても、免除することはできない。

イ 発起人は、出資の履行において金銭の払込みを仮装した場合には、払込みを仮装した出資に係る金銭の全額を支払う義務を負い、この義務は、総株主の同意によっても、免除することはできない。

ウ 発起人、設立時取締役または設立時監査役は、株式会社の設立についてその任務を怠ったときは、当該株式会社に対し、これによって生じた損害を賠償する責任を負い、この責任は、総株主の同意がなければ、免除することができない。

エ 発起人、設立時取締役または設立時監査役がその職務を行うについて悪意または重大な過失があったときは、当該発起人、設立時取締役または設立時監査役は、これによって第三者に生じた損害を賠償する責任を負う。

オ 株式会社が成立しなかったときは、発起人は、連帯して、株式会社の設立に関してした行為についてその責任を負い、株式会社の設立に関して支出した費用を負担する。

1 ア・イ
2 ア・ウ
3 イ・オ
4 ウ・エ
5 エ・オ

【本試験2018年問37】

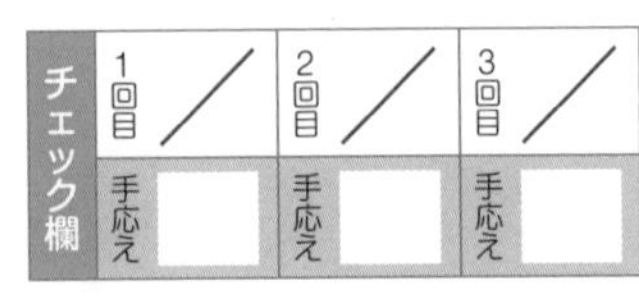

解説

テキスト
第4編

ア **誤** 株式会社の成立の時における現物出資財産等の価額が当該現物出資等について定款に記載され、または記録された価額に著しく不足するときは、発起人および設立時取締役は、当該株式会社に対して、連帯して、当該不足額を支払う義務を負います（52条1項）。52条1項の規定により**発起人または設立時取締役の負う義務は、総株主の同意がなければ、免除することができません**（55条）。 P.30

イ **誤** 発起人は、出資の履行において金銭の払込みを仮装した場合には、株式会社に対し、払込みを仮装した出資に係る金銭の全額の支払いをする義務を負います（52条の2第1項1号）。52条の2第1項の規定により**発起人が負う義務は、総株主の同意がなければ、免除することができません**（55条）。 P.30

ウ **正** 発起人、設立時取締役または設立時監査役は、株式会社の設立についてその任務を怠ったときは、当該株式会社に対し、これによって生じた損害を賠償する責任を負います（53条1項）。53条1項の規定により、**発起人、設立時取締役または設立時監査役の負う責任は、総株主の同意がなければ、免除することができません**（55条）。 P.31

エ **正** 発起人、設立時取締役または設立時監査役がその職務を行うについて**悪意または重大な過失があったときは**、当該発起人、設立時取締役または設立時監査役は、これによって**第三者に生じた損害を賠償する責任を負います**（53条2項）。 P.31

オ **正** 株式会社が成立しなかったときは、発起人は、連帯して、株式会社の設立に関してした行為についてその責任を負い、株式会社の設立に関して支出した費用を負担します（56条）。 P.31

以上より、誤っているものは**ア・イ**であり、正解は1となります。

正解 1

会社法／株式

問題 208 **取締役会設置会社（監査等委員会設置会社および指名委員会等設置会社を除く。）であり、種類株式発行会社でない株式会社の単元株式に関する次の記述のうち、会社法の規定に照らし、誤っているものはどれか。**

1. 株式会社は、その発行する株式について、一定の数の株式をもって株主が株主総会において一個の議決権を行使することができる一単元の株式とする旨を定款で定めることができる。
2. 株式会社は、単元未満株主が当該単元未満株式について残余財産の分配を受ける権利を行使することができない旨を定款で定めることができない。
3. 単元未満株主は、定款にその旨の定めがあるときに限り、株式会社に対し、自己の有する単元未満株式を買い取ることを請求することができる。
4. 単元未満株主は、定款にその旨の定めがあるときに限り、株式会社に対し、自己の有する単元未満株式と併せて単元株式となる数の株式を売り渡すことを請求することができる。
5. 株式会社が単元株式数を減少し、または単元株式数についての定款の定めを廃止するときは、取締役会の決議によりこれを行うことができる。

【本試験2015年問38改題】

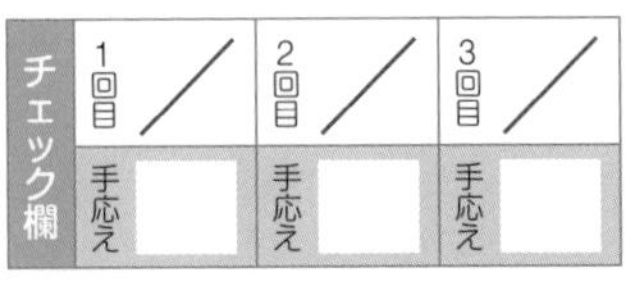

解説

テキスト
第4編

1 **正** 株式会社は、その発行する株式について、一定の数の株式をもって株主が株主総会において一個の議決権を行使することができる一単元の株式とする旨を定款で定めることができます（188条1項）。 P.42

2 **正** 株式会社は、単元未満株主が当該単元未満株式について残余財産の分配を受ける権利を行使することができない旨を定款で定めることはできません（189条2項5号）。

3 **誤** 単元未満株主は、**定款の定めがなくても**、株式会社に対し、自己の有する**単元未満株式を買い取ることを請求することができます**（192条1項）。 P.42

4 **正** 株式会社は、単元未満株主が当該株式会社に対して単元未満株式売渡請求（自己の有する単元未満株式と併せて単元株式となる数の株式を売り渡すことを請求することをいう）をすることができる旨を定款で定めることができます（194条1項）。したがって、単元未満株主は、**定款にその旨の定めがあるときに限り、株式会社に対し、単元未満株式売渡請求をすることができます。** P.42

5 **正** 株式会社が単元株式数を減少し、または単元株式数についての定款の定めを廃止することは、取締役会の決議（取締役会設置会社以外の会社においては取締役の決定）により行うことができます（195条1項）。 P.43

正解 3

単元株制度については、①売渡請求と②買取請求の違いに注意しましょう。
売渡請求は、定款で定めた場合にのみ行使することができます。

会社法／機関

問題209 **株主総会の決議に関する次の記述のうち、会社法の規定に照らし、妥当でないものはどれか。**

1 取締役会設置会社の株主総会は、法令に規定される事項または定款に定められた事項に限って決議を行うことができる。

2 取締役会設置会社以外の会社の株主総会においては、招集権者が株主総会の目的である事項として株主に通知した事項以外についても、決議を行うことができる。

3 取締役または株主が株主総会の目的である事項について提案をした場合において、当該提案につき議決権を行使できる株主の全員が書面または電磁的記録により同意の意思表示をしたときは、当該提案を可決する旨の株主総会の決議があったとみなされる。

4 株主総会の決議取消しの訴えにおいて、株主総会の決議の方法に関する瑕疵が重大なものであっても、当該瑕疵が決議に影響を及ぼさなかったものと認められる場合には、裁判所は、請求を棄却することができる。

5 会社を被告とする株主総会の決議取消しの訴え、決議の無効確認の訴え、および決議の不存在確認の訴えにおいて、請求認容の判決が確定した場合には、その判決は、第三者に対しても効力を有する。

【本試験2014年問39】

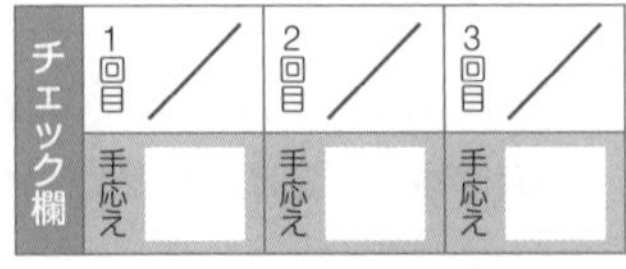

解説

テキスト
第4編

1 **妥当である** 取締役会設置会社においては、**株主総会は、会社法に規定する事項および定款で定めた事項に限り**、決議をすることができます（295条2項）。 P.46

2 **妥当である** 取締役会設置会社以外の会社においては、株主総会は、招集権者が株主総会の目的である事項として株主に通知した事項以外についても、決議をすることができます（309条5項本文参照）。

3 **妥当である** 取締役または株主が株主総会の目的である事項について提案をした場合において、当該提案につき**株主**（当該事項について議決権を行使することができるものに限る。）**の全員が書面または電磁的記録により同意の意思表示をしたときは、当該提案を可決する旨の株主総会の決議があったものとみなされます**（319条1項）。 P.48

4 **妥当でない** 株主総会の決議の取消しの訴えの提起があった場合において、株主総会の招集の手続または決議の方法が法令または定款に**違反するときであっても、裁判所は、その違反する事実が重大でなく、かつ、決議に影響を及ぼさないものであると認めるときは、請求を棄却することができます**（831条2項）。 P.49

5 **妥当である** 会社を被告とする株主総会の決議取消しの訴え、決議の無効確認の訴え、および決議の不存在確認の訴え（834条16号・17号）において、請求認容の判決が確定した場合には、その判決は、第三者に対しても効力を有します（838条）。

正解 4

野畑のワンポイント

肢1のように、取締役会を置いているかいないかによって、株主総会の権限が異なるので注意しましょう。

【株主総会の権限】

取締役会を置かない会社（取締役会非設置会社）の株主総会	会社のすべての事項を決定する（295条1項）
取締役会を置く会社（取締役会設置会社）の株主総会	会社の基本事項のみを決定する（295条2項）

会社法／機関

問題 210 **公開会社でない株式会社で、かつ、取締役会を設置していない株式会社に関する次の記述のうち、会社法の規定に照らし、誤っているものはどれか。**

1 株主総会は、会社法に規定する事項および株主総会の組織、運営、管理その他株式会社に関する一切の事項について決議することができる。

2 株主は、持株数にかかわらず、取締役に対して、当該株主が議決権を行使することができる事項を株主総会の目的とすることを請求することができる。

3 株式会社は、コーポレートガバナンスの観点から、２人以上の取締役を置かなければならない。

4 株式会社は、取締役が株主でなければならない旨を定款で定めることができる。

5 取締役が、自己のために株式会社の事業の部類に属する取引をしようとするときは、株主総会において、当該取引につき重要な事実を開示し、その承認を受けなければならない。

【本試験2019年問40】

チェック欄	1回目	／	2回目	／	3回目	／
	手応え		手応え		手応え	

解説

テキスト
第4編

1 **正** **取締役会を設置していない株式会社の株主総会は**、会社法に規定する事項および株式総会の組織、運営、管理その他**株式会社に関する一切の事項について決議をすることができます**（295条1項）。なお、**取締役会設置会社の株主総会は、会社法に規定する事項および定款で定めた事項に限り、決議をすることができます**（295条2項）。 P.46

2 **正** 公開会社でない株式会社で、かつ、取締役会を設置していない株式会社の株主は、持株数・保有期間にかかわらず、取締役に対し、一定の事項（当該株主が議決権を行使することができる事項に限る。）を株主総会の目的とすることを請求することができます（303条1項）。なお、取締役会設置会社では、総株主の議決権の100分の1（これを下回る割合を定款で定めた場合はその割合）以上の議決権または300個（これを下回る数を定款で定めた場合はその個数）以上の議決権を6カ月（これを下回る期間を定款で定めた場合はその期間）前から引き続き有する株主であること（公開会社でない取締役会設置会社では6カ月の保有期間の要件は不要）が必要です（303条2項）。

3 **誤** 会社法には、このような規定はありません。なお、**取締役会設置会社では、取締役は3人以上でなければなりません**（331条5項）**が、取締役会を設置していない株式会社では、取締役は1人で足ります**（326条1項）。 P.50

4 **正** 株式会社は、**取締役が株主でなければならない旨を定款で定めることができません**（331条2項本文）。ただし、**公開会社でない株式会社においては、この限りではありません**（331条2項但書）。 P.50

5 **正** **取締役会を設置していない株式会社の取締役は**、自己または第三者のために株式会社の事業の部類に属する取引をしようとするときには、**株主総会において、当該取引につき重要な事実を開示し、その承認を受けなければなりません**（356条1項1号）。なお、**取締役会設置会社では、取締役会の承認が必要です**（365条1項）。 P.54

正解 3

会社法／機関

問題 211 **監査等委員会設置会社または指名委員会等設置会社に関する次の記述のうち、会社法の規定に照らし、誤っているものはどれか。**

1 監査等委員会設置会社または指名委員会等設置会社は、いずれも監査役を設置することができない。

2 監査等委員会設置会社は、定款で定めた場合には、指名委員会または報酬委員会のいずれかまたは双方を設置しないことができる。

3 監査等委員会設置会社または指名委員会等設置会社は、いずれも取締役会設置会社である。

4 監査等委員会設置会社を代表する機関は代表取締役であるが、指名委員会等設置会社を代表する機関は代表執行役である。

5 監査等委員会設置会社または指名委員会等設置会社は、いずれも会計監査人を設置しなければならない。

【本試験2016年問39】

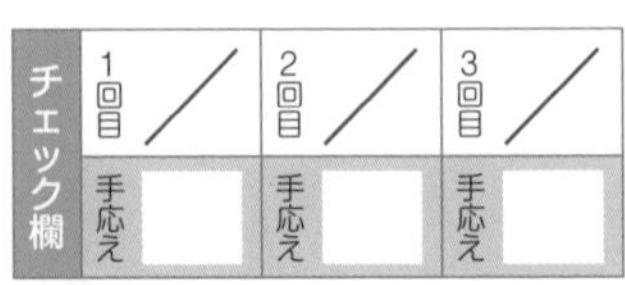

解説

テキスト 第4編

1 **正** 監査等委員会設置会社および指名委員会等設置会社は、**監査役を置いてはなりません**（327条4項）。 P.59、60

2 **誤** 監査等委員会設置会社とは、監査等委員会を置く会社です（2条11号の2）。監査等委員会設置会社は、**指名委員会等設置会社（2条12号）とは異なり、指名委員会、報酬委員会を置く会社ではありません。** P.60

3 **正** 監査等委員会設置会社は、**取締役会を置かなければなりません**（327条1項3号）。指名委員会等設置会社は、**取締役会を置かなければなりません**（327条1項4号）。 P.59、60

4 **正** 監査等委員会設置会社では、**代表取締役が**会社の業務に関する包括的な代表権限を有します（349条4項）。指名委員会等設置会社では、**代表執行役が**会社の業務に関する包括的な代表権限を有します（420条3項・349条4項）。 P.59、60

5 **正** 監査等委員会設置会社および指名委員会等設置会社は、**会計監査人を置かなければなりません**（327条5項）。 P.59、60

正解 2

野畑のワンポイント

監査等委員会設置会社や指名委員会等設置会社は、典型的な株式会社とは異なる形態です。
まずは典型的な株式会社について学習し、ある程度理解できたら本問に再チャレンジしてみてください。

MEMO

MEMO

第5編

基礎法学

著者の**野畑講師**が解説！

書籍購入者限定
無料解説動画

アクセスは
こちら

重要問題や間違えやすい問題をピックアップして解説しています。

※動画の視聴開始日・終了日は、専用サイトにてご案内いたします。
※ご視聴の際の通信料はお客様負担となります。

URL
https://www.lec-jp.com/gyousei/book/member/torisetsu/2025_mondai.html

法の分類・効力

問題 212 **法令の適用範囲および効力等に関する次の記述のうち、妥当でないものはどれか。**

1 わが国の法令は、原則としてわが国の領域内でのみ効力を有するが、わが国に属する船舶および航空機内では、外国の領域内や公海においても効力を有することがある。

2 渉外的な要素が含まれる事件については、わが国の裁判所が外国の法令を準拠法として裁判を行うことがある一方で、外国の裁判所がわが国の法令を準拠法として裁判を行うことがある。

3 法律は、その法律または他の法令に定められた日から施行されるが、施行期日の定めがない場合には、公布の日から20日を経過した日から施行される。

4 法令に違反する行為に対して刑罰の定めがあり、その法令の失効前に違反行為が行われた場合には、その法令の失効後においても処罰を行うことができる。

5 法律Aと法律Bが一般法と特別法の関係にあり、Aが全面的に改正されて施行された場合には、後から施行された新しいAがBに優先して適用される。

【本試験2008年問1】

チェック欄	1回目 ／	2回目 ／	3回目 ／
	手応え	手応え	手応え

解説

テキスト
第5編

1 **妥当である** わが国の法令の効力は、原則としてわが国の領域内でのみ生じ（属地主義／刑法1条1項参照）、**わが国に属する船舶・航空機内においては、たとえ外国の領域内や公海であっても、効力を有する**ことがあります（旗国主義／刑法1条2項参照）。 P.74

2 **妥当である** 渉外事件に適用される準拠法は、国際私法に基づいて決定されますが、各国は、各々独自の国際私法を制定しています。わが国は、「法の適用に関する通則法」を制定しており、「当事者の本国法によるべき場合において、その国の法に従えば日本法によるべきときは、日本法による」とされています（法の適用に関する通則法41条本文）。

3 **妥当である** 法律は、施行期日につき別段の定めがなければ、**公布の日から起算して20日を経過した日から施行**されます（法の適用に関する通則法2条）。公布とは、国民が法令を知ることができる状態に置かれることをいい、施行とは、法令の効力が一般的に発動し作用することをいいます。 P.76

4 **妥当である** 法令の失効前に行われた違反行為については、法令の失効後においても処罰を行うことができます。なお、新たに制定する法律に有効期限が定められている場合において、その有効期限後も、なお罰則の適用があることを定めようとするとき、「1　この法律は、平成○年○月○日限り、その効力を失う。」「2　この法律の失効前にした行為に対する罰則の適用については、この法律は、前項の規定にかかわらず、同項に規定する日後も、なおその効力を有する。」といった明文の規定が置かれます（例えば、市町村の合併の特例に関する法律附則2条）。

5 **妥当でない** 形式的効力を同じくする法令相互間で、ある事項について一般的な規定を有する法令（一般法）と、特例を定める規定を有する法令（特別法）がある場合、その特例に関しては、特別法が優先的に適用されるという原則を、特別法優先の原則といいます。**特別法優先の原則は、特別法が旧法で、一般法が新法である場合にも妥当します。**例えば、法律Aと法律Bが一般法と特別法の関係にある場合には、たとえ一般法である法律Aが全面的に改正されて施行されたとしても、特別法である法律Bが優先的に適用されます。 P.73

正解 5

法の分類・効力

問題213 **法の解釈に関する次の記述の ア から ウ までに入る語句の組合せとして、正しいものはどれか。**

1 債務不履行による損害賠償について賠償すべき損害の範囲を定めた民法第416条の規定は、不法行為による損害賠償についても適用されるという解釈は ア である。

2 刑法第38条第3項の「法律を知らなかったとしても、そのことによって罪を犯す意思がなかったとすることはできない。ただし、情状により、その罪を減軽することができる。」との規定にいう「法律」とは、法律のほか政令・省令・条例・規則など一切の法令を含むとする解釈は イ である。

3 民法第754条の「夫婦間で契約をしたときは、その契約は、婚姻中、何時でも、夫婦の一方からこれを取り消すことができる。」との規定にいう「婚姻中」とは、単に形式的に婚姻が継続しているというだけでなく、実質的にもそれが継続していることをいうものとする解釈は ウ である。

	ア	イ	ウ
1	類推解釈	拡張解釈	縮小解釈
2	拡張解釈	類推解釈	反対解釈
3	類推解釈	拡張解釈	反対解釈
4	拡張解釈	類推解釈	縮小解釈
5	類推解釈	縮小解釈	拡張解釈

【本試験1995年問50改題】

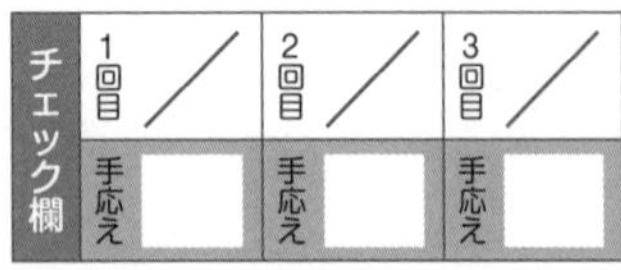

解説

テキスト 第5編

ア **類推解釈** 本肢のように、不法行為による損害賠償の範囲については規定がないところへ、類似した場面についての規定である民法第416条を適用する解釈は**類推解釈**です。 P.73

イ **拡張解釈** 本肢のように、文言の意味を拡げて解釈する方法を**拡張解釈**といいます。なお、刑法では、拡張解釈は許されますが、被告人に不利益な類推解釈は禁止されています。 P.73

ウ **縮小解釈** 本肢のように、文言の意味を狭く解釈する方法を**縮小解釈**といいます。 P.73

以上より、**ア**には「類推解釈」、**イ**には「拡張解釈」、**ウ**には「縮小解釈」が入り、正解は**1**となります。

正解 1

法の解釈については、ただ問題の答えを丸暗記するのではなく、定義を押さえて与えられた条文に当てはめられるようにする必要があります。

【法の解釈】

拡張解釈	法文の意味を**普通より拡張して解釈**する。 例：自転車や一輪車も「車」に含める。
縮小解釈	法文の意味を**普通より狭く解釈**する。 例：「車」には四輪車のみ含め、二輪車は含めない。
類推解釈	ある事項については規定があるが、**類似する事項については規定がない場合、ある事項の規定を適用**する。 例：ホバークラフトも車と似ているので、「車」に含める。
反対解釈	ある事項について規定がある（ない）場合、**それ以外についてはない（ある）と考える。** 例：「車」しかダメと書いていないため、「車」以外はすべて通行できると考える。

法令用語

問題 214 **法令用語に関する次の記述のうち、最も適切なものはどれか。**

1 「A若しくはB又はC」という法律の文言においては、「A」と「B又はC」が大きな接続詞である「若しくは」で結ばれ、「B」と「C」が小さな接続詞である「又は」で結ばれている。

2 「適用する」とは、本来Aという事項について規定している法令の規定を、多少Aに類似しているA´という事項に、多少読み替えを加えつつ当てはめることである。

3 「みなす」とは、本来Aと性質を異にするBについて、一定の場合に限り、Aと同一視することであり、「Aでない」という反証を許さない点において、「推定」と異なる。

4 「A及びB並びにC」という法律の文言においては、「A」と「B並びにC」が大きな接続詞である「及び」で結ばれ、「B」と「C」が小さな接続詞である「並びに」で結ばれている。

5 「速やかに」という法律の用語は、「直ちに」という法律の用語に比べると、時間的な緊急度が高い。

【本試験1990年問50】

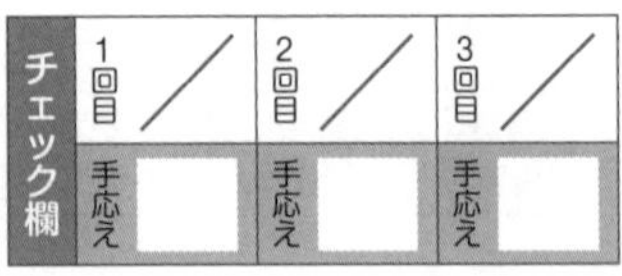

解説

テキスト
第5編

1 **適切でない** 「又は」と「若しくは」は、複数の語句を選択的に結び付ける接続詞です。「A若しくはB又はC」という法律の文言において、**「A若しくはB」と「C」が大きな接続詞である「又は」で結ばれ、「A」と「B」が小さな接続詞である「若しくは」で結ばれています。** P.77

2 **適切でない** 「準用」とは、ある事項（A）について定める法令の規定を、これと似た別の事項（B）に借用して当てはめることをいいます。**「準用」は、いわば他の法令からの借り物なので、Bにうまく当てはめるためには、「読替え」という形で、適宜修正しなければなりません。**なお、「適用」とは、法令をその対象としている事項に当てはめることをいいます。 P.79

3 **最も適切である** 「みなす」とは、本来性質が違うものを、ある一定の法律関係において同一のものとして法律が認め、同一の法律効果を生じさせることをいいます。**「推定する」は当事者間での取決めや反証があれば法令上の推定が覆るのに対し、「みなす」は、当事者間の取決めや反証があっても、法律上の認定と異なる判断をすることができません。** P.79

4 **適切でない** 「及び」と「並びに」は、複数の語句を併合的に結び付ける接続詞です。「A及びB並びにC」という法律の文言においては、**「A及びB」と「C」が大きな接続詞である「並びに」で結ばれ、「A」と「B」が小さな接続詞である「及び」で結ばれています。** P.78

5 **適切でない** 「遅滞なく」、「直ちに」、「速やかに」は、いずれも、『すぐに』という意味で、時間的即時性を表す言葉として法令上用いられます。このうち、**「直ちに」が時間的即時性の度合いが最も強く、「遅滞なく」が時間的即時性の度合いが最も弱いです。**「速やかに」は、両者の中間に位置する用語として用いられます。 P.80

正解 3

紛争解決

問題 215　わが国の裁判制度に関する次の記述のうち、妥当なものはどれか。

1　わが国の裁判制度は、三審制を採用していることから、高等裁判所が第一審裁判所になることはない。

2　民事訴訟または刑事訴訟のいずれであっても、第一審裁判所が簡易裁判所である場合には、控訴裁判所は地方裁判所となり、上告裁判所は高等裁判所となる。

3　裁判官が合議制により裁判を行う場合には、最高裁判所の裁判を除いて、裁判官の意見が一致しないときであっても、少数意見を付すことはできない。

4　刑事訴訟においては、有罪判決が確定した場合であっても、あらたに証拠が発見されるなど重大な理由があるときには、有罪判決を受けた者の利益のために再審を行うことができるが、民事訴訟においては、再審の制度は認められていない。

5　家庭裁判所は、家庭に関する事件の審判および調停ならびに少年保護事件の審判など、民事訴訟や刑事訴訟になじまない事件について権限を有するものとされ、訴訟事件は取り扱わない。

【本試験2011年問2】

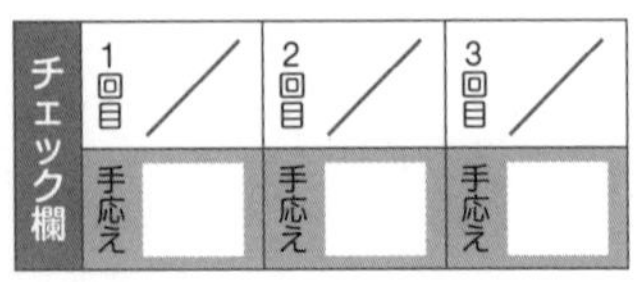

解説

テキスト
第5編

1 **妥当でない** **高等裁判所**が第一審裁判所になる場合もあります（裁判所法16条4号、17条、公職選挙法204条）。 P.84

2 **妥当でない** **刑事訴訟においては、第一審裁判所が簡易裁判所である場合にも、控訴裁判所は「高等裁判所」**となり（裁判所法16条1号）、**上告裁判所は「最高裁判所」**となります（7条1号）。 P.84

3 **妥当である** 最高裁判所の裁判については、例外的に少数意見でも裁判書に表示されます（裁判所法11条）。これに対し、下級裁判所については同様の規定がないことから、下級裁判所の裁判官が合議制により裁判を行う場合でも、少数意見を付すことはできないと解されています。

4 **妥当でない** **刑事訴訟**のみならず、**民事訴訟**においても、再審の制度が認められています（刑事訴訟法435条以下、民事訴訟法338条以下参照）。

5 **妥当でない** **家庭裁判所**も、訴訟事件を取り扱うことができます（裁判所法31条の3第1項2号）。 P.84

正解 3

野畑のワンポイント

裁判制度は難しく感じるかもしれませんが、三審制のイメージさえできれば解ける問題も多いです。次の図を繰り返し確認するようにしましょう。

【三審制】

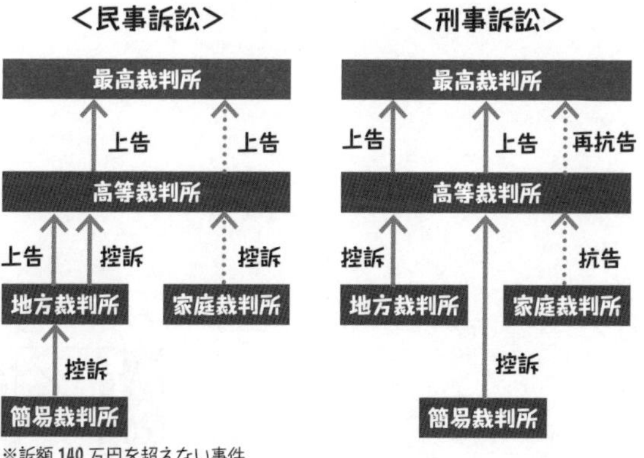

紛争解決

問題 216 **「判例」に関する次の記述のうち、明らかに誤っているものはどれか。**

1 判例は、一般的見解によれば、英米法系の国では後の事件に対して法的な拘束力を有する法源とされてきたが、大陸法系の国では法源とはされてこなかった。

2 英米法系の国では、判決のうち、結論を導く上で必要な部分を「主文（レイシオ・デシデンダイ）」、他の部分を「判決理由」と呼び、後者には判例法としての拘束力を認めない。

3 判例という語は、広義では過去の裁判例を広く指す意味でも用いられ、この意味での判例に含まれる一般的説示が時として後の判決や立法に大きな影響を与えることがある。

4 下級審が最高裁判所の判例に反する判決を下した場合、最高裁判所は申立てに対して上告審として事件を受理することができる。

5 最高裁判所が、法令の解釈適用に関して、自らの過去の判例を変更する際には、大法廷を開く必要がある。

【本試験2012年問1】

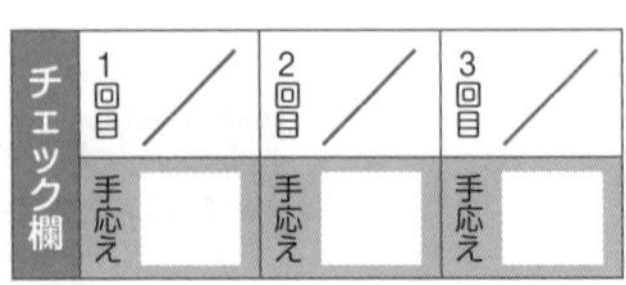

解説

テキスト
第5編

1 **明らかに誤っているとはいえない** 英米法系の国においては、判例が法源とされて、後の事件に対して法的な拘束力を有します（判例法主義）。大陸法系の国においては、判例は法源とされてきませんでした（制定法主義）が、現在では、判例は事実上の拘束力を持ち、事実上法源として機能すると考えられています。

2 **明らかに誤っている** 判決の結論（主文）を導くうえで必要な部分を「判決理由（レイシオ・デシデンダイ）」、他の部分を「傍論（オビタ・ディクタム）」と呼びます。**「傍論」については、判例法としての拘束力を認めません。** P.71

3 **正** 判例という語は、広義では過去の裁判例を広く指す意味で用いられます。判例に含まれる一般的説示が後の判決や立法に影響を与えることがあります。

4 **正** ⑴民事訴訟に関して、上告をすべき裁判所が最高裁判所である場合には、最高裁判所は、原判決に最高裁判所の判例と相反する判断がある事件その他の法令の解釈に関する重要な事項を含むものと認められる事件について、申立てにより、決定で、上告審として事件を受理することができます（民事訴訟法318条１項）。⑵刑事訴訟に関して、高等裁判所がした第一審または第二審の判決に対しては、最高裁判所の判例と相反する判断をしたことを理由として上告の申立てをすることができます（刑事訴訟法405条２号）。 P.84

5 **正** 最高裁判所は、「憲法その他の法令の解釈適用について、意見が前に最高裁判所のした裁判に反するとき」は、**小法廷では裁判をすることができず、大法廷で裁判しなければなりません**（裁判所法10条３号）。 P.85

正解 2

第6編

基礎知識

著者の**野畑講師**が解説！

書籍購入者限定
無料解説動画

アクセスは
こちら

重要問題や間違えやすい問題をピックアップして解説しています。

※動画の視聴開始日・終了日は、
専用サイトにてご案内いたします。

※ご視聴の際の通信料はお客様負担と
なります。

URL

https://www.lec-jp.com/gyousei/book/member/torisetsu/2025_mondai.html

政治／国内政治

問題 217　日本の選挙に関する次の記述のうち、誤っているものはどれか。

1　衆議院議員総選挙は、衆議院議員の４年の任期満了時と、衆議院の解散がなされた場合に行われる。

2　参議院議員通常選挙は、参議院議員の６年の任期満了時に行われるが、３年ごとに半数を入れ替えるため、３年に１回実施される。

3　比例代表により選出された衆議院議員は、所属する政党を離党し、当該選挙における他の衆議院名簿届出政党に所属した時でも、失職しない。

4　最高裁判所裁判官は、その任命後初めて行われる衆議院議員総選挙の期日に、国民審査に付される。

5　国政選挙の有権者で、在外選挙人名簿に登録され在外選挙人証を有している者は、外国にいながら国政選挙で投票することができる。

【本試験2015年問48】

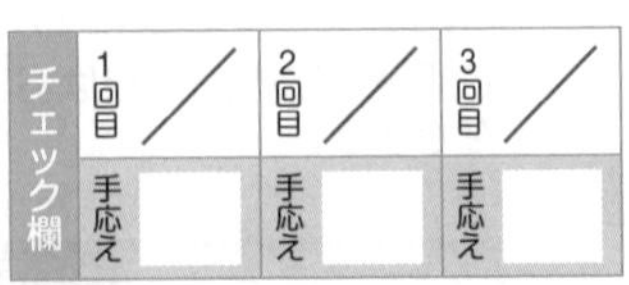

解説

テキスト第6編

1 **正** 衆議院議員総選挙は、**衆議院議員の任期満了の場合**と、**衆議院の解散がなされた場合**に行われます（憲法45条、54条1項、公職選挙法31条1項・3項）。 P.104

2 **正** 参議院議員は**3年ごとに半数が改選**されるので（憲法46条）、参議院議員通常選挙は3年に1回行われます。 P.102

3 **誤** 比例代表により選出された衆議院議員は、所属する政党を離党し、当該選挙における他の衆議院名簿届出政党に所属したときは、**失職します**（国会法109条の2第1項、公職選挙法99条の2第1項）。

4 **正** 最高裁判所の裁判官の任命は、**その任命後初めて行われる衆議院議員総選挙の際国民の審査**に付し、**その後10年を経過した後初めて行われる衆議院議員総選挙の際更に審査**に付し、その後も同様とされます（憲法79条2項）。 第1編 P.113

5 **正** 国政選挙の有権者は、**海外に居住している場合であっても**、在外選挙人名簿に登録され、在外選挙人証を取得することにより、**国政選挙において投票をすることができます**（公職選挙法30条の6、49条の2）。 P.105

正解 3

この問題のように、憲法の知識が要求される基礎知識科目の問題もあります。
問違えてしまった方はしっかり復習しておきましょう。

【日本の選挙制度まとめ】

	衆議院		参議院	
選挙権	18歳以上		18歳以上	
被選挙権	25歳以上		30歳以上	
任期	4年（解散あり）		6年（3年ごとに半数改選）	
選挙方法	小選挙区比例代表並立制		選挙区比例代表並立制	
議員定数	465人		248人	
	小選挙区：289人	比例代表：176人（全国11ブロック）	選挙区：148人	比例代表：100人（全国1ブロック）
投票方法	個人名を自書	政党名を自書	個人名を自書	個人名または政党名を自書
重複立候補	可		不可	

政治／国内政治

問題 218 **近年に改正された我が国の選挙制度に関する次のア～オの記述のうち、妥当なものはいくつあるか。**

ア 仕事や留学などで海外に居住している者は、在外選挙制度により在外選挙人名簿に登録をすることで投票ができる。従来、投票が可能なのは選挙区選挙のみであったが、2007年６月以降に公示される選挙から、比例代表選挙についても投票をすることができることとなった。

イ 従前選挙期間中にインターネットを利用した選挙運動を行うことは禁じられていたが、候補者及び政党等によるウェブサイトの更新やＳＮＳでの投稿による選挙運動については、投票日当日も含めて認められるようになった。ただし、一般有権者については引き続き禁じられている。

ウ 従来、公職選挙法では、成年被後見人は選挙権および被選挙権を有しないこととされていたが、2013年７月以降に公示又は告示される選挙から、成年被後見人も選挙権および被選挙権を有することとなった。

エ 2016年５月の公職選挙法の改正により、衆議院議員の定数を10削減するとともに、衆議院議員選挙の小選挙区の都道府県別の定数および比例ブロックの定数を「アダムズ方式」により配分するものとされた。

オ 2018年７月の公職選挙法の改正により、参議院比例代表選挙について、政党等が名簿にその他の名簿登載者と区分して当選人となるべき順位を記載した名簿登載者が、その他の名簿登載者に優先して当選人となる特定枠制度が設けられた。

1 一つ
2 二つ
3 三つ
4 四つ
5 五つ

【オリジナル問題】

チェック欄	1回目 ／	2回目 ／	3回目 ／
	手応え	手応え	手応え

解説

テキスト 第6編

ア　妥当でない　在外選挙制度は、1998（平成10）年の公職選挙法改正により比例代表選挙に認められました。2006（平成18）年の改正により小選挙区選挙にも認められ、2007（平成19）年6月以降に実施する選挙区選挙から投票をすることができるようなりました。 P.105

イ　妥当でない　2013（平成25）年の公職選挙法改正により、インターネットを利用した選挙運動が解禁されましたが、**公示・告示日から投票日の前日までしか認められていません**。一般有権者には、政党･候補者の場合と同様、ウェブサイトの更新やＳＮＳでの投稿による選挙運動は認められています。 P.105

ウ　妥当である　2013（平成25）年の公職選挙法改正により、2013（平成25）年7月以降に公示・告示される選挙から、**成年被後見人の選挙権・被選挙権が回復されました**。 P.105

エ　妥当である　2016（平成28）年5月の公職選挙法の改正により、①**衆議院議員の定数を10削減する**（小選挙区6減、比例代表4減）、②**衆議院議員選挙の小選挙区の都道府県別の定数および比例ブロックの定数を「アダムズ方式」により配分する**ものとされました。なお、定数の削減に伴う区割りについては、2017（平成29）年6月の区割り改定法により、小選挙区では青森県、岩手県、三重県、奈良県、熊本県、鹿児島県の定数がそれぞれ1減少し、比例代表では東北ブロック、北関東ブロック、近畿ブロック、九州ブロックの定数がそれぞれ1減少しました。 P.105

オ　妥当である　2018（平成30）年7月の公職選挙法の改正により、参議院比例代表選出議員の選挙について、全国的な支持基盤を有するとはいえないけれども国政上有為な人材または民意を媒介する政党がその役割を果たすうえで必要な人材が当選しやすくなるよう、**政党その他の政治団体が参議院名簿にその他の参議院名簿登載者と区分して当選人となるべき順位を記載した参議院名簿登載者（特定枠名簿登載者）が、当該参議院名簿に係る参議院名簿登載者の間において優先的に当選人となるようにする特定枠制度が設けられました**。 P.105

以上より、妥当なものは**ウ・エ・オ**の3つであり、正解は**3**となります。

正解　3

公職選挙法の改正については、過去にもよく出題されています。
万全な対策をしておきましょう。

政治／国内政治

問題 219 **日本の中央政府の行政改革について、平成13年（2001年）に実現した省庁再編の内容として妥当なものの組合せはどれか。**

ア 環境庁を環境省に移行した。

イ 防衛庁、海上保安庁の２庁を防衛省に統合した。

ウ 首相府、沖縄開発庁、経済企画庁の１府２庁を内閣府に統合した。

エ 運輸省、建設省、北海道開発庁、国土庁の２省２庁を国土交通省に統合した。

オ 自治省、総務庁、金融庁、文化庁、気象庁の１省４庁を総務省に統合した。

1 ア・ウ
2 ア・エ
3 イ・ウ
4 イ・オ
5 エ・オ

【本試験2014年問48】

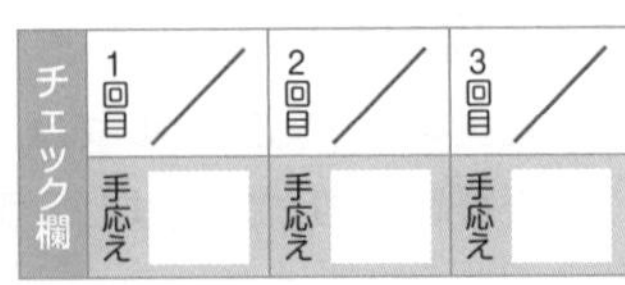

解説

テキスト
第6編

ア **妥当である** 平成13年（2001年）1月の中央省庁再編では、**環境庁を「環境省」に移行**しました。 P.108

イ **妥当でない** **防衛庁は、平成19年（2007年）1月に「防衛省」に移行**しました。なお、**海上保安庁は、国土交通省の外局**です。 P.109

ウ **妥当でない** 平成13年（2001年）1月の中央省庁再編では、**総理府、沖縄開発庁、経済企画庁を「内閣府」に統合**しました。 P.108

エ **妥当である** 平成13年（2001年）1月の中央省庁再編では、**運輸省、建設省、北海道開発庁、国土庁を「国土交通省」**に統合しました。 P.108

オ **妥当でない** 平成13年（2001年）1月の中央省庁再編では、**自治省、総務庁、郵政省を「総務省」に統合**しました。なお、**金融庁は、内閣府の外局です。文化庁は、文部科学省の外局です。気象庁は、国土交通省の外**局です。 P.108

以上より、妥当なものは**ア・エ**であり、正解は**2**となります。

正解 2

野畑のワンポイント

2019（平成31）年4月1日に、法務省の外局として「出入国在留管理庁」が設置されました。
2020（令和2）年1月7日に、内閣府の外局として「カジノ管理委員会」が設置されました。
2021（令和3）年9月1日に、内閣に「デジタル庁」が設置されました。
2023（令和5）年4月1日に、内閣府の外局として「こども家庭庁」が設置されました。

政治／国際政治

問題 220 **世界の主な政治体制に関する次の記述のうち、妥当なものはどれか。**

1 イギリスの議会は、上院と下院からなり、下院優越の原則が確立しているが上院は違憲立法審査権をもっている。

2 イギリスの内閣は、議会の多数を占める政党の党首が首相になって組織し、連帯して議会に責任を負い、議会が内閣を信任しない場合、内閣は総辞職するか、上院と下院を解散して選挙で国民の信を問わなければならない。

3 アメリカの大統領は、議会に議席がなく、議会の解散権はもたないが、議会への法案提出権をもち、議会が可決した法案に拒否権を発動することができる。

4 アメリカの議会は、各州２名の代表からなる上院と各州から人口に比例して選出される下院からなり、いずれも大統領が拒否した法案の再可決権をもつほか、上院は行政府の主要人事への同意権をもつ。

5 中国では、最高行政機関である国務院は、国家の最高権力機関である全国人民代表大会の下におかれ、司法機関である最高人民法院は、国務院の下におかれている。

【公務員試験アレンジ問題】

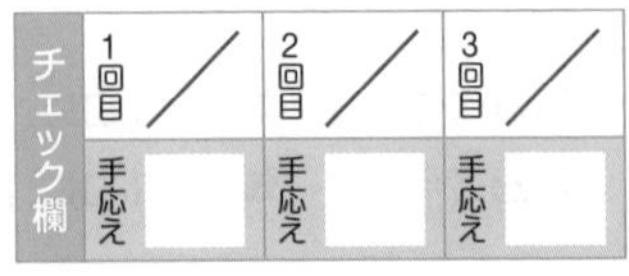

解説

テキスト
第6編

1 **妥当でない** イギリスの議会は、**任期が終身の上院（貴族院）と、任期5年の下院（庶民院）からなり、下院が上院に優越**しています。また、イギリスは成文の憲法典を持たず、議会主権の原理の論理的帰結として、裁判所には**違憲立法審査権がありません**。さらにイギリスでは、従来、貴族院の上院上訴委員会が最高裁判所の役割を果たしていましたが、2009年には最高裁判所が設置され、貴族院から最高裁判所としての機能が分離されました。

2 **妥当でない** 議院内閣制を採用するイギリスでは、内閣は議会（下院）に対して連帯して責任を負い、その存立も議会（下院）の信任に基づいています。**内閣には実質的な下院の解散権、下院には内閣に対する不信任決議権がそれぞれ付与されていますが、上院の解散制度はありません。** P.112

3 **妥当でない** 大統領制を採用するアメリカでは、大統領は議会に議席を有していません。**大統領は議会を解散することができず、議会も大統領に対して不信任決議をすることができません**。また、大統領は議会に対して一般法案や予算法案を提出することも認められていませんが、**大統領は教書という形式で、議会に対して自己の意見や希望を述べる権限**を持っています。さらに大統領は、**議会で可決された法案に対し、拒否権を行使することができます**。なお、大統領により拒否権が発動されたとしても、上下両院が３分の２以上の特別多数で同一の法案を再可決した場合には、当該法案は成立します（オーバーライド）。 P.112

4 **妥当である** アメリカの議会は、**各州から２名ずつ選出する定数100名の上院と、人口を基礎とする定数435名の下院**からなります。上下両院は原則として対等ですが、弾劾裁判権、条約の批准承認権、大統領指名人事の承認権は上院のみが行使することになります。一方、下院には歳入法案や関連法案の先議権が認められています。 P.113

5 **妥当でない** 中国では、**すべての権力が人民にあるという民主集中制**が採られており、人民によって選挙され、人民に対して責任を負う**全国人民代表大会が最高の国家権力機関**とされています。最高国家権力の執行機関である国務院や、司法権を行使する最高裁判所にあたる最高人民法院は全国人民代表大会の下におかれています。 P.114

正解 4

政治／国際政治

問題 221　国家の領域に関する次のア～オの記述のうち、妥当でないものの組合せはどれか。

ア　いずれの国も、領海の基線から12カイリの範囲で、領海の幅を定める権利を有する。

イ　沿岸国は、領海の基線から200カイリの範囲で、排他的経済水域を設けることができる。

ウ　沿岸国は、排他的経済水域の外側12カイリの範囲で、接続水域を設けることができる。

エ　沿岸国は、大陸棚を探査し、またはその天然資源を開発することはできない。

オ　他国の航空機が許可を得ないで領空に侵入すると、領空侵犯行為となる。

1　ア・イ
2　ア・ウ
3　イ・オ
4　ウ・エ
5　エ・オ

【オリジナル問題】

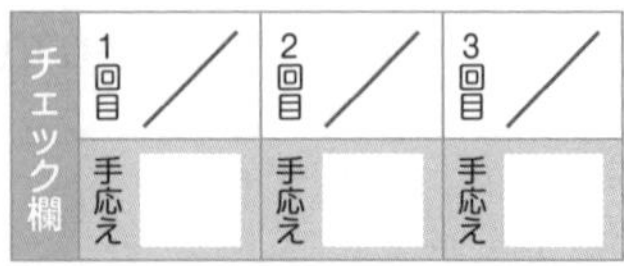

解説

テキスト
第6編

ア　妥当である　国家は、①国民、②主権、③領域（領土・領海・領空）の3要素からなります。国家主権の及ぶ土地を、領土といいます。国家主権の及ぶ海域を、領海といいます。国連海洋法条約（海洋法に関する国際連合条約）によれば、**いずれの国も、領海の基線から12カイリの範囲で、領海の幅を定める権利を有します**。日本の領海は「領海及び接続水域に関する法律」により、領海の基線からその外側12カイリの線までの海域とされています。なお、1カイリは1,852メートルです。 P.115

イ　妥当である　国連海洋法条約によれば、沿岸国は、**領海の基線から200カイリの範囲で、排他的経済水域を設けることができます**。日本の排他的経済水域は「排他的経済水域及び大陸棚に関する法律」により、領海の基線からその外側200カイリの線までの海域（領海を除く。）ならびにその海底およびその下とされています。沿岸国は、排他的経済水域において、天然資源の開発等のための主権的権利、人工島等の設置および利用に関する管轄権、海洋環境の保護および保全に関する管轄権、海洋の科学的調査に関する管轄権を有します。 P.115

ウ　妥当でない　国連海洋法条約によれば、沿岸国は、**領海の基線から24カイリの範囲で、接続水域を設けることができます**。日本の接続水域は「領海及び接続水域に関する法律」により、領海の基線からその外側24カイリの線までの海域（領海を除く。）とされています。**接続水域は、領海の外側に接続する水域であって、排他的経済水域の外側ではありません**。沿岸国は、接続水域において、自国の領土または領海内における通関、財政、出入国管理（密輸入・密入国）または衛生（伝染病など）に関する法令の違反の防止および処罰を行うことができます。 P.115

エ　妥当でない　国連海洋法条約によれば、大陸棚は、領海の基線から原則として200カイリまで（地質上および地形上の一定の要件を満たす場合には国連海洋法条約の規定に従って延長することができる。）の海底およびその下とされています。**沿岸国は、大陸棚を探査し、およびその天然資源を開発するための主権的権利を行使します**。

オ　妥当である　**領土と領水（領海・内水）の上空を、領空といいます**。他国の航空機が許可を得ないで領空に侵入すると、領空侵犯行為となります。 P.115

以上より、妥当でないものは**ウ・エ**であり、正解は4となります。

正解　4

政治／国際政治

問題 222 **国際連合（国連）に関する次のア～オの記述のうち、妥当なものの組合せはどれか。**

ア　総会では、国連の加盟国は、主権平等の原則に基づいて、全会一致による表決を行う。

イ　安全保障理事会の常任理事国は、イギリス・フランス・ドイツ・アメリカ・ロシアである。

ウ　経済社会理事会は、ユネスコなどの専門機関と連携関係を結んで経済や文化、教育、保健などの広範な分野の国際協力に取り組んでいる。

エ　信託統治理事会は、冷戦後の新たな信託統治地域の設定に伴い、活動範囲を拡大している。

オ　国際司法裁判所は、紛争当事国双方の同意がない限り、国家間の紛争を裁判することはできない。

1　ア・イ
2　ア・エ
3　イ・オ
4　ウ・エ
5　ウ・オ

【オリジナル問題】

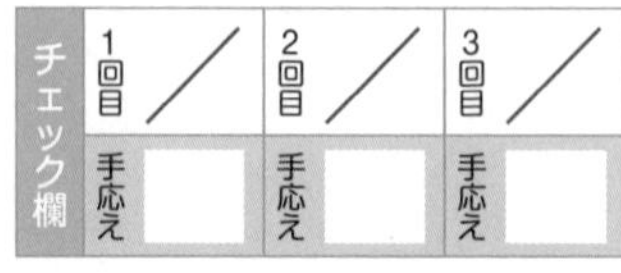

解説

テキスト
第6編

国際連合は、ニューヨークに本部を置き、①総会、②安全保障理事会、③経済社会理事会、④信託統治理事会、⑤事務局、⑥国際司法裁判所の機関から構成されます。

ア　妥当でない　総会は、国連の中心的機関で、全加盟国によって構成されます。**国の大小にかかわらず、1国は1票の投票権**を持っています。国際平和と安全の維持に関する勧告、新加盟国の承認、予算問題など重要問題には、出席しかつ投票する構成国の3分の2以上の票が必要となりますが、その他の問題は、出席しかつ投票する構成国の単純多数決により採択されます。 P.117

イ　妥当でない　安全保障理事会は、国連で安全保障の問題を話し合う主要機関です。安全保障理事会は、**常任理事国5カ国（アメリカ、イギリス、ロシア、フランス、中国）**と非常任理事国10カ国で構成され、**議決に関して常任理事国は拒否権を持っています**。ドイツは、安全保障理事会の常任理事国ではありません。 P.117

ウ　妥当である　経済社会理事会は、経済・社会・文化・教育・人類の福祉などに関する国際問題を研究し、勧告する機関です。経済社会理事会は、国際労働機関（ＩＬＯ）や国連食糧農業機関（ＦＡＯ）などの専門機関を擁します。

エ　妥当でない　信託統治理事会は、住民が自立できず信託統治下にある地域の向上と独立の援助を図ることを目的とする機関です。信託統治領がすべて独立したため、**信託統治理事会は、現在、活動停止の状態**にあります。 P.117

オ　妥当である　国際司法裁判所（ＩＣＪ）は、**オランダのハーグにある、国連の常設司法機関**です。国家間の紛争は国際司法裁判所で裁判されますが、強制的管轄権を持たないため、**紛争当事国が同意しない限り、裁判を始めることができません**。

以上より、妥当なものは**ウ・オ**であり、正解は5となります。

正解　5

政治／国際政治

問題 223 **国際連合（国連）に関する記述として最も妥当なのはどれか。**

1 総会は、全ての加盟国によって構成され、国連憲章に掲げる事項について討議し、加盟国や安全保障理事会に勧告をすることができる。総会で全加盟国は１国１票の投票権を持ち、勧告に関する表決は全会一致で、それ以外の事項の表決は出席国の３分の２の多数によって行われる。

2 安全保障理事会は、米国、英国、フランス、ロシア、中国から成る常任理事国と、総会における選挙で選出された15か国から成る非常任理事国とで構成される。非常任理事国の任期は４年で再任も可能である。常任理事国は拒否権を有しており、同理事会の表決は全会一致で行われる。

3 国連が国連憲章の規定に基づいて行っている平和維持活動には、兵力引き離しや非武装地帯の確保に当たる平和維持軍、選挙の適正さを監視する選挙監視団などの活動がある。これまで我が国は、国連平和維持活動協力法に基づき、選挙監視団のみに自衛隊を派遣している。

4 国際司法裁判所は、国連の主要な司法機関である。同裁判所の裁判官は、総会及び安全保障理事会における選挙で選出される。同裁判所は、紛争当事国双方の合意を得て裁判を行うほか、総会や安全保障理事会の要請に応じて、勧告的意見を出すこともできる。

5 国連の事務総長は、安全保障理事会の勧告に基づいて総会が任命し、その任期は国連憲章で10年と定められている。事務総長は加盟国の多いアジア、アフリカ、中南米の３つの地域から順番に選出されるのが慣例となっており、欧州や北米出身の者が事務総長となった例はない。

【公務員試験アレンジ問題】

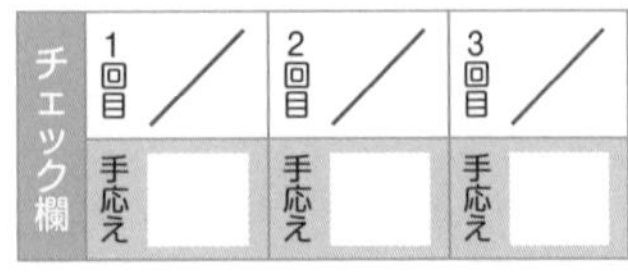

解説

テキスト
第6編

1 **妥当でない**　総会で全加盟国は1国1票の投票権をもちます。表決は、①国際平和と安全維持に関する勧告など**重要問題には3分の2以上の賛成**を要しますが、②**その他の事項は単純多数決**によります。 P.117

2 **妥当でない**　安全保障理事会は、**米・英・仏・ロ・中の5常任理事国と、総会で地域ごとに選出される任期2年（※連続再任不可）の10非常任理事国とで構成**されます。表決は、①手続事項については、9カ国以上の賛成で、②非手続事項（実質事項）については、全常任理事国を含む9カ国以上の理事国の賛成で行われます（すなわち、**常任理事国は拒否権を持ちます**）。 P.117

3 **妥当でない**　国連憲章に明文の規定はありませんが、国連は、紛争地域に国連平和維持活動（ＰＫＯ）を展開し、停戦監視・選挙監視・平和維持軍（ＰＫＦ）を用いた兵力引き離しや非武装地帯の確保などを行っています。わが国は、1996年から2013年にかけてゴラン高原に、兵力引き離し監視隊（ＵＮＤＯＦ）の司令部要員や輸送部隊として自衛隊を派遣するなど、**これまでに国連平和維持活動協力法に基づき、選挙監視団以外にも自衛隊を派遣しています**。

4 **最も妥当である**　国連の主要機関である国際司法裁判所（ＩＣＪ）は、任期9年の15人の裁判官で構成されます。裁判官は、各国が指名する候補者の中で総会と安全保障理事会が別々に選挙し、双方で絶対多数を得た者が任命されます。同裁判所は、**紛争当事国双方の合意を得て裁判を行うほか、総会や安全保障理事会の要請に応じて、勧告的意見を出すこともできます**。

5 **妥当でない**　国連の事務総長は、安全保障理事会の勧告に基づいて総会が任命します。その任期の定めは国連憲章にありませんが、慣行上5年です（※再任可能）。**現在の事務総長（第9代：2023年8月現在）アントニオ・グテーレスは、ポルトガル出身**です。なお、初代・第2代・第4代の事務総長もヨーロッパ出身です。

正解　4

政治／国際政治

問題224　核軍縮・核兵器問題への国際社会の対応に関する次のア～オの記述のうち、妥当なものはいくつあるか。

ア　包括的核実験禁止条約（ＣＴＢＴ）は、核保有国、非核保有国の区別なく、核爆発を伴う一切の核実験の禁止を基本的義務とする条約であり、1997年に発効した。

イ　核拡散防止条約（ＮＰＴ）は、米・英・仏・ソ・中以外の国が核兵器を開発し、保有するのを防ぐことを目的とする条約であり、1970年に発効した。

ウ　国際原子力機関（ＩＡＥＡ）は、原子力の平和的利用を促進するとともに、原子力が平和的利用から軍事的利用に転用されることを防止することを目的としている。

エ　2017年に国連で採択され、日本も署名した核兵器禁止条約の成立に尽力した国際ＮＧＯ核兵器廃絶国際キャンペーン（ＩＣＡＮ）にノーベル平和賞が授与された。

オ　1987年に米・ソ両国は中距離核戦力（ＩＮＦ）の全廃条約に調印したが、2019年に失効した。

1　一つ
2　二つ
3　三つ
4　四つ
5　五つ

【オリジナル問題】

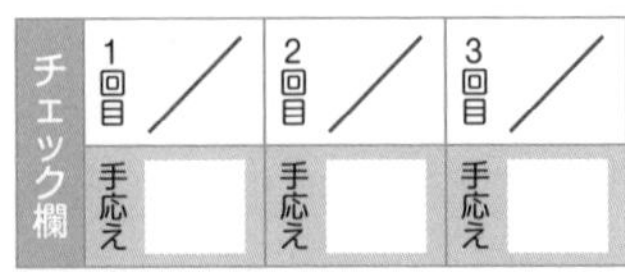

解説

テキスト
第6編

ア　妥当でない　**包括的核実験禁止条約（ＣＴＢＴ／1996年署名、未発効）は、核保有国、非核保有国の区別なく、核爆発を伴う一切の核実験の禁止を基本的義務とする条約**です（日本は1997年に批准）。アメリカは、2001年11月の第２回ＣＴＢＴ発効促進会議をボイコットしています。2003年９月に開かれた第３回促進会議では、参加71カ国が「すべての国の加盟と早期発効に向けた努力の継続」をうたった最終宣言を採択しましたが、アメリカは再びボイコットしています。2024年9月現在、未発効です。 P.120

イ　妥当である　**核拡散防止条約（核兵器不拡散条約／ＮＰＴ／1970年３月発効）は、米・英・仏・ソ（露）・中以外の国が核兵器を開発し、保有するのを防ぐことを目的とする条約**です。インド・パキスタン・イスラエル等は加盟していません（北朝鮮は後に脱退）。核兵器保有国には核兵器の拡散防止義務を課し、非核保有国への核兵器および核兵器生産技術の移転を禁止しています。1995年に無期限延長が決定されました。日本は1976年に、この条約を批准しました。 P.120

ウ　妥当である　**国際原子力機関（ＩＡＥＡ）は、原子力の平和的利用を促進するとともに、原子力が平和的利用から軍事的利用に転用されることを防止することを目的**としています。核拡散防止条約（核兵器不拡散条約／ＮＰＴ）では、締約国である非核保有国に対して、ＩＡＥＡとの間において包括的保障措置協定（平和的原子力活動に係るすべての核物質が対象）を締結するよう義務付けています（日本は1977年に包括的保障措置協定発効）。ＩＡＥＡ査察官は、各国の施設に立ち入り、軍事利用されていないか点検する等の核査察を行う権限を持ちます。ＮＰＴは、非核保有国にＩＡＥＡによる核査察を受け入れることを義務付けています。 P.120

エ　妥当でない　2017年７月に核兵器禁止条約が国連で採択されました(2021年１月発効)。しかし、**日本は、核兵器禁止条約に署名していません。**この条約の成立に尽力した**国際ＮＧＯ「核兵器廃絶国際キャンペーン（ＩＣＡＮ)」には、2017年にノーベル平和賞が授与**されました。 P.120

オ　妥当である　アメリカ･旧ソ連両国は、1987年に中距離核戦力（ＩＮＦ）全廃条約に調印しました（1988年発効）。もっとも、**2018年10月にアメリカのトランプ大統領は、ロシアが同条約を遵守していないとして同条約からの離脱を表明**しました（2019年８月に失効）。 P.120

解説

以上より、妥当なものは**イ・ウ・オ**の3つであり、正解は3となります。

正解 3

肢オについては時事的な要素を含んでいます。
おそらく、2025年6月頃までの時事ニュースについて出題される可能性が高いので、ニュースで核関連が出てきたら意識しておくようにしましょう。

【核軍縮に関する条約】

1963年（発効済）	PTBT（部分的核実験禁止条約）	**アメリカ・イギリス・ソ連**の間で締結された条約で、**大気圏内、宇宙空間、および水中における核実験を禁止する**ことを定めた条約。
1968年（発効済）	NPT（核拡散防止条約）	核兵器を保有できる国をアメリカ・ソ連・イギリス・フランス・中国の5カ国に限定し、非核保有国が核兵器を新たに保有することや、保有国が非保有国に核兵器を供与することを禁止する条約。
1987年（2019年失効）	INF（中距離核戦力全廃条約）	アメリカ・ソ連の間で締結された、中距離弾道ミサイルをすべて廃棄する条約。2019年に失効した。
1996年（未発効）	CTBT（包括的核実験禁止条約）	地下核実験も含め、**あらゆる空間での核兵器の核実験による爆発、その他の核爆発を禁止**する条約。
2017年（発効済）	核兵器禁止条約	加盟国に核兵器の開発、保有、実験、使用だけでなく、核兵器を使用すると威嚇する行為も禁止する条約。 ※NPT加盟国のアメリカ・イギリス・フランス・中国・ロシアに加えて、日本も署名していない。

MEMO

政治／国際政治

問題 225 **第二次世界大戦後の冷戦に関する記述として最も妥当なのはどれか。**

1 米国のフランクリン＝ローズヴェルト大統領は、共産主義の拡大を封じ込めるニューフロンティア政策としてギリシアとオーストリアに軍事援助を与え、さらにヨーロッパ経済復興援助計画（マーシャル・プラン）を発表した。これに対して、ソ連・東欧諸国はコミンテルンを設立して対抗した。

2 分割占領下のドイツでは、西ベルリンを占領する米・英・仏が、ソ連が占領する東ベルリンへの出入りを禁止するベルリン封鎖を強行し、東西ベルリンの境界に壁を築いた。その後、西側陣営のドイツ連邦共和国（西ドイツ）と東側陣営のドイツ民主共和国（東ドイツ）が成立した。

3 冷戦の激化に伴い、アジア・アフリカの新興独立国を中心とする、東西両陣営のいずれにも属さない第三勢力が台頭してきた。こうした第三勢力の国々が参加して、国際平和・非暴力・不服従を掲げた非同盟諸国首脳会議が中国の北京で開催された。

4 キューバでは、米国の援助を受けた親米政権がカストロの指導する革命運動に倒された。その後、ソ連がキューバにミサイル基地を建設しようとしたことから、米国が海上封鎖を断行し、米ソ間で一気に緊張が高まるキューバ危機が発生した。

5 東ドイツの自由選挙で早期統一を求める党派が勝利を収めると、東ドイツは西ドイツを吸収し、ドイツ統一が実現した。これを受けて、米国のクリントン大統領とソ連のゴルバチョフ書記長がアイスランドのレイキャビクで会談し、冷戦の終結を宣言した。

【公務員試験アレンジ問題】

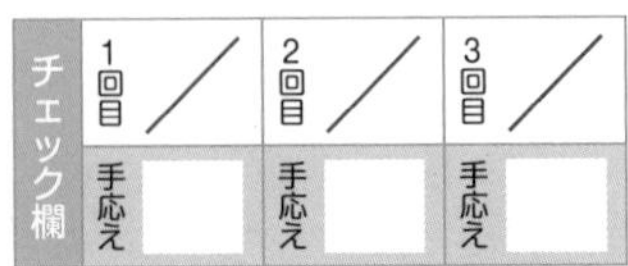

解説

テキスト
第6編

1 **妥当でない** アメリカのトルーマン大統領は、共産主義の拡大を封じ込める政策（トルーマン・ドクトリン）を掲げて、ギリシャやトルコの国内の自由主義勢力を軍事援助し、マーシャル・プラン（ヨーロッパ経済復興援助計画）を通じて西側諸国の経済復興を助けました。これに対し、ソ連は、国際共産党情報局（コミンフォルム）、経済相互援助会議（COMECON）を設立し、東側陣営の政治経済的結束を強め、ワルシャワ条約機構の結成を通じて軍事的結束を強めました。

2 **妥当でない** 東西対立が厳しくなると、ドイツでの米英仏管理地区とソ連管理地区の分断が進みました。1948年6月、ソ連は、西側占領地区の通貨改革に反対して、西ベルリンへの交通を遮断しました（ベルリン封鎖）。米英仏は生活必需品を空輸して対抗し、1949年5月に封鎖が解かれましたが、ボンを首都とするドイツ連邦共和国（西ドイツ）と、東ベルリンを首都とするドイツ民主共和国（東ドイツ）が成立しました。農業集団化の推進に伴い、東ベルリンから西側に脱出する人々が増えたため、東ドイツ政府は1961年に東西ベルリンの境界にベルリンの壁を築きました。

3 **妥当でない** 1950年代半ばから1960年代にかけて、欧米の植民地であったアジア・アフリカの国々が次々に独立しました。これらの国々は、米ソいずれの陣営にも属さない第三勢力を形成し、非同盟の立場をとり、アジア・アフリカ会議（1955年・バンドン）や非同盟諸国首脳会議（1961年・ベオグラード）を開催して結束を図りました。

4 **最も妥当である** 1962年、ソ連がカストロ政権支援のためキューバにミサイル基地をつくろうとしましたが、アメリカはその撤去を要求して海上封鎖を行い、世界は核戦争の危機に直面しました（キューバ危機）。ソ連が基地を撤去したことにより危機は回避されました。

5 **妥当でない** 1989年12月、アメリカのブッシュ大統領とソ連のゴルバチョフ書記長は、地中海のマルタ島での米ソ首脳会談（マルタ会談）において冷戦終結を宣言しました。他方、1989年11月、ベルリンの壁が崩壊し、1990年、東ドイツが西ドイツに編入される形でドイツ統一が実現しました。

正解 4

経済／経済用語

物価の動きに関する記述として、妥当なのはどれか。

1 消費者物価指数とは、消費者が購入する財やサービスなどの価格を指数化したものであり、日本銀行が毎月発表している。

2 インフレーションとは、物価が持続的に上昇することをいい、インフレーションになると、貨幣価値が上がるため、実質賃金の上昇を招くこととなる。

3 ディマンド・プル・インフレーションとは、賃金や原材料費などの生産コストの上昇が要因となって物価を押し上げることをいう。

4 クリーピング・インフレーションとは、わが国では第二次世界大戦直後にみられた現象であり、物価が短期間で急激に数十倍にも上昇することをいう。

5 スタグフレーションとは、スタグネーションとインフレーションとの合成語であり、不況にも関わらず物価が上昇する現象をいう。

【公務員試験アレンジ問題】

チェック欄	1回目	／	2回目	／	3回目	／
	手応え		手応え		手応え	

解説

テキスト
第6編

1 **妥当でない**　消費者物価指数（ＣＰＩ）を毎月作成し発表しているのは、総務省統計局です。総務省統計局によれば、消費者物価指数とは、全国の世帯が購入する家計にかかわる財およびサービスの価格などを総合した物価の変動を時系列的に測定するものです。

2 **妥当でない**　インフレーションとは、物価が持続的に上昇することです。インフレーションになると、**貨幣価値が下落し、実質賃金は下がります**。 P.122

3 **妥当でない**　ディマンド・プル・インフレーションとは、**総需要が総供給を上回ることによって起こるインフレーション**です。原材料費や賃金などの生産コストが上昇するために起こるインフレーションは、コスト・プッシュ・インフレーションです。 P.122

4 **妥当でない**　インフレーションは、**物価上昇率の程度により、クリーピング・インフレーション、ギャロッピング・インフレーション、ハイパー・インフレーションに分類**されます。クリーピング・インフレーションとは、１年で２～３％程度の率で持続的に物価水準が上昇している状態をいい、ギャロッピング・インフレーションとは、年率で数%から10%を超える割合で物価水準が上昇している状態をいいます。ハイパー・インフレーションとは、短期間に急激に物価が上昇することをいい、わが国では第二次世界大戦直後に見られた現象です。 P.122

5 **妥当である**　スタグフレーションとは、**不況下の物価高のこと**で、不況と物価上昇とが同時に発生している状態をいいます。スタグフレーション（stagflation）という言葉は、スタグネーション（stagnation ／景気停滞）とインフレーション（inflation ／物価上昇）の合成語です。 P.122

正解　5

経済／財政

問題 227　我が国における国債に関する次のア～オの記述のうち、妥当なものの組合せはどれか。

ア　国債には、公共事業費などの財源として発行される建設国債や、人件費など経常的支出の財源を確保するために発行される赤字国債がある。

イ　財政法上、赤字国債の発行は認められているが、建設国債の発行は原則禁止とされているため、政府は、毎年度、特例法を制定して建設国債を発行している。

ウ　財政法上、国債の新規発行は、公募入札方式によらず、日本銀行が引き受けることを原則としている。

エ　バブル崩壊後の不況に対し、政府が公共事業の拡大による景気対策を行ったため、最近では、建設国債残高は赤字国債残高よりもはるかに大きくなっている。

オ　国債残高の増加に伴い、国債の元利払いに充てられる経費である国債費が膨張し、他の施策に充てられるべき支出が圧迫されるという問題が生じている。

1　ア・イ
2　ア・オ
3　イ・ウ
4　イ・エ
5　エ・オ

【公務員試験アレンジ問題】

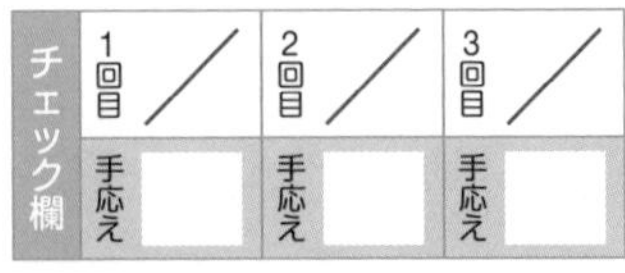

解説

テキスト 第6編

ア　妥当である　普通国債には**公共事業、出資金および貸付金の財源を調達するために発行される建設国債**、建設国債を発行してもなお歳入が不足すると見込まれる場合に**人件費などの経常的支出に充てる財源を確保するために発行される赤字国債**（特例国債）等があります。 P.128

イ　妥当でない　建設国債は、財政法4条1項但書に定められています。これに対し、**赤字国債の発行は原則禁止とされているため、赤字国債を発行する場合には特例法を制定して赤字国債を発行しています。** P.128

ウ　妥当でない　財政法上、国債の新規発行は、公募入札方式によります。また、**日本銀行が国債を引き受けることは、原則として禁止**されています（財政法5条）。 P.129

エ　妥当でない　最近では、**赤字国債残高は、建設国債残高よりも大きくなっています。** P.128

オ　妥当である　公共事業関係費の増加や、高齢化の進行等に伴う社会保障関係費の増加、景気低迷や減税等による税収の減少などにより、国債費が一般歳出に占める割合が高くなっており、結果として、財政が硬直的になり、財政の自由度が失われて、他の施策に充てられるべき支出が圧迫されるという問題が生じています。

以上より、妥当なものは**ア・オ**であり、正解は**2**となります。

正解　2

野畑のワンポイント

国債については本試験でもよく出題されています。
建設国債と赤字（特例）国債の違いは正確に押さえておきましょう。

【主な国債の種類】

建設国債	公共事業を行うための財源を調達する目的で発行する国債。
赤字（特例）国債	一般会計の歳入不足を補う目的で発行する国債。

経済／金融(日本銀行)

問題 228 **日本銀行に関する次のア～オの記述のうち、誤っているものはいくつあるか。**

ア 日本銀行は「銀行の銀行」として市中銀行から預託を受け入れ、市中銀行に貸し出しを行う。日本銀行が市中銀行に貸し出す金利を法定利息と呼ぶ。

イ 日本銀行は「政府の銀行」として、国（中央政府）や自治体（地方政府）の税金などの公金の管理をする等、出納経理にかかわる事務をしている。

ウ 日本銀行は「発券銀行」として、日本銀行券を発行する。日本銀行券は法定通貨であり、金(きん)と交換できない不換銀行券である。

エ 1990年代後半からの金融自由化により、日本銀行は「唯一の発券銀行」としての地位を2000年代には失った。そのため、各地で地域通貨が発行されるようになった。

オ 日本銀行は「国内政策の銀行」として、公開市場操作などの金融政策を行う。しかし、「円売りドル買い」などの外国為替市場への介入は行わない。

1 一つ
2 二つ
3 三つ
4 四つ
5 五つ

【本試験2011年問49改題】

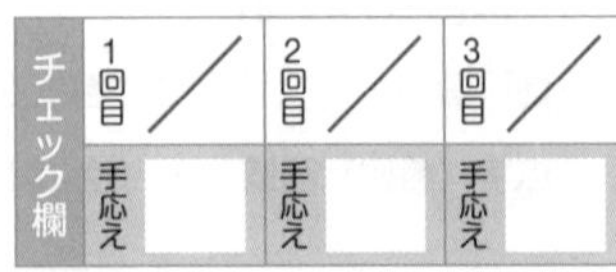

解説

テキスト
第6編

ア 誤 日本銀行は、「銀行の銀行」として市中銀行から預託を受け入れ、また、市中銀行に対し資金を貸し出す業務も行っています。**日本銀行が市中銀行に貸し出しをする際の金利のことを「基準割引率および基準貸付利率」といいます**。これは、2006（平成18）年まで「公定歩合」と呼ばれていたものです。 P.135

イ 誤 日本銀行は、「政府の銀行」として、政府に対して無担保の貸付や政府発行短期債の購入などを通じて資金を提供しています。また、外国為替資金特別会計の外為売買や政府の起債、償還、利払いなどの国債に関する一切の事務も代行しています。しかし、**地方自治体の出納経理にかかわる事務は対象外**としています。 P.134

ウ 正 日本銀行は、**「唯一の発券銀行」として日本銀行券の発行を行います。**日本銀行券は、法定通貨として強制通用力を有し、金と交換できない不換銀行券です。

エ 誤 1990年代からは、外国為替公認銀行制度の廃止や、外国為替取引が自由化されるなど金融制度改革が行われ金融自由化が進みました（金融ビッグバン）が、日本銀行は、「唯一の発券銀行」として日本銀行券を発行しています。また、**各自治体や地域で、地域振興のために独自の地域通貨を発行することがありますが、これは法定通貨ではなく、日本銀行券の代わりになるものではありません。** P.134

オ 誤 日本銀行は、経済の安定のために、公開市場操作などの金融政策を実施しています。また、日本銀行は、**財務大臣の代理人として、財務大臣の指示に基づいて外国為替市場への介入を行う**ことがあります。 P.134

以上より、誤っているものは**ア・イ・エ・オ**の4つであり、正解は**4**となります。

正解 4

経済／戦後日本経済史

日本の戦後復興期の経済に関する次の記述のうち、妥当なものはどれか。

1 石炭・石油・鉄鋼・造船に対する傾斜生産方式が導入され、これにより生産の回復が図られた。

2 ドッジラインにより、景気回復に向けて国債発行を通じた積極的な公共事業が各地で実施されるとともに、賃金・物価統制を通じて、インフレの収束が図られた。

3 輸出拡大を目指して、日本銀行による円安方向への為替介入が行われ、為替レートは1ドル＝360円の水準維持が図られた。

4 シャウプ勧告を受けて、企業の資本蓄積を促進するために、法人税率の引下げが行われた。

5 朝鮮戦争により、衣料調達や武器補修などの特需が起こったことから、繊維産業や金属工業を中心に生産水準が回復した。

【本試験2016年問51】

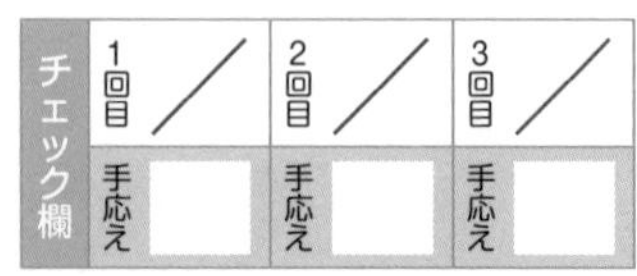

解説

テキスト第6編

1 **妥当でない**　1946（昭和21）年12月から、**石炭・鉄鋼などの基幹産業に対して重点的に資金・資材や労働力を投入する傾斜生産方式が導入**され、これにより生産の回復が図られました。**石油・造船に対しては傾斜生産方式は導入されていません。** P.137

2 **妥当でない**　傾斜生産方式によるインフレーション（復金インフレ）を収束させるために、GHQ（連合国軍最高司令官総司令部）によって1948（昭和23）年12月に賃金安定・物価統制などの「経済安定9原則」が示されました。1949（昭和24）年2月からのGHQの経済顧問ジョゼフ=ドッジによる**金融引き締め政策（ドッジライン）により、国債の発行停止、政府による補助金の廃止、1ドル＝360円の単一為替レートの導入などが実施**されました。 P.137

3 **妥当でない**　日本銀行による為替介入は行われていません。GHQの経済顧問ジョゼフ=ドッジによる勧告を受けて、**1949（昭和24）年4月に、1ドル＝360円の単一為替レートが導入**されました。 P.137

4 **妥当でない**　カール・シャウプを団長とする税制使節団による1949（昭和24）年8月の「日本税制の改革に関する報告書」（シャウプ勧告）を受けて、**1950（昭和25）年に、所得税や法人税などの直接税中心の税制への改革が実施**されました。公平な租税制度を確立するため、法人税においては、所得の多寡や企業の規模に関係なく一律35%の単一税率が導入されました。 P.137

5 **妥当である**　ドッジラインによってインフレは収束しましたが、「安定恐慌」と呼ばれる不況を招きました。しかし、**1950（昭和25）年6月に始まった朝鮮戦争により、アメリカ軍に対する衣料調達や武器補修などの特需（朝鮮特需）が起こったことから、繊維産業や金属工業を中心に生産水準が回復しました。**その後、1955（昭和30）年頃から高度経済成長期に入り、実質経済成長率が年平均で9.7%（1955年～1964年）に達して「神武景気」や「岩戸景気」と呼ばれる好況になりました。 P.137

正解　5

経済／戦後日本経済史

問題230 **第二次世界大戦後の日本経済に関する次の記述のうち、最も妥当なものはどれか。**

1　大戦直後、連合国軍総司令部（ＧＨＱ）により財閥解体、農地改革、労働改革などの経済民主化のための指令が出されたが、当時の国際共産主義への警戒心から、労働組合法の制定は1950年代に持ち越された。また、労働力や資金を食料品や日用品の生産に重点的に投入する傾斜生産方式が採られた。

2　1950年に勃発した朝鮮戦争はアメリカ軍の特需を生み、我が国経済は好景気を迎えたが、このために激しいインフレが起こり、我が国政府はシャウプ勧告に基づき、ドッジラインと呼ばれた緊縮予算を組むことでインフレを抑制した。

3　1955年から1964年にかけて、我が国は「神武景気」、「岩戸景気」、「オリンピック景気」と呼ばれる好景気を迎えたが、この間には、好況により輸入が増えると国際収支が悪化し、そのために金融を引き締めると景気が後退するという景気変動がみられた。

4　1965年から1970年にかけては「いざなぎ景気」と呼ばれる戦後最長の好景気を迎え、この間の平均経済成長率は７％程度に達し、高度成長期の平均的な経済成長率を上回った。この好景気も第一次石油危機によって終焉に向かった。

5　我が国は第二次世界大戦後は変動為替相場制をとっていたが、経済が安定化した1955年以降は１ドル＝360円の固定為替相場制となった。その後、1971年にドルショックが起きると、円は１ドル＝380円に切り下げられた後、変動為替相場制に移行した。

【公務員試験アレンジ問題】

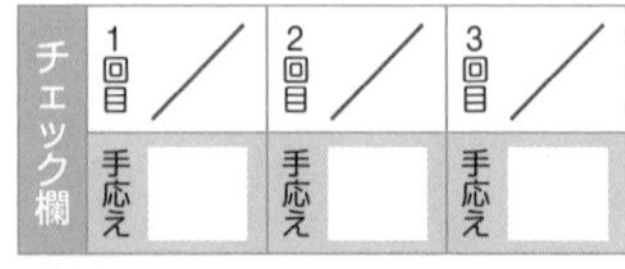

解説

テキスト
第6編

1 **妥当でない**　労働組合法の制定は、1945（昭和20）年のことです。また、**傾斜生産方式とは、石炭・鉄鋼業などの当時の基幹産業に対して重点的に、資金・資材、労働力を投入して、経済の復興を図るもの**です。 P.137

2 **妥当でない**　第二次世界大戦後の激しいインフレ（**復金インフレ**）は、1949（昭和24）年にＧＨＱの経済顧問ドッジによる経済安定化のための方針（**ドッジライン**）によって収束しましたが、デフレ不況（**安定恐慌**）に陥りました。その後、1950（昭和25）年に勃発した朝鮮戦争はアメリカ軍の特需（**朝鮮特需**）を生み、日本経済は好景気を迎えました。

3 **最も妥当である**　「神武景気」（1954（昭和29）年11月～1957（昭和32）年６月）、「岩戸景気」（1958（昭和33）年６月～1961（昭和36）年12月）、「オリンピック景気」（1962（昭和37）年10月～1964（昭和39）年10月）によって日本は着実な経済成長を遂げていきました。しかし、**神武景気と岩戸景気の間の「なべ底不況」では、神武景気によって設備投資関連輸入が激増したことなどから国際収支が悪化しました**。このため、政府が国際収支改善のために金融引締め政策を実施し、景気の後退に見舞われました。 P.138

4 **妥当でない**　「いざなぎ景気」（1965（昭和40）年10月～1970（昭和45）年７月）の平均名目経済成長率は、年10%を超えていました。この間に日本はＧＮＰで米国に次いで自由主義国第２位となり、日米貿易摩擦が生じるようになりました。なお、**第１次石油危機は、1973（昭和48）年の第４次中東戦争をきっかけとするもので、いざなぎ景気の終焉とは時期が異なっています。** P.138

5 **妥当でない**　第２次世界大戦後、1949（昭和24）年に日本はＪ.ドッジの勧告に従って１ドル＝360円の固定為替レートを採用しました。その後、1971（昭和46）年８月にアメリカのニクソン大統領（当時）がドルと金の兌換性を停止したため（ニクソン・ショック）、各国はブレトン・ウッズ協定で採用された固定相場制を維持することが困難となりました。さらに**1971（昭和46）年12月に結ばれたスミソニアン協定で、日本円はドルに対して切り上げられて１ドル＝308円の固定レートが適用**されましたが、まもなく固定相場制は崩壊し、1976（昭和51）年１月のキングストン合意で変動相場制が承認されることとなりました。

正解　3

経済／戦後世界経済

問題 231 **次の文章の空欄 ア ～ エ に入る語句の組合せとして正しいものはどれか。**

第二次世界大戦後の国際経済は、1944年のブレトンウッズ協定に基づいて設立された ア と イ 、1947年に締結された ウ を中心に運営された。

イ は大戦後の経済復興と開発のための資金提供を目的としていた。日本は イ からの融資を受け、東海道新幹線や黒部ダムなどを建設している。その後、 イ は発展途上国の経済発展のための融資機関となった。

また ウ のもとでは8回の関税引き下げ交渉がもたれたが、それは貿易拡大による国際経済発展に貢献するとともに、その後 エ の設立をもたらした。 エ では、 ウ の基本精神を受け継ぎつつ、交渉を続けている。

1 **ア** IBRD **イ** IMF **ウ** GATT **エ** WTO
2 **ア** GATT **イ** IMF **ウ** WTO **エ** IBRD
3 **ア** IBRD **イ** IMF **ウ** WTO **エ** GATT
4 **ア** IBRD **イ** WTO **ウ** IMF **エ** GATT
5 **ア** IMF **イ** IBRD **ウ** GATT **エ** WTO

【本試験2014年問52】

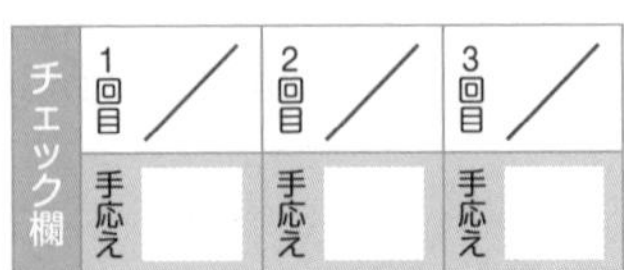

解説

テキスト ▶ 第6編P.140

第二次世界大戦後の国際経済は、1944年のブレトンウッズ協定に基づいて設立された(ア) IMFと(イ) IBRD、1947年に締結された(ウ) GATTを中心に運営された。

(イ) IBRDは大戦後の経済復興と開発のための資金提供を目的としていた。日本は(イ) IBRDからの融資を受け、東海道新幹線や黒部ダムなどを建設している。その後、(イ) IBRDは発展途上国の経済発展のための融資機関となった。

また(ウ) GATTのもとでは8回の関税引き下げ交渉がもたれたが、それは貿易拡大による国際経済発展に貢献するとともに、その後(エ) WTOの設立をもたらした。(エ) WTOでは、(ウ) GATTの基本精神を受け継ぎつつ、交渉を続けている。

以上より、**ア**には「IMF」、**イ**には「IBRD」、**ウ**には「GATT」、**エ**には「WTO」が入り、正解は**5**となります。

正解 5

GATT（一般協定）を解消して作られたのがWTO（組織）です。
2つの違いについて確認しておきましょう。

【GATTとWTOの違い】

	GATT	WTO
範囲	基本的に「モノ」の移動	サービス・知的財産権も含む
紛争解決	コンセンサス方式 （1カ国でも反対すると対抗措置不可）	ネガティブコンセンサス方式 （全会一致の反対でなければ対抗措置をとることが可能）

社会／雇用・労働問題

問題232 **2018年6月に成立した働き方改革関連法*に関する次の記述のうち、妥当でないものはどれか。**

1 月45時間、年360時間を原則とする時間外労働の上限規制が導入された。

2 使用者に対し、年次有給休暇の年5日時季指定義務が課された。

3 フレックスタイム制の清算期間の上限が1カ月へ短縮された。

4 職務の範囲が明確で一定の年収を有する労働者が、高度の専門的知識を必要とする等の業務に従事する場合に、一定の要件のもとで、労働時間、休日、深夜の割増賃金等の規定を適用除外とする制度が創設された。

5 事業主に対し、前日の終業時刻と翌日の始業時刻との間に一定時間の休息を確保する制度を導入する努力義務が課された。

（注）＊ 働き方改革を推進するための関係法律の整備に関する法律

【オリジナル問題】

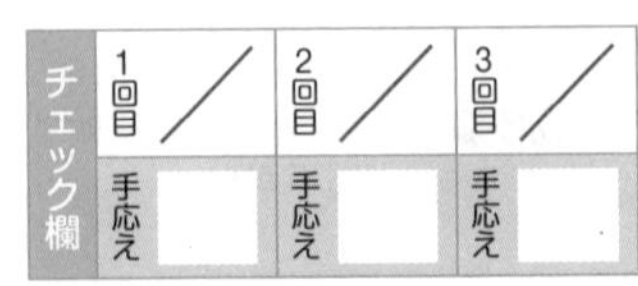

解説

テキスト 第6編

2018（平成30）年6月に、労働者がそれぞれの事情に応じた多様な働き方を選択できる社会を実現する「働き方改革」を推進するため、8つの法律を改正する「働き方改革を推進するための関係法律の整備に関する法律」（働き方改革関連法）が成立しました。

1 **妥当である** 働き方改革関連法における労働基準法の改正により、**時間外労働の上限規制（月45時間、年360時間を原則**とし、臨時的な特別な事情がある場合でも年720時間、単月100時間未満（休日労働を含む）、複数月平均80時間（休日労働を含む）を限度に設定）**が導入されました。** P.145

2 **妥当である** 働き方改革関連法における労働基準法の改正により、**使用者に対し、年次有給休暇の年5日時季指定義務**（10日以上の年次有給休暇が付与される労働者に対し、原則として年5日について時季を指定して与えなければならない）**が課されました。** P.145

3 **妥当でない** フレックスタイム制は、就業規則等により制度を導入することを定めたうえで、労使協定により、一定期間（「清算期間」）を平均し1週間当たりの労働時間が法定の労働時間を超えない範囲内において、その期間における総労働時間を定めた場合に、その範囲内で始業・終業時刻を労働者がそれぞれ自主的に決定することができる制度です。働き方改革関連法における労働基準法の改正により、**フレックスタイム制の「清算期間」の上限が1カ月から3カ月へ延長されました。**

4 **妥当である** 働き方改革関連法における労働基準法の改正により、職務の範囲が明確で一定の年収を有する労働者が、高度の専門的知識を必要とする等の業務に従事する場合に、年間104日の休日を確実に取得させること等の健康確保措置を講じること、本人の同意や労使委員会の決議等を要件として、**労働時間、休日、深夜の割増賃金等の規定を適用除外とする「特定高度専門業務・成果型労働制」（高度プロフェッショナル制度）が創設されました。**

5 **妥当である** 働き方改革関連法における労働時間等設定改善法の改正により、**事業主に対し、前日の終業時刻と翌日の始業時刻との間に一定時間の休息を確保する「勤務間インターバル制度」を導入する努力義務が課されました。** P.145

正解 3

本問は難しかったかもしれませんが、昨今話題になっている働き方改革に関する問題です。
ニュースで取り上げられることも多いと思いますので、意識するようにしましょう。

社会／雇用・労働問題

問題 233　日本の入国管理および難民認定に関する次のア～オの記述のうち、妥当でないものはいくつあるか。

ア　2019年４月から新たな在留資格「特定技能１号・２号」が導入されるとともに、外国人技能実習制度が廃止された。

イ　新たな在留資格「特定技能１号」は、特定産業分野に属する相当程度の知識または経験を必要とする技能を要する業務に従事する在留資格であり、介護・建設・農業・漁業・外食などの12の分野が受け入れの対象とされている。

ウ　2019年４月に、出入国及び外国人の在留の公正な管理に関する施策を総合的に推進するため、法務省の外局として「入国管理局」が設置された。

エ　法務大臣は、日本に在留する外国人で難民の認定を受けているものが出国しようとするときは、その者の申請に基づいて「難民旅行証明書」を交付する。

オ　難民の認定をしない処分についての審査請求は、法務大臣に対して行わなければならず、法務大臣は裁決に当たって「難民審査参与員」の意見を聴かなければならない。

1　一つ
2　二つ
3　三つ
4　四つ
5　五つ

【オリジナル問題】

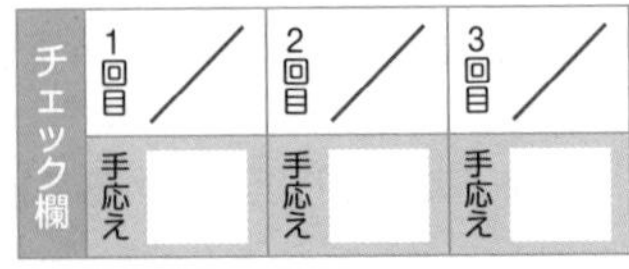

解説

テキスト
第6編

ア　妥当でない　2018（平成30）年12月の入管法（「出入国管理及び難民認定法」）の改正によって、2019（平成31）年4月から、人材を確保することが困難な状況にある産業上の分野に属する技能を有する外国人の受入れを図るため、当該技能を有する外国人に係る新たな在留資格「特定技能1号」および「特定技能2号」が設けられました。もっとも、このことと同時に**外国人技能実習制度が廃止されたわけではありません。** P.145

イ　妥当である　新たな在留資格「特定技能1号」は、特定産業分野に属する相当程度の知識または経験を必要とする技能を要する業務に従事する在留資格であり、**介護・建設・農業・漁業・外食などの12の分野が受け入れの対象とされています。** P.145

ウ　妥当でない　2018（平成30）年12月の法務省設置法の改正により、2019（平成31）年4月に**「入国管理局」が廃止されて**、出入国および外国人の在留の公正な管理に関する施策を総合的に推進するため、法務省の外局として**「出入国在留管理庁」が設置されました。** P.109

エ　妥当である　法務大臣は、本邦に在留する外国人で難民の認定を受けているものが出国しようとするときは、その者の申請に基づき、「難民旅行証明書」を交付します（出入国管理及び難民認定法61条の2の12第1項本文）。なお、難民条約7条は、締約国は、難民に対し、この条約が一層有利な規定を設けている場合を除くほか、一般に外国人に対して与える待遇と同一の待遇を与えることとしています。

オ　妥当である　「難民の認定をしない処分」についての審査請求は、法務大臣に対し、審査請求書を提出してしなければなりません（出入国管理及び難民認定法61条の2の9第1項1号）。法務大臣は、この審査請求に対する裁決にあたっては、「難民審査参与員」の意見を聴かなければなりません（出入国管理及び難民認定法61条の2の9第3項）。

以上より、妥当でないものは**ア・ウ**の2つであり、正解は**2**となります。

正解　2

いわゆる「個数問題」なので難しかったかもしれませんが、外国人労働関係は本試験でも頻出です。出題に備えて、肢ア・イ・ウの知識を入れておきましょう。

社会／社会保障

問題 234 **日本の社会保障制度に関する次の記述のうち、妥当なものはどれか。**

1 介護保険制度において、介護保険の給付費用の財源は、40歳以上の人が支払う介護保険料のみで賄われている。

2 医療保険と年金保険については、国民健康保険法の改正と国民年金法の制定を経て、国民皆保険と国民皆年金が実現した。

3 後期高齢者医療制度では、75歳以上の高齢者に対して、原則として保険料負担を求めないこととなっている。

4 雇用保険は、失業などの際に給付が得られる制度であり、その保険料は、事業主がその全額を負担する。

5 業務上負傷しまたは病気にかかった労働者に対して補償を行う労災保険（労働者災害補償保険）では、事業主と国が保険料を負担する。

【オリジナル問題】

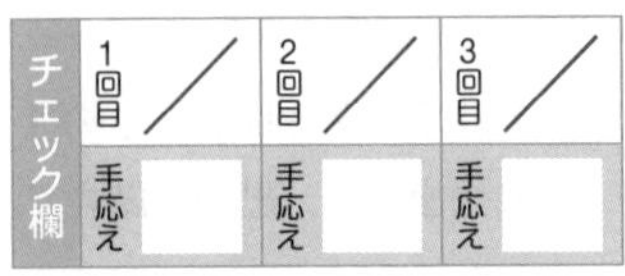

解説

テキスト
第6編

1 **妥当でない** 介護保険制度は、介護保険料を支払うことで介護給付を受けることができる社会保険方式を採っています。**介護保険制度の財源は、税50%（国税25%、都道府県税12.5%、市区町村税12.5%）で介護保険料が50%です。**介護保険制度の被保険者は、①65歳以上の者（第1号被保険者）、②40歳～64歳の医療保険加入者（第2号被保険者）です。第1号被保険者の保険料は市区町村が徴収し（原則として年金から天引き）、第2号被保険者の保険料は各医療保険の保険者が徴収します。 P.147

2 **妥当である** 1958（昭和33）年に国民健康保険法が改正され、1961（昭和36）年に国民皆保険が実現し、全国民がいずれかの医療保険に必ず加入することとなりました。他方、1944（昭和19）年に、民間企業の従業員（サラリーマン）を対象として厚生年金制度が発足しました。この制度の対象となっていない自営業者等のための国民年金法が1959（昭和34）年に制定されて、**すべての国民が加入する国民皆年金制度が1961（昭和36）年に実現しました。** P.146

3 **妥当でない** 後期高齢者医療制度は、後期高齢者医療広域連合が運営する独立した後期高齢者医療制度に後期高齢者（75歳以上（原則））が加入し、**個人単位で保険料を支払い、給付を受ける制度**です。都道府県ごとに、すべての市町村が後期高齢者医療広域連合に加入します。

4 **妥当でない** 雇用保険は、失業者への失業給付のほか雇用福祉事業などを行う、雇用に関する総合的な機能を持つ保険制度です。**雇用保険の保険料は、事業主と労働者双方で負担します。**

5 **妥当でない** 労災保険（労働者災害補償保険）は、業務上または通勤による労働者の負傷・疾病・障害・死亡などに対して、それによる療養費・休業中の賃金などを年金または一時金として支給する制度です。**労災保険の保険料は、事業主が全額負担します。**

正解 2

社会／社会保障

問題 235 **我が国の社会保障に関する記述として、最も妥当なのはどれか。**

1 我が国の社会保障制度は、租税と社会保険料の両方を財源にしており、社会保険、公的扶助、社会福祉の３つの種類にわけられる。

2 すべての国民が、何らかの健康保険と年金保険に加入していることを国民皆保険・皆年金というが、我が国では、いまだ実現できていない。

3 社会保険は、医療、年金、雇用、労災、介護の５種類からなり、費用は、被保検者と事業主のみが負担する。

4 公的扶助は、生活に困窮している国民に対し、国が責任をもって健康で文化的な最低限度の生活を保障するもので、費用は税金でまかなわれる。

5 社会福祉とは、国民の健康の維持・増進を図ることを目的に、感染症予防、母子保健、公害対策など幅広い範囲にわたり、保健所を中心に組織的な取組を行うものである。

【公務員試験アレンジ問題】

チェック欄	1回目 ／	2回目 ／	3回目 ／
	手応え	手応え	手応え

解説

テキスト
第6編

1 **妥当でない**　日本の社会保障制度は、社会保険、公的扶助、社会福祉、公衆衛生の4つの種類に分けられます。 P.146

2 **妥当でない**　日本では、**1961（昭和36）年に国民皆保険・皆年金が実現しました。**

3 **妥当でない**　社会保険は、医療、年金、雇用、労災、介護の5種類からなります。医療保険・雇用保険の費用は、被保検者・事業主の負担に加えて**公費（税金）で賄われます。**年金保険・介護保険の費用は、被保検者の負担に加えて**公費（税金）で賄われます。**労災保険の費用は、事業者のみが負担します。

4 **最も妥当である**　公的扶助は、生活に困窮している国民に対し、国が責任をもって健康で文化的な最低限度の生活を保障するもので、費用は公費(税金)で賄われます。

5 **妥当でない**　これは、**公衆衛生**に関する記述です。**公衆衛生**は、国民の健康の維持・増進を図ることを目的に、感染症予防、母子保健、公害対策など幅広い範囲にわたり、保健所を中心に組織的な取組を行うものです。これに対し、社会福祉とは、**高齢者、障害者等が円滑に社会生活を営むことができるように公的な支援を行う**ものです。 P.148

正解　4

社会／環境問題

問題236 **近年の海洋プラスチックごみ問題に関する記述として、最も妥当なのはどれか。**

1 海洋プラスチックごみが、波や紫外線等の影響で、5mm以下の小さな粒子となったものを、マイクロプラスチックという。

2 マイクロプラスチックは、世界中で観測されているが、まだ日本周辺の海では観測されていない。

3 陸上から流出した海洋プラスチックごみの発生量ランキング（2010年推計）で、上位1位～4位はヨーロッパの国々が占めていた。

4 世界経済フォーラム報告書（2016年）によると、「すでに海洋プラスチックごみの量が海にいる魚の量を上回っている」とされている。

5 放出された海洋プラスチックごみは、自然界の中で時間とともに分解されるとされている。

【公務員試験アレンジ問題】

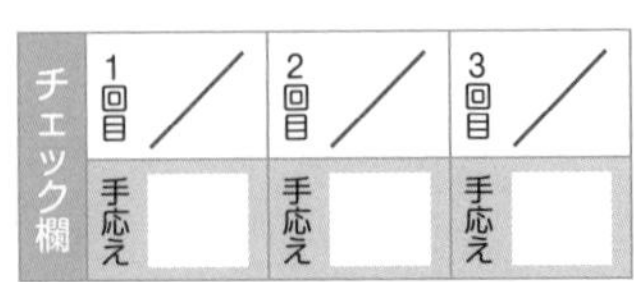

解説

テキスト
第6編

1 **最も妥当である** プラスチックごみが、波や紫外線等の影響で、**5mm以下の小さな粒子となったものを、マイクロプラスチック**といいます。

2 **妥当でない** マイクロプラスチックは、世界中で観測されていて、**日本周辺の海でも観測されています。**

3 **妥当でない** 「陸上から海洋に流出したプラスチックごみ発生量（2010年推計）ランキング」によれば、1位が中国で353万トン／年、2位がインドネシアで129万トン／年、3位がフィリピンで75万トン／年、4位がベトナムで73万トン／年となっており、**ヨーロッパの国々は含まれていませんでした。**

4 **妥当でない** 世界経済フォーラム報告書（2016年）によると、2050年にはプラスチック生産量が約4倍になり、それに応じた海洋へのプラスチック流出の拡大により、**海のプラスチックごみの量は、2050年までには魚の量を上回る**（※重量ベース）と予測されています。

5 **妥当でない** プラスチックは、海に入ってしまうと、陸上のように熱酸化分解などが起こりづらく、深い真っ暗な海では光分解も起こりづらいため、**放出された海洋プラスチックごみは、自然界の中では、ほとんど分解されない**と考えられています。

正解 1

諸法令／行政書士法

問題 237 **行政書士の業務に関する次の記述のうち、妥当なものはどれか。**

1 行政書士が、他人の依頼を受け報酬を得て、官公署に提出する書類の提出手続について代理することは、他の法律に特段の定めがある場合を除いて、行政書士のみが行うことのできる法定独占業務である。

2 行政書士が、他人の依頼を受け報酬を得て、権利義務又は事実証明に関する書類を作成することは、他の法律に特段の定めがある場合を除いて、行政書士のみが行うことのできる法定独占業務である。

3 行政書士が、他人の依頼を受け報酬を得て、官公署に提出する書類を作成することは、行政書士の法定業務であるが、他の法人・個人も業として行うことができる。

4 行政書士が、他人の依頼を受け報酬を得て、行政書士が作成することができる契約その他に関する書類を代理人として作成することは、他の法律に特段の定めがある場合を除いて、行政書士のみが行うことのできる法定独占業務である。

5 行政書士が、他人の依頼を受け報酬を得て、官公署に提出する書類の作成について相談に応ずることは、他の法律に特段の定めがある場合を除いて、行政書士のみが行うことのできる法定独占業務である。

【行政書士試験・2005年】

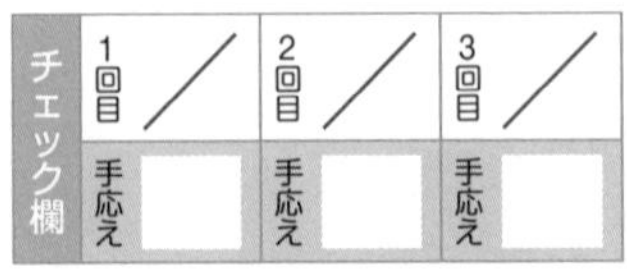

解説

テキスト 第6編

1 **妥当でない** 行政書士は、他人の依頼を受け報酬を得て、**行政書士が作成することができる官公署に提出する書類を官公署に提出する手続**および当該官公署に提出する書類に係る許認可等に関して行われる聴聞または弁明の機会の付与の手続その他の意見陳述のための手続において当該官公署に対してする行為**について代理すること**を業とすることができます（1条の3第1項1号）。**これは、行政書士の法定独占業務ではありません。** P.156

2 **妥当である** 行政書士は、他人の依頼を受け報酬を得て、官公署に提出する書類その他**権利義務または事実証明に関する書類を作成すること**を業とします（1条の2第1項）。これは、行政書士の**法定独占業務**（19条1項本文）です。 P.154

3 **妥当でない** 行政書士は、他人の依頼を受け報酬を得て、**官公署に提出する書類**その他権利義務または事実証明に関する書類**を作成すること**を業とします（1条の2第1項）。これは、行政書士の**法定独占業務**（19条1項本文）ですから、**他の法人・個人は業として行うことができません。** P.154

4 **妥当でない** 行政書士は、他人の依頼を受け報酬を得て、行政書士が作成することができる契約その他に関する書類を代理人として作成することを業とすることができます（1条の3第1項3号）。**これは、行政書士の法定独占業務ではありません。**

5 **妥当でない** 行政書士は、他人の依頼を受け報酬を得て、行政書士が作成することができる書類の作成について相談に応ずることを業とすることができます（1条の3第1項4号）。**これは、行政書士の法定独占業務ではありません。** P.156

正解 2

諸法令／行政書士法

問題 238 **行政書士としての登録に関する次の記述のうち、妥当なものはどれか。**

1 都道府県単位で置かれている行政書士会は任意の団体であり、行政書士が行政書士会に登録せずに行政書士業務を行うことは可能である。

2 ある都道府県の行政書士会に登録している行政書士は、その都道府県の域内においてのみ行政書士としての活動を行うことができる。

3 行政書士としての登録は、日本行政書士会連合会の定めるところにより、行政書士が主として活動する都道府県の行政書士会に対してなされる。

4 行政書士としての登録の拒否は行政処分であり、その処分に不服があるものは、総務大臣に対して審査請求をすることができる。

5 行政書士としての登録期間は10年であり、10年経過した時点で、登録更新の手続をとることが必要である。

【行政書士試験・2001年】

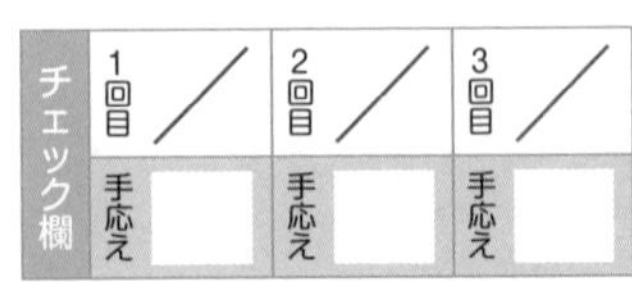

解説

テキスト
第6編

1 **妥当でない** 行政書士は、都道府県の区域ごとに、会則を定め、1箇の行政書士会を**設立しなければなりません**（15条1項）。行政書士となる資格を有する者が行政書士となるには、行政書士名簿に、住所、氏名、生年月日、事務所の名称および所在地その他日本行政書士会連合会の会則で定める事項の**登録を受けなければなりません**（6条1項）。 P.160

2 **妥当でない** **行政書士法では、このようなことは定められていません。** P.160

3 **妥当でない** 行政書士の登録を受けようとする者は、行政書士となる資格を有することを証する書類を添えて、**日本行政書士会連合会に対し**、その事務所の所在地の属する都道府県の区域に設立されている行政書士会を経由して、登録の申請をしなければなりません（6条の2第1項）。

4 **妥当である** 行政書士の登録を拒否された者は、当該処分に不服があるときは、総務大臣に対して審査請求をすることができます（6条の3第1項）。 P.161

5 **妥当でない** **行政書士法では、このようなことは定められていません。**

正解 4

諸法令／戸籍法

問題239 **戸籍に関する次のア～オのうち、家庭裁判所の許可が必要なものはいくつあるか。**

ア やむを得ない事由によって氏を変更しようとする場合
イ 市町村長が棄児について本籍を定める場合
ウ 転籍をしようとする場合
エ 本籍を有しない者が就籍の届出をする場合
オ 戸籍の記載が法律上許されないものであることを発見したときに、利害関係人が戸籍の訂正を申請する場合

1 一つ
2 二つ
3 三つ
4 四つ
5 五つ

【行政書士試験・2005年】

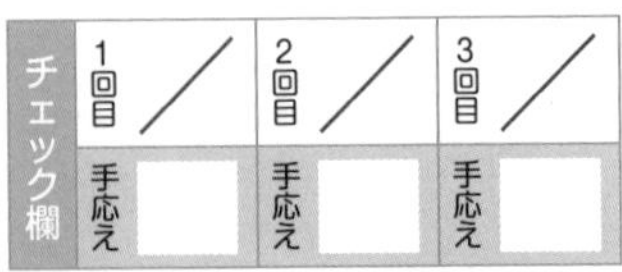

解説

テキスト
第6編

ア　家庭裁判所の許可が必要である　やむを得ない事由によって氏を変更しようとするときは、戸籍の筆頭に記載した者およびその配偶者は、**家庭裁判所の許可を得て**、その旨を届け出なければなりません（107条1項）。

イ　家庭裁判所の許可は不要である　棄児を発見した者または棄児発見の申告を受けた警察官は、24時間以内にその旨を市町村長に申し出なければなりません（57条1項）。この申出があったときは、**市町村長は**、氏名をつけ、**本籍を定め**、かつ、附属品、発見の場所、年月日時その他の状況ならびに氏名、男女の別、出生の推定年月日および本籍を調書に記載しなければなりません（57条2項前段）。**これについて、家庭裁判所の許可を得る必要はありません。**

ウ　家庭裁判所の許可は不要である　転籍をしようとするときは、新本籍を届書に記載して、戸籍の筆頭に記載した者およびその配偶者が、その旨を届け出なければならない（108条1項）。**これについて、家庭裁判所の許可を得る必要はありません。**

エ　家庭裁判所の許可が必要である　本籍を有しない者は、**家庭裁判所の許可を得て**、許可の日から10日以内に就籍の届出をしなければなりません（110条1項）。

オ　家庭裁判所の許可が必要である　戸籍の記載が法律上許されないものであることまたはその記載に錯誤もしくは遺漏があることを発見した場合には、利害関係人は、**家庭裁判所の許可を得て**、戸籍の訂正を申請することができます（113条）。

以上より、家庭裁判所の許可が必要なものは**ア・エ・オ**の3つであり、正解は**3**となります。

正解　3

諸法令／住民基本台帳法

問題 240 **住民基本台帳法に関するア～オの記述のうち、誤っているものはいくつあるか。**

ア 選挙人名簿の登録は、住民基本台帳に記載されている者で選挙権を有するものについて行われる。

イ 市町村長は、その市町村の区域内に住所を有する者について、その戸籍を単位として、戸籍の附票を作成しなければならない。

ウ 住民基本台帳法による届出は、書面または口頭によってしなければならない。

エ 戸籍の附票の記載、消除または記載の修正は、職権で行われる。

オ 住民基本台帳法の規定により市町村長がした処分の取消しの訴えは、当該処分についての審査請求の裁決を経た後でなければ、提起することができない。

1 一つ
2 二つ
3 三つ
4 四つ
5 五つ

【行政書士試験・2003年】

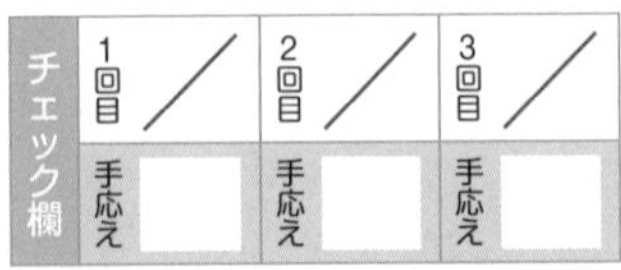

解説

テキスト
第6編

ア　正　選挙人名簿の登録は、住民基本台帳に記録されている者または公職選挙法21条2項に規定する住民基本台帳に記録されていた者で選挙権を有するものについて行うものとします（15条1項）。 P.166

イ　誤　市町村長は、その市町村の区域内に**本籍**を有する者につき、その戸籍を単位として、戸籍の附票を作成しなければなりません（16条1項）。 P.167

ウ　誤　住民基本台帳法による届出は、政令で定めるところにより、**書面でしなければなりません**（27条1項）。

エ　正　戸籍の附票の記載、消除または記載の修正は、職権で行うものとします（18条）。

オ　誤　**住民基本台帳法では、このようなことは定められていません**（審査請求前置は廃止されました）。

以上より、誤っているものは**イ・ウ・オ**の3つであり、正解は**3**となります。

正解　3

個人情報保護法

問題 241　個人情報保護法*の個人情報の範囲に関する次の記述のうち、妥当なものはどれか。

1　個人情報保護法では、死者の情報は、それが同時にその遺族の個人情報でもある場合でなくても、個人情報に含まれるものと解されている。

2　個人情報保護法では、氏名のような基本的な情報は、一般に流通することが予定されているため、個人情報には含まれないと解されている。

3　個人情報保護法では、思想や病歴などに関する個人情報は、いわゆるセンシティブ情報として、他の個人情報に比べて特に慎重な取扱いをする規定をおいている。

4　個人情報保護法では、前科情報は公共の利益に関わるものであるから、個人情報に含まれないと解されている。

5　個人情報保護法の個人情報とは、情報そのもので個人が識別されるものでなければならず、他の情報と容易に照合することによって、特定個人を識別できる情報を含まない。

（注）　＊　個人情報の保護に関する法律

【本試験2012年問55改題】

チェック欄	1回目 ／	2回目 ／	3回目 ／
	手応え	手応え	手応え

解説

テキスト
第6編

1 **妥当でない**　死者の情報は、**それが同時に「生存する個人」に関する情報でもある場合には、当該「生存する個人」の個人情報に含まれる**と解されています。なお、死者の情報が同時に「生存する個人」に関する情報でもあるといえるか否かの判断基準に関して、近時の判例は「ある情報が特定の個人に関するものとして法2条1項にいう『個人に関する情報』に当たるか否かは、当該情報の内容と当該個人との関係を個別に検討して判断すべきものである。」としたうえで、「相続財産についての情報が被相続人に関するものとしてその生前に法2条1項にいう『個人に関する情報』に当たるものであったとしても、そのことから直ちに、当該情報が当該相続財産を取得した相続人等に関するものとして上記の『個人に関する情報』に当たるということはできない。」としています（最判平31.3.18）。 P.172

2 **妥当でない**　「氏名」は、個人情報に含まれます（2条1項1号）。 P.172

3 **妥当である**　2015（平成27）年改正により、センシティブ情報に関して、「要配慮個人情報」（人種、信条、社会的身分、病歴、犯罪経歴、犯罪被害を受けた事実等が含まれる個人情報）の概念が導入されました（2条3項）。要配慮個人情報を取得するためには原則としてあらかじめ本人の同意を必要とする（20条2項）など、**「要配慮個人情報」については他の個人情報に比べて特に慎重な取扱いをする規定が置かれました。** P.174

4 **妥当でない**　特定の個人を識別することができる**前科情報も、個人情報に含まれる**と解されています。 P.174

5 **妥当でない**　「他の情報と容易に照合することができ、それにより特定の個人を識別することができることとなるもの」は、個人情報に含まれます（2条1項1号かっこ書参照）。 P.172

正解　3

本書は、個人情報保護法の令和3年改正法の全面施行（2023年4月1日）後の内容に基づいて解説しています。

個人情報保護法

問題 242 **個人情報保護法[*] 2条2項にいう「個人識別符号」であるものとして次のア～オのうち、妥当なものの組合せはどれか。**

ア 携帯電話番号
イ 個人番号（マイナンバー）
ウ メールアドレス
エ クレジットカード番号
オ 指紋データ

1 ア・イ
2 ア・ウ
3 イ・オ
4 ウ・エ
5 エ・オ

（注） ＊ 個人情報の保護に関する法律

【本試験2018年問57】

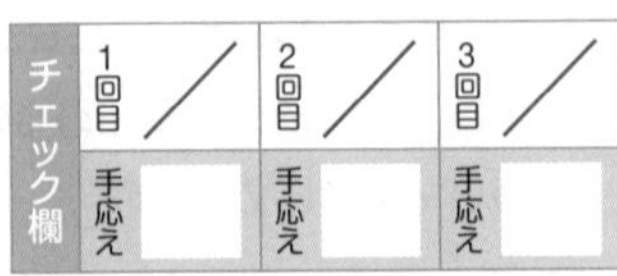

解説

テキスト 第6編

ア 「個人識別符号」ではない 携帯電話番号は、「個人識別符号」には該当しません。 P.173

イ 「個人識別符号」である 個人番号（マイナンバー）は、「個人識別符号」に該当します（2条2項2号、個人情報保護法施行令1条6号）。 P.173

ウ 「個人識別符号」ではない メールアドレスは、「個人識別符号」には該当しません。 P.173

エ 「個人識別符号」ではない クレジットカード番号は、「個人識別符号」には該当しません。 P.173

オ 「個人識別符号」である 指紋データは、「個人識別符号」に該当します（2条2項1号、個人情報保護法施行令1条1号ト、個人情報保護法施行規則2条）。 P.173

以上より、個人情報保護法2条2項にいう「個人識別符号」であるものは**イ**・**オ**であり、正解は3となります。

正解 3

個人情報保護法

問題 243 **個人情報保護法*における「要配慮個人情報」に関する次のア～オの記述のうち、妥当なものの組合せはどれか。**

ア 特定の個人の職業的地位や学歴などの社会的身分は、「要配慮個人情報」に該当する。

イ 特定の個人が宗教に関する書籍を購買した事実は、本人の信条を推知させる情報であるから、「要配慮個人情報」に該当する。

ウ 特定の個人が外国人であるという法的地位は、「要配慮個人情報」に該当する。

エ 特定の個人が犯罪により金銭的被害を受けた事実は、「要配慮個人情報」に該当する。

オ 特定の個人ががんに罹患した経歴は、「要配慮個人情報」に該当する。

1 ア・イ
2 ア・オ
3 イ・ウ
4 ウ・エ
5 エ・オ

（注） ＊ 個人情報の保護に関する法律

【オリジナル問題】

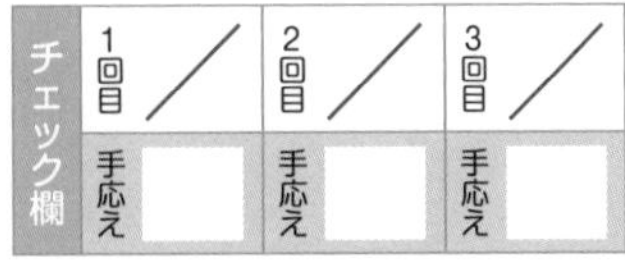

解説

テキスト
第6編

ア　妥当でない　要配慮個人情報にいう「社会的身分」とは、ある個人にその境遇として固着していて、一生の間、自らの力によって容易にそれから脱しえないような地位を意味します。これに対し、単なる職業的地位や学歴は、「社会的身分」には含まれません。

イ　妥当でない　要配慮個人情報にいう「信条」とは、個人の基本的なものの見方、考え方を意味し、思想と信仰の双方を含むものです。もっとも、宗教に関する書籍の購買や貸出しに関する情報は、本人の「信条」という要配慮個人情報を推知させる情報にすぎないから、「要配慮個人情報」には該当しません。

ウ　妥当でない　要配慮個人情報にいう「人種」とは、人種、世系または民族的もしくは種族的出身を広く意味します。これに対し、単純な国籍や「外国人」という情報は、法的地位であり、それだけでは「人種」には含まれません。

エ　妥当である　要配慮個人情報にいう「犯罪の経歴」とは、前科、すなわち有罪の判決を受けこれが確定した事実が該当するのに対し、「犯罪により害を被った事実」とは、身体的被害、精神的被害および金銭的被害の別を問わず、犯罪の被害を受けた事実を意味します。よって、**犯罪により金銭的被害を受けた事実も、「犯罪により害を被った事実」に含まれます。** P.174

オ　妥当である　要配慮個人情報にいう「病歴」とは、病気に罹患した経歴を意味するもので、特定の病歴を示した部分が該当します。よって、**特定の個人ががんに罹患した経歴を示した部分は、「病歴」に含まれます。** P.174

以上より、妥当なものは**エ**・**オ**であり、正解は5となります。

正解　5

個人情報保護法

問題244 **個人情報保護法*における「個人情報データベース等」に関する次のア～オの記述のうち、妥当なものの組合せはどれか。**

ア　従業者が、自己の名刺入れについて他人が自由に閲覧できる状況に置いていても、他人には容易に検索できない独自の分類方法により名刺を分類した状態である場合には、「個人情報データベース等」には該当しない。

イ　アンケートの戻りはがきは、氏名、住所等により分類整理されていなくても、「個人情報データベース等」に該当する。

ウ　市販の電話帳、住宅地図も、「個人情報データベース等」に該当する。

エ　人材派遣会社が登録カードを、氏名の五十音順に整理し、五十音順のインデックスを付してファイルしていても、「個人情報データベース等」には該当しない。

オ　電子メールソフトに保管されているメールアドレス帳は、メールアドレスと氏名を組み合わせた情報を入力していれば、「個人情報データベース等」に該当する。

1　ア・ウ
2　ア・オ
3　イ・エ
4　イ・オ
5　ウ・エ

（注）　＊　個人情報の保護に関する法律

【オリジナル問題】

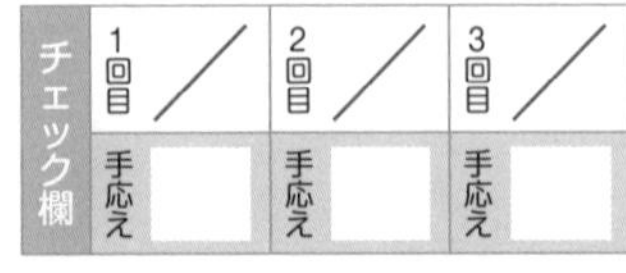

解説

テキスト
第6編

ア　妥当である　従業者が、自己の名刺入れについて他人が自由に閲覧できる状況に置いていても、**他人には容易に検索できない独自の分類方法により名刺を分類した状態である場合には、「個人情報データベース等」には該当しません。** P.177

イ　妥当でない　アンケートの戻りはがきが、**氏名、住所等により分類整理されていない状態である場合には、「個人情報データベース等」には該当しません。** P.177

ウ　妥当でない　市販の電話帳、住宅地図は、「個人情報データベース等」には該当しません。

エ　妥当でない　人材派遣会社が登録カードを、**氏名の五十音順に整理し、五十音順のインデックスを付してファイルしている場合には、「個人情報データベース等」に該当します。** P.177

オ　妥当である　電子メールソフトに保管されているメールアドレス帳は、**メールアドレスと氏名を組み合わせた情報を入力している場合には、「個人情報データベース等」に該当します。** P.177

以上より、妥当なものは**ア**・**オ**であり、正解は2となります。

正解　2

個人情報保護法

問題245 **個人情報保護法*における「個人情報取扱事業者」に関する次のア～オの記述のうち、妥当なものの組合せはどれか。**

ア 裁判所は、個人情報データベース等を事業の用に供していれば、「個人情報取扱事業者」に該当する。

イ 権利能力のない社団は、個人情報データベース等を事業の用に供していても、「個人情報取扱事業者」には該当しない。

ウ 個人事業主は、個人情報データベース等を事業の用に供していれば、「個人情報取扱事業者」に該当する。

エ 特定非営利活動法人は、個人情報データベース等を事業の用に供していても、「個人情報取扱事業者」には該当しない。

オ 個人情報データベース等を事業の用に供している者であれば、当該個人情報データベース等を構成する個人情報によって識別される特定の個人の数の多寡にかかわらず、「個人情報取扱事業者」に該当する。

1 ア・イ
2 ア・オ
3 イ・エ
4 ウ・エ
5 ウ・オ

（注） ＊ 個人情報の保護に関する法律

【オリジナル問題】

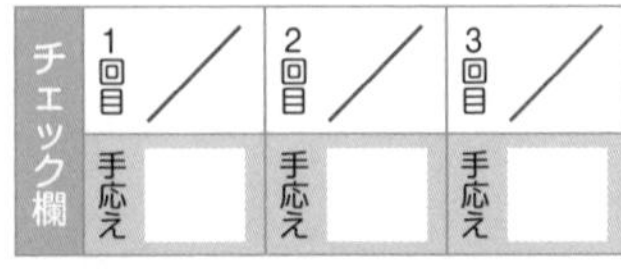

解説

テキスト
第6編

ア　妥当でない　裁判所のような**「国の機関」は、「個人情報取扱事業者」には該当しません**（16条2項）。 P.177

イ　妥当でない　法人格のない**「権利能力のない社団」も、個人情報データベース等を事業の用に供していれば、「個人情報取扱事業者」に該当します。**

ウ　妥当である　個人事業主も、**個人情報データベース等を事業の用に供していれば、「個人情報取扱事業者」に該当します。** P.177

エ　妥当でない　個人情報取扱事業者が個人情報データベース等を「事業の用に供している」という場合の**「事業」とは、一定の目的をもって反復継続して遂行される同種の行為であって、かつ社会通念上事業と認められるものをいい、営利・非営利の別は問いません。**よって、特定非営利活動法人（NPO法人）も、個人情報データベース等を事業の用に供していれば、「個人情報取扱事業者」に該当します。 P.178

オ　妥当である　個人情報データベース等を事業の用に供している者であれば、当該個人情報データベース等を構成する個人情報によって識別される**特定の個人の数の多寡にかかわらず、「個人情報取扱事業者」に該当します。**2015（平成27）年の改正により、「個人情報取扱事業者」の定義から、その取り扱う個人情報の量および利用方法からみて個人の権利利益を害するおそれが少ないものとして政令で定める者（その取り扱う個人情報によって識別される特定の個人の数が過去6カ月以内のいずれの日においても5,000を超えない者）を除くという条項が削除されました。 P.178

以上より、妥当なものは**ウ・オ**であり、正解は**5**となります。

正解　5

個人情報保護法

問題 246 **個人情報保護法*における個人情報取扱事業者の義務に関する次の１～４の記述のうち、妥当でないものはどれか。**

1　個人情報取扱事業者は、個人データを一律に正確かつ最新の内容に保たなければならず、利用する必要がなくなったときは直ちに消去しなければならない。

2　個人情報取扱事業者は、その取り扱う個人データの漏えい、滅失またはき損の防止その他の個人データの安全管理のために必要かつ適切な措置を講じなければならない。

3　個人情報取扱事業者は、個人データを第三者に提供したときは、原則として、個人情報保護委員会規則で定めるところにより、当該個人データを提供した年月日、当該第三者の氏名または名称その他の個人情報保護委員会規則で定める事項に関する記録を作成しなければならない。

4　個人情報取扱事業者は、本人から個人データの提供を受けるに際しては、当該個人データの取得の経緯の確認を行う必要はない。

（注）　＊　個人情報の保護に関する法律

【オリジナル問題】

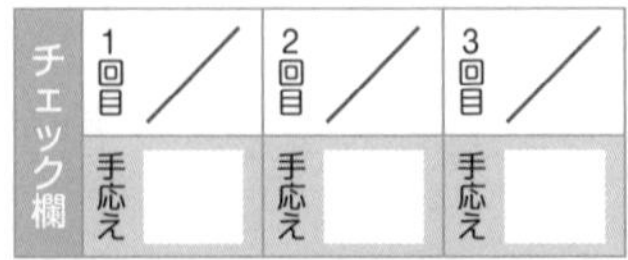

解説

テキスト 第6編

1 **妥当でない** 個人情報取扱事業者は、利用目的の達成に必要な範囲内において、個人データを**正確かつ最新の内容に保つ**とともに、利用する必要がなくなったときは、当該個人データを**遅滞なく消去するよう努めなければなりません**（22条）。これらは、努力義務です。 P.180

2 **妥当である** 個人情報取扱事業者は、その取り扱う個人データの漏えい、滅失またはき損の防止その他の**個人データの安全管理のために必要かつ適切な措置を講じなければなりません**（23条）。 P.180

3 **妥当である** 個人情報取扱事業者は、**個人データを第三者（16条2項各号に掲げる者を除く。）に提供したときは**、原則として、個人情報保護委員会規則で定めるところにより、当該個人データを**提供した年月日、当該第三者の氏名または名称その他の個人情報保護委員会規則で定める事項に関する記録を作成しなければなりません**（29条1項本文）。 P.182

4 **妥当である** 個人情報取扱事業者は、**第三者から個人データの提供を受けるに際しては**、原則として、個人情報保護委員会規則で定めるところにより、①「当該第三者の氏名又は名称及び住所並びに法人にあっては、その代表者（法人でない団体で代表者又は管理人の定めのあるものにあっては、その代表者又は管理人）の氏名」、②**「当該第三者による当該個人データの取得の経緯」の確認を行わなければなりません**（30条1項本文）。もっとも、**本人から個人データの提供を受けるに際しては、実質的に「提供者」による提供ではないものとして、確認・記録義務は適用されません。** P.182

正解 1

肢3・4について、第三者提供にかかる確認・記録義務は、2015年改正によって設けられたものです。念のため比較をしておきましょう。

【第三者提供にかかる確認・記録義務（29・30条）】

第三者提供をした事業者	第三者提供を受けた事業者
個人データを**提供した年月日、第三者の氏名または名称などに関する記録を作成し、一定期間この記録を保存しなければならない**（29条1項本文、同条2項）。	提供者がその個人データをどのように取得したのかという**取得の経緯等を確認し、その記録を作成して一定期間保存しなければならない**（30条1項本文、同条3項・4項）。

個人情報保護法

問題 247 **個人情報保護法＊では、個人情報取扱事業者の義務について定めているが、一定の個人情報取扱事業者については、その目的によって、義務規定の適用が除外されることが定められている。次の１～４のうち、この適用除外として定められていないものはどれか。**

1 町内会又は地縁による団体が、地域の交流又は活性化の用に供する目的で、個人情報を取扱う場合
2 著述を業として行う者が、著述の用に供する目的で、個人情報を取扱う場合
3 宗教団体が、宗教活動の用に供する目的で、個人情報を取扱う場合
4 政治団体が、政治活動の用に供する目的で、個人情報を取扱う場合

（注）＊ 個人情報の保護に関する法律

【本試験2014年問57改題】

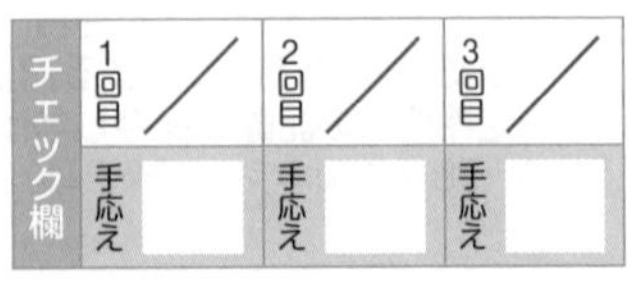

解説

テキスト 第6編

1 **適用除外として定められていない** 個人情報取扱事業者の義務規定の適用除外として定められていません。 P.183

2 **適用除外として定められている** 個人情報取扱事業者の義務規定の適用除外として定められています（57条1項2号）。 P.183

3 **適用除外として定められている** 個人情報取扱事業者の義務規定の適用除外として定められています（57条1項3号）。 P.183

4 **適用除外として定められている** 個人情報取扱事業者の義務規定の適用除外として定められています（57条1項4号）。 P.183

正解 1

適用除外については頻出です。
数は多くないので、繰り返し確認して覚えてしまいましょう。

【適用除外】

①放送機関、新聞社、通信社その他の報道機関（報道を業として行う個人を含む）	報道の用に供する目的
②著述を業として行う者	著述の用に供する目的
③宗教団体	宗教活動（これに付随する活動を含む）の用に供する目的
④政治団体	政治活動（これに付随する活動を含む）の用に供する目的

個人情報保護法

問題248　個人情報保護法*における行政機関の義務に関する次のア～エの記述のうち、正しいものの組合せはどれか。

ア　この法律は、行政機関ではない会計検査院には適用されない。

イ　この法律は、行政機関の長に対し、公的個人認証の方法による安全管理措置を講じるよう義務づけている。

ウ　個人は成人にならなくとも、行政機関の長に対し、当該行政機関の保有する自己を本人とする保有個人情報の開示を請求することはできる。

エ　行政機関の長に対し開示請求をする者は、開示にかかる手数料を実費の範囲内で納めなければならない。

1　ア・イ
2　ア・ウ
3　イ・ウ
4　イ・エ
5　ウ・エ

（注）　*　個人情報の保護に関する法律

【本試験2015年問56改題】

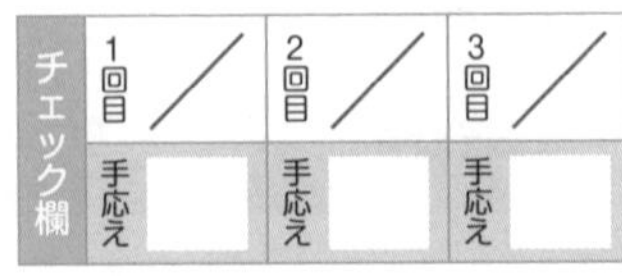

解説

テキスト
第6編

ア **誤** 個人情報保護法における「行政機関」には、**会計検査院も含まれます**（2条8項6号）。 P.176

イ **誤** 個人情報保護法には、行政機関の長に対し、公的個人認証の方法による安全管理措置を講じるよう義務付ける規定は設けられていません。

ウ **正** 何人も、個人情報保護法の定めるところにより、行政機関の長に対し、当該行政機関の保有する自己を本人とする保有個人情報の開示を請求することができます（76条1項）。**「何人も」とあるため、未成年者も開示を請求することができます。** P.188

エ **正** 行政機関の長に対し開示請求をする者は、政令で定めるところにより、実費の範囲内において政令で定める額の手数料を納めなければなりません（89条1項）。

以上より、正しいものは**ウ**・**エ**であり、正解は5となります。

正解 5

個人情報保護法

問題 249 **個人情報の保護に関する法律における行政機関の義務に関する次の記述のうち、正しいものはどれか。**

1 行政機関の長は、開示請求に係る保有個人情報が他の行政機関から提供されたものであるときは、いったん開示請求を却下しなければならない。

2 行政機関の長は、開示することにより、公共の安全と秩序の維持に支障を及ぼすおそれがあると行政機関の長が認めることにつき相当の理由がある情報は、開示する必要はない。

3 行政機関の長は、開示請求に係る保有個人情報については、必ず当該保有個人情報の存否を明らかにしたうえで、開示または非開示を決定しなければならない。

4 行政機関の長は、開示請求に係る保有個人情報に個人識別符号が含まれていない場合には、当該開示請求につき情報公開法*にもとづく開示請求をするように教示しなければならない。

5 行政機関の長は、開示請求に係る保有個人情報に法令の規定上開示することができない情報が含まれている場合には、請求を却下する前に、開示請求者に対して当該請求を取り下げるように通知しなければならない。

（注） ＊ 行成機関の保有する情報の公開に関する法律

【本試験2020年問56改題】

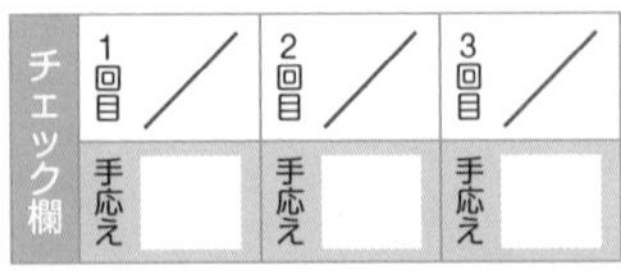

解説

テキスト
第6編

1 **誤** 行政機関の長等は、開示請求に係る保有個人情報が他の行政機関から提供されたものであるときなどは、当該他の行政機関の長等と協議の上、当該他の行政機関の長等に対し、事案を移送することができます（85条1項前段）。開示請求を却下しなければならないものではありません。

2 **正** **開示することにより、犯罪の予防、鎮圧または捜査、公訴の維持、刑の執行その他の公共の安全と秩序の維持に支障を及ぼすおそれがあると**行政機関の長が認めることにつき相当の理由がある情報は、**不開示情報とされているため**、行政機関の長に開示義務はありません（78条1項5号）。 P.188

3 **誤** 開示請求に対し、当該開示請求に係る**保有個人情報が存在しているか否かを答えるだけで、不開示情報を開示することとなるとき**は、行政機関の長等は、当該保有個人情報の**存否を明らかにしないで、当該開示請求を拒否することができます**（存否応答拒否（グローマー拒否）／81条）。 P.188

4 **誤** このような場合に、当該開示請求につき情報公開法にもとづく開示請求をするように教示しなければならないとする規定はありません。

5 **誤** このような場合に、請求を却下する前に開示請求者に対して当該請求を取り下げるように通知しなければならないとする規定はありません。

正解 2

情報通信用語

問題 250 **近年の我が国のデジタル化に関する記述として最も妥当なのはどれか。**

1　キャッシュレス決済とは、現金以外で代金を即時決済する方法の総称であり、近年普及した電子マネーやスマートフォン決済などを指すが、即時決済でないクレジットカードなどは含まれない。国民への浸透のため、2019年から2020年にかけて、政府はキャッシュレス決済による支払いに対して消費税を軽減するキャンペーンを展開したが、その中でスマートフォン決済の一つがセキュリティの脆弱性により不正利用される事件が発生し、中断された。

2　クラウドファンディングとは、インターネットを通じて不特定多数の人に企画への資金提供を呼び掛け、趣旨に賛同した人から資金を集める方法をいう。単なる寄付とは性格を異にし、出資者には企画の利益からの配当や、モノやサービスなどの特典といったリターンが発生する。民間では幅広く利用されているが、国や自治体では出資者へのリターンの発生が公共性の観点や「ふるさと納税」との重複から問題視され、利用が制限されている。

3　近年ではインターネットの普及により、誰もが容易に情報の発信者となることが可能になっている。そのような中、画像加工アプリなどで自らをより良く見せた「盛れてる」写真を投稿することをデジタルタトゥーと呼ぶ。デジタルタトゥーは主に若年女性に人気であるが、いわゆる炎上の原因となったり、個人を特定され犯罪に利用されるなどの被害が発生している。これに対し、国に投稿の削除を求める訴訟も提起され、表現の自由との関係が問題となっている。

4　新型コロナウイルスへの対応において、行政サービスにおけるデジタル化の遅れなどの課題が浮き彫りとなったことから、政府は、2020年秋に、デジタル庁の設立の方針を示した。同年12月に閣議決定された「デジタル社会の実現に向けた改革の基本方針」では、デジタル庁は、政府情報システムの統合・一体化の促進や、マイナンバーカードの普及の加速化等の推進といった業務を司ることとされている。

5 スマートシティは、近年登場した新しい概念で、定義が確立されていないが、主に「都市構造を空間的に集約し、郊外への拡大を抑制するコンパクトな都市のあり方」といった意味で用いられる。我が国でも、5G通信が一般化した社会であるSociety5.0に向けてその実証実験が行われているが、その主体は国や自治体であり、収益性の観点から参入に慎重な企業などの民間部門をどのように引き込むかが課題となっている。

【公務員試験アレンジ問題】

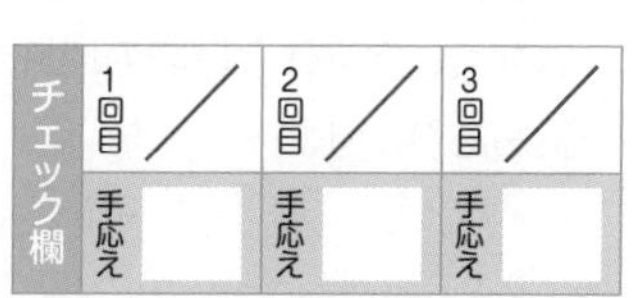

解説

テキスト
第6編

1 **妥当でない** キャッシュレス決済は、現金以外で代金を決済する方法であり、**即時決済に限られません**。キャッシュレス決済には、**クレジットカードを用いた決済も含まれています**。また、政府が国民への浸透のため、2019年10月からキャッシュレス決済による支払いに対して消費税を軽減するキャンペーン（ポイント還元制度）を展開し、**予定通り2020年6月に終了しました**。

2 **妥当でない** クラウドファンディングとは、インターネットを通じて不特定多数の人に企画への資金提供を呼び掛け、多数の資金提供者から少額ずつ資金を集める仕組みをいい、「寄付型」「購入型」「投資型」に大別されます。クラウドファンディングは、**民間で幅広く利用されていますが、自治体でも行うものがあります**。2013年11月、神奈川県鎌倉市が初めて自治体主体のクラウドファンディングによる観光施設整備事業「かまくら想い」プロジェクトを実施しました。また、**使途を明確にしたクラウドファンディング型のふるさと納税**も行われています。

3 **妥当でない** デジタルタトゥーとは、**一度ウェブ上に記録されたデータは容易に消去することができず、永続的に残り続けるさま**を入れ墨（タトゥー）になぞらえた語です。具体的には、ソーシャルメディアへの軽率な投稿や、本人の許諾なくウェブで拡散してしまった画像などを指します。

4 **最も妥当である** 2020年12月に閣議決定された「デジタル社会の実現に向けた改革の基本方針」では、デジタル庁は、政府情報システムに関する事業を統括・監理し、情報システムの標準化や統一化により相互の連携を確保することや、2022年度末にはほぼ全国民にマイナンバーカードが行き渡ることを目指し、マイナンバーカードの普及の加速化等を強力に推進するといった業務を司ることとされました。

5 **妥当でない** 内閣府によれば、スマートシティとは、**ＩＣＴ等の新技術を活用しつつ、マネジメント**（計画、整備、管理･運営等）**の高度化により、都市や地域の抱える諸課題の解決を行い、また新たな価値を創出し続ける、持続可能な都市や地域**であり、Society5.0の先行的な実現の場と定義されています。また、スマートシティには、自治体が主導する**行政主導型**だけではなく、自治体と民間の地域まちづくり団体が主導する**エリアマネジメント型**もあります。

正解 4

〈執筆者〉

野畑 淳史（のばた あつし）

愛知県名古屋市出身。2012年よりLEC専任講師として初学者向け・学習経験者向け講座を担当。法律初学者でも分かりやすい講義と、試験問題を分析した出題予想に定評がある名古屋の人気講師。2019年度より合格講座憲法・基礎法学収録担当に、2025年度より民法、商法・会社法の収録担当となる。

（ブログ）https://ameblo.jp/nobattagyousei/

2025年版 行政書士 合格のトリセツ 基本問題集

2020年２月５日　第１版　第１刷発行
2024年11月15日　第６版　第１刷発行

執　筆●野畑 淳史
編著者●株式会社　東京リーガルマインド
LEC総合研究所　行政書士試験部

発行所●株式会社　東京リーガルマインド
〒164-0001　東京都中野区中野4-11-10
アーバンネット中野ビル
LECコールセンター　0570-064-464
受付時間　平日9：30～19：30/土・日・祝10：00～18：00
※このナビダイヤルは通話料お客様ご負担となります。
書店様専用受注センター　TEL 048-999-7581 / FAX 048-999-7591
受付時間　平日9：00～17：00/土・日・祝休み
www.lec-jp.com/

カバー・本文イラスト●矢寿 ひろお
本文デザイン●株式会社 桂樹社グループ
印刷・製本●情報印刷株式会社

 ISBN978-4-8449-5869-7

STEP ② 実力アップ

基本テキスト
基本問題集
にリンク

多肢選択・記述に出る重要判例解説

試験で問われる可能性が高い重要な判例を厳選収録！フローチャートや図表で「考え方の筋道」をわかりやすく解説

トリセツで力をつけたら…

『出る順』シリーズで苦手克服&高得点獲得！

GO！

良問厳選 肢別過去問題集

全2500肢で出題論点を総チェック！一肢ごとの明確な解説で重要度を表示

ウォーク問 過去問題集 ①法令編 ②一般知識編

過去10年分の本試験問題を各科目の体系項目別に分類！①法令編は3つに分冊が可能

40字記述式・多肢選択式問題集

本試験出題科目のオリジナル問題を120問以上掲載。得点力を徹底強化！

GO！

STEP ③ 直前対策

模試3回＋本試験1回

無料解説動画

当たる！直前予想模試

模試で本試験の臨場感を体験！LEC講師陣による出題予想と重要論点も収録

最重要論点250

近年の試験傾向を徹底的に分析。合格に必要な重要論点を250項目にまとめて収録

行政書士試験は例年11月第2日曜日

2025年合格目標 LEC行政書士講座のご案内

あなたにぴったりのカリキュラムが見つかる！ 選べる!!

おすすめコースラインナップ

初めて受験される方向け

開講コース名	回数	カリキュラム			
パーフェクトコースSP	87	初めて学ぶ！法律入門講座 オリエンテーション・基礎法学 1回 憲法 2回 民法 2回 行政法 2回 ［全7回］	合格講座 憲法・基礎法学 11回 民法 22回 行政法 22回 商法・会社法 3回 一般知識・諸法令 6回 ［全64回］	記述基礎力養成講座 ［全4回］	文章理解特訓講座 ［全2回］
パーフェクトコース	80		合格講座 憲法・基礎法学 11回 民法 22回 行政法 22回 商法・会社法 3回 一般知識・諸法令 6回 ［全64回］	記述基礎力養成講座 ［全4回］	文章理解特訓講座 ［全2回］
合格講座スタンダードコース	67		合格講座 憲法・基礎法学 11回 民法 22回 行政法 22回 商法・会社法 3回 一般知識・諸法令 6回 ［全64回］		
法律系資格受験生コース	36		合格講座 行政法 22回 一般知識・諸法令 6回 ［全28回］		文章理解特訓講座 ［全2回］

LEC行政書士講座をもっと知るための5つの方法

Webでチェックする

●資格・勉強方法を知る

① Webガイダンス

人気講師陣が資格や勉強方法について解説するガイダンスを見ることができます。

●Web講義を体験してみる

②おためしWeb受講制度

LECの講義って実際にどんな感じ？講義についていけるか心配！
そんな不安や疑問を解消してもらうために一部の講義をWebで受講できます。

IN	IN & OUT	OUT

		科目別答練 憲法・基礎法学 1回 民法 2回 行政法 2回 商法・会社法 1回 一般知識・諸法令 1回 ［全7回］	全日本 行政書士 公開模試 ［全2回］	ファイナル 模試 ［全1回］
		科目別答練 憲法・基礎法学 1回 民法 2回 行政法 2回 商法・会社法 1回 一般知識・諸法令 1回 ［全7回］	全日本 行政書士 公開模試 ［全2回］	ファイナル 模試 ［全1回］
		科目別答練 憲法・基礎法学 1回 民法 2回 行政法 2回 商法・会社法 1回 一般知識・諸法令 1回 ［全7回］ 教材配布のみ	全日本 行政書士 公開模試 ［全2回］	ファイナル 模試 ［全1回］
	記述60問 解きまくり 講座 ［全3回］		全日本 行政書士 公開模試 ［全2回］	ファイナル 模試 ［全1回］

充実のフォロー制度

●『Web（動画）＋スマホ視聴＋音声DL』or『DVDフォロー』が標準装備

通学講義はもちろん、自宅や外出先・移動中にポータブル機器で受講ができます！

●インターネットフォロー『教えてチューター制度』を完備

受講中の不安や、講義や教材に関する質問に専門スタッフがお答えします！

●費用面からもサポート各種割引制度

受講料がお得になる各種割引をご用意しています。

・本試験受験生30％割引
・他資格合格者20％割引
・LEC他資格受講生20％割引
・LEC再受講35％割引

近くのLECに行ってみる

●とりあえず話を聞いてみる

③受講相談

試験に精通したスタッフが試験や講座、教材などあらゆるご質問にお答えします。お気軽にご相談ください。

●講師の話を聞いてみる

④無料講座説明会〈参加無料・予約不要〉

全国の本校にて資格の概要や勉強法をお話する説明会を開催しています。

●実際に教室で講義を体験してみる

⑤講義無料体験会〈参加無料・予約不要〉

開講日は無料で体験入学ができます。
実際の教室で、講義の雰囲気を体感いただけます。

広がる役割と業務

行政書士のフィールド

幅広い業務領域で暮らしとビジネスを支える街の法律家 行政書士

「街の法律家」と呼ばれる行政書士。その理由は個人から企業まで幅広い分野を扱う業務の多様性です。行政書士の扱う業務は、1万種を超えるといわれており、その中心となるのが「許認可業務」。また、権利義務などに関する「民事・企業法務」も行政書士の業務です。さらに2015年からは行政書士法の改正により、「特定行政書士制度」もスタート。行政書士に求められる社会的役割と業務が着実に広がっています。

行政書士の主な業務

1 官公署に提出する許認可等の書類の作成ならびに提出手続代理 → 許認可業務

2 権利義務、事実証明および契約書の作成とその代理・相談業務 → 民事・企業法務

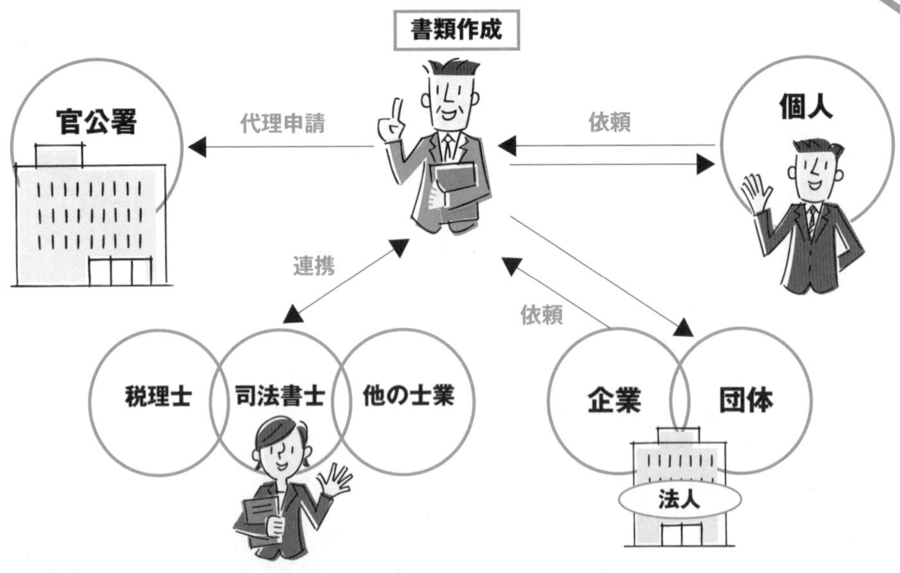

許認可業務

1 建設業許可申請

一定規模以上の工事を請け負う場合、都道府県知事や国土交通大臣の許可を得なければなりません。許可を取得するためには、ときには過去10年分以上の確認書類を用意するなど、**専門家としての知識が非常に重宝される**分野です。

2 宅地建物取引業免許申請

不動産業として売買や仲介などの営業をするには宅建業の免許が必要です。都道府県知事や国土交通大臣への宅建業免許申請のみならず、宅地建物取引士の登録や保証協会の加入手続きなど、**宅建業の免許に関する手続き**を行います。

3 外国人の在留手続

外国人が日本で活動するために必要となる在留資格の取得申請をする際に、**地方出入国在留管理局に提出する書類の作成**を行います。なお、「申請取次行政書士」の資格を取得すれば、本人に代わって申請書を提出することもできます。

4 風俗営業許可申請

社交飲食店やパチンコ店などを開店する際には**都道府県公安委員会の許可を受けなければなりません**。申請書類作成だけではなく、店舗を設置する前の保護対象施設（病院や学校）などの有無の確認や**申請の際に添付する店舗内の図面の作成**なども行います。

5 飲食店営業許可申請

飲食店の営業をする際には、**保健所へ許可申請**を行います。近年では、自動車で移動しながら行う営業形態も増えています。また、居酒屋など深夜にお酒の提供をする場合には、警察署に**深夜酒類提供の届出**も行います。

6 自動車関連業務

自動車を購入する際に取得しなければならない車庫証明は、自動車の保管場所を管轄する**警察署に申請が必要**です。また特殊車両の通行には、道路管理者の許可が必要となりますが、その許可申請書類や添付書類の作成を行います。

民事・企業法務

1 遺言書作成

遺言の作成をする際に、本人の意思を可能な限り尊重する内容になるようにアドバイスを行ったり、**原案の作成、公正証書遺言の証人の引き受け**などを行います。また自筆証書遺言の添削などを依頼されることもあります。

2 相続業務

相続手続を行う際に必要となる戸籍謄本などの**各種証明書を取得し、法定相続人や財産を確定し、遺産分割協議書を作成**します。預貯金などの金融資産の名義変更のサポートも行います。

3 各種契約書作成

企業から契約書や業務委託契約書といった**各種契約書類の起案やリーガルチェックの依頼**もあります。また、売買契約書や金銭消費貸借契約書、離婚協議書等の作成依頼を受け、後の紛争が生じないよう予防的に契約書の作成を行います。

4 内容証明郵便の作成

「貸したお金が返ってこない」「商品をクーリングオフしたい」といったケースに内容証明郵便を作成します。一度、相手方に発信をしてしまうと簡単には撤回ができなくなってしまうため、**法的知識で依頼者をサポート**します。

2025年合格目標 LEC行政書士模擬試験のご案内

LECの模試は申込者、受験者数ともに業界最大規模！

2025年7・8月

STEP 1 腕試し

到達度確認模試［全2回］

まずは腕試し！早い時期から模試を受けて3時間の試験を実際に体験し全体像を掴みましょう。

9月

STEP 2 実力確認

全日本公開模試［全2回］

本試験まで残り2か月！ これまでの学習の成果をチェック！
自分の弱点を見つけて直前期の学習方針を決めましょう。

解説冊子が見開きだから、復習がしやすい！

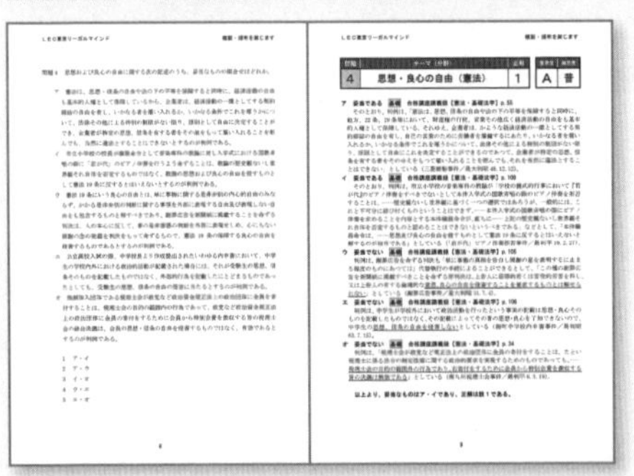

POINT 問題（左）と解説（右）を見開きで対応させています。同時に読み進めることができるので、非常に便利です。また、各問、重要度・難易度を表示。復習の優先度が目で見て分かります。

記述式答案も細かく添削指導！

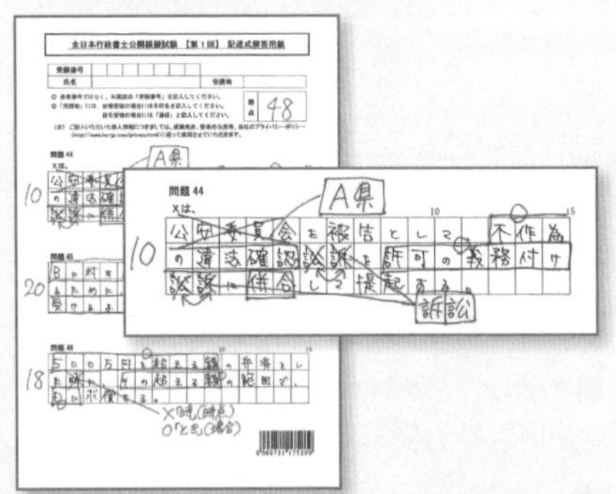

POINT 自身の作成した答案がそのまま確認できるので、どこが得点源になったのかはもちろんのこと、試験中には気がつかなかった誤字などの小さな見落としもしっかり確認できます。

講座・模試の詳細は、LEC行政書士サイトをご確認ください→

※模試のみの販売は2025年6月頃を予定しています。

昨年5,499名が選んだ実績のある模擬試験で本番のシミュレーションを！
すべての模試で成績処理&解説講義あり！全国の会場で受験可能です！

10月

STEP 3 総仕上げ ▶▶▶ STEP 4 ラストチェック

ファイナル模試［全1回］

本試験まで残り1か月！今までの弱点を克服できているかここで再確認。一気にレベルアップを図りましょう。

厳選！直前ヤマ当て模試［全2回］

ラストは今年の出題予想論点で構成した本試験レベルの模試で最後の総仕上げをしましょう。

模試の成績・添削答案は、『Score Online』でスピーディーに閲覧！

個人成績表・総合成績表・記述式の添削済み答案は、所定の公開日にMyページ内にデータでアップします。答案提出から成績公開までの時間を短くすることで弱点分析・復習の時間をより多く確保します。

LECオンライン本校
LEC Myページ
ScoreOnline
スマートフォン・タブレット端末からの「スコアオンライン」のご利用について
学習コンテンツ
Web学習
OnlineStudy
時代を先取るWeb学習システム！充実のサポートであなたを合格へ導きます。
Web成績閲覧・受験
ScoreOnline
対象の模試・答練の成績を受講後スピーディに確認！各種「成績リサーチ」のご登録もこちらから

詳細な成績表で、自分の弱点を把握できる！

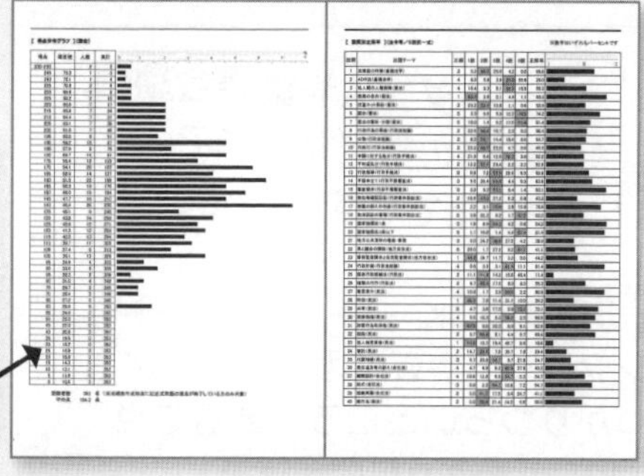

POINT
得点分布図はもちろん、選択肢別の回答率、問題毎の正解率など、復習に役立つ情報が満載です。「正解率」の高いものから優先的に復習して、効率的な学習を実現しましょう！

https://www.lec-jp.com/gyousei/ LEC 行政書士 検索

LEC Webサイト ▷▷▷ www.lec-jp.com/

情報盛りだくさん！

資格を選ぶときも，
講座を選ぶときも，
最新情報でサポートします！

最新情報

各試験の試験日程や法改正情報，対策講座，模擬試験の最新情報を日々更新しています。

資料請求

講座案内など無料でお届けいたします。

受講・受験相談

メールでのご質問を随時受付けております。

よくある質問

LECのシステムから，資格試験についてまで，よくある質問をまとめました。疑問を今すぐ解決したいなら，まずチェック！

書籍・問題集（LEC書籍部）

LECが出版している書籍・問題集・レジュメをこちらで紹介しています。

充実の動画コンテンツ！

ガイダンスや講演会動画，
講義の無料試聴まで
Webで今すぐCheck！

動画視聴OK

パンフレットやWebサイトを見てもわかりづらいところを動画で説明。いつでもすぐに問題解決！

Web無料試聴

講座の第1回目を動画で無料試聴！気になる講義内容をすぐに確認できます。

LEC提携校

＊提携校はLECとは別の経営母体が運営をしております。
＊提携校は実施講座およびサービスにおいてLECと異なる部分がございます。

北海道・東北

八戸中央校【提携校】 ☎0178(47)5011
〒031-0035　青森県八戸市寺横町13　第1朋友ビル
新教育センター内

弘前校【提携校】 ☎0172(55)8831
〒036-8093　青森県弘前市城東中央1-5-2
まなびの森　弘前城東予備校内

秋田校【提携校】 ☎018(863)9341
〒010-0964　秋田県秋田市八橋鯲沼町1-60
株式会社アキタシステムマネジメント内

関東

水戸校【提携校】 ☎029(297)6611
〒310-0912　茨城県水戸市見川2-3079-5

所沢校【提携校】 ☎050(6865)6996
〒359-0037　埼玉県所沢市くすのき台3-18-4　所沢K・Sビル
合同会社LPエデュケーション内

日本橋校【提携校】 ☎03(6661)1188
〒103-0025　東京都中央区日本橋茅場町2-5-6　日本橋大江戸ビル
株式会社大江戸コンサルタント内

北陸

新潟校【提携校】 ☎025(240)7781
〒950-0901　新潟県新潟市中央区弁天3-2-20　弁天501ビル
株式会社大江戸コンサルタント内

金沢校【提携校】 ☎076(237)3925
〒920-8217　石川県金沢市近岡町845-1
株式会社アイ・アイ・ピー金沢内

福井南校【提携校】 ☎0776(35)8230
〒918-8114　福井県福井市羽水2-701
株式会社ヒューマン・デザイン内

中国・四国

松江殿町校【提携校】 ☎0852(31)1661
〒690-0887　島根県松江市殿町517　アルファステイツ殿町
山路イングリッシュスクール内

岩国駅前校【提携校】 ☎0827(23)7424
〒740-0018　山口県岩国市麻里布町1-3-3　岡村ビル　英光学院内

新居浜駅前校【提携校】 ☎0897(32)5356
〒792-0812　愛媛県新居浜市坂井町2-3-8
パルティフジ新居浜駅前店内

九州・沖縄

佐世保駅前校【提携校】 ☎0956(22)8623
〒857-0862　長崎県佐世保市白南風町5-15　智翔館内

日野校【提携校】 ☎0956(48)2239
〒858-0925　長崎県佐世保市椎木町336-1　智翔館日野校内

長崎駅前校【提携校】 ☎095(895)5917
〒850-0057 長崎県長崎市大黒町10-10　KoKoRoビル
minatoコワーキングスペース内

高原校【提携校】 ☎098(989)8009
〒904-2163　沖縄県沖縄市大里2-24-1
有限会社スキップヒューマンワーク内

※上記は2024年10月1日現在のものです。

書籍の訂正情報について

このたびは，弊社発行書籍をご購入いただき，誠にありがとうございます。
万が一誤りの箇所がございましたら，以下の方法にてご確認ください。

1 訂正情報の確認方法

書籍発行後に判明した訂正情報を順次掲載しております。
下記Webサイトよりご確認ください。

www.lec-jp.com/system/correct/

2 ご連絡方法

上記Webサイトに訂正情報の掲載がない場合は，下記Webサイトの
入力フォームよりご連絡ください。

lec.jp/system/soudan/web.html

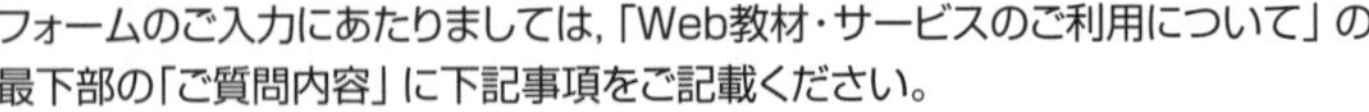

フォームのご入力にあたりましては，「Web教材・サービスのご利用について」の
最下部の「ご質問内容」に下記事項をご記載ください。

- ・対象書籍名（○○年版，第○版の記載がある書籍は併せてご記載ください）
- ・ご指摘箇所（具体的にページ数と内容の記載をお願いいたします）

ご連絡期限は，次の改訂版の発行日までとさせていただきます。
また，改訂版を発行しない書籍は，販売終了日までとさせていただきます。

※上記「2ご連絡方法」のフォームをご利用になれない場合は，①書籍名，②発行年月日，③ご指摘箇所，を記載の上，郵送にて下記送付先にご送付ください。確認した上で，内容理解の妨げとなる誤りについては，訂正情報として掲載させていただきます。なお，郵送でご連絡いただいた場合は個別に返信しておりません。

送付先：〒164-0001 東京都中野区中野4-11-10 アーバンネット中野ビル
株式会社東京リーガルマインド 出版部 訂正情報係

- ・誤りの箇所のご連絡以外の書籍の内容に関する質問は受け付けておりません。
  また，書籍の内容に関する解説，受験指導等は一切行っておりませんので，あらかじめご了承ください。
- ・お電話でのお問合せは受け付けておりません。

講座・資料のお問合せ・お申込み

LECコールセンター 携帯OK 0570-064-464

受付時間：平日9:30〜19:30/土・日・祝10:00〜18:00

※このナビダイヤルの通話料はお客様のご負担となります。
※このナビダイヤルは講座のお申込みや資料のご請求に関するお問合せ専用ですので，書籍の正誤に関するご質問をいただいた場合，上記「2ご連絡方法」のフォームをご案内させていただきます。